걸프 사태

일일 보고

걸프 사태

일일 보고

한국학술정보

| 머리말

걸프 전쟁은 미국의 주도하에 34개국 연합군 병력이 수행한 전쟁으로, 1990년 8월 이라크의 쿠웨이트 침공 및 합병에 반대하며 발발했다. 미국은 초기부터 파병 외교에 나섰고, 1990년 9월 서울 등에 고위 관리를 파견하며 한국의 동참을 요청했다. 88올림픽 이후 동구권 국교 수립과 유엔 가입 추진 등 적극적인 외교 활동을 펼치는 당시 한국에 있어 이는 미국과 국제사회의 지지를 얻기 위해서라도 피할 수 없는 일이었다. 결국 정부는 91년 1월부터 약 3개월에 걸쳐 국군의료지원단과 공군수송단을 사우디아라비아 및 아랍 에미리트 연합 등에 파병하였고, 군 · 민간 의료 활동, 병력 수송 임무를 수행했다. 동시에 당시 걸프 지역 8개국에 살던 5천여 명의 교민에게 방독면 등 물자를 제공하고, 특별기 파견 등으로 비상시 대피할 수 있도록 지원했다. 비록 전쟁 부담금과 유가 상승 등 어려움도 있었지만, 걸프전 파병과 군사 외교를 통해 한국은 유엔 가입에 박차를 가할 수 있었고 미국 등 선진 우방국, 아랍권 국가 등과 밀접한 외교 관계를 유지하며 여러 국익을 창출할 수 있었다.

본 총서는 외교부에서 작성하여 30여 년간 유지한 걸프 사태 관련 자료를 담고 있다. 미국을 비롯한 여러 국가와의 군사 외교 과정, 일일 보고 자료와 기타 정부의 대응 및 조치, 재외동포 철수와 보호, 의료지원단과 수송단 파견 및 지원 과정, 유엔을 포함해 세계 각국에서 수집한 관련 동향 자료, 주변국 지원과 전후복구사업 참여 등 총 48권으로 구성되었다. 전체 분량은 약 2만 4천여 쪽에 이른다.

2024년 3월

한국학술정보(주)

| 일러두기

· 본 총서에 실린 자료는 2022년 4월과 2023년 4월에 각각 공개한 외교문서 4,827권, 76만여 쪽 가운데 일부를 발췌한 것이다.

· 각 권의 제목과 순서는 공개된 원본을 최대한 반영하였으나, 주제에 따라 일부는 적절히 변경하였다.

· 원본 자료는 A4 판형에 맞게 축소하거나 원본 비율을 유지한 채 A4 페이지 안에 삽입하였다. 또한 현재 시점에선 공개되지 않아 '공란'이란 표기만 있는 페이지 역시 그대로 실었다.

· 외교부가 공개한 문서 각 권의 첫 페이지에는 '정리 보존 문서 목록'이란 이름으로 기록물 종류, 일자, 명칭, 간단한 내용 등의 정보가 수록되어 있으며, 이를 기준으로 0001번부터 번호가 매겨져 있다. 이는 삭제하지 않고 총서에 그대로 수록하였다.

· 보고서 내용에 관한 더 자세한 정보가 필요하다면, 외교부가 온라인상에 제공하는 『대한민국 외교사료요약집』 1991년과 1992년 자료를 참조할 수 있다.

| 차례

정리보존문서목록					
기록물종류	일반공문서철	등록번호	2021010226	등록일자	2021-01-28
분류번호	721.1	국가코드	XF	보존기간	영구
명 칭	걸프사태 : 일일보고, 1990-91. 전4권				
생 산 과	북미1과/중동1과	생산년도	1990~1991	담당그룹	
권 차 명	V.1 일일보고, 1990				
내용목차					

0001

이라크, 쿠웨이트 사태 속 보
(8.3. 07:00) <1>

1. 상 황

- ㅇ 이라크, 쿠웨이트내 의회 해산, 친 이라크 괴뢰정권 "자유임시정부" 수립 발표
- ㅇ 쿠웨이트 국왕 사우디 피신, GCC 국가와 대처 방안 모색중
- ㅇ 쿠웨이트 국왕 형제중 1명 왕궁 사수중 피살
- ㅇ 이라크군 쿠웨이트 전역 완전 장악 (이라크, 쿠웨이트군 교전중 200여명의 쿠웨이트 병사 사망)
- ㅇ 이라크, 동 사태 관련 어떤 외세 개입도 용납치 않을 것임을 경고
- ㅇ 쿠웨이트 국왕, 미국에 군사 지원 요청 및 아랍연맹 회원국의 지원을 호소
- ※ 미.소는 이라크군의 즉각적인 쿠웨이트 철수 요청의 공동 성명을 발표(8.3)

2. 유가영향

- ㅇ 유가 배럴당 20$(8.2) → 23.5$로 인상 (8.3) <현물가>
- ㅇ 단기간, 세계 오일시장 불안정 예상

<각국 추가 반응>

- ㅇ 미 국 : - 쿠웨이트 요청에 의해 미국내 모든 쿠웨이트 자산 동결 조치 결정
- ㅇ 영 국 : - 이라크의 쿠웨이트 침공 강력 비난
  - UN 안보리의 이라크 제재에 어떤 조치에 대하여도 지원할 용의 표명
- ㅇ 이스라엘 : - 이라크의 쿠웨이트 침공은 후세인의 전쟁 위협 심각성에 대한 이스라엘측 경고를 확인해 주는 것임
  - 이라크는 이스라엘 뿐만 아닌 전 세계에 위협이 되고 있으며, 또 다른 국가 침공을 노리고 있음

0002

이라크, 쿠웨이트 사태 속보
(8.3. 13:00) <2>

1. 상 황

o 미국, 항공모함 걸프만에 급파

o 이라크 평의회, 성명을 통해

- 쿠웨이트 혁명 세력의 사바하 쿠웨이트 정부 타도
- 사태 정상화시 및 쿠웨이트 정부 요청시, 이라크군 철수 예정임을 발표 (수일내지 수주내)

o 친 이라크 쿠웨이트 자유 임시정부, 방송을 통해 아래와 같이 발표

- 알 사바하 쿠웨이트 국왕 폐위 및 의회 해산
- 무기한 통행금지령 및 모든 공항과 항구 봉쇄, 출입금지 조치
- 사태 안정되면 선거를 실시할 것임 (성명)

o 쿠웨이트 총리, 이라크 배반자를 쿠웨이트로 부터 몰아내자고 호소(비밀장소 방송)

o 쿠웨이트 도심 내 차량 전화 모두 단절

2. 각국 조치사항

o 미.영.불, 자국내 모든 이라크 자산 동결 조치

o 미.영 : 사태 해결을 위한 UN 집단 행동에 대한 공동 지원 합의

o 미.소 : 사태 해결 관련, 양국 공동 협력 노력 합의

o 이라크, 대 미국 부채 상환 동결 결정

〈각국 추가 반응〉

미 국 : - 걸프역내 미국의 중요 이익 보호 위한 모든 필요조치 강구 예정

영 국 : - 동 사태 해결 위한 UN 회원국의 집단적이고, 효율적인 결의 필요성 피력

- 이라크의 즉각적 철수가 이루어지지 않을 경우, UN 헌장 7조 의거 안보리 조치가 고려될 것임을 시사

E C : - 이라크 침공 비난 및 즉각적인 무조건 철수 요구

G C C : - 회원국 정상들 곗다 회동, 사태 해결 방안 논의 예정 (8.3)

0003

이라크, 쿠웨이트 사태 속보
(8.4. 08:00) <3>

1. 상 황

- 8.3. 정오를 분수령으로 이라크군과 쿠웨이트 저항군간 교전 소강 상태, 평온을 유지하고 있음
- 미국무부, 이라크군이 쿠웨이트, 사우디 국경선 8-16 ㎞ 떨어진 지점에 위치하고 있다고 밝히고 이에 대한 심각한 우려 표명
- 이와 관련, 미국은 이라크가 사우디등 여타 중동국가를 공격할 경우 무력 사용 입장을 NATO 맹방에 통보
- 미.소 외무장관, 세계 각국에 이라크에 대한 무기 공급을 일체 중단 하도록 촉구하는 내용의 양국 공동 성명 발표
- 아랍 및 국제사회의 비난 및 제재조치가 확산되고 미.영.불의 걸프만 내 군사력이 증강되는 가운데 8.3 이라크 혁명 평의회는 관영 INA 통신을 통해 이라크 및 쿠웨이트 안보에 위협이 내재하지 않을 경우 8.5 부터 쿠웨이트로 부터 군대를 철수 시킬것 이라고 발표

※ 참고사항 (걸프만 주둔 군사력)

- 미　　국 : 항공모함 및 전함 14척
- 영　　국 : 전함 2척 파견 결정
- 프 랑 스 : 전함 1척 추가 배치 (총2척)

2. 각국 반응 및 제재 조치

- 미　　국
  - 8.2. 이라크 및 쿠웨이트 자산 동결 및 교역 금지
  - 안보리에 경제 및 군사 제재 조치 요청 계획(이라크군의 조속 철수 불이행시)
  - 사우디 및 터어키에 자국 통과 이라크 송유관 폐쇄 요구(원유 수출로 차단 목표)

0004

o 소 련

- 대 이라크 무기 금수 조치 (중공에도 동참 요청)
- 동 사태 해결을 위한 미국과의 긴밀한 협력 제공 의사 표명

o 중 국

- 이라크군의 쿠웨이트 조속 철수 촉구
- 미국의 함대 걸프만 주둔 및 이라크 자산 동결 조치로 중동지역 긴장을 고조시키고 있다고 비난

o 이란, 이집트, 튀니지, 모로코, 알제리, 이디오피아, 쿠바 :

- 이라크의 쿠웨이트 침공 비난 및 조속 철군 촉구

o 일본, 서독, 이태리, 벨지움, 룩셈부르크 : 8.3. 쿠웨이트 자산 동결 발표

※ 미.영.불.스위스는 8.2. 이라크 및 쿠웨이트 자산 동결 조치

o 프 랑 스 : 대이라크 무기 금수 조치

o 네덜란드 : 이라크 유조선의 입항 금지

o G C C : 대 이라크 비난 자제, 아랍 정상들과의 외교를 통한 사태 해결 노력

o E C : 외무 고위 회담(로마, 8.4)에서 이라크 자산 동결을 포함한 일련의 대응조치 검토

o UN 안보리 : 대 이라크 경제 제재 가능성 논의

o 아랍연맹, OAU : 이라크의 쿠웨이트 침공 비난 및 조속 철군 촉구 성명

3. 조치사항

o 주한 이라크 대사대리 초치 (Mr. Burhan Ghazal)

- 8.4. (토) 11:00 중동아 국장 면담
- 쿠웨이트 및 이라크내 아국인 신변 안전, 보호조치 요청
- 억류 또는 소재 미상인 아국 근로자(3명) 조기 귀환 협조 요청

0005

이라크, 쿠웨이트 사태 속보
(8.5. 06:00) 〈4〉

1. 상 황

o 이라크군의 쿠웨이트 전역 완전 장악으로 쿠웨이트군의 항전이 거의 없음
  - 이라크군, 아흐메드 엘 사두운 전 쿠웨이트 국회의장 처형(8.4)

o 이라크, 8.5. 이라크군 철수 개시를 발표 하면서, 사바하 쿠웨이트 국왕 및 왕족 복귀를 불허
  - 이라크군 철수가 쿠웨이트 임시정부에 의해 지시된 것임 (INA 관영통신 인용)

o 이라크군 병력, 사우디 국경 접경 쿠웨이트 중립지역 집결 (소식통 인용)

※ 미국, 이라크의 사우디 침공시, 군사 행동 시사

o 이라크, 이라크군의 사우디 진격설에 대한 부인 성명 발표(8.4) 및 사우디 침공 의사가 없음을 표명

o 쿠웨이트의 계속적인 대 이라크 투쟁 호소 방송 중단

o 쿠웨이트 임시정부, 쿠웨이트 의용군 창설 발표 (8.4)

o 이라크, 알라 후세인 사우드 대령을 수상으로 한 쿠웨이트 임시정부 조각 사실 발표 (각료명단 별첨 참조)

o 이라크군에 의해 쿠웨이트 내 통행 통제, 검문검색, 가택 수색 강화, 불안 분위기 고조
  - 도심내 이라크군의 상점 약탈, 부녀자 공격 사례 빈번

2. 각국 반응 및 조치

o 미 국
  - 이라크군 철수에 회의를 표명, 철수 불이행시, UN에 의한 군사 조치 추구 예정
  - 이라크의 여타 국가 침공시, 군사력 사용 경고

o 소 련
  - 이라크군의 8.5 철수 결정이 매우 고무적임을 표명
  - 이라크군 철수 요구의 특별 서한을 이라크에 송부

0006

o 카 나 다 : 자국내 모든 쿠웨이트 자산 동결

o 이 태 리 : 이라크군 철수에 의문 제기 및 EC 12개국의 대 이라크 제재 촉구

o 일 본 : 이라크 원유 도입 중단 및 UN 안보리의 제재 결의시, 제재에 동참 용의

o 이스라엘 : 이라크의 요르단 침공시, 자국의 필요한 모든 행동 개시를 시사

o 터 어 키 : 미국 및 NATO 의 이라크 원유 수송 봉쇄 요청에 대해 신중 검토

o 이 란 :

- 이란 안정 및 역내 안보 해치는 동 사태에 무관심할 수 없음을 시사
- 쿠웨이트내 다른 어떠한 정부 수립 불인정

o 리 비 아 : 외세 개입 경고 및 외세 개입이 아랍국가에 대한 침공으로 간주

o O I C :

- 이라크의 쿠웨이트 침공 비난 및 이라크군 즉각 철수 요구
- 사바하 쿠웨이트 왕정 지지를 재천명

o E C : 이라크 원유 수입 중단 조치

o G C C : 이라크의 즉각 철수 및 쿠웨이트 왕정 복귀를 촉구

o 기타 (그리이스, 인니, 폴투갈, 유고등) : 이라크의 쿠웨이트 침공 비난

3. 교민 피해 현황 (8.5. 06:00 현재)

<쿠웨이트 : 교민 648명>

o 피해상황

- 미귀환자 : 3명 - 현대건설 소속 조춘택, 노재항, 김영호)

※ 김영호 - 이라크군 영내 억류 확인
조춘택, 노재항 - 실종, 상금까지 생사 여부 미확인 됨 (현지 공관 보고)

- 대피 : 76명 - 대사관에 대피후 소속회사 귀환

<이라크 : 교민 621명>

o 피해상황

- 피해 전무

o 기타 동향

- 진출업체 건설 현장별로 정상 시공

0007

4. 당부 조치 사항

o 8.4. 가잘 주한 이라크 대사대리 외무부 초치, (11:00-11:20 중동아국장 면담)

- 정부 공식 입장 전달
- 쿠웨이트 및 이라크내 체류 아국인 신변 안전 보호 조치 요청
- 쿠웨이트 내 실종 아국 근로자 2명 소재 확인 요청 및 이라크군 영내 억류 근로자 1명 석방 요구

※ 동 주한 이라크 대사대리, 아측 요청 관련 소식 접수되는 즉시 8.6.(월) 회답을 약속

o 주 쿠웨이트 대사, 미귀환 아국 근로자 생사여부 확인 위해 현재 계속 탐색중

0008

이라크, 쿠웨이트 사태 속보
(8.7. 06:00) <5>

1. 상 황

o 이라크, 미국 군사 행동 대비 전군에 비상 경계령 및 대규모 소개 훈련 실시 (바그다드 외신 종합)

- 18개 사단, 사우디 국경선 배치
- 이라크, 터어키 경유 송유관 1개 폐쇄

o 사우디 쿠웨이트 접경지역 군사력 강화

o 유엔 안보리 회의 개최 (8.6)

- 대 이라크 모든상품 수출입 금지
- 신규 투자 금지
- 금융자산 유입 금지등 검토

o 쿠웨이트 임시정부, 제재 국가의 자국민 신변 안전 문제 경고(8.6)

o 이라크군 쿠웨이트내 2개 호텔 체류 외국인 (미.영) 366명 체포, 이라크 이송 준비 (영국 외무부 대변인 6일 발표)

- BA 항공사 747기 탑승객

o 이집트 및 사우디 외세 개입 막기위한 사담후세인과 타협안 제시 준비

2. 각국 추가 반응

o 미 국 : 체니 국방장관 사우디 파견 화드 국왕과 회담(8.6) (이라크군 철수 아랍 세계 설득)

- 미군함 추가 배치 발표

o 프 랑 스 : 프랑스 선박에 의한 이라크산 원유 수송 금지 "뒤플렉스"호 페르샤 항진

- 엑소세 함대함 미사일, 크로탈 대공 미사일등 최신예 무기 적재

0009

o 일　　본 : 원유 수입 금지 조치 실시 (8.6)
교역 금지
투 융자, 자본거래 정지
경제 협력 동결

o 이　　란 : 이란과 시리아는 이라크 침공에 더이상 무관심하지 않을 것이며 양국은 이라크 군대의 전면 철수 촉구(외무장관 표명)

o 터 어 키 : 터어키내 이라크 송유관 폐쇄 가능성 시사 (NATO 대사 긴급 회의시)

3. 추가 조치 사항

o 관계부처 대책회의 (8.6. 16:00 외무부)
- 서방의 대 이라크 제재 조치 관련, 관계부처 문제점 검토

o 주 이라크 대사관에 아국인 근로자 3명 소재 확인(압송 여부) 및 확인시 석방 교섭 지시 (8.6)

o 외국인 이라크 압송 보도 관련, 주 영 대사관에 사실 확인 지시
- 8.5. BBC 보도 관련, 주 영 대사관이 BBC측에 확인 결과, 8.5. 오전 방송에서 아국인 압송 관계 부분을 발견하지 못하였다 함
- 본건 외무성에 문의 결과 아국인을 포함한 외국인 이라크 압송 사실 아는바 없다 함

o 사우디, UAE 등 걸프 지역 주재 공관장에 비상 대비 계획 수립 지시
- 교민 신변 안전 보호
- 비상 대피 및 철수
- 비상 식량, 식수, 연료 준비

4. 전　　망

o 이라크, 쿠웨이트 사태는 계속 확대 내지 장기화 전망
- 이라크는 점령군의 즉각 철수 및 쿠웨이트 왕정 원상 복구 의도 전무 (쿠웨이트 예속화)
- 미국 및 서방 각국의 대이라크 무력 사용 경고 및 군사 개입 태세와 대 이라크 경제 제재 조치를 취하므로써 사태 악화 ~~우려~~ 예상
- 이집트 및 사우디가 아랍권 내부 문제에 외세 개입 배제 전제로 협상을 통해 수습 노력을 펴고 있으나 아랍 제국간 깊은 이해 관계 및 심한 분열로 힘을 배경으로 한 결집력이 없기 때문

0010

이라크, 쿠웨이트 사태 속보
(8.8. 07:30) <6>

중동아프리카국
중 근 동 과

1. 상　　황

○ 친 이라크 쿠웨이트 임정, 8.7. 공화국 수립 선포

○ 미 아이젠하워, 사라토카 항모 포함 전함 16척 지중해로 항진중,
미 신속 배치군(RDF) 및 미 해병 상륙정단 2100명 걸프만으로 이동

※ 걸프만 및 지중해 주둔 해군력

- 미 : 항모 3척등 총 49척
- 쏘 : 전함 3척 파견
- 영 : 순양함 "햄스요크"호 추가 배치 (총 3척)
- 불 : 전함 2척 외에 추가 배치 고려

○ 미 백악관 대변인, 이라크군이 철수하고 있다는 정보가 없으며 사우디
국경지대 및 쿠웨이트 전역에 이라크군의 대규모 주둔 언급

○ 이라크, 쿠웨이트 및 이라크 거주 모든 외국인들의 출국 허용
쿠웨이트 내에서 체포, 바그다드로 이송된 외국인 400명의 석방 검토중

○ 미, 다국적 해군(쏘련 포함) 편성 검토 및 사우디 정부가 이라크군의
침공 사전 저지를 위해 사우디 영내에 미 전투기 이착륙 및 정박 허용 요구

○ 쏘 외무차관, 미국의 무력 사용 방안에 신중 촉구 및 동 사태 중재
용의 표명

○ 이라크 대통령, 이라크.사우디간 불가침 협정에 따라 사우디를 침공
하지 않을 것이라고 언급

2. 미국의 대이라크 외교.경제.군사적 대응 방안

가. 이라크의 국제적 고립화

○ 과거 맹방인 쏘련과 중국이 이라크의 쿠웨이트 침공을 비난, 미국
입장에 동조함으로써 "사담후세인" 이라크 정권에 대한 국제적
고립 목표가 달성된 것으로 분석됨

0011

o 향후 이의 대세를 바탕으로 한 미국의 대 이라크 응징이 용이할 것임

나. 경제 봉쇄

o 미국은 해외 자산을 동결하고 유엔의 대 이라크 교역 금지를 성사시킨데 이어 사우디, 터어키 관통 송유관의 단절로 이라크 석유 수출도 봉쇄 방침 (8.6. 터어키, 송유관 폐쇄 예정)

o 총 외화수입의 90%를 원유에 의존하는 이라크는 이에 대응, 4300 여명 (이라크 500, 쿠웨이트 3800여명)에 달하는 미국인을 인질로 삼을 가능성이 있음

다. 군사적 대응

o 걸프만 근해에 배치된 항모 및 전함, 서독.스페인.영국기지 전폭기등 해.공군력을 동원, 군사 및 유전시설에 융단 폭격을 가해 사태를 종결한다는 구상을 하고 있으나, 이라크의 막강한 지상군(100만명)에 필적할 지상 병력 투입이 사실상 불가능하고 수천명의 미국인 인질 생명 위협 및 중동사태의 악화가 우려되고 있어 한계성 노출

3. 각국 반응 및 제재 조치 (추가)

o EC 외상 회의(8.10. 브뤼셀), 걸프사태 관련 공동 입장 논의

o GCC 긴급 외상회의(8.7. 젯다), 공동 대처 방안 논의

o 터어키 : 자국 통과 이라크 송유관 폐쇄 발표에 이어 이라크, 쿠웨이트 자산 동결 결정

o 스위스 : - 대 이라크 교역 금지
- 무역.재정자금 거래 금지
- 이라크, 쿠웨이트 자산 동결

o 스페인 : 자금거래 금지

o 서 독 : 교역금지 및 이라크.쿠웨이트 자산 동결 포함한 추가 제재 조치 강구중

o 스웨덴, 홍콩 : 이라크, 쿠웨이트 자산 동결 결정

o 노르웨이 : 강력한 제재 조치 강구중

※ 말레이지아 : 이라크, 쿠웨이트 자산 동결 불고려 (이유 : 투자 실태가 극히 미미하므로 불필요)

0012

4. 당부 조치 사항

가. 이라크 당국의 외국인 출국 허용 보도 관련, 주 이라크 대사에게 확인 지시 (아직 불분명 하다고 보고)

나. 교민들의 비축 식품등 생필품 구입 관련, 주 쿠웨이트 대사에 특별 예산 조치 방침 시달

다. 대한 적십자사에게 쿠웨이트 교민 철수와 관련, 국제 적십자사에 협조 요청 의뢰

0013

이라크,쿠웨이트 침공 사태 속보 (7)
(8.8. 15:00)

중동아국
중근동과

1. 부쉬 미국 대통령, 미국 병력과 전투기의 사우디 파병 명령 (8.7. 화요일)

o 미국은 이라크가 사우디 국경에 병력 및 미사일을 배치하는 것을 "imminent threat" 로 규정하고 사우디에 파병 명령

o 동 미국 병력은 사우디 파병을 결정한 이집트, 모로코군과 함께 "다국적군"을 구성할 것임.

o 이라크측은 미국의 파병 발표에 대해 즉각 결사항전을 발표하였음.

o 미군의 군사작전 option

- 이라크 유전 지대 폭격
- 쿠웨이트 주둔 이라크군의 보급로 차단
- 지상, 공중전 동시 전개 (막대한 희생 예상)

2. 미국의 파병 결정에 대한 각국의 반응

o 다른 서방국이나 아랍국가들의 파병 발표는 없음.

o 영 국

- 동 파병이 사우디를 강화시키는 것을 확실하나 이라크의 쿠웨이트 점령을 종식시킬 것으로 보지는 않음.
- 이라크 국경 부근 사우디내 영국인 철수 권고

0014

o 네덜란드 : 미국 파병 환영, 사태 확대 방지 역할

o 이스라엘 :

- 미국의 파병은 예상된 일이나, 사우디가 그렇게 빨리 미국의 요구를 수락하리라고는 예상하지 못하였음.

- 이는 사우디의 중요한 정책 변화를 시사함.

o 소 련

- 소련의 해상 봉쇄 불참 가능성 시사

- 소련 군함의 동 지역으로 이동은 소련 상선의 항해 안전을 확보하기 위한 것임.

o 일 본 : 불참 발표 (전쟁 포기인정 헌법 인용)

o 독 일 : 군대 파병 계획 없음을 발표

o 터 키 : 요청 받은 바 없음.

o 쿠 바 : 이라크의 침공을 비난하였으나, 미국의 파병에 대해서는 미국의 중동에서 세력 확장 기도라 비난

3. 대 이락 경제 제재 현황

o E C : 이락.쿠웨이트와 교역 불법 규정 결정

o 터 키 : 송유관 폐쇄, 이라크산 원유 선적 중지

o 중 국 : 대이라크 무기 금수 조치 발표

o 소 련 : 대이라크 경제 제재 지지
(미국과 입장 차이 : 제재의 정도에 이견, 보복 조치는 유보 입장)

4. 이라크.쿠웨이트내 외국인 철수 문제

o 이라크와 요르단 당국은 쿠웨이트와 이라크 거주 외국인이 요르단을 경유하여 퇴거하는 가능성을 협의

o 8.7.(화) 이라크 항공사 소속 여객기가 바그다드로부터 외국인을 싣고 요르단 암만에 도착하였음. (승객 대부분 일본 관광객임)

0015

이라크, 쿠웨이트 사태 속보
(8.9., 06:00) <8>

중동아프리카국
중 근 동 과

1. 상 황

o 부시 미 대통령 특별 담화 발표 (8.8. 09:00)
  - 이라크의 또다른 정복행위 저지와 사우디 방어 위해 파병
  - 파병 결정 4원칙
    . 이라크군의 무조건 철수
    . 쿠웨이트 합법정부의 회복
    . 페르시아만의 안전과 안정 확보
    . 미국인의 생명 보호
  - 세계 원유 부족분 보충위해 필요 조치 강구

o 이라크, 쿠웨이트 합병 성명 발표 (8.8. 18:30)

o 후세인 이라크 대통령, 아랍 명예를 위해 투쟁 선언
  - 국제적 경제.군사 압력 거부

o 미 공군기, 사우디내 다란 착륙 시작 및 아이젠아워호 수에즈운하 통과

o 이라크, 쿠웨이트 주요 거점 진지 강화 및 사우디 국경 대규모
  병력 배치 (화학무기 운송설)

o UN 사무총장, 안보리의 대 이라크 제재 결의안 159개 회원국에 발송

o 쿠웨이트 왕자, 대이라크 봉쇄조치 및 후세인 전복 요청

o 사우디, 탱크등 북부 국경지대로 이동

0016

2. 각국 반응

- o 사우디 : 파이잘 외상, 이라크 침공 대처 방안 논의위해 카이로 방문
- o 미 국 : 부시 대통령, 이라크 산업.군사 시설 공격 계획 승인 (워싱턴 타임즈 보도)
- o 베네수엘라 : 페레즈 대통령, 원유 감소분 보전 위해 OPEC 회원국 공급 증대 준비
- o 중 국 : 중동사태에 강대국 군사 개입 반대
- o 소 련 : 주 스웨덴 소련 대사 "소련은 미국의 대 이라크 군사 행동 지원 않을 것" 발언
- o 서방국 : 다국적군 사우디 파병에 이견 노출
  영국, 호주, 터어키 : 파병 계획
  프랑스, 모로코 : 파병 부인
  이집트 : 참가 조건 검토
- o 스페인 : 미군의 기지 사용 허용
- o 태 국 : 대 이라크, 쿠웨이트 교역 잠정 중단
- o 아르헨티나 : UN 안보리 결의에 따른 대 이라크 제재
- o 이집트 : 무바라크 대통령, 24시간내 아랍 특별 정상회담 개최 제의 (이라크군 철수후 이라크와 쿠웨이트 분리를 위한 '아랍동맹군' 주둔 방안 동의 촉구)
- o 알제리 : 미국의 군사적 개입 비난
- o 리비아 : 카다피 지도자, 미국의 아랍 위협에 경고

0017

- 캐나, 나이지리아 : 이라크의 침공 행위 비난
- NATO : 사태 논의위해 외무장관 회담 개최 예정 (8.10)
- GCC : 젯다 회담시 이라크 침공 비난

3. 조치사항

- 교민 철수 문제 공관장 판단하에 조치 지시(주 이라크, 쿠웨이트 대사)
- 요르단 국경 출국 허용 여부 파악 보고 지시 (주 요르단, 터어키 대사)
- 주재국 주재 이라크 대사와 접촉, 이라크, 쿠웨이트 거주 아국 교민 안전 확보 교섭 지시 (주 리비아, 튀니지, 필리핀, 태국, UAE, 일본, 인도, 파키스탄)
- 이라크, 쿠웨이트 인접국 공관에 아국교민 철수 대비 필요사항 준비 지시 (주 바레인, UAE, 터어키, 이란, 요르단 대사)
- 주재국 정부의 자국 교민 보호 및 철수대책 파악 및 협조 가능성 여부 타진 보고 지시 (주 이태리, 일본, 영국, 불란서, 서독, 인도, 파키스탄 대사, 카이로 총영사)
- 이라크의 쿠웨이트 합병선언에 대한 주재국 반응 파악 보고 지시 (주미국, 일본, 영국, 불란서, 서독, 이태리 대사)
- 국제 적십자사측과 교섭, 아국교민 안전 및 철수에 적십자사측의 긴밀 협조 가능성 타진 보고 지시 (주 제네바 대사)

0018

4. 참고사항

o 주 이라크 대사 현지 상황 보고 내용

- 외국인의 출입국 제한 (이라크 외무성 EJJAM 영사국장 접촉)
  . 단기사증 입국 외국인은 출국 허용
  . 장기체류 외국인에게는 출국 비자를 발급치 않음
  . 쿠웨이트 체류 아국교민의 이라크 경유 출국 문제는 쿠웨이트 신정부 당국과 협의할 사항
  . 외교관 및 가족에 대해서는 출국 제한을 하지 않음
- 이라크 무역성 관계관, 현지 아국 상사 지사장 초치하여 원유 지불 조건으로 아국상품 신규 수입 의사 표명하면서 대 이라크 수출가능 품목 제출 요청
- 비상 철수 계획
  . 공항, 국경을 통한 인접국으로의 철수는 불가능하고 장기체류자 출국 비자 발급 전면 중단으로 비상철수 사실상 불가능
  . 유일한 방법은 특별기 이용뿐임. 특별기 투입에 대해 주재국 관계당국과 협의 예정
  . 특별기 이용 전제하 철수 기본 원칙
    단기 여행자 긴급 철수 독려
    장기 체류자중 1인 또는 소수인원 주재 업체에 철수 가능 방법 모색 조속 철수 지시
    장기 체류자의 출국사증 획득 독려
    당관 및 진출업체 직원 가족 철수방법 최대 모색

0019

이라크,쿠웨이트 사태 속보 (9)
(8.9. 15:00)

중동아국
중근동과

1. 미국 병력의 사우디 배치에 따른 후속 반응

- 부쉬 대통령은 병력 배치 발표이후 동 조치의 목적을,
  i) "현재는 전쟁 상태가 아니며 ii) 전적으로 방어용으로 iii) 이라크군을 쿠웨이트로부터 축출하기 위한 것은 아니다" 라고 언급하였음.
- 또한 부쉬 대통령은 이라크의 화학무기 사용 가능성에 대해 "용인될수 없으며 몹씨 심각하게 다룰 것" 이라고 엄중 경고함.
- EC 국가들의 반응
  - 영 국 : 사우디의 요청에 따라 다국적군에 해군, 공군력 추가 파견 결정
  - 네덜란드 : 미국의 파병 강력 지원,
    EC 및 NATO 국가와 협의후 군대 파견 검토 시사
  - 스페인, 이태리 : 비행기지 사용 허가
  - 불 란 서 : 8.9. 저녁 입장 결정 예정이나 이라크의 반서방 propaganda 명분 줄 것을 우려, 다국적군 참여 주저
- 소 련 : 수요일 예정된 "중대발표"를 목요일 (8.9.)로 연기
- 체코, 폴랜드 : 많은 경제적 손실 불구하고 U.N. 경제 제재 준수 결정
- 아랍 국가들의 반응
  - 이 집 트 : 이라크군의 쿠웨이트 철수후 아랍 중립군으로서 군대 파병 용의 있으나, 비 아랍군이 포함된 다국적군에 이집트의 참여는 배제함.
  - 요 르 단 : 미군 파병을 명백하게 비난
  - 리 비 아 : 침묵을 깨고 미국 파병을 "아랍의 자유와 존엄에 위협"이라고 비난. 아랍 지도자간 해결 위한 협의 촉구
- 이 란 : "외세의 걸프만 개입은 동지역의 이익에 반한다'라고 경고. 그러나 이라크의 동지역 제패가 외세 개입보다 더 위협적이라고 판단, 쿠웨이트 침공 비난

0020

o 일 본 : 미국의 파병 결정 환영 (미측의 사전 통보있었음.)

o 호 주 : 요청 있을시 해상 봉쇄 위한 군함 파견 용의 발표

o 유엔 사무총장 : 미 파병에 대한 찬.반 견해 표시 유보

다만 사태 악화 방지를 위한 "최대한의 자제" 촉구

o 미국은 이라크에 압력 강화 일환으로 미국과 적대관계에 있는 이란 및 시리아와도 접촉 시도

2. 이라크의 쿠웨이트 병합 선언에 따른 U.N. 안보리 소집

o 이라크는 합병 선언후 쿠웨이트 임시 정부 수반을 이라크 부총리로, 나머지 위원 8명을 이라크 대통령 고문 (각료급)으로 임명

o GCC 국가들의 요청에 따라, 유엔 안보리는 동 병합과 쿠웨이트의 현상 (Status quo)을 변화시키는 모든 행위를 무효로 하는 것을 내용으로 하는 결의안을 8.9. (목요일) 채택 예정

3. 아랍정상회담 개최 예정 (8.9. 저녁)

o 이집트 무바락 대통령은 아랍 국가들에 의한 사태 해결을 위한 마지막 노력으로 긴급 정상회담 개최 촉구

o 사태 해결 방안으로 이라크군 쿠웨이트 철수후 아랍 연합군 파견, 이라크, 쿠웨이트간 중립 확보

4. 국제 석유가 동향

o 사태 발발후 지난 7일간 뉴욕 현물 시장에서 배럴당 20불에서 28불까지 8불 상승

o 사우디가 이라크, 쿠웨이트 산유량 보충을 위해 하루 2백만 배럴 추가 생산 결정에 따라 배럴당 4불 하락

o 미국은 석유 위기시 "전략 비축 석유" (미국 수입량의 70일분) 사용과 영국, 베네주엘라등에 추가 생산 요청 예정

o 멕시코, 베네주엘라가 미국에 원유 추가 수출 결과 미국내 석유가는 안정세를 보이기 시작함.

0021

이라크, 쿠웨이트 사태 속보

(8.10. 07:00) <10>

중동아프리카국
중 근 동 과

1. 상 황

o UN 안보리, 15개 회원국 만장일치로,
- 이라크의 쿠웨이트 병합이 무효
- 쿠웨이트로 부터의 이라크군 무조건 철수 및 쿠웨이트 주권.독립.영토 보존 회복을 결의
- 모든 국가 및 국제기구의 쿠웨이트 병합에 대한 불인정과 간접적 승인을 위한 어떠한 조치도 취하지 말것을 요청 (8.9)

o 긴급 아랍 정상회담 개최 연기 (8.10. 카이로 개최 예정)
- 이라크군의 쿠웨이트 철수후 사태 해결 위한 아랍 연합군 파견 문제 토의 예정
- 이라크 참석 예정

o 소련 외무성, 소련은 UN 안보리에 의해 승인될 경우, 다국적군 및 대 이라크 해상 봉쇄 참여를 고려할 것임을 발표 (8.9)

o 이라크, 화학무기를 보유, 외국 공격을 받을 경우, 무기 사용 시사 (주 그리이스 이라크 대사 언급)

o 이라크 외무성, 쿠웨이트 소재 모든 외국 공관은 8.24 까지 폐쇄, 바그다드로 옮겨 업무 개시할것을 요청 (8.9)

o 이라크군, 터어키 접경 지역으로 이동

o 영국 여객기(B.A) 탑승객중 36명의 승객 이라크군대에 의해 바그다드로 이송
- 잔여 승객 295명, 쿠웨이트 호텔에 억류)

o 이라크, 미 외교관 차량들의 요르단 국경지대 월경을 봉쇄

o 외국인 200명 이상, 이라크로 부터 요르단 국경 통과 출국
- 휴가중인 주 이라크 영국 대사도 동 국경 통과 이라크로 귀임

0022

2. 각국 반응 및 조치

<반 응>

o 미 국 :

- NATO 회원국의 군사행동 동참 요청
- 바그다드 호텔내 억류된 38명의 미국인 안전에 낙관 표명 (부시 대통령)
- 자국인에게 쿠웨이트 인접 국경 이탈 권고 및 걸프제국 진입 금지 권고

o 소 련 :

- 사우디에 군사 파병 의사 없음을 시사

o N A T O :

- 이라크의 터어키 위협시, 터어키 구원 예정 표명

o 중 국 :

- 강대국에 의한 간섭이 걸프만 위기 상황을 심화시킴을 경고

o 방글라데쉬 :

- 이라크 억류 쿠웨이트 체류 자국인 61명에 대해 석방 요구

o 아랍국가

- 이 집 트 : 이라크, 쿠웨이트 분쟁의 평화적 확신아래 자국의 다국적군 참여 가능성 배제 표명
- 요 르 단 : 이라크의 쿠웨이트 병합 거부 천명
- 사 우 디 : 자국 방어에 아랍군 및 우방의 참여 희망을 표명(국왕)

o 이 란 :

- 이라크의 쿠웨이트 합병 비난

<군사조치>

o 미 국 : 폭격기 미사일 근접 배치
지상군 5만명까지 증파 계획

o 영 국 : 사우디 및 걸프만 방어 위해 2개 편대 전투기, 지대공 미사일 파견

o 호 주 : 미국 요청 의거 군함 1척 걸프만 파견

o 터 어 키 : 공군에 비상 경계령

o 이스라엘 : 이라크 위협 대응, 단거리 유도 미사일 첫시험 발사

0023

<대 이라크 경제 제재 조치>

- ㅇ 카 나 다 : UN의 대 이라크 경제 제재 결의에 동참 표명
- ㅇ E C : UN의 대 이라크 제재 결의에 동참, 대 이라크 교역 중지
- ㅇ 호 주 : 자국내 모든 이라크, 쿠웨이트 자산 동결 조치
- ㅇ 뉴질랜드 : 대 이라크 교역 금지
- ㅇ 태 국 : UN의 대 이라크 제재 결의 관련, 자국의 대 이라크 제재 조치 신중 검토

3. 교민 피해 현황 (8.10. 07:00 현재)

<쿠웨이트 : 교민 648명>

ㅇ 피해상황

- 미 귀환자 : 3명 (현대건설 소속 근로자)

※ 1명 - 이라크군 영내 억류 확인

2명 - 실종, 상금 생사 여부 미확인, 계속 추적중

(주 쿠웨이트 대사 보고)

ㅇ 특기사항

- 쿠웨이트 체류 아국인 2명 (김옥구 및 처), 이라크 국경 월경, 이라크로 피난

※ 쿠웨이트 체류 아국인으로서는 처음 (주 이라크 대사 보고)

4. 조 치 사 항

- ㅇ UN 요청에 따른 아국의 UN 안보리 661호 지지 입장 불가피 조치에 대해 주재국에 설명코, 아국 교민 안전 조치를 요청토록 지시 (주 이라크 대사)
- ㅇ 유종하 외무차관 기자 회견(8.9. 10:00)시의 기자 질문 답변사항을 주재국에 설명, 이해 요청을 지시

  답변사항 : 이라크의 쿠웨이트 병합에 대한 아국 정부의 불수락 입장
- ㅇ UN 안보리 결의 661호 관련한 아국 정부의 대 이라크 경제 제재 조치 결정사항, 관계부처에 통보

0024

박
신-
기획

이라크, 쿠웨이트 사태 속보 (11)
(8.10. 15:00)

중동아국
중근동과

1. 미국의 이라크 봉쇄 전략 지지 확산

o 미국은 현재 취하고 있는 정치,경제,군사적 이라크 봉쇄 정책과 미 병력의 사우디 주둔 결정이 유례없는 국제적 지지를 받고 있는 데 대해 상당히 만족

- 유엔 안보리에서 이라크의 쿠웨이트 병합 불인정 결의안이 만장일치 통과 (이라크의 맹방인 예멘도 찬성)
- 이란, 요르단의 이라크 제재 발표
- 사우디 국왕 : 외국군 배치는 "자신의 요청에 따라" 이루어 진것이라고 이례적 발표

o 8.9.(목) 현재 이라크의 외부로의 석유수출 및 교역 통로는 사실상 완전히 봉쇄된 상태임.

o Baker 국무장관 터이키 방문

- 유사시 터이키내 기지 사용 재확인, 터이키에 대한 경제적 보상 보장
- 8.10.(금) 브랏셀 방문, NATO 외무장관 및 소련과 접촉, 미국의 전략 설명 예정

o 이스라엘 : 이라크가 이스라엘이나 인접국인 요르단 진입시 개입할 것임을 강조

o 영 국 : 다른 NATO 가맹국의 군사행동 동참 가능성 발표

2. 미국의 봉쇄 전략에 대한 이라크의 예상 대응책

o 미 봉쇄 전략이 안고 있는 문제점

- 해상 봉쇄가 효과적이기 위해서는 6개월에서 1년간 장기간이 소요
- 이라크의 경제적 난관이 후세인 대통령의 붕괴로 이어지는 정치적 변화를 유발할 것인가?

0025

o 이라크의 예상 대응책

- 서방인 인질 이용, 미국 여론 동요 기대
- 아랍 세계 기층민들의 광범위한 반서방 감정 이용, 반서방 전선 형성
- 이스라엘 참전 유발, 아랍-이스라엘 대결로 발전시킴.
- 과격 아랍 국제 게릴라 단체 선동, 국제 테러전 감행

o 이라크는 현 상태를 장기화시켜 쿠웨이트 점령을 기정 사실화할 가능성도 있음.

3. 이라크, 쿠웨이트내 외국인 사실상 억류 발표

o 이라크는 사태 발발이후 처음으로 이라크, 쿠웨이트내 외국인의 출국 여부에 대해 명백한 입장을 밝힘. (4부류)

i) 바그다드 호텔 억류된 외국인 : 호텔내 구금, 감시

ii) 30일 이상 이라크 체재 외국인 : 출국 비자 필요하나 상금 발급 거부

iii) 단기 방문객 : 일부 출국 허용

iv) 외교관 및 그 가족 : 7일전 신고, 허가

o 각국의 조치

- 영 국 : 쿠웨이트 거주 영국인 (5,000명) 에게 당분간 출국시도 말고 이라크 지시에 따를 것을 권고
- 미 국 : 이라크에게 외국인 출국 허용토록 압력 가하고 있으나 별진전무 (쿠웨이트 3,000명, 이라크 580명)
- 주유엔 이라크 대사는 외국인의 조만간 출국 가능성 시사

o 미국은 사태 악화 방지를 위해 "인질" 이란 단어 사용을 피하고 있음.

4. 아랍 정상회담 (카이로)

o 걸프지역에 미국.영국의 군사력이 증강되고 있는 가운데 외세 개입 방지 위한 마지막 시도

o 이집트.이라크간 의제 조정에 난항, 8.10.(금)로 연기

o 후세인 이라크 대통령의 불참으로 아랍중재안 마련 가능성 희박

0026

이라크,쿠웨이트 사태 속보
(8.11. 07:00) <12>

중동아프리카국
중 근 동 과

1. 상 황

o 후세인 이라크 대통령 성명(마나마 AP)
  - 바그다드 라디오, TV 통해 지하드(성전) 호소
  - 외세 타도, 사우디의 성지 메카 회복
  - 사우디 왕족 타도

o 미군 쿠웨이트 접경 12 km 접근

o 베이커 미국무 장관 브랏셀 방문 (8.10)
  - NATO 외무장관 접촉, 미전략 설명

o 아랍 긴급 정상회담 개최(8.10. 카이로)
  - 자베르 쿠웨이트 국왕 회의 참석
  - 아랍 연합군 창설 결의

o NATO 외상 회담 (8.10)
  - 이라크, 터키 공격시 군사 개입 결의
  - 이라크 제재 위한 회원국 개별적으로 다국적군 참여 여부 결정키로 합의

o 미 지상군 25만명선 파견 가능성 시사 (미 국방부)

2. 주요 국가 반응

o 소 련 : 고르바쵸프 소련 대통령, 이집트 대통령에 메시지 전달 (모스크바 AP)
  - 아랍 국가의 독자적 노력으로 페르샤만 위기 해소 노력 촉구
  - 아랍연맹 역할 기대
  - 무력 개입 반대, 주권 평등의 아랍 통일 찬성 (8.9. 소련 외무부)

0027

o 호주,서독,스페인 : 다국적군 참여 결정

- 대 이라크 제재 위한 파병

o 일 본 : 다국적군 재정 지원 검토 시사

o PLO, 리비아 : 이라크가 공격받을 경우, 지원 가능성 시사, 자살 공격대 파견 등

3. 주요 조치 사항

o 이라크 억류 아국 근로자 인수

- 8.10. 13:00 (현지시간) 주 이라크 대사관이 이라크 군당국으로부터 인수, 대사관에서 보호중
- 귀국 절차 교섭중

o 이라크, 쿠웨이트 사태 상황 대책반 설치 (8.10)

- 외무부 715호실
- 상황반장 : 권병현 대사
- 관계 부처 실무 대책 회의 소집 (8.11. 11:00 외무부 810호)

0028

이라크, 쿠웨이트 사태 속보 <13> 기정

(8. 12. 07:00)

중동아프리카국
중 근 동 과

1. 상 황

○ 미국, 걸프 지역 군사력 대규모 배치 계획

- 가을까지 병력 20만명, 전투기 수백대, 전함 수십척 수준으로 증강
- 화학전 대비, 독가스 부상자 치료 병원선 2척 걸프만 파견
- 걸프만 해상 봉쇄를 통한 대이라크, 군사적·경제적 고립 목표

○ 서방 제국, "다국적군" 참여

- 영국, 프랑스, 호주, 스페인, 카나다
- 영국, 전투기 2개 중대 사우디 이동 명령
- 미국과 함께 대 이라크 해상 봉쇄 및 유엔 안보리의 제재 결의 위반 선박 적발 임무 수행(※ 소련, 다국적군 또는 해상 봉쇄 동참 거부)

○ 이집트·모로코, 사우디에 아랍 연합군(Joint Arab Contingent) 파견 결정

- 아랍 정상 회의 결의 입각, 사우디에 각 5천명(시리아도 파병 예정)

○ 이라크군, 자국 남부 공군 기지에 화학 무기 집결 및 터키 접경 지대에 대규모 병력 배치

- 쿠웨이트 해안 일대에 서방 군대 상륙 저지 위한 참호 구축

○ 사우디, 8.11. 자국 영공 침범 이라크 정찰기 2대에 발포(AFP 통신)

- 사우디 및 이라크 부인, 미국방성 미확인 언급

○ 이라크, 터키 전투기 3대의 자국 영공 침범 관련 터키 정부에 항의

0029

2. 공관 이전 문제 관련 각국 입장

o 미·일·태국 및 EC, 이라크의 쿠웨이트 병합 선언이 국제법 위반으로 무효임을 선언, 쿠웨이트 주재 공관 폐쇄 및 바그다드로의 이전 거부
  - 필리핀, 말레이지아, 인도네시아 3개국도 거부 방침

3. 외국인 철수 관련 동향

o 이라크 당국, 8.10 부터 아시아·아프리카, 남미, 소련인에 대해 요르단 통한 출국 허용
  - 미국 및 서유럽인은 출국 금지(외교관 제외)
  ※ 서방의 경제적·군사적 제재 대항 수단으로 인질화 가능성

o 소련, 이라크 체류 자국인 8,000명중 7,300명 철수 완료

o 전운이 짙어감에 따라 이라크, 쿠웨이트 지역은 물론 이라크의 공격 사정권 내에 있는 바레인 및 카타르 체류 외국인들 까지도 대대적 탈출 러시
  - 미 외교관 및 가족 11명, 이라크 탈출
  - 바레인 거주 미국인 전원 철수, 영국 및 일본은 소개 방침

4. 조치 사항

o 이라크의 쿠웨이트 주재 공관 폐쇄 및 바그다드로의 이전 요청 관련,
  - 타국 공관 동정 파악 및 주요 우방 공관과 긴밀 협의, 결과 보고 지시(주쿠웨이트 대사)
  - 주요 국가의 대응 동향 파악 보고 지시(9개 주요 공관)

o 이라크의 화학전 대비 교민 보호
  - 3개 부처(노동, 건설, 상공)에 방독면 지원 대책 강구 요청
  - 피해 예상 지역 공관에 방독면 소요량 파악 보고 지시(5개 공관)

0030

이라크, 쿠웨이트 사태 속보<14>

(8.13. 07:00)

중동아프리카국
중근동과

1. 상 황

- o 사담 후세인 이라크 대통령 8.12. 포괄적 중동 평화안 제시
  - 미군의 걸프만에서 무조건 즉시 철수 및 경제 제재 조치 해제
  - 이스라엘군의 아랍 점령지로 부터의 무조건 즉시 철수
  - 시리아군의 레바논 철수
  - 상기 조건이 충족되면 이라크군도 쿠웨이트로부터 철수
  - 이와같은 제의에 대해 이스라엘은 세계의 관심을 딴곳으로 돌리려는 술책이라고 비난
- o 사담 후세인 대통령 8.12. 라디오 방송에서 내핍생활과 봉쇄 분쇄 강조
- o 북한은 8.12. 미국과 영국이 군대를 걸프지역에 개입시켜 세계 평화와 안전을 위협하고 있다고 비난
- o 스웨덴 Anderson 외무장관 8.12. 쿠웨이트에 대사관을 바그다드로 철수시킬 준비를 하고 있다고 언급
- o 베이커 미 국무장관은 8.12. 쿠웨이트 Sabah 국왕이 이라크외 쿠웨이트에 대해 경제 재재 조치의 일시를 요구했다고 주장
- o 터어키 내각, 8.12. 의회에 필요시 전쟁선포와 군사용권 승인 요청
- o 무바락 이집트 대통령 8.12. 시리아가 사우디에 파병할 것이라고 시사
- o 서독 스피겔지 8.12. 서독 업체가 이라크에게 화학무기와 핵기술을 발전시키는 물질을 수출하는데 주도적 역할을 했다고 보고
- o 중동 도처에서 반미운동 확산

0031

o 필리핀 외무장관 8.12. 이라크에 대한 군사 활동에 참가치 않을 것이라고 언급

o 후세인 요르단 왕 8.12. 걸프지역의 미군 진주는 아랍 민족주의와 이슬람에 반하기 때문에 용납할수 없다고 언급

2. 외국인 철수 동향

o 이라크 당국, 일본, 인도 항공기 착륙 허가 요청 거부한 것으로 알려짐

o 현대건설 소속 인원 5명 요르단 도착(8.7, 현대건설 보고)

- 사태 발생전 휴가와 이라크 방문
- 사태 발생전 출국허가 받음
- 국경에는 약 3천여명이 출국을 위해 야영

o 7인의 영국인 쿠웨이트로 부터 사막을 통하여 사우디로 탈출했다 보도 (8.12. AFP)

o 9명의 필리핀 노무자, 사우디 경유 마닐라 도착 (8.12)

o 아키노 비율빈 대통령, 수만명의 근로자를 쿠웨이트에서 철수 시키겠다고 언급 (8.12)

o 인도 정부 17만명의 근로자 철수 문제를 협의키 위해 이라크에 특사 파견 검토

o 이라크 140명의 태국 근로자 요르단으로 출발을 허가

3. 아국 교민 철수 교섭

o 최봉름 주 이라크 대사 외무부 Ajjam 영사국장과 면담 (8.11)

(최대사)

- 아국 근로자 3명 석방에 사의 표명
- 아국 교민들 안전에 각별한 배려를 요청
- 요르단 경유 철수의 위험성을 설명코 특별기 기의 착륙 허가 요청

(영사교민국장)

- 특별기 착륙 허가 문제는 호의적으로 검토하겠음
- 모든 외국인의 출국시에는 출국 허가가 필요

0032

(관 찰)

- 영사국장 태도에서 아국인이 대우를 받고 있음을 느낌
- 영사국장의 호의적 반응에서 교민 안전 문제 및 특별기 착륙 문제 비관적이 아닌 것으로 감지

o 주 이라크 대사 영사국장 면담 (8.12)

- 영사국장은 주재국 영공이 폐쇄된 상태를 유지할 필요가 있어 착륙 허가가 어렵다고 난색 표시
- 그러나 쿠웨이트 및 이라크 거주 한국인의 요르단 국경을 통한 철수에는 동의

o 주 이라크 대사, 외무부 Al-Bayrakdar 정무국장 면담 (8.12)

- 최대사, 아국의 경제 제재 조치의 불가피성을 설명코 아국 교민의 안전에 각별히 유의해 줄것을 요청
- 이에 대해 정무국장은 이라크, 쿠웨이트간의 역사성을 강조하며, 이라크 침공의 불가피성을 설명코 주재국 정부가 한국 교민에 대하여 특별 취급토록 지시한바 있다고 언급

o 권찬 주 이라크 공사는 외무부 Mousa 의전장 보좌역(전 주한 이라크 총영사) 면담

- 권 공사, 공관가족 철수에 따른 협조 요청
- 이에 대해 의전장 보좌역은 현재는 전 외교관 및 가족의 출국을 금지시키고 있으나 3-4일 후에는 새지침이 마련될 것이라고 하면서 아시아계 교민과 상사 주재원은 선별적으로 허용하고 있다고 언급

4. 조치사항

o 교민 철수 추진

이라크 당국의 요르단을 통한 교민 철수 동의에 따라 다음과 같이 교민 철수를 지시 (8.12)

- 단기 체류자, 부녀자, 유아등 비필수 요원에 대한 출국 허가 요청 (주 이라크, 쿠웨이트 대사)

0033

- 이라크, 쿠웨이트 사태가 장기화 할것에 대비, 주요 외국 공관 및 관계기관등과 긴밀히 협조하여 비필수 교민을 조속 철수토록 조치 (주 사우디, 바레인, 카타르, UAE, 요르단 대사)

o 철수 교민 수용 조치

- 이라크 당국이 요르단 경유 철수에 호의적 반응을 보여 주 요르단 대사에게 하기사항 지시 (8.12)
- 쿠웨이트와 이라크 거주 아국 교민이 무비자로 요르단 입국할 수 있도록 조치
- 입국 지점에 직원을 파견하여 구체적 대책을 수립 보고 하고 시행에 만전을 기하도록 함
- 도착 교민 상황에 관하여는 수시 긴급 보고

o 주 사우디 대사, 주재국 동북부지역내 거주하는 비필수 요원은 조속 동 지역에서 철수하라고 교민회보(8.8)를 통하여 권유

0034

이라크.쿠웨이트 사태 속보 (15)

(8. 13. 15:00)

중동아프리카국
중근동과

1. 미국, 이라크 "해상봉쇄" 준비 완료

o 미국은 "쿠웨이트의 요청에 따라" 이라크와 쿠웨이트에 대한 석유 수출과 식료품 수입을 포함한 모든 통행을 금지할 해상봉쇄를 단행할 군사적인 준비와 법적인 장치가 완료되었다고 발표함.

o 미국은 전쟁 상태를 연상시키는 "해상 봉쇄"라는 단어의 사용을 피하고 있음.

o 일부 유엔 회원국들은 미국 주도의 다국적군의 일방적인 해상봉쇄 조치의 적법성에 대한 법적인 의문을 제기하고 있으나, 미국은 경제 제재의 이행 수단으로서 해상 봉쇄 조치도 자동적으로 포함된다는 견해를 표시함.

o 한편, 이라크는 8.13.(월) 홍해 석유저장소에서 석유운반선을 출항 시키겠다고 발표하였음.

2. 이라크, 대서방 propaganda 전개

o 이라크는 이라크군의 쿠웨이트 철수 조건으로

i) 사우디 주둔 미군을 유엔 감시 아랍 연합군으로 대체

ii) 이스라엘의 점령 아랍영토 (Gaza 지구) 에서 철수

iii) 대 이라크 경제 재재 철회등을 내세움.

o 미국은 상기 제의를 사태 호도책이라 비난하고, 즉각 전면 거부

0035

ㅇ 이는 쿠웨이트의 철수를 이스라엘, 시리아 (레바논)등 중동지역에서 외군 철수와 연계시킴으로써 금번 사태를 반미.반이스라엘 투쟁으로 변화시키고 아랍대중들을 상대로한 선동을 노리는 것으로 평가되고 있음.

3. 이라크.쿠웨이트내 외국인 현황

ㅇ 쿠웨이트.이라크내에는 약50만명의 외국인이 있으며 대부분은 아시아. 아랍계 노동자이며 서방 외국인 숫자는 아래와 같음.

- 미국 : 3,500명 영국 : 5,000명 독일 : 900명 불란서 : 400명

ㅇ 이라크 외무장관은 이라크내 외국인은 무사하며, 쿠웨이트 거주 외국인의 출국 가능성 검토중이라고 발표하었으나, 미국은 이라크가 미국의 대이라크 공격 저지용으로 이라크내 외국인을 사실상 인질로 잡아 두기 위해 출국을 정지시키고 있다고 평가하고 있음.

ㅇ 영국 외무부는 쿠웨이트-사우디 국경에서 영국인 1명의 이라크군에 의한 사망을 확인하고 영국인에 대해 사우디로 탈출 시도 말 것을 촉구함.

0036

이라크, 쿠웨이트 사태 속보〈16〉

(8.14. 07:00)

중동아프리카국
중 근 동 과

1. 상 황

o 미 국

- 부쉬 대통령 :

  UN 안보리의 대 이라크 경제 제재를 실행키 위한 모든 필요조치 사용

- 베이커 국무장관 :

  . 걸프만 미군은 이라크산 원유 선박 수송을 금지할 것임

- 원유, 식료품등 이라크 선박 수송 해상 봉쇄 (필요하다면 군사력 사용)

- 전쟁으로 간주될수 있는 "Blockade" 용어 보다는 "Interdiction" 용어 사용

o 이 라 크

- 후세인 대통령 :

  . 이라크 여성들에게 식품 사재기를 하지말 것과 소비절약 요구

  . 자국인에게 이집트인들을 친절히 대우토록 촉구

- 터어키 공격 가능성 배제

- 사우디가 준수시 양국간 불가침 조약 존중

o 사 우 디 : 이라크 유조선의 원유 선적 거부

o 시 리 아 :

- 아랍연맹 결의안에 대해 이집트와 동일한 입장임을 표명

- 레바논 주둔군을 사우디에 파견할듯

o 불 란 서 :

- 전함 수에즈운하 경유 걸프만으로 항진

- 이라크산 원유 선적 선박 나포 조치에 참여 거부

o 네덜란드 : 전함 2대의 페르시아만 파견 발표

0037

o 벨 기 에 : 이라크 제재 조치로 국제 해군작전에 참가 발표 (군함 3척 파견)

o 영 국 : 이라크 경제 봉쇄 파기하려는 선박 나포 명령

o P L O : 수천명의 팔레스타인인 이라크 지지 시위

o 요 르 단 : 8만명, 이라크와 함께 싸우기 위해 자원

o 파키스탄 :
- 사우디를 돕기위한 군대 파견 준비
- 6천명의 파키스탄인 이라크를 위해 자원

2. 후세인 대통령의 "철군 협상안"에 대한 반응

o 미 국 : 사태 호도책이라고 비난, 즉각 거부

o 소 련 : 비건설적이고 실현 가능성이 없음

o 이 집 트 : 아랍 협약에 반하는 것임

o 이스라엘 : 경제 제재와 군사 위협에서 벗어나려는 호도 전술임

o 시 리 아 : 현실 가능성이 없는 제안임
(현사태와 이스라엘 상황은 연계관계 성립할수 없음)

o 쿠웨이트 망명정부 : 동 "협상안" 거부

o P L O : 동 협상 지지

3. 각국 반응 및 동향

o 필 리 핀 : 이라크의 쿠웨이트 공관 폐쇄 조치 수용

o 인 도 : 이라크와 쿠웨이트내 수만명의 인도인 철수를 위해 정부 각료를 요르단에 파견

o 이스라엘 : 이라크가 교역금지를 피하기위해 요르단의 아카바 항구를 이용
(레비 이스라엘 외무장관, 요르단 후세인왕에 경고)

0038

o 소　　련 : 주 이집트 대사, 이라크에 8천명의 경제.군사분야 소련인 전문가가 있다고 발언 (이라크의 쿠웨이트 침공에는 불참)

o 요 르 단 : UN 안보리에 국제적인 이라크 제재 조치가 자국 경제에 미치는 부정적 효과 조사 요청

o O P E C : 중동사태 충격 최소화 위해 가능한 조치 검토키 위해 조속 회의 개최 예정

o N A T O : 이라크 제재 조치의 초기 효과 평가 (식품 부족 현상 나타남)

o 페르시아만 사태 충격으로 도쿄, 뉴욕, 프라크푸르트 증권시장 폭락

o 외국인 철수 (요르단 국경 통과)

- 이라크, 아랍인.아시아인.아프리카인.라틴아메리카인.동유럽인들에게 출국 허가 제한 조치 완화 (서구인과 미국인 제외)

. 8.11. (토) : 미국공관원 11, 일본관광객 144, 동독외교관 5, 기타 비서구 외국인 요르단으로 철수 (160명 내외)

. 8.12. (일) : 필리핀 83, 유고 44, 인도 22, 파키스탄 20, 칠레 22, 브라질 16, 터키 15, 타이 15, 캐나다 11, 스리랑카 9, 인도네시아 1, 남아공 1, 가나 1, 폴랜드 1, 아르헨티나 1, 일본인 1 요르단으로 철수 (263명 내외)

. 8.13. (월) : 아랍인 3,000, 필리핀인 49, 인도인 15, 폴랜드 13명등 요르단으로 철수 (약 3,080명 내외)

0039

4. 주요 조치 사항

o 중동아국장, 주한 이라크 대사 대리 면담 (8.13. 14:00)

- 이라크 정부의 8.11자 성명발표 내용 전달 받음

. 모든 한국인 요르단 경유 출국 허용

. 동 출국은 언제든지 편리한 시기에 가능

o 중동아국장, 주한 불란서 대사 대리 면담 (8.13. 15:00)

- 미테랑 불란서 대통령의 대 국민 발표문 전달 받음

. 이라크의 쿠웨이트 침공, 병합 불인정

. 이라크의 국제법 위반을 제재하기 위한 노력에 동참

. UN 안보리 및 EC의 대 이라크 경제 제재 결의 찬성, 걸프지역에 함대 파견 결정

o 이라크 정부의 교민 철수 허용에 따른 구체적 사항 협의 지시 (주 이라크, 쿠웨이트 대사)

- 출국 허가 간소화 방안, 수송경로, 출국일시등 최단시일내 실현토록 협의

- 업체등과 협조, 철수시 후유증과 사후 법적 마찰 소지 최소화 대책 강구

0040

이라크, 쿠웨이트 사태 속보<16>
(8.14. 07:00)

중동아프리카국
중 근 동 과

1. 상 황

o 미 국

- 부쉬 대통령 :
  UN 안보리의 대 이라크 경제 재재를 실행키 위한 모든 필요조치 사용
- 베이커 국무장관 :
  . 걸프만 미군은 이라크산 원유 선박 수송을 금지할 것임
- 원유, 식료품등 이라크 선박 수송 해상 봉쇄 (필요하다면 군사력 사용)
- 전쟁으로 간주될수 있는 "Blockade" 용어 보다는 "Interdiction" 용어 사용

o 이 라 크

- 후세인 대통령 :
  . 이라크 여성들에게 식품 사재기를 하지말 것과 소비절약 요구
  . 자국인에게 이집트인들을 친절히 대우토록 촉구
- 터어키 공격 가능성 배제
- 사우디가 준수시 양국간 불가침 조약 존중

o 사 우 디 : 이라크 유조선의 원유 선적 거부

o 시 리 아 :

- 아랍연맹 결의안에 대해 이집트와 동일한 입장임을 표명
- 레바논 주둔군을 사우디에 파견할듯

o 불 란 서 :

- 전함 수에즈운하 경유 걸프만으로 항진
- 이라크산 원유 선적 선박 나포 조치에 참여 거부

o 네덜란드 : 전함 2대의 페르시아만 파견 발표

0041

o 벨 기 에 : 이라크 제재 조치로 국제 해군작전에 참가 발표 (군함 3척 파견)

o 영 국 : 이라크 경제 봉쇄 파기하려는 선박 나포 명령

o P L O : 수천명의 팔레스타인인 이라크 지지 시위

o 요 르 단 : 8만명, 이라크와 함께 싸우기 위해 자원

o 파키스탄 :
- 사우디를 돕기위한 군대 파견 준비
- 6천명의 파키스탄인 이라크를 위해 자원

2. 후세인 대통령의 "철군 협상안"에 대한 반응

o 미 국 : 사태 호도책이라고 비난, 즉각 거부

o 소 련 : 비건설적이고 실현 가능성이 없음

o 이 집 트 : 아랍 협약에 반하는 것임

o 이스라엘 : 경제 제재와 군사 위협에서 벗어나려는 호도 전술임

o 시 리 아 : 현실 가능성이 없는 제안임
(현사태와 이스라엘 상황은 연계관계 성립할수 없음)

o 쿠웨이트 망명정부 : 동 "협상안" 거부

o P L O : 동 협상 지지

3. 각국 반응 및 동향

o 필 리 핀 : 이라크의 쿠웨이트 공관 폐쇄 조치 수용

o 인 도 : 이라크와 쿠웨이트내 수만명의 인도인 철수를 위해 정부 각료를 요르단에 파견

o 이스라엘 : 이라크가 교역금지를 피하기위해 요르단의 아카바 항구를 이용
(레비 이스라엘 외무장관, 요르단 후세인왕에 경고)

0042

o 소　　련 : 주 이집트 대사, 이라크에 8천명의 경제.군사분야 소련인 전문가가 있다고 발언 (이라크의 쿠웨이트 침공에는 불참)

o 요 르 단 : UN 안보리에 국제적인 이라크 제재 조치가 자국 경제에 미치는 부정적 효과 조사 요청

o O P E C : 중동사태 충격 최소화 위해 가능한 조치 검토키 위해 조속 회의 개최 예정

o N A T O : 이라크 제재 조치의 초기 효과 평가 (식품 부족 현상 나타남)

o 페르시아만 사태 충격으로 도쿄, 뉴욕, 프라크푸르트 증권시장 폭락

o 외국인 철수 (요르단 국경 통과)

- 이라크, 아랍인.아시아인.아프리카인.라틴아메리카인.동유럽인들에게 출국 허가 제한 조치 완화 (서구인과 미국인 제외)

. 8.11.(토) : 미국공관원 11, 일본관광객 144, 동독외교관 5, 기타 비서구 외국인 요르단으로 철수 (160명 내외)

. 8.12.(일) : 필리핀 83, 유고 44, 인도 22, 파키스탄 20, 칠레 22, 브라질 16, 터키 15, 타이 15, 캐나 11, 스리랑카 9, 인도네시아 1, 남아공 1, 가나 1, 폴랜드 1, 아르헨티나 1, 일본인 1 요르단으로 철수 (263명 내외)

. 8.13.(월) : 아랍인 3,000, 필리핀인 49, 인도인 15, 폴랜드 13명등 요르단으로 철수 (약 3,080명 내외)

0043

4. 주요 조치 사항

o 중동아국장, 주한 이라크 대사 대리 면담 (8.13. 14:00)

- 이라크 정부의 8.11자 성명발표 내용 전달 받음
  . 모든 한국인 요르단 경유 출국 허용
  . 동 출국은 언제든지 편리한 시기에 가능

o 중동아국장, 주한 불란서 대사 대리 면담 (8.13. 15:00)

- 미테랑 불란서 대통령의 대 국민 발표문 전달 받음
  . 이라크의 쿠웨이트 침공, 병합 불인정
  . 이라크의 국제법 위반을 제재하기 위한 노력에 동참
  . UN 안보리 및 EC의 대 이라크 경제 제재 결의 찬성, 걸프지역에 함대 파견 결정

o 이라크 정부의 교민 철수 허용에 따른 구체적 사항 협의 지시 (주 이라크, 쿠웨이트 대사)

- 출국 허가 간소화 방안, 수송경로, 출국일시등 최단시일내 실현토록 협의
- 업체등과 협조, 철수시 후유증과 사후 법적 마찰 소지 최소화 대책 강구

0044

이라크.쿠웨이트사태속보 (17)

(8.14. 15:00)

중동아프리카국
중 근 동 과

1. 대 이라크 봉쇄 조치 이행 상황

o 미국은 현재 대이라크 봉쇄 상태는 양호한 편이며 필요한 경우에는 '무력을 사용'할 것이라고 발표함.

o 향후 2일내에 미 함대과 이라크와의 직접 충돌 가능성이 있음. (미국 방송 보도)

- 폴란드산 무기 적재한 이라크 상선이 요르단의 아크바항에 입항 시도시 미 함대 동 선박 정지 명령 예정인바 이에 대한 이라크측 반응 주목됨.

o 주호주 이라크대사는 페르사만으로 떠나는 호주군함에 대해 "치열한 진쟁에 개입하게 될 것"이라고 경고

o 요르단의 태도

- 이라크 경제에 전적으로 의존하고 있는 요르단으로서는 대이라크 경제 재재에의 동참은 치명적 피해를 줄 것임.

- 서방 국가들의 파병은 아랍민족의 이해를 무시한채 석유라는 서방이익 보호에 주 목적이 있다고 하면서, 외군 개입 비난

o 유엔 사무총장 : "경제 재재 위한 해상봉쇄는 유엔의 행동으로 간주될 수는 없으나, 각 국가는 유엔헌장상의 자위권을 원용할 수도 있다" 라고 발언

0045

2. 일본, 중동국가들에 대한 경재원조 제공 검토

o 부쉬 미 대통령은 8.14. 일본 가이후 수상에게 중동사태에 대한 일본의 "실질적인 기여" (Substantial contributions)를 촉구함.

o 이에 대해 가이후 수상은,

i) 경제 제재 동참으로 경제적 피해를 입고 있는 중동국가에 대한 일본의 경제 원조 제공과

ii) 다국적군 경비의 일부를 부담하는 가능성을 검토중이라고 언급함.

3. 이스라엘의 입장

o 사태 발발이후 이스라엘은 가급적 개입을 삼가는 노력

o 이스라엘은

i) 직접 공격을 받거나

ii) 이라크군이 요르단에 진주할 때에만 개입할 것이라고 천명

o 그러나 후세인 이라크 대통령이 금번 사태를 아랍대 반아랍세력간의 대결로 변화시키려하고, 이러한 상황을 팔레스타인이 이용하려고 함에 따라 계속 국외자로 남기가 어려운 상황이 전개되고 있음.

4. 사우디-쿠웨이트 국경에서의 군사적 대치 상태

o 미국의 사우디내 병력 배치는 예정보다 빨리 진행되고 있으며, 수주일내 5,000명 수준에 이를 것으로 전망되며, '체니' 국방장관이 8.17.(금) 사우디를 방문할 예정

o 이라크는 쿠웨이트 국경 배치 병력을 20만명으로 증원시킴.

o 미국, 영국에 이어 아랍국으로서는 이집트가 최초로 사우디에 파병하였으며 시리아, 모로코, 파키스탄이 사우디에 파병 발표

0046

이라크, 쿠웨이트 사태 속보<18>

(8.15. 07:00)

중동아프리카국
중근동과

1. 상 황

o 이라크군 병력, 쿠웨이트 사우디 접경지역 증강, 방어태세 확립 (영 외무성 발표)

o 이라크 아지즈 외상, UN 사무총장에게 사우디의 대 이라크 도발 행위 없는한, 이라크의 대사우디 군사행동 의사 없음을 표명하는 서한 송부

o 이라크, 브라질에 대해 인도적 차원에서의 식량 공급 요청 (브라질 외무성 발표)

o 이라크, 쿠웨이트로부터 30-40억$ 상당의 금, 외화, 상품등 탈취 (뉴욕 타임즈지 보도)

o 이라크 정부 당국, 미,영등 서구라파국적인의 이라크 및 쿠웨이트에서의 철수 금지

- 500명의 미국인, 이라크로 부터 탈출 시도

o 이라크 반정부지도 바키르 하킴, 사담 후세인 이라크 대통령 전복을 위한 10만 병력 동원 및 걸프 지역내 이라크 군사행동에 대응할 수 있음을 시사

o 미,영 군함, 대 이라크 경제 이행 위해, 최초로 걸프만에서의 선박 검색 개시 (8.14)

- 검색 불응시 발포 및 공격

o 미 병력 25만여명, 1개월내 사우디 파병 계획 (미국방성 발표)

o 요르단 후세인왕, 사담 후세인 이라크 대통령 친서 휴대코, 미국 부시 대통령을 방문, 걸프지역 위기 사태와 관련 회담할 예정

- 8.13 사담 후세인 이라크 대통령 방문 직후

2. 유 가 동 향

o 대 이라크 해상 봉쇄의 첫 조치이후, 국제 원유가 계속 상승

- 브렌탄 원유, 배럴당 26.93$까지 상승 (8.14)

- 서부 텍사스 원유, 배럴당 25$선 유지

o 원유가, 단기적으로 30$까지 상승 예상

0047

3. 각국 반응 및 조치 사항

o 미 국 : 대 이라크 경제 조치로 피해를 당하는 국가에 대한 일본의 경제적 협력을 요청

o 스 위 스 : UN 안보리의 대 이라크 경제 제재 조치 관련 이행사항 발표

o 벨 지 움 : 걸프만내 해상 봉쇄 동참 결정에 따라 3척의 군함,(203명 승무원 승선) 8.17 지중해 향발

o 이 태 리 : 미군함 걸프만 파견 연계, 동부 지중해에 군함 순시

o 파키스탄 : 다수 병력의 사우디 파병 계획

o 아랍국가

- 사 우 디 : 후세인 이라크 대통령의 비합리적 정책 비난 및 걸프지역 긴장 확산에 대해 경고 (사우디 언론)

- 시 리 아 : 미국 요청 의거, 2개사단 병력의 사우디 파병 결정

- 요 르 단 : 비상시국 돌입, 국민들의 총체적 단합 촉구 (후세인 국왕)

- 이 집 트 : 3,000 병력의 사우디 파병에 이어, 2차로 추가 병력 파병

- 쿠웨이트(망명정부) : 아국의 대 이라크 경제 제재 조치에 사의 표명 및 군사적 또는 여타 조치 요청

- 리 비 아 : 이라크의 쿠웨이트 침공 및 쿠웨이트 병합에 대해 강력 비난 및 대 이라크 UN 제재결의 지지

4. 아국 교민 철수 현황 (8.15. 06:00 현재)

o 이 라 크

- 교민 25명 8.13. 바그다드에서 요르단 국경 통과

※ 삼성종합건설 근로자 17명, KAL 가족 3명, 대우상사원 및 가족 4명, 주 이라크 공관 고용원 1명

o 쿠 웨 이 트

- KAL 지사장등 교민 20명, 사우디 국경 무사 통과, 사우디 도착 (리야드 소재 현대건설 캠프내 투숙중)

- 8.17-20경 200여명이 요르단 국경 통과, 요르단 입국 예정 (주 쿠웨이트 대사 보고)

o 기타 참고사항

- 요르단 정부측, 요르단 국경에서의 아국인에 대한 통과 비자 발급 부여 협조 표명 (8.14)

0048

5. 외국인 철수 관련 동향

- o 일 본 : 이라크 버스 7대 이용, 이라크 및 쿠웨이트 교민의 요르단 국경 통과 철수후, 요르단 암만에서 JAL 특별기로 본국으로 수송하는 방안 추진
- o 인 도 : 자국민의 해로 이용 철수에 대해 이라크 당국과 협의
- o 중 국 : 수천명의 자국 교민 철수 결정
- o 태 국 : 34명의 태국 근로자(9명의 부녀자 포함), 쿠웨이트에서 사우디 국경 통과 탈출

6. 당부 조치 사항

- o 아국 교민이 가까운 시일내 조속히 철수 되도록 필요조치 강구 지시 (8.14) (주 이라크, 쿠웨이트 대사)
- o 이라크, 쿠웨이트 교민의 안전 철수에 대한 효율적 통제를 위해 8.13 부터 상황반, 행정반, 통제반 및 하부조직 편성, 운영(주 이라크 대사가 단장)
- o 주 이라크 대사, 이라크 외무성 영사국장 접촉, 쿠웨이트 교민 철수 절차 관련, 제반 편의 제공 협조 요청 (8.14)

0049

이라크, 쿠웨이트 사태 속보<19>

(8.16. 07:00)

중동아프리카국
중 근 동 과

1. 상 황

o 미.영 군함 걸프지역 계속 경계중

o 미군, 시리아, 이집트, 모로코군과 연합군 형성

o 이라크, 대이란 평화 제의

- 8.17 부로 이란 영토내 자국군 철수
- 1975년의 알제리 협약 준수(샤트 알 아랍 수로 양국 공동 관리)
- 전쟁포로 교환

o 이란, 이라크 제의 환영, 긍정적 검토 용의 표명

o 이라크, 물자난에 직면

o 요르단 국왕 이라크 대통령 친서 휴대코 방미

- 요르단 언론 : 사태 해결의 전기가 될것으로 보도
- CBS 뉴스 : 친서내용에 미 군사작전 중지와 점령 쿠웨이트에서 이라크군 철수 위한 국제회의 제의 포함 가능성 보도
- 부시 대통령은 요르단 국왕에게 대 이라크 경제 제재 조치 동참과 요르단의 아카바항이 이라크 물자공급 통로 되지 않도록 설득 예정

o 미 국 :

- 항공모함 존 F 케네디호 걸프지역 증파
- 사우디 파견 군사력 보충 위해 20만 예비군을 180일간 의회 동의 없이 소집 검토중
- 이라크 독가스 사용시 응징 수단으로의 화학무기는 불사용 시사
- 부시 대통령, 일부 국가에 의한 대 이라크 경제 제재 조치 적법성 논란에 대해 동 조치는 적법하여 변경의사 없음을 천명

o 이라크, 미국인 3,000명 사태 해결까지 출국 불허 방침

o 이라크 당국, 점령 쿠웨이트에서의 절도범에 사형 선고

o 유엔 안보리의 대 이라크 금수조치 불구, 이라크행 화물 요르단 아카바항에 하역됨

0050

o 쿠웨이트 외무장관, 부시에게 지원에 대한 사의 표명과 동 사태의 평화적 해결 희망

o 쿠웨이트 왕태자, 터키 방문 대이라크 제재 유지 요청 (손실분 보상 약속 가능성)

o 유엔 안보리 상임 이사국, 소련이 제의한 대 이라크 유엔군사령부 창설 검토 합의

o 이라크 주재 쿠웨이트 외교관 및 그 가족들 부옥 상태로 알려짐 (주 런던 쿠웨이트 대사관)

2. 각국 반응 및 조치

o 터 키 :

- 대 이라크 경제 제재 조치 재천명

o 요 르 단 :

- 전운이 짙어짐에 따라, 자국생산 방독면 실험후 시판 계획

o 인 도 :

- 외무장관, 걸프사태 해결 위한 소련, 미국, 이라크 순방

o 튀 니 지 :

- 20,000 여명, 샤담 후세인 대통령 지지 및 걸프 연안내 외국군 철수 시위

3. 쿠웨이트 주재 아국 근로자 1명 사망

o 인적사항 : 현대건설, 크레인 운전공 전종호

o 일 시 : 8.15. 11:30 경

o 사 인 : 근로자 철수 준비의 일환으로 잔류자용 방공호작업 도중 흙더미에 깔려, 병원 긴급 후송 됐으나 사망

o 사후처리 : 유해는 쿠웨이트 자하라 병원 안치중, 사정상 송영 불가능함

4. 아국 교민 철수 상황 (8.16. 06:00 현재)

o 이 라 크

- 삼성건설 일행 27명, 8.15. 22:45 요르단 출발

- 아국인은 방콕경유 KE-634편 8.18. 16:40 서울 도착 예정

※ 8.15 부터 이라크 항공이 바그다드 - 암만간 매일 1편씩 운행됨 (주 이라크 대사 보고)

o 쿠웨이트

- 이라크 경유 본격 철수 시작됨

0051

5. 외국인 철수 동향

o 일 본

- 자국민 요르단 통한 출국 허가 요청
- 이라크에 비지니스 비자 소지자 230여명 잔류
- 주 쿠웨이트 자국 대사관에 246명 보호중

o 필 리 핀

- 이라크 점령 쿠웨이트내 자국민에게 식료품, 의약품 제공을 유엔에 요청

o 타 이

- 근로자들 요르단 경유 귀국에 이라크 동의
- 200여명은 늦어도 이달 말까지 안전지대로 소개될것
- 상세한 기타 조건은 알려지지 않음
- 타이 정부 철수 비용으로 380만불 승인

o 인 도

- 쿠웨이트 주재 284명 요르단 경유 본국 귀환

6. 당부 조치 사항

o 쿠웨이트 주재 아국 근로자 사망, 사고

- 현대건설 본부 비상 대책반에 통보, 유족에게 전달토록 함

o 쿠웨이트 주재 아국 공관원 및 그 가족 철수문제 관련 이라크 정부와 접촉 (주 이라크 대사, 주 쿠웨이트 대사)

0052

흥

이라크.쿠웨이트사태속보 (20)
(90. 8. 16. 15:00)

중동아프리카국
중 근 동 과

1. 후세인 요르단 국왕, 미국 방문

- 미국을 방문중인 후세인 요르단 국왕은 8.16.(목) 부시 대통령과 회담 예정
- 이에 앞서 부시 대통령은 금번 사태 해결에 대한 미국의 강경한 종래 입장을 재확인하였으며, 당분간은 사태를 외교적으로 해결하겠다는 의도를 표시하지 않고 있음.
- 미국은 이라크 봉쇄를 위해 필요한 경우 요르단의 아크바항 봉쇄 가능성 시사

2. 이라크, 대이란 평화조약 체결 제의

- 후세인 이라크 대통령은 '라프산자니' 이란 대통령앞 서한을 통해 이라크.이란간 평화조약 체결을 위해 이란측의 요구 조건을 전부 수용하겠다고 밝힘.
  - i) 이라크군의 이란 영토로부터 철수
  - ii) 모든 전쟁포로 석방
  - iii) Shatt al-Arab 수로에 관한 1975년 Algier 조약 수락 (수로 양국 분할)
- 이란측은 이라크측의 제의를 환영한다고 발표

0053

o 이라크는 이란과의 평화조약 체결로

- 이란 국경에서의 군사적 압력을 완화하고

- 군사력을 사우디 국경으로 집중시킬수 있으며

- 이란을 통한 물자조달 가능성을 노리고 있는 것으로 평가됨.

o 미국의 반응 :

- 이라크의 진의를 의심하면서 관망 자세

- 한편 미국의 경제 제재로 이라크가 곤경에 처해있다는 징후라고 평가

3. 외국인 철수 현황

o 8.15.(수) 3600명의 외국인이 요르단으로 철수했으나, 미국인, 서유럽인, 일본인은 없었음.

o 미국 ABC 방송은 이라크 외무부 관리의 말을 인용, 이라크, 쿠웨이트 내의 미국인이 "Restrictee" 로 분류되어, 사태 해결될때까지 출국 불가 하다고 보도

o 이라크 거주 일본 실업인 10명이 요르단으로 출국 시도하였으나, 금지됨.

o 소련은 이라크.쿠웨이트 거주 자국인 철수를 준비중이라고 발표

0054

이라크, 쿠웨이트 사태 속보 <21>

(8.17. 07:00)

중동아프리카국
중 근 동 과

1. 상 황

o 이라크는 쿠웨이트내 미.영국인을 호텔로 집결 (8.16)
  - 영국 외무장관 동 사실 우려 표명

o 요르단 후세인 왕, 부쉬 미 대통령과 회담 (8.16)
  - 사담 후세인 이라크 대통령 요청사항 전달
    . 쿠웨이트 부비얀 및 바바라섬 200년간 조차
    . 사우디 주둔 미군 철수
    . 경제 제재 조치 해제
  - 부쉬 미 대통령 강경 입장 고수
    . 쿠웨이트내 이라크군의 무조건 철수
    . 후세인 요르단 국왕에 아카바항 봉쇄 요청

o 이라크, 이란 평화 조약 체결 제의 (8.16)
  - 이라크는 이란인 포로 8.17 부터 하루 1000명씩 석방 발표
  - 이란측 포로 인수 합의
    . 전쟁포로 : 이란인 1만8천9백2명
      이라크인 5만2백3명
  - 이란은 이라크의 동 제스쳐가 현재 국제적 고립 탈피와 보급로 확보, 전력 분산 방지 의도로 분석

o 사담 후세인 이라크 대통령 살해기도 불발설 (8.16 카이로 AP)
  - 이집트 국영통신은 8.16 후세인 암살 시도가 불발로 끝난뒤 일단의 이라크군 장교 및 시민들이 체포 됐다고 보도
  - 8.15 이라크에서 후세인 대통령 측근 다수에 의해 후세인 대통령 살해기도 실패, 대규모 검거 (미확인 보도)

o 서독 군함 7척(385명) 걸프만 파견 (8.16)

0055

o 이집트군 2진 2,000명 사우디 공수
  - 1진 3,000명과 범 아랍군 합세

o EC 사절, 걸프사태 협상 위해 출발 (8.16)
  - 이태리 외상 주도
  - 사우디, 요르단, 이집트등 순방 예정

o 이라크, 타리크 아지즈 외무장관 대미 협상 표명 (8.16)
  - 이라크는 미국과 걸프사태 해결을 위한 무조건 협상 용의 표명

o 야세르 아라파트 PLO 의장 중재
  - 리비아, 알제리, 튀니지, 모로코의 중재 용의를 사담 후세인에게 전달

o 사우디 이슬람권 국가에 파병 요청
  - 파키스탄 파병 결정
  - 인니, 말레이지아는 유엔군 일원으로 파병 가능 입장 표명

2. 교민 철수 상황

o 아국 근로자 5명(현대건설소속) 8.17 최초 귀국

o 쿠웨이트내 아국 근로자 95명 요르단 도착 (8.16)

o 쿠웨이트내 현대건설 근로자 및 가족 275명 전원(8.17-18간) 철수 예정
  - 필수요원 39명, 외국인 27명 잔류 계획

3. 당부 조치 사항

o 이라크, 쿠웨이트 상황 대책반 회의 개최 (8.16)
  - 교민 신변 안전 및 철수 방안 구체 협의
  - 대한항공 특별 전세기 암만 투입 계획 수립

0056

홍

이라크.쿠웨이트사태속보(22)
(8. 17. 15:00)

중동아프리카국
중 근 동 과

1. 후세인 요르단 국왕 미국 방문 결과

o 금번 사태의 평화적 해결의 마지막 기회로 간주되었던 후세인 국왕의 미국 방문은 별다른 성과없이 끝남.

o 당초 보도와는 달리, 후세인 국왕은 어떠한 이라크측의 제안도 미국에 전달하지 않았음.

o 회담후, 부시대통령은 요르단이 대이락 제재를 이행하기로 약속하였다고 발언하였으나, 후세인 국왕은 요르단은 아직 아카바항을 통한 대이락 교역을 봉쇄할 준비가 되어있지 않다라고 언급함.

2. 각국의 유엔 안보리 대이락 제재 결의 참여 현황

o U.N. 사무총장은 8.8. 유엔 회원국 및 전문기구회원국들에게 대이락 경제제재 이행에 대한 각국의 태도를 8.24.까지 알려 줄 것을 요청함.

o 8.16. 현재, E.C. 국가와 31개국가의 동참 회신 접수 (한국 포함)

(회신 유형)

- 일반적 용이로 동참 통보
- 유엔 결의문상에 나타난 교역 중지, 무기 금수등 구체적인 조치를 명시한 참여 통보
- 불가리아 : 결의에 참여하나, 재재 동참이 특별한 경제적 문제를 야기할 경우 안보리와 협의 가능하다는 권리는 유보 (많은 국가들이 불가리아 경우를 따른 것으로 전망)

0057

3. 각국의 교민 철수 현황

ㅇ 이라크 당국의 쿠웨이트내 미국인, 영국인에 대한 호텔 집결 지시로 이라크,쿠웨이트 거주 외국인의 신변 안전에 대한 우려 고조

ㅇ E.C. 와 미국, 일본등 서방 10개국을 대표하여 주유엔 이태리 대사는 외국인의 이라크 출국 문제 협의를 위해 유엔특사를 이라크에 파견할 것을 U.N. 에 제의

ㅇ 인 도 : 외국장관이 자국 교민 출국 협의차, 소련, 미국, 요르단, 이라크 긴급 방문

ㅇ 폴랜드 :

- 쿠웨이트 교민 철수 개시
- 443명 이라크 경유 요르단으로 철수중이며 250명은 철수 대기
- 주폴랜드 이라크 대사는 쿠웨이트, 이라크내 폴랜드인의 출국을 보장하였다 함.

4. 사우디, OPEC 긴급 회의 소집 요청

ㅇ 사우디가 쿠웨이트 원유 계약분을 일부 인도함에 따라 일본, 유럽, 미국에 대한 사우디 수출분을 감량, 석유가는 상승세 보이고 있음.

ㅇ 사우디는 이라크,쿠웨이트 쿼타 부족분을 메꾸기 위한 석유 증산 문제를 협의하기 위한 긴급 OPEC 회의 소집 요청

ㅇ 이는 OPEC 이 석유증산에 동의하지 않을 경우 사우디 독자적으로 행동하겠다는 경고로 간주됨.

ㅇ 이라크 반응 : OPEC 쿼타 이상 생산하는 것은 침략행위로 간주할 것이라고 경고

ㅇ 나이지리아 : OPEC 회원국의 개별행동 금지 촉구

0058

이라크, 쿠웨이트 사태 속보<23>
(8.18. 07:00)

중동아프리카국
중 근 동 과

1. 상 황

o 유엔 안보리 특별 회의(8.17)
  - 유엔의 대 이라크 제재 문제 토의
  - 유엔 사무총장에게 이라크 및 쿠웨이트 체류 외국인 철수를 위한 적절한 모든 조치 취해줄것을 촉구

o 부시, 후세인 요르단왕과 회담
  - 후세인 왕에게 이라크 선박의 아카바항 이용 거부 촉구
  - 후세인, 유엔의 대 이라크 제재 실행 의사 표명
  - 양측의 시각차로 회담 성과 별무

o 세바르드나제, 유엔이 걸프만 사태 해결을 위해 파병을 요청하는 경우 수락 의사 표명

o 이라크, 사우디 및 서방인들에 대한 강경 조치 및 대 이란관계 개선 모색
  - 이라크 거주 일본인 278명에 대한 출국 금지 조치
  - 쿠웨이트내 미국인 35명 비밀장소로 강제 이동, 인질화 우려
  - 이라크, 쿠웨이트 거주 소련인 8,000 여명에 대한 출국 제한 조치 (부녀자, 어린이는 제외)
  - 이라크, 사우디의 원유 증산 방침 및 이라크산 원유 선적 거부 비난
  - 이라크, 8.17 이란내 점령지로부터 철수, 1,000명의 이란 전쟁포로 석방

o 중국, 이라크의 쿠웨이트로 부터의 조속 철수 및 미국의 걸프역내 군사 개입 반대 입장 재강조

0059

o 이집트 - 이라크 관계 동향

- 무바락, 이라크에 걸프만 사태의 평화적 해결 모색 촉구 및 카다피의 사태 해결을 위한 중재 노력 언급
- 이집트, 식량 적재 이라크 선박 1척에 대한 수에즈운하 통과 허용

o 일본, 사우디에 의료팀 파견 계획, 걸프 주변국에 대한 경협 원조 및 다국적군의일부로서 비전투군사 요원 파견 검토

o 이스라엘, 이라크의 쿠웨이트 철군 거부로 이라크-미국간 전쟁 불가피 전망

2. 아국 교민 철수 관련 동향 (현지대사 보고)

o 8.17. 17:00 쿠웨이트 교민 95명 전원, 암만에 무사 도착
(동 일행중 중환자인 임광웅씨는 병원에 긴급 입원 조치)
- 이라크 주재 건설.상사직원 및 가족 27명도 암만 무사 도착

o 현대건설 제1진 한국인 170명, 태국인 692명, 8.17. 06:30 이라크로 출발

o 현대건설 제2진 한국인 105명, 태국인 455명은 8.18 아침 출발 예정

3. 조 치 사 항

o 쿠웨이트 주재 외교 공관 문제 철수 관련, 주 쿠웨이트 대사에 보고 지시

o 국방부에 방독면 공급에 관한 협조 의뢰

o 아국 교민 철수 문제 관련, 주 이라크 대사에 쿠웨이트 또는 바그다드 공항의 사용 가능성 파악 보고 지시

0060

이라크, 쿠웨이트 사태 속보<24>

(8.19. 07:00)

중동아프리카국
중 근 동 과

1. 상 황

o 이라크, 전쟁의 위협이 끝날때까지 침략적인 국가의 국민을 군사시설이나 주요 시설에 수용키로 했다고 발표

- 부쉬 미 대통령, 수천의 미국인과 영국인을 볼모로 하는 이라크의 처사는 전적으로 받아드릴수 없다고 비난
- 영국과 불란서, 이라크의 외국인 출국 불허에 대해 항의
- 영국 및 호주 정부, 이라크 대사를 불러 외국인 출국 불허에 대하여 강력 항의
- Gujral 인도 외상, 이라크 방문코 인도 근로자 출국문제 협의 예정
- 미국 정부, 이라크의 외국인 출국 불허문제 토의를 위해 유엔 안보리 긴급회의 소집 고려
- 미국무성, 미국인 35명이 이라크에 의하여 알려지지 않은 곳으로 이송 되었다고 발표
- 이라크, 2백만의 이집트인은 인질 대상에서 제외된다고 발표
- 소련 외무부, 이라크가 다수의 외국인을 인질로 잡기로 한데 대하여 지대한 관심 표명

o 이라크, 미국이 두척의 이라크 유조선에 발포한 것에 대하여 중대한 결과를 초래할 것이라고 비난

o 아까바항 당국, 사이프러스 선적 이라크행 설탕하역 허가

o 미국해군, 이라크 선박 2척을 검색하였으나 화물이 없어 항해 허용

o OPEC 비상회의 8.21 개최코 이라크 및 쿠웨이트 제재 조치 협의 예정

o Nazer 사우디 석유장관, 원유 부족을 보충키 위해 사우디는 증산할 것이라고 발표

0061

o 이집트 정부, 쿠웨이트 사태 협의키 위해 비상 아랍 외무장관 회의 개최 주장

o 불가리아, 주소피아 이라크 대사관의 100만불 인출 거부

o 걸프사태에 대한 찬반 데모 발생
  - 이집트 이스마일리아에서 수천명이 반이라크 데모
  - 튀니지인 만여명이 친이라크 데모
  - 수백명의 팔레스타인 친이라크 데모

2. 교민 철수 동향

o 이라크 및 쿠웨이트 교민 철수 8.18 현재 593명

o 대한항공 특별기 2대(보잉 747 및 DC-10) 8.20 출발 예정
  - 650여명 수송 예정
  - 보잉 747 8.21 16:50 서울 도착 예정
  - DC-10 8.22 06:20 서울 도착 예정

o 주 쿠웨이트 대사관 직원 일부와 가족들 8.21 바그다드 경유 요르단으로 대피 예정

3. 조 치 사 항(8.18)

o 주 요르단 대사, 대한항공의 암만 공항 착륙 허가 취득

o 주 이라크 및 쿠웨이트 대사에게 전 교민(업체 필수요원 및 공관원 가족 포함) 긴급 철수토록 추진 하라고 지시

0062

이라크, 쿠웨이트 사태 속보<25>

(8.20. 07:00)

중동아프리카국
중 근 동 과

1. 상 황

o 이라크 후세인 대통령, 이라크 TV 방송을 통해 억류 외국인 및 쿠웨이트 사태 관련 성명 발표

- 적대국가와의 협상을 위해 수만명의 외국인이 억류
- 걸프지역에서의 미군 철수 및 동 지역내 평화 안전에 대한 UN 안보리 보장 조건하에 이들 외국인 석방 용의
- 아랍 테두리 내에서의 쿠웨이트 사태 해결 표명

o 이라크, 걸프만 해상 봉쇄가 계속될 경우, 이라크 억류 유럽인을 인질화 할 것임을 시사 (바그다드 통신)

- 이라크 및 쿠웨이트 거주 유럽인, 군사시설에 억류 예정

o UN 안보리, 대 이라크 봉쇄 명령 및 이라크에 의한 점령된 쿠웨이트문제 관련 결의 표결을 위해 긴급회의 소집 예정 (외교소식통 인용 보도 8.19)

o UN 사무총장, 이라크 억류 외국인 인질문제 해결 위해 특사 2명 8.21 바그다드 파견 예정

o 이라크, 이라크 선박 가해 행위로 야기되는 어떠한 결과에 대해서도 미국 및 그의 동맹국 책임을 경고

- 이라크 외상, 대 이라크 해상 침략 및 음해 행위 중지를 국제사회에 호소

o 이라크 의회, 스웨덴, 호주 및 스위스, 핀란드 및 폴투칼의 걸프지역내 군사증강 불참여에 따라, 이라크 억류 이들 국가 국민의 이라크 출국 허용을 결정

o 미국 부시 대통령,

- 이라크내 억류 유럽인 인질화 결정은 국제법 위반이라고 강경 비난
- 육.해.공군.예비군 동원령 발표 (육군 예비군 8만명 파병 예정)

0063

o 미국, 이라크의 미국인 및 여타 외국인 억류는 있을수 없는 처사며, 대 이라크 제재조치에 대응하여, 아무 죄없는 민간인들을 희생양으로 삼는 이라크측 행위를 비난

o 미.영.벨지움등 서방국가, 쿠웨이트 체류 자국민에게 외출 삼가 종용
  - 이라크 당국에 의해 외국인이 검거되는 호텔 출입 금지등

o GCC(걸프 지역국가 협력기구) 동맹 국방장관들, 이라크 위협 대처 전략 협의 위해, 회합 예정
  - 집단 방위문제 집중 거론

2. 교민 철수 동향

o 이라크 및 쿠웨이트 교민 철수 총 609명(8.20 06:00 현재)
  - 이 라 크 : 100명 (잔류자 : 612명)
  - 쿠웨이트 : 509명 (잔류자 : 96명)

o KAL 특별 전세기 1진 B 747 편 요르단 향발
  - 8.20 07:00 서울 출발
  - 8.20 15:00 (현지시간) 요르단 암만 착 예정
  - 378명 수송 예정

3. 조 치 사 항

o 주 이라크 대사, 이라크 정부의 자국 주재 외교관 및 가족 출국 허용 결정에 따라, 수일내 공관원 가족 철수 예정 (8.19)

o 주 요르단 대사, KAL 특별 전세기 제2편(DC-10) 8.22 06:00 암만 도착 예정으로의 연기 운항을 건의

o 쿠웨이트 철수 교민 2진 120명 요르단 국경 무사 통과 (8.18 23:00)

o KAL 특별기 요르단 공항 이.착륙 관련, 제반 필요 행정사항을 KAL에 지원토록 지시 (주 요르단 대사, 8.19)

o 주 쿠웨이트 공관의 최소 필수요원만 잔류, 나머지 전원 철수를 지시 (주 쿠웨이트 대사관 8.19)

o 교민 철수 취재 위해 당부 출입기자단 일행 23명, KAL특별기 1편(B 747)으로 요르단 향발

0064

이라크.쿠웨이트사태속보(26)

(8. 20. 15:00)

중동아프리카국
중근동과

1. 유엔 안보리, 군사 대응 신중 검토

- 안보리 상임 이사국은 경제 재재 이행을 위해 군사적 협력 방안을 신중 검토중이나 '해상 봉쇄' 허용 가능성에 대해서는 다소 회의적 분위기
- 미국은 경제 제재 이행을 위한 무력 사용을 위해 안보리의 정식 승인 요청 예정
- 각국의 태도
  - 중 국 : 어떠한 군사적 행동에도 반대하나, 결의안 채택시 거부권은 사용치 않을 것임을 암시
  - 소 련 : 유엔 헌장, 국제법 범위내에서만 무력 사용
  - 불 란 서 : 자국 군함에게 대이락 제재 위해 '강경히' (With firmness) 대처할 것을 지시

2. 이라크.쿠웨이트내 외국인 보호에 대한 안보리 결의안 내용 (663호, 8.18.)

- 이라크.쿠웨이트내 외국인의 즉시 출국 및 영사관 직원과의 접촉 허용 요청
- 외국인의 안전 저해 행위 금지 요청
- 이라크의 주쿠웨이트 각국 대사관, 영사관 폐쇄 명령 철회 요청

0065

3. 이라크, 억류 외국인 사실상 인질화 발표

- 후세인 이라크 대통령은 억류 외국인 가족 앞으로 보내는 공개서한을 통해, 억류 외국인은 이라크인과 함께 이라크의 주요 군사 시설에서 거주할 것이라고 발표
- 화 란 : 이라크의 외국인 억류를 "테러리즘"이라 비난
- 바그다드에 억류되었던 미국인 35명은 미국 대사관으로 피신 (피신 경위 미확인)
- 중 국 : 중국 교민 8.19일 처음으로 95명 철수

4. 아랍 에미리트 (UAE), 외군 주둔 허용 발표 (8.19.)

- 쿠웨이트와 함께 석유 과잉생산으로 이라크의 비난 대상이었던 UAE 는 자국 영토내 외군 배치를 허용한다고 발표하였음.
- 동국의 두바이, 아부다비등의 항만, 공항 시설은 사태가 장기화될 경우 다국적군에게 중요한 역할을 할 것으로 예상됨.

5. 군사적 대치 현황

- 미 국 : 3만명의 지상군 기 배치, 5만명이 현재 사우디로 이동중
- 쿠웨이트내 이라크군은 17만명으로 추산
- 뉴질랜드 : 다국적군에 의료진, 수송기 파견 제의 결정
- 인도네시아 : 사우디의 군대 파병 요청 거절
- 이스라엘 외무장관은 즉각 국민들에게 방독면을 배급할 것을 촉구함.

0066

이라크, 쿠웨이트 사태 속보 <27>

(8.21. 07:00)

중동아프리카국
중근동과

1. 상 황

o 서방각국, 이라크의 미군 철수시 외국인 석방제의 거부
  - 미국, 영국, 프랑스, 벨기에, 일본, 호주등

o UAE, 국가 방위 위해 아랍국가들과 다른 우방국가들의 자국내 파병 환영 발표

o 미국, 인질 외국인 석방 촉구 및 페르시아만 온건국가 지원강화
  - 부쉬 대통령,
    . 이라크.쿠웨이트내 수천명의 미국인 인질상태 시인, 동인들의 안전에 대해 이라크에 경고, 석방 촉구
  - 체니 국방장관
    . 오만, 카타르 국왕과 페만사태 논의
    . UAE 에의 군대 주둔 및 사우디에의 전투기 판매 계획 발표
  - 군사동향
    . UAE에서 C-130 수송기 작전 활동 개시
    . 수륙 양용 함정 5척 중동으로 출발 (특공대원 4,450명 승선)
    . 전투기 22대(스텔스기) 사우디로 출발
  - 요르단 거주 미국인에게 출국 권유

o 이라크, 억류 외국인을 군사지역과 공격 목표 가능지역으로 이동시켜 인질 무기화 착수

o 이라크, 5일 이내에 쿠웨이트 주재 대사관 폐쇄 요구
  - 이후로는 외교관의 면책특권 상실, 일반 외국인으로 대우

o 소련 외무장관, 페만 사태 논의 위해 방소중인 이라크 부총리에 외국인 인질 석방 촉구

o 그리스, 걸프만 다국적군에 참여키로 결정

0067

o 서독, 헌법상 걸프지역에 군대파견 불가

o UN 안보리 상임이사국, 대 이라크 제재 군사 조치에 이견 노출

o 서구연합(WEU) 9개국 외무.국방 각료회의(8.21)에서 페르시아만 유럽해군 기동 타격대 창설 기대
  - 이태리, 벨기에, 네덜란드, 서독 참가의사 표명
  - 영국, 프랑스 이미 파견
  - 포르투갈, 스페인, 룩셈부르크 입장 표명 유보

o EC 12개국 외무장관, 이라크 억류 외국인 문제 논의 위해 8.21(화) 회의 개최 예정

o 사우디, 이라크행 상품 선적 선박 억류, 공급물자 몰수

o 이란, 걸프만 국가들에게 강대국 세력의 지역문제에의 개입 배제 촉구

o 국제적십자사(ICRC) 고위임원, 수천명의 외국인 문제 논의 위해 바그다드로 출발

2. 교민 철수 현황 (8.20. 현재)

o 철수인원 : 653명 (664명)
  - 이 라 크 : 144명 (잔류 568명)
  - 쿠웨이트 : 509명 (잔류 96명)

o KAL 특별 전세기 운항
  - 운항일정
    . 출 발 : 8.20. (월) 23:50 (암만)
    . 도 착 : 8.21. (화) 20:50 (서울) 예정
  - 탑승인원 : 333명
    . 교민,주재원 및 가족 : 222명
    . 현대 근로자 및 가족 : 97명
    . 한보 직원 : 1명
    . 출입기자 : 12명
    . 인도인 : 1명 (한국인 남편)

  ※ 경비부담 문제에 대한 교민들의 반발로 탑승 지체, 출발시간 예정보다 5시간50분 지연

0068

3. 조 치 사 항

- o 서방 국민 인질 가능성 증대등 고려, 이라크측 입장에 대한 향후 단기 전망 파악 보고 지시 (주 이라크, 사우디, UAE, 예멘, 이란, 터키 대사, 카이로 총영사)

- o 교민 신속 철수 조치 지시 (주 이라크 대사)

- o KAL 특별 전세기 운항 일정 변경시 문제점 검토 지시 (주 요르단 대사)

- o 교민철수 예산 관련 지침 통보 (주 이라크, 쿠웨이트, 사우디, 요르단 대사)
  - 숙식비, 항공료등은 수익자부담을 원칙으로함

0069

이라크.쿠웨이트사태속보(28)
(8. 21. 15:00)

중동아프리카국
중근동과

1. 군사적 대결 위기 고조

o 미국은 걸프지역에 군사력 배치 증강 계속

- Stealth 전투기 20대 사우디 배치
- 공격 병력을 쿠웨이트 국경지대로 전진 배치
- UAE 에 군 수송기와 공군 병력 배치

o 부시 대통령은 처음으로 억류 미국인들을 '인질' 이라 칭하고, 이들의 안전에 대해 이라크가 책임을 저야 할 것이라 말함.

o 또한 부시 대통령은 사태 해결을 위한 미국의 비타협적 입장을 재확인 하고, 사테 종식을 위해 미국은 희생을 감수해야 할 것이라 경고함.

o 미국 언론과 여론도 부시 대통령이 사태 해결을 위해서 인질 문제에 지나치게 구애되어서는 안된다는 견해를 나타내고 있음.

o 사 우 디 : 국민들의 군입대 촉구

o 이스라엘 : 방독면 배포 여부 금주중 결정

2. 미국, 무력 사용 승인을 위한 긴급 안보리 회의 소집

o 미국은 효과적인 대이라크 경제 제재 이행을 위해 "필요한 최소한의 무력 사용"을 허용하는 결의안을 긴급 소집된 안보리에 제출

o 동 결의안에는 해상봉쇄, 유엔군 파견등에 관한 내용은 없음.

o 미국은 동 결의안 채택 여부에 관계 없이, 쿠웨이트의 요청과 U.N. 헌장에 명시된 자위권에 의거, 일방적으로 대이라크 제재조치를 강행 하겠다고 발표한 바 있음.

0070

3. 주쿠웨이트 공관 폐쇄 관련 각국 입장

o 네덜란드 : EC 국가들과 협의후 결정

o 벨 지 움 :

- 주벨지움 이라크대사 소환, 항의
- 쿠웨이트내에 벨지움 국민이 있는 한 외교관 1명 잔류 지시
- 토요일부터 외교관 특권 박탈 위협에 대해 "생각할 수도 없는 일"이라 평가

o 일 본 : 대사관에 피신중인 일본인 교민 보호 위해 24일 이후에도 계속 유지

4. 기 타

o 이라크 부총리 소련 방문

- 소련인의 안전 출국 약속
- 소련은 여타 억류 외국인의 석방을 요청

o 유엔 사무차장 2명, 이라크 방문

- 후세인 대통령의 유엔 사무총장앞 서한 접수후 억류 외국인 문제 협의차 방문

o 리 비 아

- 이라크의 외국인 대우를 비난하면서, 아울러 유엔이 미국의 대이라크 봉쇄 조치를 비난하지 않을시 유엔 탈퇴 하겠다고 위협

0071

이라크, 쿠웨이트 사태 속보 <29>

(8.22. 07:00)

중동아프리카국
중 근 동 과

1. 상 황

o 걸프지역 긴장 고조
  - 10만명 이상의 외국군 사우디 주둔
    . 영.미군, Stealth 전투기 보유
    . 이라크군 Scud 미사일 적재 및 쿠웨이트 영내로 동 미사일 이동

o 프랑스, UAE 파병 및 사우디 군사 고문단 파견 계획

o 이라크 선박, 해상 봉쇄 이후 처음으로 예멘의 아덴항에 하역 성공
  - 주 유엔 예멘대사, 유엔 안보리에서 유엔 제재조치 존중할 것이라고 언급

o 이라크군 이.이전시 점령 이란 영내에서 철수 종료

o 이집트 대통령, 이라크군 쿠웨이트로 부터 철수 촉구
  - 미철수시, 아랍세계는 "암흑과 황폐"상태 초래 경고

o 프랑스 해군, 제재조치 이후 처음으로 이라크 선박 2척 검색

o 이란 국회의장, 걸프지역내 미 군사행동 비난

o 방글라데쉬, 쿠웨이트 주재 자국 대사관 폐쇄 거부
  - 파병 의결 위한 비상국회 소집

o 수단, 이라크의 자국·군사기지 사용에 동의

o 요르단 수상, 걸프사태 중재에 의한 해결 가능성 배제

o 호주 수상, 이라크 비난
  - 군사시설 공격 대비 위한 외국인 분산수용을 "경멸스런 행동"이라 언급
  - 의회에 대사우디 파병 지지 요청
  - 일부시민 파병 반대 시위

0072

o WEU(9개국)의 외상, 국방상, 연합 해군 조정 위한 회의 개최

o 아시아 태평양 법률가 협회(APLA), 후세인을 침략자로 규정, 국제사법재판소에 제소

o 이라크 의회, 프랑스가 미국 지원시 프랑스인도 미국인과 동일한 취급 받을것이라고 위협

o 이라크 외상, 방글라데쉬 외상에게 친서 송부
- 걸프지역 사태에 대한 이라크측 견해 및 동 사태 전망 포함

o 이라크의 쿠웨이트 주재 대사관 철수 요구 거부 국가 증가
- WEU 제국 및 EC(12개국)제국 철수 거부에 동참

o 쿠웨이트 특사, 방글라데쉬 방문
- 방글라데쉬의 지원에 대한 사의 표시
- 방글라데쉬 외상 면담
- 피신중인 쿠웨이트왕의 친서 전달
- 앞으로 말레이지아, 인도네시아, 인도 방문 예정

o 소련, 걸프지역 긴장 감소 위한 이라크와 대화 모색
- 소 외상, 방소 이라크 특사 면담시, 자국 국민 소개 협조에 사의 표명 및 기타 외국인에게도 유사 조치 요청
- 걸프사태 해결의 잠정적 중재자 가능성 시사

o 영국 대처 수상, 대 이라크 제재 계속과 인질문제에 대한 불협상 언명

0073

2. 교민 철수 현황

o 쿠웨이트 철수 교민 319명 8.21. 귀국

o 요르단 체재 교민 : 263명 (주 요르단 대사 보고)

※ 근로자 철수 귀국 현황

- 이 라 크 지역 : 철수 85명

. 귀국 63명, 요르단 대기 22명

- 쿠웨이트 지역 : 철수 277명

. 귀국 85명, 요르단 대기 192명

o 대사관 직원 가족 철수

- 이라크 대사관 직원 및 가족 15명 철수 준비 및 쿠웨이트 대사관 직원 및 가족 27명 이라크 향발

o 8.22.(수) 22:00 특별기 제2편 요르단 향발 예정

3. 조 치 사 항

o KAL 특별 전세기 제2편(DC-10) 운항계획 통보 (주 요르단 대사관 8.21)

o 주 쿠웨이트 및 이라크 주재 아국 철수 공관원 및 가족, KAL 특별 전세기 제2편 이용 귀국토록 지시 (주 쿠웨이트, 이라크 대사관)

o KAL 특별 전세기 제2편 영공 통과국 허가 교섭 지시 (주 인도, 방글라데쉬, 미얀마, 오만 대사)

o 무의탁 철수 교민등 요르단 체류 철수 교민 현황 파악 보고 지시 및 철수 교민용 생필품 지원 관련 의견 문의 (주 요르단 대사관 8.21)

0074

이라크, 쿠웨이트 사태 속보<31>

(8.23. 07:00)

중동아프리카국
중 근 동 과

1. 상 황

o 요르단 정부, 이라크와의 국경 폐쇄
  - 철수 외국인 과다
  - 90. 8. 22. 24:00 부터 실시
  - 외국인 철수 불능
  - 주 요르단 대사관 보고(8.23. 08:00)

o 부쉬 미 대통령 예비군 소집령 시달 (8.22)
  - 이라크 공격 대비, 사우디 방어 미군 지원의 일환

o 유엔 안보리 5개 상임이사국, 미국이 제출한 결의안 검토 개시
  - 걸프만에서 제한적 무력사용 허용 여부
  - 소련, 중국은 제동 움직임

o 미.일본 주 쿠웨이트 대사관 8.24 이후도 유지 표명

o 유엔 사절 2명, 이라크 외무장관 면담 (8.22)
  - 비렌 드라 데이 얄 (인도), 코피 안난 (가나) 유엔 사무차장
    이라크 억류 외국인 출국 협의

o 이라크, 서방 6개국 국민 출국 허용 (8.22)
  - 이태리, 벨기에, 덴마크, 네덜란드, 그리스, 스페인등
  - 이라크 경유, 요르단이나 터키로 출국 가능
  - 미, 영, 불등 국민에 대해서는 언급 회피

o 미테랑 불 대통령, 걸프만 적대국 선박에 발포 가능성 시사
  - 기자회견시, "이라크 상대로 벗어나기 어려운 전의에 돌입했다.
    실행이 없는 봉쇄는 술수에 불과"

o 4번째 미항모 걸프 도착
  - 미항모 사라토가호 및 미사일 적재함 비늘 필리핀 C호등 미함
    3척 스웨즈운하 통과 걸프만 도착

0075

o 사우디 화드국왕 특사, 소련 방문 (8.22)

- 반다르 빈 술탄 주미 사우디 대사 모스크바 도착

o 이라크, 이란 포로 석방

- 8.22 까지 이란포로 총 35,000 석방

2. 교민 철수 현황

o 쿠웨이트 잔류 교민중(현대소속) 44명 육로 요르단 철수

- 쿠웨이트 (한양소속) 3명 항공편 요르단 철수

o 본인 잔류 고집 9명과 공관원 4명등 총 13명 잔류

o 요르단 정부, 국경 폐쇄로 8.22. 24:00 부터 교민 철수 완전 중단

3. 조 치 사 항

o 대한항공 특별기 2진 출발

- 8.22. 22:00 요르단 향발

o 철수교민 위문품등 특별기편 발송

- 외무장관 명의 라면, 김등 비상식품 100상자

o 피난 철수교민 사후 대책 강구

- 노동부, 보사부, 적십자사등에 협조 요청

- 직장 알선, 융자등 생활 대책

0076

이라크, 쿠웨이트사태속보(32)
(8. 23. 15:00)

중동아프리카국
중 근 동 과

2l
기안

1. 전쟁 위기 고조

o 미국, 대이라크 강경 입장 고수

- 예비군 동원령 승인
- 인질에 대한 위협에도 불구하고 대이라크 제재를 단행할 것임을 재천명
- 주쿠웨이트 대사관 폐쇄 거부
- 무력 사용을 위한 U.N. 안보리의 승인을 위해 계속 노력할 것이나, 필요시에는 독자적으로 감행할 근거도 마련되었음을 발표

o 키신저 전국무장관은 U.N. 이 결의한 대이라크 제재의 이행을 위해,

i) 미국은 인질문제를 과대 평가해서는 안되며,

ii) 이라크는 미국이 이미 "돌이킬 수 없는 단계 (beyond the point of no return)" 에 이르렀음을 알아야 할 것이며,

iii) 현 상황이 장기화되면 사태의 본질이 변질되어 미국에 불리할 것이라고 경고함.

o 이스라엘 언론 : 향후 수일내 전투 발발 가능성 보도

- 이라크가 이스라엘 공격 위해 미사일을 이동 배치
- 이라크가 이스라엘을 공격시 막대한 댓가를 치를 것임을 경고
- 후세인 이라크 대통령이 이스라엘을 금번 사태에 끌어 들이려 하고 있으나, 이스라엘은 미국의 요청에 따라 Low Profile 을 유지하고 있음.

0077

o 이라크는 외국인 즉각 석방을 요청한 U.N. 특사에게 외국인의 운명은 미국의 행동에 달려 있다고 답변함으로써 조기 석방 가능성을 배제함.

o 터어키 : 사우디 요청시 군대파견 검토 가능 발표

2. 유엔 안보리 동정

o 상임이사국은 대이라크 제재 위해 필요한 경우 무력 사용한다는 원칙에는 동의한듯 보이나, 무력 사용 절차와 시기에 대한 이견 노정, 콘센서스 도출 노력중

o 미국, 영국, 불란서 : 자국 군대에 대한 어떠한 U.N. 통제에도 반대 입장

o 중 국 : 어떠한 무력 사용에도 반대하나, 안보리 표결시 기권 암시

o 소 련 :

- 무력이 "적절한 시기에 몹시 주의 깊게 (Very carefully and at due time)" 사용되어야 한다는 원칙하에 유엔이 통제를 해야 한다는 입장
- 아울러 헌장 47조에 의거, "U.N. Military Staff Committee"를 활성화하여, 안보리의 조정하에 무력 사용할 것을 주장

o 유엔 사무총장

- 유엔은 현재의 다국적군의 활동을 지지한 바 없으며, 대이라크 봉쇄를 선언한 바도 없음.

3. 기 타

o 요르단, 쿠웨이트.이라크 국경 폐쇄

- 후세인 요르단 왕은 요르단에 기입국한 난민들이 출국될 때까지 국경 폐쇄 발표

o 미주국가기구 (OAS)

- 이라크의 쿠웨이트 병합, 외국인 억류 비난

0078

이라크.쿠웨이트사태속보(34)
(8. 24. 15:00)

중동아프리카국
중 근 동 과

1. 주쿠웨이트 외국 공관 폐쇄 상황

o 주쿠웨이트 외국 공관 폐쇄 시한인 8.25. 0시 (한국시간 25일 06:00)가 임박함에 따라 현재까지 대사관 폐쇄에 불응키로 결정한 국가는 아래와 같음.

- 미국, EC 국가, 소련, 오스트리아, 폴랜드, 체코, 스웨덴, 핀란드, 노르웨이, 카나다, 일본, 방글라데시, 불가리아, 필리핀, 태국

o 미 국 : 대사관 필수요원만 유지, 미국인이 있는 한 대사관 유지할 것임.

o E C : EC 국가 대사들이 한곳에 집결해서 대응

o 일 본 : 직원 2명만 잔류

o 타 이 : 이라크가 강제 폐쇄시까지 유지

2. 유엔 안보리 동정

o 유엔 안보리 상임이사국은 대이라크 경제 재재 이행을 위해 "걸프만 출입 선박을 정선시켜 국적, 화물, 목적지등을 확인하는데 필요한 최소한의 무력 사용"을 허용하는 결의안을 마련하는데 합의를 본 것으로 알려짐.

o 동 결의안을 금주중 안보리 본회의에 상정하기에 앞서, 본국 정부에 조회중

0079

o 미국은 동 결의안 채택에 낙관적 견해를 나타내고 있으나, 소련은 현재까지 경제 제재 이행을 위한 충분한 시간이 경과하지 않았으며, 위반된 사례도 없다는 점을 들어 조속한 시일내에 표결에 부치는대 대해 조심스런 반응

o 미.소 외무장관간 전화를 통한 협의가 있었음이 확인됨.

3. 기 타

o 이스라엘의 태도

- 현재 사태는 최고의 위기에 달해 있다고 평가
- 이스라엘이 불가피하게 개입하게 될시에는 강경 대응할 것이라고 경고

o 이라크, 사우디 국경 배치 이라크 정예군 5만 교체

- 전쟁 발발시 작전 투입용으로 후방 배치 하였거나, 또는 이라크 내부 반란에 대비, 정예부대를 후세인 대통령 측근에 배치한 것으로 추측됨.

o 일본 외무장관, 터키 방문

- 터키가 경제 제재 이행으로 입은 경제적 손실을 일본이 보상해 주는 방안 협의

0080

이라크, 쿠웨이트 사태 속보<35>
(8.25. 07:00)

중동아프리카국
중 근 동 과

1. 상 황

o 주 쿠웨이트 외국 대사관 폐쇄를 놓고 대치상태 계속

- 이라크 군대, 주요 서방국 대사관 포위
- 이라크 당국, 쿠웨이트에 대사관 유지는 침략 행위이며 최종시한 후에는 외교 특권이 박탈된다고 위협
- 미국, 영국, 카나다, 일본, 불란서, 스위스, 스페인, 오지리등 20개국 이상 대사관 폐쇄 거부
- 부쉬 미 대통령, 주 쿠웨이트 대사관을 계속 유지하겠다고 강조
- 대처 영 수상, 외교관 피해땐 후세인의 책임이라고 경고
- 소련, 요르단, 인도, 레바논, 필리핀등 대사관 폐쇄
- 주 요르단 스페인 대사, 대사관 폐쇄 최종시한이 8.25. 14:30(한국시간)까지 연장되었다는 소리를 들었다고 언급
- 쿠웨이트에서 철수한 미국 외교관 및 가족 100여명 당초 약속과는 달리 바그다드에 억류

o 요르단 정부 국경 재개 발표,

- 요르단 내무장관은 폐쇄 하였던 이라크와의 국경을 재개방할 예정이나 하루에 2만명만 통과를 허용할 것이라고 발표

o 이란 대통령 외군 철수 강조

- 라프산자니 이란 대통령은 걸프지역의 전쟁은 세계 경제의 위기를 초래할 것이라고 경고하면서 당해 지역에서의 외국군 철수를 강조

0081

o 오지리 대통령, 이라크 방문

쿨트 발트하임 오지리 대통령은 걸프만 사태를 협의키 위해 8.25. 사담 후세인 대통령 방문 예정

o 시리아, 이집트인 통과 허용

- 시리아 정부는 이라크에서 철수하는 이집트 인들을 시리아 항구를 경유, 귀국할 것을 허용

o 주일 이라크 대사, 일의 대미 협조 경고

- 주일 이라크 대사는 일본이 미국과 협조하면 일본인들이 전략 요충지로 배치될 것이라고 경고

o 소련 대통령, 이라크에 경고

- 고르바쵸프 소련 대통령은 이라크가 유엔의 결의를 수락치 않으면 추가 조치를 취할수밖에 없다고 경고

2. 교민 철수 동향 (8.22. 07:00)

o 철수 교민 현황

- 이 라 크 : 230 명
- 쿠웨이트 : 592 명
- 총 계 : 822 명

o 잔류 교민 현황

- 이 라 크 : 482 명
- 쿠웨이트 : 13 명
- 총 계 : 495 명

o 조치 예정 사항

- 대한항공 전세기 2대 1회 추가 운항 예정

0082

3. 조치사항(8.24)

o 철수교민을 위한 관계부처 대책회의 개최

- 정상 회복시까지 숙식문제
- 융자 내지 직장 알선 문제
- 무의탁 철수교민 항공료 청산
- 자녀 취학 문제
- 앞으로 유기적 협조체제 유지문제 합의

o 주 이라크 대사에게 터어키를 통한 교민 철수 가능성 파악 지시

o 주 이라크 대사관에 요르단을 통한 파우치 접수 가능성 여부 파악 지시

0083

기획 홍

이라크·쿠웨이트 사태 속보〈36〉

(8.26. 07:00)

중동아프리카국
중 근 동 과

I. 상 황

o UN 안보리, 대이라크 제재이행을 위해 걸프지역내 필요조치허용 결의안 (665호) 통과

o 이라크 혁명위원회, 억류외국인에 피난처 제공하는 사람은 신분여하막론 교수형 경고

o 쿠웨이트주재 외국대사관, 단수·단전등 고통

- 이라크 공보장관(25일) : 외교관의 신분상 특권 및 서비스 편의제공 불가
- 영국대사관 : 한때 전기 공급재개 이후 다시 단전
- 일본대사관 : 단전, 단수, 통화 두절
- 이탈리아대사관 : 단전, 공관포위
- 프랑스대사관 : 이라크 군인들, 단수조치중 담벼락 무너뜨림

o 미국인질들의 이라크 화학공장 수용목격(워싱턴 포스트 보도)

- 이라크 당국이 미국인질 70명을 군수화학공장의 "방패막이"로 이용 목적으로 이동중인것을 폴란드 기술자들이 목격

o 후세인, 발트하임 오스트리아 대통령과 회담후, 억류 오스트리아인 100 여명 동대통령과 함께 출국 허용

o 소련대통령, 이라크에 유엔안보리 요구(쿠웨이트로 부터 철수 및 억류 외국인 석방) 존중 촉구

o 소련, 쿠웨이트로부터 공관원 포함 882명 철수, 대사관 폐쇄는 불고려

o 요르단정부,국경재개방(주요르단대사 보고, 로이터통신)

0084

ㅇ 북한, 걸프지역에 서방측의 군사개입 반대

ㅇ 이라크, 이라크군 전투기의 미국기에 대한 공격 보도부인

ㅇ 미국, 일본에 인원, 장비 수송위한 항공기, 선박 지원요청

ㅇ 이라크, 쿠웨이트주재 공관업무 계속은 침략행위로 간주 발표

ㅇ 쿠웨이트주재 일본대사관 외교특권 박탈 통고 받음.

ㅇ 이라크, 주쿠웨이트 영국대사관주변 배치했던 탱크 철수

Ⅱ. 교민철수 현황

(90.8.26. 07:00 현재)

ㅇ 이 라 크 : 총230명

ㅇ 쿠웨이트 : 총592명

ㅇ 총 철수인원 : 총822명

ㅇ 잔류인원 : 총495명

※ 교민 104명 추가귀국

ㅇ 8.25. 18:30, KE-802편으로 요르단 출발

ㅇ 탑승자

- 쿠웨이트 공관원 및 가족 27명
  (한글학교 교장 부부 포함)
- 쿠웨이트 교민 4명
- 이락 현대근로자 69명
- 이락 정우근로자 2명
- 이락교민 2명

Ⅲ. 조치사항

ㅇ 요르단 국경 재개방 보도관련, 진위여부 파악 및 사실경우 아국잔류 교민의 요르단 경유 철수 검토의견 회보지시 (주요르단대사관 8.25)

ㅇ 주쿠웨이트 타국공관과 본국과의 통신연락 및 통신망 활용 가능사실 통보 (주이라크대사관)

0085

이라크, 쿠웨이트 사태 속보 <37>
(8.27. 07:00)

중동아프리카국
중 근 동 과

1. 상 황

o 후세인 이라크 대통령, 걸프 위기사태 해결을 위해 발트하임 오스트리아 대통령에게 중재를 요청 (8.26)

o 케야르 UN 사무총장, 걸프사태 해결 위해 후세인 이라크 대통령과의 회담 제의

- 개인 자격으로 내주중 뉴욕 또는 제네바에서 개최 제의
- 후세인 동 회담 제의 환영 표시
- 미국도 이러한 UN 중재 노력에 반대하지 않음을 표명

o 고르바쵸프 소련 대통령, 걸프사태 해결은 UN 구도하에 해결되야 할 것임을 시사 (프랑스 외상과의 회담시)

o 부시 미국 대통령, 아래 사항이 이라크와의 협상 전제 조건임을 표명

- 이라크의 쿠웨이트로 부터 무조건 철수
- 전 쿠웨이트 정부 복귀
- 이라크 및 쿠웨이트 억류 외국인 석방
- 걸프지역 안전 보장

o 이라크, 식품 및 의약품 부족에 직면하고 있다면서, 미국이 대 이라크 경제 제재로 인한 인류의 범죄를 저지르고 있음을 비난

o 이라크, 대 이라크 제재 조치에 의해 자국 선박이 손해 및 침몰을 당할 경우, 가해군함에 대해 공격할 것임을 경고

0086

o 소련 외상, 소련은 걸프내 무력사용 및 대 이라크 제재 행동에 동참할 계획이 없음을 표명

- UN 결의아래 여타국가들은 행동을 취할 수 있을 것임을 부언
- 또한 이라크에게 외국인 석방 및 쿠웨이트 주재 각국 공관 재개 허용을 촉구

o 켈리 미국무차관보, 쿠웨이트 주재 미 대사관 주변에 대한 이라크군 포위 불구, 미국대사 포함 직원 신변은 안전하다고 발표

o 미 국무성, 55명의 미국 외교관 가족이 터어키 국경 이라크 출국을 허용 받았다고 발표

o 미국, UN의 대 이라크 경제 제재 조치에 협력하는 이라크 유조선 승무원에게 망명처 제공 용의 있음을 시사

o 영국 수상, 후세인 이라크 대통령과의 협상 거절 (8.26)

- 후세인과 같은 폭군과의 대화는 있을 수 없음을 표명

o 이태리, EC 국가가 UN 안보리 긴급 소집을 요구할 것을 희망

- 쿠웨이트 주재 EC 국가 대사관의 외교 면책 특권 침해 관련

o 일본, 이라크내 억류 일본인 인질의 소재 불명 장소이동 관련, 걸프위기 확산 대응책 준비중

o 이란 외상, 인도적 고려로서 이라크와 쿠웨이트내 외국인 출국 위해 서부 국경선 개방(8.26 부터), 발표

o 쿠웨이트 망명 정부 수상, 쿠웨이트 주재 미국 대사와 최근 걸프사태 진전과 관련 협의

o 아라파트 PLO 의장, 걸프지역으로 부터 서방병력 철수 및 아랍 연맹에서의 쿠웨이트 장래 해결을 원칙으로 하는 아랍 평화안 지지

o 하싼 요르단 국왕, 평화적 방법에 의한 걸프사태 종식을 위해 새로운 아랍 외교 전개 모색

- 리비아, 수단등 여타 아랍국가 순방차 출국

0087

2. 교민 철수 현황 (90.8.27. 07:00 현재)

- o 이 라 크 : 294 명
- o 쿠웨이트 : 592 명
- o 총 철수인원 : 886 명
- o 잔류인원 : 431 명

※ 교민 104명(쿠웨이트 공관원 및 가족 27명 포함), KE 802편 8.26. 17:40 서울 착

3. 조 치 사 항

- o 요르단 국경 재개방에 따라, 이라크 잔류 교민의 요르단 경유 철수 추진을 지시 (주 이라크 대사관 8.26)
- o 이라크 잔류 교민의 요르단 국경 경유 철수 추진에 따른 제반 사전 필요 조치 강구 지시 (주 요르단 대사관, 8.26)

0088

기 획 총

이라크.쿠웨이트사태속보(38)
(8. 27. 15:00)

중동아프리카국
중 근 동 과

1. 사태 평화적 해결 위한 외교 교섭 전개

o 케야르 유엔 사무총장, 이라크 외무장관과 회담 예정

- 8.30.(목) 요르단 암만
- 이라크 외무장관과 개인적 친분을 활용, 개인적 initiative 로 사태 해결 위한 노력 개시
- 모든 관점에서 사태를 관찰하고, 인질 외국인의 안전 및 석방을 요청한 안보리 결의안에 유의할 것이라고 언급

o 이라크측도 발트하임 오스트리아 대통령과 요르단을 통해 협상 의사 표시

o 미국의 반응

- 이라크측의 협상 제의는 사태 모면책에 불과
- 항상 협상 태세 되어 있으나, 이라크군의 쿠웨이트에서 철수, 쿠웨이트 정부 복귀라는 전제 조건이 충족되어야 할 것임.

o 기타 관련국의 반응

- 영　　국 : 이라크와 협상 가능성 배제
  대이라크 제재 강화라는 미국 입장 지지
- 이 집 트 : 최근 이라크의 입장 완화되었으나, 이라크는 구체적 조치를 취하여야 할 것이라고 발표
- 요 르 단 : 후세인 국왕 북아프리카, 유럽 순방중 리비아 방문

0083

2. 기 타

- o Scowcraft 미국 안보 보좌관 언급
  - 대이라크 경제 제재가 현재로서는 효과적
  - 미국 군함과 이라크 상선과의 즉각 충돌 가능성은 높지 않다
- o Newsweek 지 여론 조사 결과
  - 80%의 미국 국민이, 즉각적인 대이라크 군사행동에 반대
  - 50%의 미국 국민이, 전투 발발시 미국인 인질에 관계없이 이라크 시설물 공격 지지
- o 주쿠웨이트 미국 대사관 직원 및 가족 50명, 이라크 경유 터어키 도착 (8.26.)
- o 이라크 9.1.부터 식량 배급제 실시할 것이라는 보도

0090

이라크, 쿠웨이트 사태 속보 <39>
(8.28. 07:00)

중동아프리카국
중 근 동 과

1. 상 황

o 이라크와 미국등 양측은 장기 군사 대치 국면
- 양측 강온 양면 작전 전개

o 미국, 워싱턴 주재 이라크 외교관 36명 추방 (8.27. UPI)
- 이라크가 미국인을 억류(63명)한데 대한 보복 조치
- 주미 이라크 외교관 55명중 19명으로 제한, 외교관 활동도 제한
- 우방국도 같은 조치를 취해 줄것을 촉구

o 고르바쵸프, 이라크에 사태 해결 촉구
- 이집트 외무장관 면담시, "이라크는 막다른 골목에 도달 했으며
  위기 탈출구를 찾는것은 이라크 자신에게 달렸다"고 언급

o 이라크, 유조선등 선박들에게 해상 정선 명령에 저항하지 말도록 지시(8.27)

o 이라크, 쿠웨이트내 서방인 수색 개시 (로이터 암만)

o 카타르, 자국 영토내 외국군 주둔 허용 발표 (8.27)

o 일본정부 미군을 위한 수송 수단 제공 난색 표명
- 일 교통부 차관, 일본이 미군을위한 수송수단 제공은 불가능하다고 언급

o 이라크, 일본인 444명 출국 허용 (AP 동경)
- 20명은 계속 억류중

o 후세인 요르단 국왕 아랍 순방
- 리비아, 가다피와 회담
- 튀니지, 알제리, 모로코, 모리타니 방문 예정

o 서구연합(WEU) 군수뇌 대 이라크 금수 세부사항 작성

o 인니 페만 사태 중재 제안 (자카르타 로이타)
- 수하르토 인니 대통령은 페만 사태 중재 용의 표명

0091

2. 주 쿠웨이트 외국 공관 동향

o 이라크, 주 쿠웨이트 레바논 대사 체포 (8.27. 이라크 외무부)

- 이라크 점령군은 쿠웨이트 주재 레바논 대사와 12명의 대사관 직원을 체포
- 친 시리아 레바논 정부는 이라크의 외국 공관 폐쇄 조치 항의, 주 쿠웨이트 대사의 귀국 지시
- 이들은 사우디로 가기 위해 대사관을 떠나는 순간, 체포후 바그다드로 이송

o 중국, 주 쿠웨이트 대사관원 바그다드로 이동 (UPI 북경)

o 태국, 주 쿠웨이트 대사관 일시 철수

o UAE, 주 쿠웨이트 대사관 불폐쇄 발표 (8.27)

3. 교민 철수 현황 (90.8.28. 07:00)

o 총 철수 인원 : 886 명

- 이 라 크 교민 : 294 명
- 쿠웨이트 교민 : 592 명

o 잔류 교민 : 431 명 (쿠웨이트 13명 포함)

- 이라크 현대근로자 44명 8.27. 20:00 요르단 향발
- 이라크 정우근로자 2명 8.27. 24:00 요르단 향발
- 이라크 현대 바스라현장 인원 62명 바그다드로 일시 철수

4. 조 치 사 항

o 피난 철수 공관원 및 가족 사후대책 검토

- 여비, 체제비 정산 문제등

o 잔류교민 신변안전 및 철수 대책 세부 일정 점검

- 대한항공 추가 투입 여부, 시기등

0092

이라크.쿠웨이트사태속보(40)
(8. 28. 15:00)

중동아프리카국
중 근 동 과

1. 유엔 사무총장의 사태 해결 노력에 대한 반응

o 8.30. 요르단 암만에서 이라크 외무장관을 만날 예정인 케야르 유엔 사무총장은, 이라크군의 쿠웨이트에서 철수 및 모든 외국인의 출국 보장등을 요청한 유엔 안보리 결의의 완전한 이행 방안에 기초하여 협의할 것이라 언급함.

o 미국과 서방 각국은 현 시점에서 이라크와의 타협에 대해 완강한 태도를 유지하고 있음.

o 미 국

- 유엔 사무총장의 initiative 를 환영하나, 지금까지 미국과 유엔이 제시한 기본 원칙에 대한 어떠한 타협도 반대한다는 입장
- 현 단계에서 타협에 별 관심이 없으며, 회담 결과에 대해서도 특별한 기대를 걸고 있지 않음.

o 영 국

- 이라크군의 쿠웨이트에서 철수 없이는 이라크와 협상 반대 입장 재확인

o 불 란 서

- 후세인 이라크 대통령과의 대화는 불가능함.
- 필요하다면 불란서는 전쟁할 준비가 되어 있음. (불란서 수상, 의회 답변)

o 사우디, 이집트

- 이라크가 쿠웨이트에서 철수하지 않는한 협상에 의해 사태를 해결할 희망이 없음.

0093

o 이스라엘

- 미국의 사태 해결 방안이 너무 제한적임.
- 후세인 대통령의 군사력을 와해시키지 않는다면 이라크는 장차 세계에 더욱 위협적인 존재로 남을 것임.

o 소 련 (고르바초프 대통령)

- 후세인 대통령은 더 이상 갈곳이 없는 궁지에 몰려 있으며, 사태 해결 방안은 오직 이라크에 달려 있음.

2. 기타 외신

o 미국 ABC TV 는 이라크군이 사우디-쿠웨이트 국경 16km 후방으로 이동하였다고 보도

o 타이 공군 기지 미군에 사용 허가

- 타이 정부는 월남전 종전이래 최초로 타이내 공군기지를 하와이주둔 미군이 걸프지역으로 이동하는데 사용하는 것을 허가함.

o OPEC, 석유 증산 합의 예정

o 불란서는 쿠웨이트내 각국 외교관을 보호하기 위한 대표단 파견을 U.N. 에 촉구

o 카타르, 외군 주둔 허용 발표

o 그리스는 대이라크 경제 재재 해재시 쿠웨이트내 그리스인을 호의적으로 대우하겠다는 이라크측 제의 거부

0094

이라크, 쿠웨이트 사태 속보 <41>

(8.29. 07:00)

중동아프리카국
중 근 동 과

1. 상 황

o 미국, 대 이라크 강경 입장 고수
  - 부쉬, 이라크가 쿠웨이트 점령을 계속할 경우 값비싼 대가를 치를 것임을 경고
  - 일본에 이라크 외교관 추방 요구

o 이라크, 8.28. 쿠웨이트를 이라크의 19번째 주로 선포
  - 쿠웨이트 합병 기정 사실화 작업 착수

o 이라크, 대서방 화해 제스처
  - 사담 후세인, 부쉬 및 대처와 직접 협상 제의 (미국무부, 즉각 거부)
  - 사담 후세인, 8.29. 부터 이라크 내 모든 외국인 여성 및 어린이들의 출국 허용
  - 걸프만 항행 자국 선박들에게 다국적 군함 검색에 저항하지 말것을 지시

o 소련, 미국의 이라크 외교관 추방 조치 비난

o 일본, 8.29. 다국적군 지원 방안 발표 예정
  - 사우디에 전문 의료진 파견 예상
  - 터키, 이집트, 요르단등 대 이라크 금수조치로 직접적인 타격을 받은 국가에게 총 15-20 억불 규모의 재정 지원 검토중
  - 비군수물자 및 요원 수송 위한 민간 항공기 제공 예상

o 중국 총리, 걸프만 사태 해결을 위한 군사 개입 반대 입장 표명

o 북한, 미국 및 서방제국의 걸프만 군사력 증강 비난

0095

o 프랑스 대통령, 쿠웨이트 철군 및 외국 인질 석방치 않는한 이라크와 협상치 않을 것임을 언명

- 프랑스 항모 클레망소호 및 미사일 순양 호위함 콜베트호, 걸프만 으로 항진

o 벨지움 총리, 금주내로 구체적 외교성과 없을경우 이라크에 제한적으로나마 곧 무력 사용 필요 언급

o 사태의 평화적 해결을 위한 각국의 외교 노력

- 소련, 이라크 및 사우디 특사의 방소 요청
- PLO 및 요르단, 이라크의 쿠웨이트 철군 및 외국군의 걸프지역 철수 제의
- 잭슨 전 미대통령 후보, 사담 후세인과 회담 예정

o 중동지역 국가 올림픽 위원회, 이라크의 북경 아시안게임 출전 금지 요구

o OPEC 비공식 회의, 원유 증산에 잠정 합의

- 이란, 증산 거부
- 이라크, 리비아 불참

2. 외국인 철수 및 인질 동향

o 이라크 현대 아국 근로자 40명, 8.28. 요르단 입국 수속중

o 필리핀 외무장관, 이라크 방문

- 쿠웨이트 내 자국 근로자 안전 철수와 자국 공관 및 공관원에 대한 배려 협조 요청

o 이라크 탈출 아랍 및 아시아인 18,000 여명, 8.26-27간 전세기로 암만 출발

o 이라크, 억류 파키스탄인 188명 석방

o 호텔 체류 두 영국인, 이라크군에 의해 미상의 장소로 이송

3. 주 쿠웨이트 외국공관 철수 동향

o 모로코 및 나이리지리아, 자국 대사관 철수

o 8.28. 현재 21개국 철수, 43개국 잔류

0096

이라크.쿠웨이트사태속보(42)

(8. 29. 15:00)

중동아프리카국
중 근 동 과

1. 이라크, 외국인 여성과 어린이 인질 출국 허용

- 후세인 이라크 대통령은 8.28. 외국인 인질중 여성, 어린이들에 대해 출국을 허용하라고 지시
- 주미 이라크 대사는 상기 사실을 확인하였으나, 실재 석방되기 까지에는 다소 시일이 소요될 것이라고 언급
- 미국의 반응 : 이라크측의 석방 결정을 환영하나, 공식적 반응은 없음.
- 아랍 관측통은, 이라크의 이러한 제스처는 후세인 대통령이 당장은 전쟁을 원치 않고 있으며, 대이라크 군사행동을 지연시키기 위한 시간 벌기 작전이라고 평가함.
  - i) 유엔 사무총장의 평화 협상 분위기 조성
  - ii) 서구인들의 적대감 완화
  - iii) 후세인 대통령의 강성 이미지 완화

2. 일본의 대응

- 일본 외무부는 이라크의 일본인 억류를 비난
- 일본은 현재,
  - i) 경제 제재 피해 국가들에 대한 재정 원조 재공 (10억불 상당)
  - ii) 의료진 파견
  - iii) 다국적군에 운송 수단 제공등을 고려중임.

0097

o JAL 회사는 일본 정부가 안전 운행을 보장하고 이라크에 억류된 일본인의 신변에 영향을 미치지 않는다는 보장하에 주4회 수송기 제공 예정 (전일본 항공 (ANA), 일본화물항공도 각각 주1회 제공 제의)

o 주쿠웨이트 대사관 잠정 폐쇄 고려

- 이유 : 잔류 직원 2명이 육체적, 정신적으로 한계에 달했음.

3. 미 국방성, 대이라크 군사작전 소요경비 발표

o 미 국방성은 90.9.까지 동작전에 소요될 경비를 25억불로 추산

o 동 경비에 대한 각국의 지원을 환영할 것이라 언급

4. 기 타

o 이라크는 미국의 이라크 외교관 추방 조치에 대응하여 숫자미상의 주이라크 미국 외교관을 추방할 것임을 미국에 통지

o 이라크, 주쿠웨이트 모로코 대사관 직원 인질

- 주쿠웨이트 모로코 대사관 직원을 강제로 바그다드로 이동, 인질로 감금

- 모로코는 이라크의 상기 조치에 대응하여 모로코내 2명의 이라크 관리에 대해 출국 명령 조치

0098

이라크, 쿠웨이트 사태 속보<43>

(8.30. 07:00)

중동아프리카국
중 근 동 과

1. 상 황

o 서방제국과 이라크 병력 증강으로 걸프만 위기 다시 고조
  - 미국 MI 전차등 최신예 중무장 장비를 쿠웨이트 접경지역으로 이동
  - 영국, 토네이도 공격기 12대 바레인에 배치
  - 불란서 항공모함 클레망소 걸프만에 진입
  - 이라크, 쿠웨이트 내부와 이라크 남부에 26만 5천명의 병력 배치, 이는 지난주의 16만-20만명 수준보다 크게 증강된 숫자

o 걸프만 위기를 해결키 위한 중재활동 계속
  - 페레즈 데 쿠에야르, 유엔 사무총장 8.30. 타리크 아지즈 이라크 외상과 암만에서 회담
  - 아랍연맹 외무장관 8.30. 카이로에서 회동코 걸프만 사태 협의
  - 전 미 대통령 후보 제시 잭슨 8.29. 요르단에서 이라크로 출발
  - 아라파트 PLO 의장, 5개항으로된 화평안 제시

o 미국 뉴욕 신문 "Newsday" 8.29 이라크의 비밀협상 제의 내용 보도
  - 이라크의 쿠웨이트 철수 및 인질 석방
  - 유엔의 경제 제재 조치 해제
  - 이라크의 루마일라 유전관리

o 일본정부, 8.29. 다국적군에게 의료요원, 자금지원, 수송수단등 제공 발표

o 걸프만 미군, 이라크 선박을 처음으로 검색하였으나 반항은 없었음

0099

o 미 수송기 서독에서 추락 13명 사망

o 터어키 정부, 이라크의 식품 및 의약품 제공 요청 거부

o 주미 이라크 대사, 8.29. 미국이 바그다드 무력공격 포기를 약속하면 남자인질도 출국할수 있다고 언급

2. 외국인 철수 및 인질 동향

o 주 쿠웨이트 일 대사관 직원 2명 바그다드로 출발

o 중국 및 터어키 정부 주 쿠웨이트 대사관 철수를 완료

o 로저 해리슨 주 요르단 미대사, 8.29. 요르단 국경에서 석방될 여자 및 어린이 인질 기다렸으나 8.30. 부터 출국 허용 할것으로 알려짐

o 불란서 인질 수명 미지의 곳으로 이동

3. 조 치 사 항

o 쿠웨이트 재무장관 방한 제의와 관련, 주일 대사에게 방문 목적등 파악토록 지시

o 미국의 대 이라크 외교적 제재 조치 내용 주 이라크 대사관에 통보

o 주 이라크 대사의 필수요원을 제외한 공관원 철수 건의를 승인

o 이라크 의원단 방한 제의에 대해 접수가 어려운 상황임을 통보

o 쿠웨이트 및 이라크 철수교민을 위한 예비비 승인을 위하여 경기원과 접촉

0100

이라크.쿠웨이트사태속보 (44)

(8. 30. 15:00)

중동아프리카국
중 근 동 과

1. 이라크의 협상 재의에 대한 반응

o 후세인 대통령은 이라크가 미국에 비밀협상을 재의했다는 보도를 부인 하면서도, 미국과의 협상 용의 재표명

- 주미 이라크대사는 외국인 여성, 어린이 인질 석방 예정임을 공식 통보
- 미국이 이라크를 침공하지 않겠다고 공약한다면 남자 인질들도 석방할 것임.

o 미국은 상기 협상 조건을 즉각 거부

o 이라크 외무장관을 만날 예정인 케야르 유엔사무총장은, 이라크가 유연한 자세를 취할 징후가 보인다고 언급

2. 일본, 다국적군 지원책 발표

o 일본은 사우디에 파견된 다국적군 지원용으로 10억불 지원키로 했음을 발표

- 대이라크 경제 제재 피해국에 10억불을 지원키로 했다는 발표를 정정
- 동 지원금은 주로 다국적군의 수송 비용으로 지급될 예정
- 의사, 간호원 총100명 파견
- 다국적군을 위한 급수 장비 제공
- 비군수물자 운송용 비행기, 선박 제공

o 기타 지원

- 대이라크 경제 제재 피해국에 대한 재정 원조
- 요르단에 대피중인 난민 대책 비용으로 1천만불 지원

3. 기타 외신

o 주쿠웨이트 터키 대사관 직원 철수

- 터키 외무부는 주쿠웨이트 대사관을 폐쇄하지는 않았으나, 직원들은 철수하였다고 발표

o 스웨덴 : 이라크, 쿠웨이트로 난민 원조용으로 약9백만불 요르단에 원조 예정

0101

이라크, 쿠웨이트 사태 속보<45>
(8.31. 07:00)

중동아프리카국
중 근 동 과

1. 상 황

o 케야르 유엔 사무총장, 암만 도착
- 31일 아지즈 이라크 외무장관과 회담 예정
- 케야르, 회담의 목적은 이라크가 유엔 안보리 결정을 준수토록 하는데 있다고 언급

o 아랍연맹 13개국 외무장관들, 카이로에서 회담
- 중동사태의 평화적 해결 위한 노력 모색
- 친 이라크국들 불참
(PLO, 알제리, 튀니지, 수단, 예멘, 모리타니아, 리비아, 요르단)

o 이라크, 전쟁 발발시 사우디, 이스라엘 공격
- 이라크 공군사령관, 이라크와 미국주도하의 다국적군간 전쟁 발발시 사우디, 이스라엘 공격할것이라 말함(INA 통신보도)

o 세바르드나제 소련 외무장관, 아랍 외무장관들에 메시지 전달
- 중동사태의 평화적 해결 위한 단결 촉구

o 이라크, 외국인 여성, 어린이 바그다드로 이동
- 이라크 대통령, 외국인 여성 및 어린이 출국허용 약속
- 서방국가 자국민 수송 비행기에 식량, 의약품 가져오도록 요구

o 미국, 일본, 서독등 맹방에 2백 30억달러 재정 지원 모색
- 미국 전비조달 및 대 이라크 금수조치로 타격받는 국가 원조에 사용

2. 교민 철수 동향 (8.31. 07:00 현재)

o 쿠웨이트 : 592명 철수, 13명 잔류

o 이 라 크 : 354명 철수, 368명 잔류

3. 조 치 사 항

o 교민 철수 경비 정산위해 소요경비 내역 파악 보고 지시(주 요르단 대사관)

0102

이라크, 쿠웨이트 사태 일보 <47>
(9.3. 15:00)

중동아프리카국
중 근 동 과

1. 상 황

o 이라크, 서방인질중 부녀자 및 병약자 약 700명 출국 허용
- 영국인 200여명, 미국인 90여명, 일본인 69명등
- 아직도 7,000여명 계속 억류

o 부쉬 미 대통령, 사담 후세인 제거 비밀공작 승인 (NEWSWEEK 9.3자 보도)
- 백악관, 논평 거부

o 미 국방성 관계자, 대 이라크 조기 공격 가능성 부인

o 이라크, 부분 식량 배급제 시행
- 정부 관계자, "진흙을 먹더라도 제재에 굴복 안할것"이라고 언급

o 파키스탄, 사우디 파병(5,000명 규모)

o 가다피, 리비아의 대 이라크 식량 금수 거부 방침 발표

o 사우디등 OPEC 회원국, 원유 생산량 315만 B/D 증산 예정
- 이라크, 쿠웨이트 생산량 결손분 거의 충족

2. 교민 철수 동향(9.3. 08:00 현재)

o 이 라 크 : 380명 철수, 342명 잔류
※ 쿠웨이트 잔류 교민 사실상 전원 철수

0103

이라크,쿠웨이트 사태 일보<48>

(9.4. 16:00)

중동아프리카국
중 근 동 과

1. 상 황

o 이라크, 서방인질 출국 허용 중단, 인질들을 위한 긴급 식량 원조 요구
  - 서방제국, 이라크의 부녀자 출국 허용 방침 번복 우려
  - Aziz 이라크 외무장관, ICRC 총재 면담시 이라크는 식량 부족으로 인한 인질들의 고통에 책임없다고 언급

o 이라크 공보장관, 일본이 이라크산 원유 수입하고 식량, 의약품 공급할 경우 일본인 인질 석방 가능성 언급(일본 교도 통신)

o 이라크, 외채 지불 중단

o 이라크, 쿠웨이트에 이라크인 수천명 이주 (쿠웨이트 망명 정부 소식통)

o Brady 미 재무장관, 9.4 부터 불, 영, 한, 일 4개국 순방 예정
  - 전비 분담 및 인근국 재정 지원을 위해 250억불 조달 목표
  - Baker 미 국무장관, 9.7 사우디, 쿠웨이트 망명정부등 중동 산유국 순방 예정

o Shevardnadze 소련 외무장관, "팔"문제 및 걸프사태 해결 위한 국제회의 소집 촉구 (9.4. 블라디보스톡 연설)
  - 이라크를 "predator state" 라고 비난

o Klibi 아랍연맹 사무총장 사임
  - 금번 사태 관련, 사우디, 시리아등의 동 총장 비난이 원인

0104

o EC 외무장관 회담, 9.7.(금) 로마 개최

o 터키 정부, 의회에 자국군 해외 파병 및 외국군 주둔 허용 권한 요청 예정

o 소련, 이라크 및 쿠웨이트 체재 소련인중 부녀자 철수 완료

o "전기침" 중국 외무장관, 터키 방문(9.3-7)

o Al-Amery 쿠웨이트 석유장관, 태국 외무장관 면담시 쿠웨이트내 태국 근로자의 경제적 손실 보상 약속

o Mitterand 불 대통령, Hussein 요르단 국왕 면담

o Levy 이스라엘 외무장관 방미(9.4 - 10)

2. 교민 철수 동향 (9.4. 08:00 현재)

o 이라크 : 382명 철수, 340명 잔류

0105

이라크, 쿠웨이트 사태 일보 <49>

(9.5. 16:00)

중동아프리카국
중 근 동 과

1. 상 황

o 이라크 Aziz 외무장관, 소련 방문차 출국

o 이라크, 서방 인질 약 130명(부녀자) 추가 출국 허용
  - 영국인 66명, 미국인 29명등

o Baker 미 국무장관, 걸프사태 해결 이후에도 미군의 계속 주둔 가능성 언급(하원 외무위 보고)
  - 금번과 같은 사태 재발 방지를 위한 페르시아만 지역의 새로운 안보질서 구축 필요성 강조

o Hurd 영국 외무장관, 군사 옵션 채택이 용이치 않다고 언급 (Jaber 망명 쿠웨이트 국왕 면담시)
  - 현 단계에서는 해상봉쇄를 통한 석유 금수가 최선의 방법이며, 군사 옵션 채택은 용이치 않음

o Chevenemant 불란서 국방장관, 전쟁 발발시 최소한 10만 사망 예상 언급
  - 미국측 분석, 미군 사상자 2-3만 예상

o Hussein 요르단 국왕, 48시간내 이라크 방문 계획

o 미 해군, 이라크 화물선(스리랑카산 차 적재) 최초 나포, 오만 머스캣 항으로 예인

o 뉴욕 선물 시장, 유가 대폭 상승
  - 배럴당 $ 1.80 상승 ($29.12로)
  - 유엔 사무총장 중재 시도 실패 영향

0106

o PLO 고위 관계자, 사담 후세인의 조건부 철군 용의 언급(이라크측 추후 공식 부인)

- 미국의 불공격 보장 및 쿠웨이트 영토 일부 차지시 쿠웨이트 철군, 인질 석방 가능 내용

2. 교민 철수 동향 (9.5. 08:00 현재)

o 이라크 : 382명 철수, 340명 잔류

0107

이라크, 쿠웨이트 사태 일보 <51>
(9.7. 16:00)

중동아프리카국
중 근 동 과

1. 상 황

o 부쉬 미 대통령, 이라크 TV 연설 제의 수락 (9.6)
- 10-15분간의 연설을 담은 비데오테이프를 이라크측에 전달 계획
- 이라크측의 인터뷰팀 워싱톤 파견 제안은 거부

o 중국, 대 이라크 식량, 의약품 공급 가능성 시사 (9.6. 외무부 대변인)
- 오학겸 부수상, 방중 중인 라마단 제1부수상 면담후

o 이란, 대 이라크 식량, 의약품 공급 가능성 시사 (9.6. 라프산자니 대통령계 신문 보도)
- 이라크 외무장관 9.9 이란 방문

o 소련, 이란 송유관을 이용한 이라크 원유 구입 모색설 (9.6. 테헤란 소식통)
- 이란 송유관 이용 기술적으로 가능 (이란 송유관과 이라크 송유관이 불과 수마일 떨어져 있는 지점이 몇군데 있음)
- 최대 1일 3.8 백만 배럴 송유 가능

o 대처 영국 수상, 걸프지역 증원군 파견 계획 (9.6. 의회 긴급회의 발언)
- 더이상의 유엔 결의 없이도 군사행동 가능 강조

o 이라크 법무장관, 국경 탈출 기도 서방인에 최고 무기징역 선고 위협 (9.6. INA 인터뷰)
- 쿠웨이트내 잠적 서방인들이 48시간내 주소 변경 신고를 해야 하며, 불응시 1-3년 징역 위협

o 미.소 정상회담 관련 동향
- 소련 외무부 대변인, 유엔군 걸프 파견 주장 및 동 방안이 정상회담시 논의될것 이라고 언급 (9.6)
- 백악관, 정상회담 관련 대소 경제원조 패키지 준비 부인

0108

o 유엔 사무총장, 이라크 외무장관과의 회담 결과 안보리 회원국에 비공식 보고 (9.6)

- 이라크측의 비타협적 태도에 비추어 향후 대화 증진을 위한 특별한 제안 없음
- Aziz 외무장관, 다국적군 철수 및 요르단 후세인 국왕의 외교해결 노력 지원 주장

o 유엔 사무총장, 서방 인질 면담 및 쿠웨이트 잔류 외국공관 상황 조사를 위한 고위 특사 수일내 파견 예정

o 사우디, 걸프주둔 미군의 식수, 연료, 수송 지원등 수십억불 공여 약속 (9.6. Baker 국무장관 수행 관계자)

o 사우디 국방장관, 이라크의 화학무기 공격시 중거리 미사일(이라크 전역 사정권)등으로 반격 계획 언급 (9.6)

o 미 소식통, 이라크군에 의해 피격된 미국인이 탈출 기도중 손에 총을 맞고 다리가 부러졌다고 언급 (9.7)

- 아직 정확한 경위등은 미확인

o 금번 사태 관련, 대피 외국인 관계 동향

- 이라크, 쿠웨이트 잔류 서방국인 총수 11,000명(미국인 2,500명 포함)
- 요르단 대피 난민 총 10만명, 매일 2만명 추가 입국, 1만명 출국
- 터키-이라크 국경지대 대피 난민 총 7만명
- 이란 입국 난민 매일 5천명
- 유엔의 난민 구호 관련, 스웨덴, 덴마크, 노르웨이 14백만불 공동 서약, 핀랜드 2.5백만불, 이태리 3.4백만불 각각 서약
- 인도, 자국인 철수 및 식량 수송을 위해 선박 2척 파견(걸프진입을 위한 미국의 허가 대기중)
- 방글라데쉬, 자국인 철수 위한 항공편 10회 운항 예정

2. 교민 철수 현황 (9.6. 08:00 현재)

o 이라크 : 총 교민 722명중 436명 철수, 286명 잔류

o 쿠웨이트 교민 (605명) 사실상 전원 철수

0109

이라크, 쿠웨이트 사태 일보 <53>
(9.11. 16:00)

중동아프리카국
중 근 동 과

1. 상 황

〈이 라 크〉

o 미.소 정상회담 결과 비난 성명 발표 (9.10)
  - 부시가 악령에 사로잡혀 있음

o 걸프만에 군대 파견한 부시 미 대통령을 재판에 회부키 위한 소장 작성 발표

o 사담 후세인 대통령, 제3세계에 원유 무료 공급 약속
  - 선박 수송은 직접 준비해야 함

o 사담 후세인 대통령, 대통령 경호대 장교 5명 암살 음모 협의로 처형

o 이란과의 외교관계 재개 합의 (9.10)
  - 87. 10 단교 이래 3년만에 재개
  - 공관업무 조속 재개

〈미 국〉

o 베이커 국무장관,
  - NATO 회원국에 지상군 파견 촉구 및 걸프만 전비 부담 분담 요청
  - 금주말 시리아 방문, 대 이라크 공동 대응 방안 논의 예정(9.10)

〈소 련〉

o 국익에 중대 위협 없는한 걸프만 파병 안할 것임을 표명 (프리마코프 대통령 자문위원)
  - 미국주도 다국적군과 이라크군 정면 대결시, 중대한 군사 충돌 가능성 경고

〈사우디, UAE 및 쿠웨이트〉

o 걸프만 파견국에 대해 120억불 경제 지원 약속

0110

〈이 란〉

o 카루비 이란 국회의장, 사우디 주둔 미군이 이슬람 성지를 훼손한다고 피력, 동 미군 주둔 반대 표명

〈예 멘〉

o 이라크의 쿠웨이트로 부터의 즉각 철수 주장 및 대화 및 아랍 테두리 내에서의 걸프사태가 해결 되야함을 피력(대통령)

o 걸프 사태로 인해 16억불 손실

〈사우디아라비아〉

o 소련군의 다국적군 동참 희망 시사

〈쿠웨이트〉

o 망명 수상, 전쟁에 의한 쿠웨이트에서의 이라크 축출은 불원이나, UN 경제 제재 실패시 보다 강력한 대 이라크 제재조치를 희망함을 피력

〈팔레스타인〉

o 아불아바스 테러분자 지도자, 현 중동전쟁 환영하며, 이라크를 위해 테러 공격 감행 용의 시사

※〈유가동향〉

o 헬싱키 미.소 정상회담에 따라, 9.10 유가 배럴당 30달라로 하락

2. 교민 철수 현황(9.11. 12:00 현재)

o 이라크 : 총 교민 722명중 436명 철수, 286명 잔류

※ 9.10. 20:00 (현지시간) 이라크 현대건설 근로자 20명 요르단 향발

9.11. 이라크 현대건설 근로자 80명 및 남광 근로자 1명, 요르단 향발 예정

0111

이라크, 쿠웨이트 사태 일보<55>

(9.13. 16:00)

중동아프리카국
중 근 동 과

1. 상 황

<이 라 크>

- o 부쉬 미 대통령 의회 연설 논평 (9.12. 이라크 관영통신)
  - 부쉬 대통령이 악마에 사로잡혀 있음
  - 부쉬 대통령은 이라크가 위협, 협박에 결코 굴하지 않을것임을 알아야 함

- o 이라크군, 쿠웨이트내 게릴라 및 외국인 색출 노력 강화
  - 게릴라 지도자, 이라크군 2,000명 살상 주장 (외부 관측통, 사상자 숫자가 다분히 과장된 것으로 평가)

- o 쿠웨이트 주재 이집트 대사관 철수 (일자 미상)

<미 국>

- o 미 하원, 일본의 아시아지역 미군주둔 비용 전액 부담 촉구 결의 압도적으로 채택
  - 일본이 걸프사태 관련 비용 분담에 소극적인데 대한 보복

- o 부쉬 대통령, 이라크 TV 방영용 메시지(8분) 녹화 (9.12)
  - 이라크측에서 5일내 방영 안할 경우 동 메시지를 전세계에 공개 예정

- o 사우디, 쿠웨이트등 지원 예정 120억불은 미국 전비 60억불, 이집트, 터키등 인근국 지원 60억불로 나누어 사용 예정 (9.11. Baker 국무장관 기자회견)
  - 90년말 까지의 미국 전비 대부분 보전 가능

0112

<유 엔>

o 유엔 안보리 토의, 인도적 견지에서의 대이라크 식량, 의약품 공급 문제를 놓고 교착상태
  - 서방측은 외국인 및 아동에 대해서만 식량 공급 허용 주장
  - 반면, 예멘.쿠바는 모든 민간인을 대상으로 하자는 주장
  - 유엔 사무총장, 유엔이 이라크, 쿠웨이트내 식량사정을 파악할 능력이 없다고 언급 (대이라크 제재 위원회 보고)
  - 주 유엔 이라크 대사, 국제기구의 이라크내 식량 배급 활동 허용 가능성 부인

<이 란>

o Khamenei 최고 지도자, 걸프주둔 미군에 대한 성전 촉구 (9.12)
  - 테헤란 외교 소식통, 베이커 미국무장관의 사태 해결 이후에도 미군 주둔 가능성 언급이 이란 태도 변화의 계기가 되었다고 분석

o Rafsanjani 대통령, 이란에 대피한 쿠웨이트인들 환대 호소 (9.12. Teheran Radio)

o 이란, 대이라크 식량 의약품 공급 검토(9.12. Teheran Times)

<기 타>

o '가지야마' 일본 신임 법무장관, 비전투요원 해외 파견이 가능토록 헌법 개정 검토 예정임을 언급 (9.13)

o '전기침' 중국 외무장관, 걸프사태 중재 용의 시사 (9.12)

o 파키스탄, 자국민 구호를 위한 식량 의약품 암만으로 공수, 외교화물로 바그다드 수송 예정임을 발표 (9.12)

o 소련, 스리랑카 난민 본국 귀환용 항공기 2대 지원

2. 교민 철수 현황 (9.13. 08:00 현재)

o 이라크 : 총 교민 722명중 457명 철수, 265명 잔류

※ 9.11. 이라크 현대건설 근로자 80명 및 남광 근로자 1명, 요르단 향발 (도착 보고 미정)

첨 부 : 각국의 이라크.쿠웨이트 교민 철수 현황

0113

각국의 이라크·쿠웨이트 교민 철수 현황

(90.9.12. AP 추계)

90.9.13.
중근동과

국 별	당초인원	철수인원	잔류인원
(서 방)			
미 국	3,500	1,700	1,800
서 독	1,000	290	710
영 국	4,000	1,800	2,200
불란서	미 상	수십명	430
일 본	수백명	미 상	216
카나다	800	500	300
화 란	180	50	130
놀웨이	46	11	35
폴투갈	53	9	44
스페인	150	120	30
스웨덴	165	162	103
스위스	168	118	70
터 키	4,000	3,775	225
유 고	7,000	6,000	1,000
오지리	140	136	4
벨기에	59	13	46
덴마크	100	24	76
핀랜드	42	20	22
희 랍	121	21	100
이테리	540	180	360
소 계	약23,000	약15,000	7,901
(기 타)			
파키스탄	130,000	30,000	100,000
필리핀	93,000	6,000	87,000
스리랑카	150,000	50,000	100,000
방글라데시	110,000	80,000	30,000
인 도	190,000	90,000 (65,000은 난민캠프 체류중)	100,000
레바논	60,000	5,000	55,000
이집트	1,400,000	236,000	1,164,000
* 한 국	1,327	1,049	278
계	약2,200,000	약600,000	1,644,179

0114

이라크, 쿠웨이트 사태 일보〈56〉

(9.14. 16:00)

중동아프리카국
중 근 동 과

1. 상 황

〈이 라 크〉

o 주미 이라크 대사, 부쉬 대통령의 대이라크 국민 메시지 녹화 테이프 수령 거부 (9.13)
  - 미측, 주 이라크 미 대사관 경유 전달 시도 예정

〈미 국〉

o 베이커 미 국무장관, 9.13 시리아 도착
  - 9.14. 아사드 시리아 대통령과 회담 예정

o 미 상원, 9.13 대 이라크 제재 법안 가결
  - 무역 및 원조 금지, 미정부의 금융 지원 중단
  - 대 이라크 경제 제재 위반시 벌금 대폭 인상
  - 상.하 양원 합동회의에서 단일법안 절충 예정

o 미국, 유럽국가들의 탱크등 지상군 파병 요구 (9.13. 미 합참의장)
  - 영국, 수일내 지상군 파병 발표 예상

o 미국, 이란이 대 이라크 경제 제재를 준수않는 증거 없다고 발표 (9.13. 미 국무부 대변인)
  - 뉴욕타임즈등 미 언론, 이란-이라크간 석유-식량 구상무역 합의설 계속 보도 (이란측 부인)

〈일 본〉

o 일본, 걸프사태 관련 30억불 추가 지원 결정 (9.14. 일정부 대변인)
  - 가이후 일수상, 9.14. 부쉬 대통령에 전화 통보
  - 일 분담 총액 40억불 (20억불 미 전비 분담, 20억불 이집트, 요르단, 터키 지원)
  - 이집트등 지원 20억불중 금년중 6억불 우선 지원 (30년만기, 연리 1%, 차관형식)
  - 미국의 대일 요구금액 40억불 충족 결과

0115

〈유 엔〉

o 유엔의 대이라크 경제 제재 완화(식량 일부 공급 허용) 결의, 9.14 저녁 (뉴욕시간) 채택 예상

- 인도적 견지의 식량만 공급 허용, 적십자사등 국제 구호 기구에서 식량 배급 직접 담당 또는 감독토록 규정
- 13개국 찬성 확실; 쿠바, 예멘 찬반 여부 불투명

o 유엔 대이라크 제재위원회 의장, 이라크가 식량을 정치 무기로 사용하고 있다고 비난 (9.13)

- 식량이 아직도 상당히 있으나, 외국인들 에게는 식량 배급권 주지 않음

〈기 타〉

o 시리아, 기갑사단 (병력 1만명 및 탱크 300대) 사우디 증파 합의 (9.13. 외교 소식통)

o 알제리 회교 지도자, 걸프 순방후 사담 후세인과 사우디 파드 국왕이 대화를 통한 사태 해결을 희망한다고 언급 (9.13)

2. 교민 철수 현황(9.14. 08:00 현재)

o 이라크 : 총 교민 722명중 513명 철수, 209명 잔류

0116

이라크, 쿠웨이트 사태 속보<57>

(9.15. 11:00)

중동아프리카국
중 근 동 과

기행

- 이라크군의 쿠웨이트 주재 서방국 공관 난입 관련 동향 -

1. 사 건 개 요

o 이라크군, 9.13-14 쿠웨이트 주재 불란서, 카나다, 벨기에, 화란등 서방 4개국 공관, 관저 난입

o 불란서 대사관저 난입 (9.14)
- 무관(Edouard Crespin 공군대령)등 불란서인 4명 억류
- 무관은 추후 석방, 민간인 3명 계속 억류

o 카나다 대사관저 난입 (9.14)
- 회의중이던 카나다, 미국, 호주, 아일랜드 영사 수시간 경찰서에 억류 (추후 석방)
- 동 대사관 대피중이던 아일랜드 민간인 6명 체포 억류

o 벨기에 대사관 난입 (9.14)
- 이라크군, 벨기에 외교관 2명을 공관 밖으로 나가라고 명령
- 외교관 억류는 하지 않았으며, 외교관 2명은 계속 대사관 잔류

o 화란 대사관저 난입 (9.13)

o 이라크군, 불란서 및 카나다 대사관저에서 약탈품을 트럭으로 실어 날랐음 (불란서 TV 보도)

0117

2. 관련국 반응

o 이라크

- 불란서 및 화란 외교 공관 난입 사실 부인 (9.14. 이라크 관영통신 정부 소식통 인용 보도)
- 8.24. 이후 쿠웨이트 잔류 외교관들의 외교 면책 특권 상실에도 불구, 쿠웨이트 주둔 이라크군은 외교공관에 절대 들어가지 않도록 명령받고 있음

o 불란서

- 미테랑 대통령(체코 방문중), 이라크군 난입이 공격행위(act of aggression)이며 9.15. 각의후 대응 조치를 취할 것이라고 언명
- 주불 이라크 대사 외무부 소환 항의
- EEC (9.17), 서구연합(9.18) 긴급회의 소집 요청

o 미 국

- 부쉬 대통령, 이라크군 행위 규탄 및 미테랑 대통령이 취하는 어떠한 대응 조치도 적극 지지 언급
- 베이커 국무장관, 이라크군의 몰상식한 행위 불구 사태의 평화적 해결 희망 논평

o 벨기에, 카나다, 화란, 자국주재 이라크 대사 외무부 소환 항의

o NATO, EC 규탄 성명 발표

o 영 국 (외무부 Waldgrave 공사)

- 일부 언론의 영, 미 대사관 난입 보도는 사실이 아님
- 이라크군이 쿠웨이트 게릴라 색출 작업중 실수로 서방국 외교 공관에 침입한 것으로 보임

0118

이라크, 쿠웨이트사태속보(58)

(9.14. 12:00)

중동아프리카국
중 근 동 과

1. 상 황

<이 라 크>

o 이라크군, 쿠웨이트 주재 서방국 외교공관 난입 (별도 속보 참조)

o 미국, 호주 군함, 이라크 유조선 경고 사격 (9.14.)

- 승선 검색후 석방

- 대이라크 해상 봉쇄후 3번째 경고 사격

o 서방 인질 여성 및 어린이 404명, 이라크 항공편 바그다드 출발 (9.14)

- 미국인 375명, 영국인 수십명등

<미 국>

o 사우디에 전투기.탱크등 200억불 규모 무기판매 검토 (9.14. 미 행정부 고위 관리)

- 미국의 평화시 1개국에 대한 무기 판매로는 사상 최대 규모

- F-15 24대, M-1 탱크 300대등

o 미국, 이라크 정보기관의 테러 공격 가능성 우려 (9.14. 국무부 대변인)

- 테러 공격 발생시 이라크에 직접 책임 추궁 경고
(주이라크 미국 대사대리 경유 이라크 외무부앞 메시지 전달)

o 시리아 방문중인 베이커 국무장관, 테러리즘 관련 의견 차이 불구 시리아와의 협조 관계 계속 언급 (9.14.)

o 미국, 사담 후세인, 폴포트등 처벌을 위한 '국제 형사 법정' 설립 가능성 검토 (9.14.)

0119

<각국의 걸프 추가 파병 동향>

o 영 국

- 지상군 6,000명, 탱크 120대 추가 파병 (2차 대전후 최대규모 해외 파병)

- 군함 7척, 전투기 40대 기 주둔중

o 이 태 리

- 군함 1척, Tornado 전폭기 8대 추가 파견

- 군함 3척 기 주둔중

o 카 나 다

- 전투기 1개대대, 450명 추가 파병

- 전함 2척, 보급선 1척 기 주둔중

- 전선국가 경제원조 7,500만 카불 추가 제공 (250만 카불 기지원)

o 시 리 아

- 사우디 주둔군 15,000명 (탱크 300대) 규모로 증강

- 지상군 3,200명 기 주둔중

o 서 독

- 다국적군 지원 수송기, 선박 제공 검토

- 9.15. 베이커 미 국무장관 방독시 최종 결정 전망

- 기 지원 내역

. 다국적군 기술 지원 65백만불

. 이집트, 요르단, 시리아, 터키 지원 265백만불

<기 타>

o Chauvenement 불란서 국방장관, 사우디 방문 (9.14.)

o 유엔 사무총장 특사 9.16. 이라크,쿠웨이트 방문 예정 (9.14. 유엔 대변인 발표)

- 케야르 사무총장, 9.12. Sadruddin Aga Khan 전 UNHCR 사무총장을 걸프사태 관련 인도적 원조 담당 특사로 지명

0120

o 고르바쵸프 소 대통령, 이스라엘 각료 2명 (재무장관, 과학장관) 면담

- 67년 양국간 외교관계 단절후 최초의 고위급 접촉

o 파키스탄, 걸프사태 관련 11억불 원조 호소

- 미.일등 14개국 및 4개 국제기구 대상

- 사태 관련 경제적 손실 10억불 주장

. 유가 상승 피해 6억불, 해외 근로자 송금 중단 3억불, 교역중단 1억불등

o 인도 수송선 9.15. 출항 (걸프지역 자국민 구호용 식량 6천톤 적재)

- 유엔의 인도적 식량 공급 허용 결의 의거

o 방소중인 Hurd 영국 외무장관, 고르바쵸프 면담후 기자 회견 (9.14.)

- 소련 및 서방, 사담 후세인이 승리할수 없음을 인식토록 설득 노력 강화 필요

- 소련, 무력 사용 가능 억제 입장 반복

2. 교민 철수 현황 (9.15. 08:00 현재)

o 이라크 : 총교민 722명중 513명 철수, 209명 잔류

0121

이라크,쿠웨이트사태일보(59)

(9.14. 16:00)

중동아프리카국
중 근 동 과

1. 상 황

<이라크군의 쿠웨이트 주재 서방 공관 침입 관련 동향 (속)>

o 불란서 (9.15.)

- 이라크 외교관등 40명 추방(주불 이라크 대사관 11명, 군사연수생 26명, 비밀요원 3명)
- 걸프지역에 불란서군 4,000명 추가 파병
- 주불 이라크 대사관 직원 파리밖 여행 제한

o 이태리 (9.16.)

- 주이 이라크 대사관 무관실 소속 직원 전원 추방
- 주이 이라크 대사관 직원 로마밖 여행 제한
- EC 에 대이라크 추가 제재 조치 채택 요청

o 유엔 (9.16.)

- 이라크군의 외교공관 침입 비난 안보리 결의 (667호) 만장일치로 채택
- 억류 서방인 석방 촉구, 이라크 불응시 유엔헌장 7장에 따른 추가 제재 조치 채택 경고

o 소련 (9.16.)

- 대이라크 비난 성명 발표

o 이라크 (9.16.)

- 사담 후세인, 억류 불란서인중 병약자, 노인등 출국 허용 발표 및 불란서와의 우호관계 유지 희망 표시

0122

o 주쿠웨이트 튀니지 대사관 이라크군 침입설 (9.16. 튀니지 일간지 보도 : 공식 확인 안됨)

<이 라 크>

o 사우디-쿠웨이트 국경, 9.15. 전격 개방 (이라크 정부 공식 발표 없음)
  - 쿠웨이트인 수백명 출국
  - 쿠웨이트 망명 정부, 이라크의 쿠웨이트 병합 기도의 연장이라고 비난

o Mutaqi 외무차관등 이란 고위사절단, 9.16. 바그다드 도착
  - 포로 교환, 국경 문제, 양국 대사관 재개등 논의 예정

o 부쉬 미 대통령 메시지, 이라크 TV 방영 (9.16.)
  - 8분 메시지 방영후 반박해설 25분 방영
  - 이라크인 수천명, 부쉬 규탄 시위 (바그다드)

o 이라크측 쿠웨이트내 스리랑카인들이 5주내 출국 안할 경우 식량, 식수 공급중단 위협 (9.16. 스리랑카 정부 소식통)

o 이라크, 빵.밀가루등 배급제 시작 (외국인, 외교관에도 동일 적용)
  - 하루 빵 3개 또는 월 밀가루 6Kg
  - 쌀, 식용유, 비누, 설탕, 우유등 생필품 모두 배급제 채택

o 이라크, 인도적 지원 식량의 국제기구 감독하 배급 (유엔 안보리 결의 666호) 거부 (9.15. Aziz 외무장관)

<기 타>

o 유엔 안보리, 대이라크 공중 봉쇄등 추가 제재 문제 검토 예상
  - Pickering 주유엔 미국대사, 공중 봉쇄 결의안 준비 언급
  - Vorontsov 주유엔 소련대사, 추가 제재 결의 채택 가능성 시사
  - 서방 외교 소식통, 유엔 경제 제재 위반 국가들에 대한 제재 조치 계획 언급

o 이집트, 15,000명 추가 파병 예정

o 소련, 사우디 복교
  - 사우디 외무장관 9.16. 모스크바 도착
  - 양국, 1938년이래 단교 상태

0123

o 이란, 서방에 대항 혁명 수비대 동원령 (9.15.)

o 베이커 미 국무장관, 각국으로 부터 금년말까지 200억불 지원 약속 확보 발표 (9.16. Bonn)

- 사우디, 쿠웨이트, UAE : 120억불
- 일 본 : 40억불
- 서 독 : 20억불
- 이 태 리 : 1.45억불등
- 시리아군 증파위해 소련에 수송기 지원 요청 (현재까지 소련측 응답 없음)

o 베이커 미 국무장관, 걸프사태 관련 앞으로 6주가 고비라고 언급 (9.15. Rome)

- 안드레오티 이태리 수상과의 회담시 유엔 경제 제재 위반국가 재재 필요성 합의

o Kohl 서독 수상, 비용 분담 20억불 추가 지원 계획 발표 (9.15. 베이커 국무장관 면담후)

- 10억불 상당 군사장비 대미 지원
- 전선국가 경제지원 10억불
- 서독 : 이집트, 요르단, 터키등에 약9억불 기지원

o 요르단, 수단, 알제리, 튀니지 회교지도자 이라크지지, 대미성전 촉구

o 카나다, 걸프 파병 및 비용분담 계획 발표 (9.14.)

- F-18 1개 비행중대, 지원 인력 포함 450명 파병
- 전선국가에 대한 7,500만 카불 지원 (유엔을 통해 250만 카불 기지원)

2. 교민 철수 현황 (9.15. 08:00 현재)

o 이라크 : 총교민 722명중 513명 철수, 209명 잔류

0124

이라크, 쿠웨이트 사태 일보<60>

(9.18. 15:00)

중동아프리카국
중근동과

1. 상 황

<이 라 크>

- ㅇ 이라크, Al-Majid 지방행정장관을 쿠웨이트 주지사로 겸임 발령. (9.16)
- ㅇ 이라크, 쿠웨이트 성년 남자 대량 체포 (9.17)
  - 이라크군으로의 징집 가능성에 대한 우려 확산
  - 이라크, 쿠웨이트 합병후 18-45세 쿠웨이트 남자가 이라크법에 따라 병역의무가 있다고 발표
- ㅇ 이라크, Sadruddin 유엔 인도적지원 특사 접수 거부
  - Sadruddin 특사, 자신의 임명은 국제기구 감독하 식량공급을 규정한 안보리 결의 666호와 무관하다고 해명, 이라크 방문 희망
- ㅇ 이라크, 사담 후세인의 약속에 따라 불란서 노인 4명 9.17 출국 허용 예정

<미 국>

- ㅇ Michael Dugan 공군 참모총장 해임 (9.17)
  - "전쟁 발발시 바그다드 폭격 불사" 발언 (9.16. 워싱톤 포스트 인터뷰)에 책임을 물어 전격 해임

<E C>

- ㅇ EC 외무장관 회담, EC 각국 주재 이라크 무관 전원 추방등 조치 결정 (9.17)
  - 이라크의 쿠웨이트 주재 서방 외교공관 침입에 대한 공동 대응 조치
  - 여타 이라크 외교관의 활동범위 제한
  - 유엔 경제 제재 위반 국가에 대한 제재 조치 협의

<기 타>

- ㅇ 서구 연합(WEU) 9개국, 9.18 회의에서 지상군 걸프 파병 논의 예정
- ㅇ 과격 아랍 회교지도자, 3일간 회의를 마치고 대미 성전(자살 공격등) 촉구 (9.17, 암만)

0125

o 방미중인 Arens 이스라엘 국방장관, Cheney 미국 국방장관 면담 (9.17)

- 고성능 최신무기 구매 교섭

- 미국의 대 이스라엘 군원 연 18억불

o 유가, 82년 이래 최고치 기록 (9.18)

- North Sea Brent 11월 인도분 배럴당 $ 31.85 기록

2. 교민 철수 현황 (08:00 현재)

o 이라크 : 총 교민 722명중 524명 철수, 198명 잔류

0126

이라크,쿠웨이트 사태 일보<61>
(9.19. 15:00)

중동아프리카국
중 근 동 과

1. 상 황

<이 라 크>

- o 사담 후세인, 가까운 장래에 이란 방문설 (9.18. 주파키스탄 이란 대사)
- o 이라크, 미국 공격시 전면 보복 경고 (9.18. 이라크 라디오)
  - 공격 국가의 도시를 포함 무차별 반격
- o 이라크, 인도 외교관 및 적십자사가 이.쿠 잔류 외국인에 식량 분배토록 허용 (9.18. 인도 소식통)
  - 식량, 의약품 적재 인도 화물선 9.23(일) 이라크 항구 도착 예정
- o Al-Chalabi 이라크 석유장관, 이.쿠 석유금수로 유가가 배럴당 50불까지 인상될 것이라고 경고 (9.18)
- o 바그다드 소재 이란 반정부 단체 (Mujahedeen Khalq), 소속원들에게 이라크 탈출 지시 (9.18. 이란 관영 통신)
  - Mujahedeen Khalq 워싱톤 사무소측은 동 사실 부인
  - Mujahedeen Khalq는 최대 규모의 이란 반정부 단체로서 바그다드에 본부가 있으며, 약 15,000명의 무장 병력을 보유한 것으로 알려짐
- o 쿠웨이트내 수만군중, 부쉬 연설후 반미 시위 (9.18. 이라크 관영 통신)

<미 국>

- o 미 의회에서 부쉬 행정부 비판 여론 처음으로 대두
  - 이집트 군사 부채 67억불 탕감안에 대한 의회내 반대여론 대두
  - 하원 외교위 청문회에서 사태 발발 직전 미행정부의 대 이라크 유화정책 비판 및 이스라엘 안보 관련 대사우디 무기 200억불 판매 계획 반대 표명
    - . 이라크측이 공개한 7.25. 사담 후세인의 April Glaspie 미국대사 면담록에서 미측, 이라크의 대쿠웨이트 협박 외교 불구 양국간 우호관계 유지 희망 피력

0127

o 미국방부, 쿠웨이트내 및 인접지역 배치 이라크군이 수일내 상당히 증가 되었다고 발표 (9.19)

- 당초 265,000명에서 360,000명(탱크 2,800대 포함)으로
- 미 국방부 대변인, 360,000명중 쿠웨이트내 주둔 병력수는 밝히지 않음

o 부쉬 대통령, 인도적 지원 식량이 이라크군에 제공되면 안된다고 강조 (9.18. 지방 연설)

o 미 국방부, 수송기 3대 요르단 파견 발표 (9.18)

- 난민 구호 식량 수송 및 본국 귀환 지원 위해

o 미국, 이스라엘에 최신무기 제공 합의 (9.19. 미.이스라엘 국방장관 회담)

- F-15 15대,공격헬기 10대,미사일 요격용 Patriot 미사일 2개 대대용 장비등

<유 엔>

o 5개 안보리 상임 이사국, 대이라크 공중 봉쇄 합의 (9.18. 소련 외무차관)

- 결의안 수일내 채택 전망
- 결의안 요지
  . 이라크.쿠웨이트와의 항공편 왕래 일체 금지
  (단, 안보리 승인을 받은 난민 수송, 식량, 의약품 수송은 예외)
  . 모든 국가들에게 자국주재 이라크 대사관 활동 제한 촉구
  . 대이라크 서비스 분야 교역 금지 명시
  . 이라크 상품의 제3국간 수송 허용 금지

o 서구연합(WEU), 대이라크 공중 봉쇄 유엔 결의 채택 촉구 (9.19. WEU 외무.국방장관 회담 결과)

o 유엔 사무총장, 걸프사태의 세계대전 비화 가능성 경고 (9.18)

<소 련>

o 소련, 미국에 군사장비 수송용 대형 선박 임대 합의 (9.18. NATO 소식통)

o 소련, 시리아군 15,000명 증파를 위한 수송기 제공 합의설 (9.19)

o 사우디 외무장관, 다국적군 기치하 소련군 사우디 주둔 환영 (9.19)

<기 타>

o 아사드 시리아 대통령, 내주중 이란 방문 (9.18. 이란 관영 통신)

o 화란, F-16 전폭기 1개 대대 터키 파견 예정 (9.18. 화란 외무부)

o 알젠틴, 미사일 탑재 군함 2척 걸프 파견 방침 (9.18. 집권당 부총재)

2. 교민 철수 현황 (10:00 현재)

o 이라크 : 총 교민 722명중 539명 철수, 183명 잔류

0128

페湾 사태가 我國 經濟에 미치는 影響

1. 石油市場 動向 및 展望

가. 動向

o 國際原油價, 배럴당 25불이상 수준에서 騰落 거듭

- 現物市場 動向 (Dubai유, $/B)

· 17.20(7.31)→ 25.40(8.7)→31.75(8.22)→ 27.20(8.27)→
24.75(8.29)→ 28.23(9.6)→27.03(9.10)→ 28.65(9.14)

- 油價上昇原因

· 사우디등의 增産실시 불구, 原油供給 부족 지속 (3/4분기1.2백만B/D, 4/4분기 1.9백만 B/D 不足 예상)

· 사태해결에 대한 전망 不透明 및 冬節期 需要增加 豫想등에 따른 心理的 요인 및 사재기 현상등 작용

o 石油製品의 경우, 페湾 긴장에 따른 軍事用 需要增加와 각국의 輸出減少로 原油에 비해 物量不足 더욱 심각하며 價格上昇幅도 큼

- 燈油의 경우 25.20/B(7.31) 에서 $44.25/B (9.6)로 상승

나. 國際 原油價 展望 ('90)

o 현재의 武力對峙 상태 지속 경우, 國際原油價는 $25-30 사이에서 騰落 持續 展望

o 早期平和的 해결 경우, $21-24/B 전망

o 戰爭勃發경우, 戰爭의 持續期間 및 사우디등 관련국 原油生産施設의 破壞 정도등에 따라 $30-$50/B 油價暴騰 가능

0129

2. 我國經濟에 대한 影響

가. 油價上昇의 波及 效果

o 에너지 海外依存度가 심화 추세에 있고, 石油의 中東依存度가 높음

- 에너지 海外依存度 : 76.2%('85)→85.5%('89)

- 中東石油導入比重 : 57.0%('85)→72.1%('89)

o 産業構造的으로 에너지 節約에 한계

- 鐵鋼, 石油化學, 시멘트등 에너지 多消費 業種이 주요산업으로 成長

o 波及 效果

	국제원유가25$/B 기준	국제원유가30$/B 기준	자료 출처
경제 성장율 하락효과('90)	1.4%	2.0%	에너지 경제연구원
도매물가 상승 효과	3.70%	5.88%	경기원
소비자 물가 상승 효과	0.59%	0.93%	경기원
원유도입 추가 부담(90.9-12)	9 억불	14 억불	동자부

※ 90 上半期 16.5$/B 기준 대비임

※ 90 原油導入計劃 : 3.14억 배럴

나. 이라크·쿠웨이트 工事 管理 問題

o 發注處 허가없이 현장 철수시 契約違反으로 發注處로부터 債權 회수 불능등 문제 발생 우려

※ 쿠웨이트경우, 發注處의 향후 所屬不明으로 債權및 資産 손실화 우려

o 業體 追加 부담 費用 발생

- 금번사태로 工事代金 및 未收金 受領遲延에 따른 金融費用과 人力 撤收에 따른 추가 負擔 발생

- 또한 工事中斷에 따른 裝備資材등 資産의 훼손, 流失이 불가피

0130

o 債權등 資産 및 債務現況

- 債權 : 992백만불 (이라크 920, 쿠웨이트 72백만불)
  - 未收金67, 留保金168, 어음598, 其他159백만불
- 資産 : 68백만불 (이라크49, 쿠웨이트 19백만불)
  - 資材22, 裝備21, 其他 25백만불
- 債務 : 601백만불 (이라크484, 쿠웨이트117백만불)
  - 各種保證281, 現地金融282, 외상매입 38백만불

o 施工殘額 : 837백만불 (이라크755, 쿠웨이트82백만불)

다. 輸出減少 ('90) : 對 이라크·쿠웨이트 輸出中斷 포함, 페灣 긴장으로 對 中東地域 직접 輸出 2-3억불 減少 예상

0131

이라크, 쿠웨이트 사태 일보 <62>

(9.20. 16:00)

중동아프리카국
중 근 동 과

1. 상 황

<타협을 통한 사태 해결 모색 움직임>

o 사담 후세인, 사우디 또는 유엔과 협상 용의 (9.19. 아라파트 PLO 의장 전언)
  - 미, 사우디, 유엔측의 긍정 반응시 사태의 정치적 해결 가능
  - 이라크군 쿠웨이트 철수 및 쿠웨이트 합법정부 복귀도 논의 용의 (단, 팔레스타인, 레바논 문제를 다룰 국제회의의 차원에서 논의시)
  - Jaber 전 국왕이 아니라면 망명 쿠 왕가의 일원이 정부수반이 되는 것도 검토 가능
  - 케야르 유엔 사무총장과 면담 용의 (케야르 총장, 성과있는 회담이 가능하면 바그다드 방문 용의 표명)
  - 아라파트 의장, 상기 타협안 논의 위해 파드 사우디 국왕 면담 희망 (아라파트 의장, 9.18. 사담 후세인 면담)

o 후세인 요르단 국왕, 아랍 평화안 모색차 9.19. 모로코 향발
  - 모로코, 알제리 정상과 회담 예정
  - 합의 도달시 오만, 예멘을 초청, 5개국 공동 명의의 아랍 평화안 제시 계획
  - 요르단측 구상
    . 이라크군 쿠웨이트 철수
    . 철군 6개월후 쿠웨이트의 장래 결정 국민투표
    . 쿠웨이트 주둔 이라크군은 유엔군으로 대체 ; 사우디 주둔 다국적군은 아랍 연합군으로 대체

o Velayati 이란 외무장관, 사우디와 평화적 해결방안 토의 용의표명(9.19)

0132

<이 라 크>

o 이라크, 자국 해외 자산 동결에 대한 보복으로 이라크내 서방국 재산 압류 (9.18)

- 실제 효과는 미미(영국의 경우 이라크내 유일한 자산은 대사관 건물임)

o 사담 후세인의 고위 보좌관 사임 (9.18. 이라크 신문 보도)

- Sadoun Shaker Mahmoud 혁명지도위(최고권력기관) 위원 (내무장관, 정보책임자 역임)

- 집권층 내부의 불화 조짐 (일부 언론 분석)

<미 국>

o 부쉬 대통령, 이라크 철수 안할 경우 새로운 추가 제재 조치 강구 경고 (9.19)

o 부쉬 행정부의 걸프사태 처리 관련 의회내 비판 서서히 대두

- Kerrey 상원의원, 부쉬 행정부가 이라크의 쿠웨이트 침공이 미국에 미치는 위협을 과장했다고 비난

- 각국이 제공한 전비의 사용 절차를 놓고 의견 대립

. 행정부측, "National Defense Gift Fund"설립, 행정부 책임하에 사용 주장

. 의회측, 전비 사용시 의회의 승인을 받도록 요구

o Eagleburger 국무부장관, 앞으로 외교정책 수행에 필요한 경비 조달시 동맹국에 대한 분담 요청 증대 시사 (9.19)

o 미국방부, 예비군 육군 62개 단위부대 및 해군 3개 단위부대 소집령 (9.19)

o Greenspan 연방 준비위 위원장, 걸프사태로 인한 경제 불황 가능성 경고 (9.19)

<기 타>

o 소련의 Kryuchkov KGB 의장, 미국과 이라크 관련 정보 협력 제의 (9.19)

o 안보리 5개 상임이사국, 대이라크 공중봉쇄 결의안 제안

- 9.21-22경 표결 예정

- 동 결의안에서 이라크가 유엔 결의 이행을 계속 불응할 경우 심각한 결과를 초래할 수 있는(with potentially severe consequences) 추가 조치 채택 경고

0133

o 파키스탄, 사우디 요청시 걸프 파견 병력 10,000 명으로 증강 발표 (9.19)

- 현재 2,000명 기파견, 3,000명 이동 대기중

o Sadruddin 유엔 인도적 지원 특사 사임 예정 (9.19)

- 이라크측의 입국 불허가 이유

o 인도, 유엔의 대이라크 제재 결의 준수 재확인 (9.19. 외무부 대변인)

- 인도의 "미온적 태도"에 대한 미 의회의 비난 반박

o 요르단 재무장관, 15억불 긴급 원조 호소 (9.19)

- 8.2. 사태 발생후 21억불 손해

o 이집트 기획장관, 걸프사태로 인한 금년중 경제 손실이 27.3억불 이라고 언급 (9.19)

o 미국, 이스라엘에 Sidewinder 공대공 미사일 300기(32백만불 상당) 판매 예정

o 유가 계속 상승, 81.12월 이래 최고치 기록

- North Sea Brent(세계유가 기준 원유) 11월 인도분 배럴당 $33.90 기록

- 전문가들, 이.쿠 원유 금수가 세계 원유시장 수급에 직접적 영향을 미치기 시작 했다고 분석

2. 교민 철수 현황 (08:00 현재)

o 이라크 : 총 교민 722명중 539명 철수, 183명 잔류

0134

이라크, 쿠웨이트 사태 일보<65>
(9.25. 16:00)

중동아프리카국
중 근 동 과

1. 상 황

<이 라 크>

o 사담 후세인, 쿠웨이트 병합 양보 불가 입장 재천명(9.24. 회교 성직자 모임 연설)
  - 천년동안 전쟁을 하는 한이 있어도 쿠웨이트는 결코 포기할수 없음
o 이라크 당국, 10.6 이후 쿠웨이트 화폐 폐지 계획 발표(9.24)
  - 쿠웨이트 Dinar화를 10.6까지 이라크 Dinar와 1:1로 교환
o 이라크측, 미국인 인질 1,000명 석방 조건으로 Aziz 외무장관 탑승 이라크 항공기의 뉴욕 운항 허가를 내주겠다는 미측의 제의 거부 주장 (9.24)
  - 미 국무부, 미측이 그러한 제의를 한바 없다고 부인

<유 엔>

o 안보리, 9.25. 대 이라크 공중봉쇄 결의안 채택 예상 (안보리 상임 이사국 외무장관들 언급)
  - 이라크 출발 항공기는 난민 수송 목적만 허용
  - 이라크행 항공기는 검색을 받은후 인도적 식량, 의약품 수송만 허용
  - 모든 국가는 이라크행 항공기의 재급유, 착륙, 영공통과 불허(위반시 제재)
o 안보리, 9.24. 대 이라크 경제 제재 관련 피해국가 원조 결의 채택
o 주요국 기조연설중 걸프사태 관련사항

미테랑 불란서 대통령

  - 이라크가 쿠웨이트를 포기토록 국제사회의 압력 지속 필요성 강조
  - 불 대사관저 침입에 대한 이라크측의 사과는 받아들일수 없음
  - 4단계 평화적 해결 방안 제시
    . 이라크의 쿠웨이트 철수의사 발표 및 인질 석방
    . 국제적 보장 감시하 이라크군 철수, 쿠웨이트 합법정부 복귀 및 쿠 국민의 민주의사 회복
    . 레바논, 팔레스타인등 중동문제의 포괄적 해결을 위한 국제사회의 노력
    . 역내 모든 국가의 평화.안전을 기할수 있도록 감군, 협력 달성

0135

이란 외무장관

- 안보리 결의 및 대 이라크 경제 제재 준수 입장 확인
- 미군 주둔이 걸프지역의 불안정 요인임

폴란드 외무장관

- 병원선 및 야전병원 걸프 파견 방침 발표

<기 타>

o 세바르드나제 소련 외무장관, 이라크의 걸프 유전 파괴 위협은 용인될수 없다고 비난 (9.24)
  - 이라크의 유전 공격은 전쟁을 촉발시킬 것임
o 아사드 시리아 대통령, 이란 체제기간 연장 (이란 관영통신 보도)
o 이란, 대 이라크 식량 밀수 협의로 29명 체포 (9.24)
o 식량 적재한 트럭 30대, 시민들의 환호속에 암만에서 바그다드를 향해 출발 (9.24)
  - 유엔 안보리 결의 661 및 666호 위반 행위 (전문가 견해)
o 인도 난민 송환을 위한 인도 선박 3척, 이라크 남단 움카슬항 도착 (9.24)
  - 1척은 식량 만재
  - 이라크, 쿠웨이트내 인도인 약 10만 추산
o 유가, 40불선 돌파 (9.24)
  - North Sea Brent 현물가격 배럴당 $ 40.35 기록 (런던)
o IMF, 전선국가에 대한 수십억불 원조 승인
  - 미국측, 이집트.요르단.터키에 내년말까지 160억불 원조 필요 입장

2. 교민 철수 현황 (10:00 현재)

o 이라크 : 총 교민 722명중 555명 철수, 167명 잔류

0136

이라크, 쿠웨이트 사태 일보<69>

(9.30.-10.5. 종합)

중동아프리카국
중 근 동 과

1. 상 황

<이 라 크>

o 사담 후세인 대통령, 대 이라크 공중봉쇄 결의에 따른 이라크 항공기 피격시 미 항공기에 대한 보복 공격 경고 (10.3. PLO 고위 간부 전언)

o 사담 후세인 대통령, 쿠웨이트 점령후 처음으로 10.3. 쿠웨이트시 방문

o 라마단 제1부수상, 요르단 방문 (10.3-4)

- 사우디 주둔 외군이 철수한후 이스라엘의 아랍 점령지 철수 문제와 함께 논의된다는 전제하에 쿠웨이트 지위문제 협상 용의 표명 (8.12. 사담 후세인 제의와 동일 요지)

<미 국>

o 미 하원, "이라크 침공에 대한 미국정책" 제하 결의안 통과 (10.1)

- 부쉬 행정부가 취해온 걸프사태 관련 정책 지지
- 동 사태의 외교적 해결에 보다 더 노력할것을 행정부에 당부

<일 본>

o 대 요르단 2.5억불 원조 제공 합의 (10.4)

- 가이후 일 수상, 후세인 국왕 회담후 발표 (가이후 수상 10.5. 터키 향발)

o 가이후 일 수상, 라마단 이라크 제1부수상 면담 (10.4)

- 양측, 종래의 입장 반복 (인질석방등 진전 없음)

o 일본, 걸프 파견 자위대의 대공 미사일 보유 가능성 시사 (일 육상 자위대 고위 관계자, 10.3)

<기 타>

o 서독 배치 영국 지상군 걸프 파견 (9.29)

- 기 파견 결정된 'Desert Rat' 부대의 1진 (6천여명)

o Mitterand 불란서 대통령, 사우디 방문 Fahd 국왕과 회담 (10.4)

- 10.3. UAE 방문

0137

o Dumas 불 외무장관, 대 이라크 비밀 협상설 부인 (10.1)

- 후세인 이라크 대통령, 9.30 연설시 프랑스 정부측과 특별 대화를 계속 유지하고 있다고 언급함으로써 양국간 비밀협상 추진 시사

o 소련, '프리마코프' 대통령 자문위원, 요르단 및 이라크 파견 (10.4)

o 고르바쵸프 소련 대통령, 걸프사태가 전쟁까지 비화되지 않을 것이라고 언급 (10.4)

- 소련군 걸프 파병 가능성 완곡히 부인

o 이란 수백만 시민, 미군 걸프주둔 항의 반미 시위 (9.30)

o 불란서 군함, 지부티 근해(홍해 입구)에서 북한 화물선 '삼일포'호에 경고 포격 (10.2)

- 승선 검색후 석방

<유가 동향>

o 미국 서부 텍사스 중질유(W.T.I), 뉴욕 상품 시장에서 배럴당 $37.32로 반등(10.3)

- 대 이라크 군사 조치에 대한 국제적 지지 증가설에 기인, 배럴당 $3.37 만큼 더 상승

2. 교민 철수 현황 (10.5. 08:00 현재)

o 이라크 총 722명중 철수인원 570명, 잔류 152명

0138

이라크, 쿠웨이트 사태 일보<70>

(10.8. 14:00 현재)

중동아프리카국
중근동과

1. 상 황

<이 라 크>

- o 이라크 정부, 현재까지 800만명이 지원병 모집에 응해 자원 입대했다고 발표 (10.6. 이라크 관영 통신)
- o 이라크, 소형 핵폭탄과 맞먹는 고성능 폭탄 개발 (10.5. 미국방성 소식통)
  - 명 칭 : FAEs(fuel-air explosives)
  - 서독 기술로 개발, 재래식 폭탄 10배의 파괴력
  - 전쟁 발발시 다국적군에 대한 심각한 타격 가능 여부에 대해서는 전문가들간 의견 불일치

<미 국>

- o 걸프주둔 미군 배치 완료 (10.7. 미국방부 소식통)
  - 중장비 포함 20만명의 미군 배치 완료
  - 40만 이라크군과의 지상전을 수행하기에는 아직도 전력 부족
- o 부쉬 대통령, 상하원 주요 의원들과 대이라크 무력 사용문제에 관한 비공식 협의 진행중 (10.5. 워싱톤 포스트)
  - 의회의 무력사용 반대 움직임 사전 무마 목적
- o Sam Nunn 상원 군사위원장, 의회 휴회 기간중 걸프사태에 관한 '의회 지도자 그룹' 설치 주장 (10.5)
  - 행정부측과의 지속적인 협의 목적
- o Hatfield 상원의원(공화당, Oregon주), 의회 휴회기간중 걸프 주둔 미군의 대 이라크 무력공격 제한 결의안 재의 (10.5)

0139

<소 련>

o Primakov 특사(대통령 자문위원), 걸프사태의 평화적 해결 낙관 시사(10.7)

- 10.5-6간 이라크 방문, 사담 후세인 대통령 및 아지즈 외무장관과 회담(고르바쵸프 소 대통령 친서 전달)
- "현 위기의 정치적 해결 전망에 더이상 비관적이지 않다"고 언급

o 이라크-소련, 이라크 잔류 소련인 출국 허용 합의설 (10.7)

- Belousov 소련 부수상과 al-Chalabi 이라크 석유장관간 10.5. 회담에서 철수일정에 합의
- 10.7. 소련인 100여명 바그다드 출발
- 이라크 잔류 소련인은 약 5천명으로 대부분 석유생산 분야 종사

o 소련 의회내 "Soyuz"그룹, 소련군 걸프파병 반대 표명(10.5)

- 세바르드나제 소 외무장관의 소련군 걸프 파병 용의 발언 비난
- "Soyuz"그룹 소속 의원 458명(총 의원수 2천명)

<기 타>

o 오만 국왕, 대부분의 아랍 국가들이 이라크군 쿠웨이트 축출을 위한 무력사용 방안을 고려하기 시작했다고 언급(10.7)

o 이스라엘, 방독면 대규모 배포 시작 (10.7)

- 유태인, 아랍인등 전국민 470만명 대상
- 전체 배포 완료까지는 2개월 소요
- 10.7. 우선 3만개 배포

o Shamir 이스라엘 수상, 걸프사태 해결과 이스라엘의 아랍 점령지 철수 연계 거부 (10.7)

- 이스라엘은 아랍 점령지에서 철수치 않을 것이며, 걸프사태 해결을 둘러싼 희생양이 결코 되지 않을 것이라고 언명
- 소련계 유태인 10만 90년중 이스라엘 이주(92년 말까지 100만 이주 계획)

o EC 외무장관, 걸프사태를 둘러싼 사담후세인과의 타협 가능성 배제 (10.7)

0140

o 걸프주둔 영국군 사령관, 전쟁 불가피 및 90.11-91.1간 전쟁 발발 가능성 언급 (10.6)

o Yamani 전 사우디 석유장관, 전쟁 발발 가능성이 50% 이상이며 전쟁 발발시 유가는 배럴당 100불 이상 상승 가능하다고 언급 (10.5)

- 전쟁 없이 교착상태 계속시 유가 연말까지 45-50불선이 될 것이라고 예측

2. 교민 철수 현황 (10.8. 08:00 현재)

o 이라크 총 722명중 철수인원 576명, 잔류 146명

0141

이라크, 쿠웨이트 사태 일보〈71〉

(10.10. 16:00 현재)

중동아프리카국
중 근 동 과

1. 상 황

〈예루살렘 유혈사태 관련 동향〉

o 10.8. 동 예루살렘에서 이스라엘 경찰이 팔레스타인 시위대에 발포, '팔'인 21명 사망등 약 300명의 사상자 발생

o 유엔 안보리, 이스라엘 규탄 결의 10.10 채택 예상
  - 미국, 당초의 결의안 채택 반대 방침을 변경, 이스라엘 규탄 및 유엔 사무총장의 조사단 파견을 골자로 하는 결의안 제시(불란서등 서방권도 이스라엘 규탄 결의안 채택에 동조)
  - 예멘, PLO등 강경 아랍국가, 미국측 결의안의 대 이스라엘 규탄 강도가 만족스럽지 않다는 입장
  - 이집트, 알제리등 아랍권, 안보리가 금번사태에 대해서도 이라크의 쿠웨이트 침공시와 같이 강력히 대처해야 한다고 강조

o 이라크, 걸프사태와 '팔'문제 연계 재강조
  - 10.9-11간을 추모기간으로 선포
  - 사담 후세인, 이스라엘은 아랍땅에서 즉각 물러나야 하며 이라크가 사정거리 수백km의 신형 장거리 미사일을 보유하고 있다고 경고(10.9)
  - 외무부 대변인, 금번 유혈사태는 걸프사태와 '팔' 문제를 연계시키자는 사담 후세인 대통령의 8.12. 제안의 타당성을 입증한 것이라고 논평(10.10)

o 부쉬 미 대통령, 금번 유혈사태를 걸프사태 해결과 '팔'문제를 연계시키는데 이라크측의 기도 거부 (10.9)

0142

<이 라 크>

o 이라크 당국, 민간 항공기에 대하여 쿠웨이트 공항 폐쇄 (10.9)

o 쿠웨이트내 외국공관 잔류 동향

- 미국(7명), 영국(2명), 불란서(6명), 카나다(5명), 인니(2명)등 당분간 계속 잔류 계획

- 벨기에, 서독, 화란, 금주중 철수 예정

- 이태리, 폴란드, 지난주 철수

<기 타>

o EC 재무장관 회의, 터키, 이집트, 요르단에 대한 지원 계획 확정(10.9)

- 총 지원 규모 : 15억 ECU(18억불)

- EC 예산 조달 5억 ECU, 회원국 개별 지원 10억 ECU

o 아라파트 PLO 의장의 특사, 북경 도착(10.8)

- 중국 외무차관과 회담

o 유가 40불선 돌파

- 10.9. North Sea Brent 현물가격, 배럴당 $40.60까지 상승

2. 교민 철수 현황 (10.10. 08:00 현재)

o 이라크 총 722명중 철수인원 577명, 잔류 145명

0143

이라크,쿠웨이트사태일보〈74〉

(10.15. 16:00 현재)

중동아프리카국
중 근 동 과

1. 상 황

〈이 라 크〉

ㅇ 사담 후세인, Primakov 소특사 면담시 "페"만 출구 확보 경우 쿠웨이트의 대부분 지역에서 철수 용의 표명 (10.14. 소 노보스티 통신)

- 루메일라 유전 및 도서 2개 (부비얀, 와르바) 계속 확보 조건

ㅇ Aziz 외무장관, 10.13. 요르단 방문

- 후세인 국왕 면담 예정
- 예루살렘 유혈 사태 관련 유엔 안보리 결의 내용이 미온적이라고 비난

〈기 타〉

ㅇ 유엔 안보리, 예루살렘 유혈 사태 관련 결의 만장일치로 채택(10.12.)

- 이스라엘 경찰의 '팔'인 사살 규탄
- 동 사태 조사단 이스라엘 파견 및 10월말까지 안보리에 보고 요청 (케야르 유엔 사무총장, 측근 보좌관 3명을 조사단으로 지명)

ㅇ 이스라엘각의, 유엔 조사단 입국 거부 결정 (10.14. Levy 외무장관)

ㅇ 서독, 주쿠웨이트 공관원 철수 (10.11.)

- 대사등 직원 3명 바그다드 도착
- 화란, 벨기에 공관원도 철수

ㅇ 이집트 보안 당국, 이집트 국회의장 암살 배후에 '팔' 게릴라 지도자 Abu Nidal 이 있다고 시사 (10.15.)

0144

o 불가리아, 걸프 파병 가능성 표명 (10.11. Zhelev 대통령)

- 1,000명이상 지원병 파견 가능

- 불가리아인 694명 이라크, 쿠웨이트 억류중

o 쿠웨이트 망명 정부, '쿠' 복귀시 민주주의 회복 약속 (10.13. 황태자)

2. 교민 철수 현황 (10.15. 08:00 현재)

o 이라크 총 722명중 철수인원 579명, 잔류 143명

0145

이라크, 쿠웨이트 사태 일보 <81>

(10.24. 16:00 현재)

중동아프리카국
중 근 동 과

1. 상 황

<이 라 크>

o 이라크, 서방인질 석방 움직임 (10.23)
  - 영국인 인질 38명(병약, 노약자) 석방
    . Heath 전 영국 수상의 사담후세인 면담후 석방
  - 미국인 인질 14명 석방
    . 미-이라크 협회 사절단 방문 계기
  - 이라크 의회, 불란서 인질 330명 전원 석방 결의
    . 불란서 외무부, 인질 석방 관련 대 이라크 협상 가능성 배제
    . 이라크, 불란서 극우지도자 Le Pen 초청
  - 사담 후세인, 의회에 불가리아 인질 700명 석방 표결 요청
  - 베트남 근로자 약 1천명 출국 허용
  - 핀랜드 인질 5명 석방
    . 핀랜드 의원단 방문후
  - 희랍 전 외무장관, 인질 석방 협의차 바그다드 향발

o 이라크내 일부 서방인질 9.29 구타와 급식 열악 항의 폭동 (석방 영국인 폭언)
  - 서방인 및 일본인 15명, 동인들이 억류되어 있는 한 무기 공장에서 울타리, 창문 파괴 및 반사담 구호 낙서등 폭동
  - 부상자는 없음

o 카이로 주재 이라크 외교관, '사담후세인의 꿈' 관련 보도 일축 (10.23)
  - 쿠웨이트 신문 Al Azma, 사담 후세인이 꿈에서 총구를 이스라엘에 돌리고 쿠 일부 철수하도록 계시 받았다고 보도

o Aziz 외무장관, 걸프 주둔 불란서군이 대 이라크 공격에 가담치 않을 것이라는 보장을 받았다고 언급 (10.23)

o 사담 후세인, 부쉬 미 대통령과의 회담 용의 표명 (10.23 미-이라크 협회 회장 전언)
  - 미국이 이라크를 공격하지 않을 경우 모든 외국인 인질 석방 용의도 표명
  - 양국간 정상회담, 외무장관 회담등 각급 접촉 제의

0146

〈미 국〉

o 부쉬 대통령, 대 이라크 강경 규탄 (10.23)
  - 이라크와는 어떠한 타협도 있을 수 없음
  - 백악관 대변인, 사우디 국방장관의 대 이라크 유화 발언 이후 부쉬 대통령이 이라크에 대한 강경한 응징 결의 표명을 희망한데 따른 것이라고 언급
  - 사우디 국방장관, 10.21 '아랍국가들이 이라크의 모든 권리를 존중할 용의가 있으며 한 아랍국가가 형제 아랍국가에게 땅, 바다등을 주는것이 해롭지 않다' 고 발언 (동 장관, 10.23 자신의 발언이 왜곡 해석되었다고 말하고 이라크의 무조건 전면 철수 재촉구)

o 미국방부, 걸프 주둔 미군 병력이 약 21만명 이라고 발표 (10.23)

〈소 련〉

o 소련 일간지, 소련이 걸프사태 관련 미국과의 협력을 줄여야 한다는 사설 게재 (10.23)

〈기 타〉

o 파드 사우디 국왕, 무바락 이집트 대통령과 젯다에서 회담 (10.23)
  - 이라크의 쿠웨이트 철수후 이.쿠 양국간 분쟁 해결 협상 합의설
  - 무바락 대통령, 이집트군 시찰시 알사바 왕가 복귀 강조

o 체코 의회, 화학전 전문 부대(179명) 파병 결의 (10.23)

o 사우디 주미 대사, 사우디가 쿠웨이트 영토 일부 할양 조건의 해결 방안을 지지하지 않는다고 언급 (10.23)
  - Baker 미 국무장관, 사우디 국방장관 발언 관련 주미 사우디 대사 국무부 소환 입장 설명 청취

o 유고, 주 쿠웨이트 대사관 임시 폐쇄 발표 (10.23)

o Kohl 독일 수상, 이라크와의 안질 석방 협상 반대 입장 재천명 (10.23)

2. 교민 철수 현황 (10.24. 08:00 현재)

o 이라크 총 722명중 철수인원 582명, 잔류 140명
  - 철수인원 전일과 동일

0147

걸 프 사 태 정 세 〈96〉

(11.14. 15:00 현재)

중동아프리카국
중 근 동 과

1. 사담 후세인 이라크 大統領, 모로코에 特使 派遣 (이라크 INA 관영통신 보도)

이라크 大統領은 걸프事態와 關聯 모로코가 提議한 緊急 아랍頂上 會談 開催 問題를 協議키 위해 라마단 제1부수상을 모로코, 라바트에 派遣 했음

- o 라마단 제1부수상, 사담 후세인 대통령 친서 휴대코 11.13. 특사로 파견됨
- o 모로코측 제의 지지 가능성 시사
  - 사담 후세인 대통령, 이라크는 아랍국가를 위한 어떤 수준의 아랍국가 행동에도 함께 할 것이라고 표명

〈참 고〉 동 아랍 정상회담 개최 문제 관련,

- 무바라크 이집트 대통령도 리비아 가다피 원수와 협의 위해 11.13. 리비아, 트리폴리 도착
- 고르바쵸프 소련 대통령, 특사 2명 중동 파견

2. 主要 關聯 動向

〈이 라 크〉

- o 사담 후세인 대통령, 전기침 중국 외교부장 회담시, 걸프만의 평화 위해 희생 용의 표명
- o 사담 후세인 대통령, 6명의 장군 처형
  - 쿠웨이트에서의 전투 불원 이유
- o 이라크 핵무기 개발 동태 관련, 국제 원자력기구로 부터 금주 원자력 시설 조사를 받을 예정
  - 오시라크 원자로에 대한 정기 검시

0148

<미　　국>

o '미주리'호 전함(1,500해군 승선) 11.14. 걸프만 향발

o 미 공화계 상원의원, 부쉬 대통령에게 의회 소집 촉구

- 걸프사태 관련 미개입 확산 문제 토의 필요

o 피츠워드 백악관 대변인, 베이커 국무장관은 지역적 정상회담 개최안에 대해 비관적인 견해를 갖고 있다고 언급

<서 방 권>

o 카나다, 대이라크 군사 행동에 관한 UN 안보리 결의안 지지 표명

3. 僑民 撤收 現況 (11.14. 08:00 現在)

o 이라크 총 722명중 철수인원 593명, 이중 2명 이라크 재입국으로 잔류 131명

- 현지 진출 삼성종합건설 소속 직원 2명, 업무상 이라크 귀임

0149

걸 프 사 태 정 세 <98>

(11.16. 14:00 현재)

중동아프리카국
중 근 동 과

1. 아랍 頂上 會談 事實上 霧散 (AP 연합 보도)

사우디에 이어 시리아 및 이집트가 11.15. 걸프事態 解決을 위한 緊急 아랍 頂上 會談은 不可能할 것이라고 示唆 함으로서 同 頂上會談 開催는 霧散될 것으로 보임.

가. 무바라크 이집트 대통령과 아사드 시리아 대통령은 회담을 갖고, 이라크 입장에 유감 표명

- o 이라크가 쿠웨이트에서 철수하지 않는한 정치적 해결에 나서지 않을 것이라면서 사실상 회담을 거부
  - \- 이라크 입장 : 쿠웨이트의 원상 회복을 목표로 할 경우 어떤 정치적 협상도 거부

나. 중동 순방중인 페트로프스키 소련 특사 하산 2세 모로코 왕과 회담, 걸프 사태의 평화적 해결에 시간적 여유가 없다면서 동 사태가 위험한 단계에 도달함을 시사

- o 이라크의 쿠웨이트 철수는 이라크가 취할수 있는 유일한 선택임을 표명
- o 소련은 아랍 정상회담 개최를 지지한다고 언급

2. 쿠웨이트 亡命政府, 4萬軍隊 創設

쿠웨이트 亡命政府는 이라크를 쿠웨이트로 부터 逐出키 위해 4만여명 規模의 軍隊를 創設中이라고 쿠웨이트 官吏들이 11.15. 밝힘.

- o 쿠웨이트 청년 수천명, 현재 걸프만 동맹국들과 사막에서 훈련중
- o 신형 무기로 무장된 2개 사단 창설중

0150

3. 主要 關聯 動向

<이 라 크>

o 사담 후세인 대통령, 제닝스 미국 ABC 해설자와 인터뷰(11.15)

- 주요 중동문제들은 협상으로 해결될수가 있다면서, 이라크의 쿠웨이트 철수에 대한 협상 가능성을 배제하지 않음을 표명
- 전쟁을 원치 않으며, 미국인 인질 억류는 미국 공격에 대비한 방어라 함
- 이라크는 평화가 추구되길 희망하며, 동 걸프사태 해결책은 특히 이라크, 사우디간 협상을 통한 아랍국가간의 해결임을 언급, 사우디와 대화할 용의가 있음을 시사
- 부쉬가 이라크를 공격하지 않을것이라 약속할시, 모든 외국인 인질을 석방할 것임을 언급

o 국제 원자력 기구의 이라크 원자력 시설 연례 정기 조사 허가 예정

<미 국>

o 부쉬 대통령, 걸프사태가 미국 경제를 악화시키고 있음을 언급(Cable 뉴스 인터뷰시)

- 경기 침체가 6개월 이상은 소요되지 않기를 기대

o 부쉬 대통령, 11.16. 유럽.중동 순방

o 걸프사태 관련, 대규모 기동 훈련 실시

- 사우디 동부 해안에서 항공기 1,100대, 미드웨이호 포함 16척 해군 함정 및 1천여명 미 해병 동원

<기 타>

● OPEC, 걸프만 사태 해결시 유가 21$ 선 유지키로 합의

4. 僑民 撤收 動向 (11.16. 08:00 現在)

o 이라크 총 722명중 철수인원 592명, 잔류 130명

- 현대건설 소속 직원 1명 철수

0151

걸 프 사 태 정 세 <101>

(11.20. 15:00 현재)

중동아프리카국
중 근 동 과

1. 이라크, 쿠웨이트에 25만 兵力 追加 派兵 (이라크 관영통신 보도)

후세인 大統領과 高位 軍司令官間 戰略會議時 이라크가 쿠웨이트에 25만 兵力을 追加 派兵할 것을 決定함.

o 7개 사단 이동중이며, 예비군 15만명도 곧 출발 예정
  - 이라크의 쿠웨이트 침공이래 40만 병력, 쿠웨이트에 주둔

2. 美·英側, 이라크 撤軍 不應 경우 軍事 攻擊 突入 (파리 외신 종합 보도)

부쉬와 대처는 이라크軍이 早速히 撤收하지 않을 경우 이라크가 軍事的 攻擊에 直面할 것임을 警告하고, 앞서 이라크側의 人質 段階的 釋放 發表를 一蹴함.

o 부쉬, 이라크군의 쿠웨이트 철수를 강력히 촉구 (CSCE 회의 참석시)

3. 主要 關聯 動向

<미 국>

o 미 민주당 하원의원 40명, 의회 승인 없이 이라크 공격 명령을 못하도록 워싱톤 지방법원에 소송 제기를 계획

<서 방 권>

o CSCE(유럽 안보협력위) 비공개 회의(11.20)시, 걸프사태 대응 논의
  - 미국 및 유럽의 공동 대처 전략

<아 랍 권>

o 이란, 쿠웨이트 대사 접수

4. 僑民 撤收 動向 (11.20. 08:00 現在)

o 이라크 총 723명중 철수인원 593명, 잔류 130명
  - 철수인원 전일과 동일

0152

걸 프 사 태 정 세 <109>

(11.29. 16:00 현재)

중동아프리카국
중 근 동 과

1. 이라크, 對美協商 提議

이라크는 11.28. 부쉬 美大統領과의 協商을 提議하면서 유엔 決議案이 通過 되더라도 이에 屈服치 않을 것이며, 유엔이 二重 基準을 갖고 있다고 非難하고 中東問題를 包括的으로 다루도록 해야 할 것이라고 主張함.

o 라마다 제1부총리, 부쉬 대통령은 전쟁을 피하고, 지속적 평화 위해 이라크와 대화를 할 것을 촉구

o 사담 후세인 대통령, 중동지역 문제를 포괄적으로 해결할 것을 주장

o 피츠워드 미 백악관 대변인, 이라크측의 대화 요구를 일축

2. 對이라크 武力 使用 許容 決議案, 通過될듯

유엔 安保理 理事會는 11.29. 全體 會議를 열어, 91.1.15까지 이라크가 쿠웨이트로 부터 撤收치 않을 경우 對이라크 武力 使用을 許容하는 決議案을 表決할 豫定이며, 表決에 앞서 中國의 態度가 注目되나, 同 決議案이 通過될 것으로 展望됨.

o 베이커 미국무장관, 중국 동의 획득을 위해 막바지 절충중
  - 동 결의안 표결에 대한 중국의 기권 가능성

o 피츠워드 미 백악관 대변인 및 유엔 주재 외교관들, 동 결의안 통과 전망에 에 대해 확신

3. 主要 關聯 動向

(미 국)

o 금번 유엔 결의안이 이라크에게 91. 1월 중순까지 쿠웨이트로 부터 철수할 수 있는 마지막 기회이길 희망
  - 그렇지 않을 경우, 전쟁에 직면

0153

(U.N.)

o 안보리, 이라크의 쿠웨이트 인구 통계 변경 시도 및 쿠웨이트 주민 관련 자료 파기를 비난하는 결의안 표결, 통과

- 15개 모든 이사국 찬성

(일 본)

o 이라크에 200만불 상당의 의료품 지원 계획 시사

4. 僑民 撤收 動向

o 이라크 총723명중 철수인원 588명, 잔류 135명

0154

걸 프 사 태 정 세 <112>

(12.3. 15:00 현재)

중동아프리카국
중 근 동 과

1. 이라크, 美國 對話 提議 條件附 受諾

이라크는 眞摯하고 깊이있는 對話를 갖자는 것이 이라크側의 一貫된 政策이라면서, 걸프事態를 論議하기 위해 美國 大統領의 提議를 팔레스타인 問題 協議를 前提條件으로 受諾하면서, 美國.이라크 雙方은 동 提議와 關聯 實質的인 節次에 대해 協議하게 될 것이라고 示唆함.

- o 양국 외무장관, 91.1.15. 전 교환 방문 가능성
- o 후세인 대통령, 미측의 진실 대화땐 평화적 해결이 가능함을 시사
  - 미 대화 제의가 미 의회, 국민 및 국제 여론을 위한 형식적 과시용일때는 전쟁
  - 전쟁 가능성, 반반
- o 부쉬 미국 대통령, 이라크측의 조건부 수락과 관련 긴급 대책회의 소집
- o 미국-이라크 관리 바그다드에서 첫 회동

2. 이라크, 地對地 스커드 미사일 實驗 發射 (카이로발 UPI 보도)

이라크는 후세인 大統領의 걸프事態에 대한 平和的 解決 餘地 表明이 있기 수시간전 스커드 미사일을 自國內에서 實驗 發射하였다고 美國 官吏들이 示唆함.

3. 主要 關聯 動向

<이 라 크>

- o 소련군이 걸프만에 파견될 경우 소련의 대아랍권 영향력 상실 경고 (NA 통신)

<파키스탄>

- o 3천명 병력, 이달 하순경 파병 예정

<말레지아>

- o 마하티르 수상, 걸프사태에 대해 유엔이 해결할 수 없다면 말레지아 및 여타 OIC 회원국들이 동 걸프 위기 해결을 돕기위해 중재할 용의가 있음을 시사

4. 僑民 撤收 動向

- o 이라크 총723명중 철수인원 583명, 잔류 130명
  - 철수인원, 전일과 동일

0155

걸 프 사 태 정 세 <113>

(12.4. 15:00 현재)

중동아프리카국
중 근 동 과

1. 美-사우디軍 合同 攻擊 訓鍊

걸프事態의 平和的 解決 希望이 高潮되고 있는 가운데 사우디 駐屯 美軍과 사우디 陸軍이 合同으로 大規模 攻擊 訓鍊을 實施하고 있음.

o 미국의 대이라크 대화 제의 싯점에서 훈련 개시

o 월티 사우디 주둔 미 해병 사령관, 방어 훈련에서 공격 훈련으로 전환함을 표명

o 양국 지상군이 합동으로 육상에서 공격 훈련은 처음

- 사우디.이라크 접경 남부에서 실시

2. 1,400 여명의 이라크 어린이 藥品 不足, 營養失調로 死亡

이라크는 自國에 대한 유엔의 經濟 制裁 措置로 인한 醫藥品 不足과 營養失調로 어린이가 死亡했다고 밝힘.

o 사에드 보건장관, 어린이 사망자수가 미국 및 그 동맹국들의 범죄 행위를 입증하는 것이라고 언급

3. 主要 關聯 動向

〈미 국〉

o 체니 국방장관, 이라크의 쿠웨이트 철수를 위해 무력 행사가 필요할지도 모른다는 자신의 강경 노선을 표명

o 공군 예비군과 공군 국립 경비 및 지원부대, 사막 전쟁 작전 지원 태세 돌입

〈터 어 키〉

o 군 참모총장, 걸프사태 관련 수상의 친미 노선 정책 추구에 대한 논쟁으로 사임

4. 僑民 撤收 動向

o 이라크 총723명중 철수인원 584명, 잔류 129명

- 현대건설 소속 직원 1명 귀국

0156

걸 프 사 태 정 세 <114>

(12.5. 15:00 현재)

중동아프리카국
중 근 동 과

1. 이라크, 쿠웨이트 油田 讓渡땐 撤收 意向 (외신 종합)

이라크는 多國籍軍이 攻擊하지 않는다는 保證과 함께 쿠웨이트 接境 루메이라 油田을 讓渡 해주면 쿠웨이트로부터 撤收할 意向이 있다고 함.

o 후세인 대통령, 베이커 미국무장관의 이라크 방문시에 제의 예정

o 이라크, 쿠웨이트의 부비얀 및 와르바섬도 조차 의향

o 이라크의 쿠웨이트 철수 경우,

- 미국은 공격하지 않을 것임을 제안
- 프랑스도 현 국경선의 재조정 가능을 시사

o 이라크가 쿠웨이트로 부터 철수할 경우에는, 알사바하 쿠웨이트 왕권 복귀 인정 및 걸프위기와 팔레스타인 문제 연계 주장 철회 가능성도 농후함

2. 이라크, 抑留 蘇聯人 3,300 여명 釋放 豫定

이라크는 걸프事態 勃發 以後 抑留돼 있는 3,300여명의 蘇聯人 全員을 釋放할 것이라고 發表함.

o 이라크 혁명 평의회 대변인, 소련 정부가 계약 불이행에 따른 책임을 질 경우, 희망하는 모든 소련인 전문가 출국을 허용할 것임을 시사

3. 主要 關聯 動向

<미 국>

o 미.이라크, 걸프위기 해결 위한 쌍무 협상에 원칙 합의

o 민주당 의원 총회, 걸프사태 해결 관련 의회 승인 없이는 부쉬 대통령이 개전할 수 없도록 요구하는 결의 통과

4. 僑民 撤收 動向

o 이라크 총723명중 철수인원 594명, 잔류 129명

- 철수인원, 전일과 동일

0157

걸 프 사 태 정 세 <117>

(12.8. 12:00 현재)

중동아프리카국
중 근 동 과

1. 이라크, 抑留人質 今日부터 釋放 (바그다드 AFP AP 연합 보도)

이라크 議會는 12.7. 걸프事態와 關聯 이라크 및 쿠웨이트에 抑留된 모든 外國人 人質들의 釋放을 許容 하라는 후세인 大統領의 提議案을 承認 함으로서, 抑留 人質들은 今日부터 出國이 許容될 것이라 함.

- ㅇ 의원 250명 전원 참석, 찬성 235, 반대 15로 후세인 제안을 통과
- ㅇ 영국 및 소련, 억류 인질 수송기 곧 파견 예정
  - 억류 일본인 인질 12.9. 바그다드 출국 예정

2. 이라크, 쿠웨이트서 撤軍 경우, "아랍 조정 위원회" 設置 (이집트 알 아흐람지 보도)

美國과 이라크간의 協商이 成功해 이라크군이 쿠웨이트에서 撤收할 경우에는 이라크.쿠웨이트간 異見을 해소하기 위한 아랍 조정위원회가 設置될 것이라고 함.

- ㅇ 알 사바 쿠웨이트 전 법무장관, 이라크군이 철수한 후 이라크.쿠웨이트간 분쟁은 논의 대상이 될수 있음을 시사

3. 主要 關聯 動向

<아 랍 권>

- ㅇ 이집트, 걸프만 주둔 아랍 연합군 병력 3만명으로 증강키 위해, 내주 7천명 추가 배치 예정
- ㅇ 후세인 요르단 국왕, 팔레스타인 문제가 해결되지 않는한 이라크가 쿠웨이트에서 철수치 않을것임을 확신한다고 표명

<이 라 크>

- ㅇ 반 후세인 쿠테타 모의 혐의로 카즈라지 전 군 합참의장을 처형

<미 국>

- ㅇ 베이커 국무장관, 아랍-이스라엘 분쟁 해결을 위한 국제회의 개최에 찬성치 않고, 동 회의 개최 요구 유엔 결의안에도 지지하지 않음을 시사

4. 僑民 撤收 動向

- ㅇ 이라크 총723명중 철수인원 594명, 잔류 129명
  - 철수인원, 전일과 동일

0158

걸 프 사 태 정 세 <126>

(12.20. 15:00 현재)

중동아프리카국
중 근 동 과

1. 美, 91.1.15. 開戰하긴 힘들듯

체니 美 國防長官은 걸프灣에 增派된 美軍이 유엔 安保理의 武力使用 決議案이 設定한 이라크軍의 撤收 最終 時限인 91.1.15. 까지 武力 攻擊 態勢를 갖추지 못할것 같다고 示唆함.

- ㅇ 체니 장관, 향후 수주일간 사우디 도착 예정인 추가 병력들이 동 시한까지 전투태세 돌입이 불가함을 표명.
- ㅇ 캘빈 월러 사우디 주둔 미군 사령관, 만사가 완벽히 진행 된다면 1월 15일과 2월 중순 사이 작전 준비를 갖출수 있을 것이라며, 지상군의 배치 완료 까지는 적대행위가 불가하다는 입장을 표명

2. 이라크, 接境 兵力 增强

이라크는 쿠웨이트에서의 軍事力을 强化하기 위해 쿠웨이트 및 南部 이라크의 兵力 規模를 51만명으로 增强해 놓고 있다 함.

- ㅇ 이라크 석유장관, 국민들에게 공격에 대비한 유류부품 비축을 지시
- ㅇ 후세인 대통령, 팔레스타인 문제가 해결될 경우 쿠웨이트 문제를 양보할 용의가 있음을 시사 함으로서, 화.전 양면책 구사

3. 主要 關聯 動向

<미 국>

- ㅇ 걸프 위기가 종결 되더라도 호르므즈 해협 개방 유지등을 위해 해군력은 걸프만내 계속 주둔 예정
- ㅇ 백악관 대변인, 베이커-후세인 직접회담 일자에 대해 미.이라크간 새로운 접촉 사실이 없음을 표명

<소 련>

- ㅇ 인도양 함대 사령관, 걸프 위기에 무력 공격은 세계대전으로 비화될 우려가 있으므로 외교적 해결책이 모색 되어야 함을 시사

<기 타>

- ㅇ 파키스탄, 이란, 터어키 3개국 외무장관, 걸프사태 관련 91.1.5. 이스라마바드에서 회담 개최 예정

4. 僑民 撤收 動向

- ㅇ 이라크 총723명중 철수인원 603명, 잔류 120명
  - 철수인원 전일과 동일

0159

정 리 보 존 문 서 목 록					
기록물종류	일반공문서철	등록번호	2021010227	등록일자	2021-01-28
분류번호	721.1	국가코드	XF	보존기간	영구
명 칭	걸프사태 : 일일보고, 1990-91. 전4권				
생 산 과	북미1과/중동1과	생산년도	1990~1991	담당그룹	
권 차 명	V.2 일일보고, 1991.1월				
내용목차					

0001

日報 및 速報
(91.1.13-3.4)

0002

페灣 非常對策 本部

題 目 : 日日 報告(1)　　　　　　1991. 1. 13. 07:00

I. 주요 동향

1. 케야르 유엔 사무총장의 평화 5개항(1.12. 후세인과 회담시 제의)

   1) 유엔 철군 시한 이전에 이라크군의 쿠웨이트 철수

   2) 국제 사회의 대이라크 불공격 보장

   3) 다국적군 철수

   4) 유엔 옵서버단 철군 감시

   5) 가능한 빠른 시일내 중동 평화 회의 개최

2. 미의회 무력 사용안 1.13 의결

   o 상원 52:47

   o 하원 250:183

3. 이라크 의회 1.14 비상 소집 예정

II. 주요 조치 사항

1. 고민 철수 특별기 파견(1.14)

   (14개 관계 부처 비상 대책회의 결정)

   o 걸프지역 6개 공관 고민 철수(사우디, 카타르, 바레인, UAE, 요르단 이락)

   o 방독면 2,000개 송부

   o 의료지원단 26명 사전 조사단 파견

2. 대책회의에서 기타 협의된 사항

   o 각 부처별 대책반 운영, 테러 방지, 원유수급, 인접 해역 아국 선박 보호 등 대책 마련

0003

4 2

3. 해당 각공관에대한 훈령

o 공관별 철수 희망 인원 파악 및 집결 대책(리야드, 암만)

o 특별기편으로 방독면 지원 통보 및 이착륙 허가 교섭 지시

Ⅲ. 재외공관 보고

1. 주이란 대사 (1.12)

1) 아국 교민 국경 통과시 이란 정부 협조 확보

- 테헤란 체재 허용 사증 발급 등
- 이란 국경 남단에 대사관 직원 파견 예정
- 국경 지점으로부터 테헤란까지 수송편 준비

2) 숙소 마련

- 이란 주재 건설업체의 캠프에 숙식 준비
- 1.12. 현재 이라크으로 부터 현대 소속 61명 제3국인 138명 명단 접수

2. 주요르단 대사(1.12)

1) 주이라크 대사 등 아국 외교관 및 아국 근로자의 국경 통과 협조 확보

- 대사관이 보증하면 입국토록 협조
- 요르단측은 국경에서 대사관 직원이 확인하여 줄것을 요망하므로 가능하면 일시에 입경토록 조치 요망

2) 교민 암만 도착 시간

- 요르단 국경에서 입국수속(약4시간 소요), 공항에서의 출국 수속 등에 많은 시간이 소요됨을 감안, 특별기 탑승을 위해서는 늦어도 1.14 17:00까지는 암만에 도착 요망

0004

3

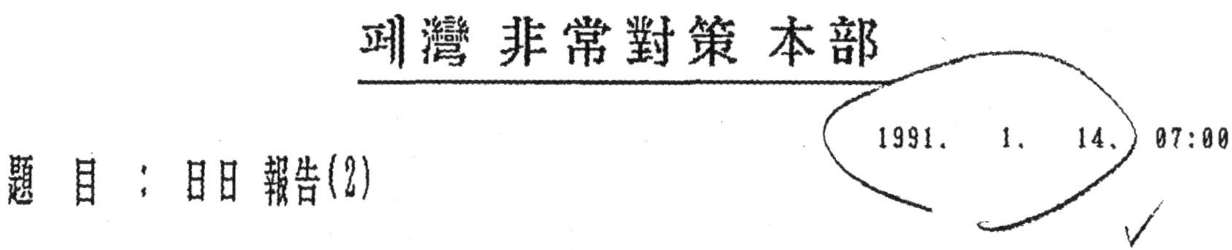

페灣 非常對策 本部

1991. 1. 14. 07:00

題 目 : 日日 報告(2)

I. 주요 동향

1. 케야르 후세인과 회담
   - o 1.13. 케야르 유엔 사무총장, 후세인 이락 대통령과 회담, 내용은 현재까지 알려지지 않음.
   - o 케야르 총장은 후세인과의 회담전 아라파트 PLO의장 및 아지즈 이락 외무장관과도 회동하였으며 아라파트 PLO 의장은 평화의 길이 아직도 열려 있다고 언급
   - o 케야르 사무총장은 걸프지역 배치 양측 군대의 철수와 이를 감시하기 위한 유엔 평화 유지군의 파견을 제의 할것으로 알려진바 있음
2. 후세인 이라크 대통령, 1.14. 긴급 의회 소집
   - o 후세인 대통령은 정책변경의 전주곡으로 혁명 평의회의 동의를 사용해 왔다는 점에서 관심 집중 (작년 12.7. 억류인질 석방 동의)
3. 부쉬 미대통령, 의회의 무력사용 승인 얻음
   - o 무력사용에 대한 국내정치적 장애 제거
   - o 1941.12.7. 대일 선전포고 결의안 통과이후 처음.
   - o 1.15. 부터라도 철군을 시작하면 무력사용을 하지 않겠다고 언급.
4. 허드 영외상, 중동지역 문제 다룰 국제평화 회담 개최에 호의적 반응
   - o 단, 현재 걸프위기를 팔레스타인 문제와 연계시키는 데에는 반대
5. 미테랑 불란서 대통령, 이태리 외상 등 바그다드 방문 예정설
   (주불,이태리 대사보고)

0005

6

4

Ⅱ. 교민 철수

1. KAL 특별기 운항 문제

o 운항 예정 일정 : 1.14. 12:00 서울 출발, 리야드. 암만 경유, 1.15. 21:30 서울 도착 예정

o 영공 통과, 이.착륙 허가등 운항에 필요한 절차 진행 순조(인도 영공 통과 허가만 구두로 확약받고, 여타 국가는 허가 완료)

o 철수 예정 인원 : 총 268명

- 리야드 : 183명 (공관원 가족, 고용원 포함)

- 암 만 : 85명 (이라크 철수 인원 70여명, 요르단 체류자 15명)

2. 이라크 잔류자 철수동향 (주이락 대사 보고)

o 1.13. 현재 이락 잔류자 88명

o 1.15. 까지는 현대 소속 인원 22명, 공관 고용원 1인 제외 전원 요르단으로 출국 예정

o 대사 포함 잔류 공관원 3인은 근로자 철수후 1.15. 공로 암만 향발 예정(그후 암스텔담에서 대기)

3. 이스라엘 교민 철수 계획 (주 카이로 총영사 보고)

o 잔류 인원 111명 (예루살렘 57명, 텔아비브 49명, 기타지역 5명)

o 이집트 입국비자 사전취득, 비상시 육로 이용, 국경지역인 라파아지역 집결시 직원 파견 영접등 계획

Ⅲ. 기타 사항

1. 방독면 지원

o 1.14. 07:30 방독면 2천 셋트 김포공항에서 국방부로 부터 인수 예정

o 1.14. 10:30 KAL 특별기 적재 완료 계획

2. 아국기자 이락 취재 동향 (주 이락 대사 보고)

o 아국인 기자 9명 현재 이락내에서 취재중 (KBS 3, MBC 4, 조선 1. 동아 1)

o MBC 를 제외한 인원은 1.15. 까지 항공편 출국 계획

o MBC 취재단도 1.15. 까지는 철수 토록 종용.

0006

7

5

페灣 非常對策 本部

1991. 1. 15. 07:00
작성자 : 신국호과장

題 目 : 日日 報告 (3)

I. 주요 정세 동향

1. 이라크의회 성전 촉구 결의 (1.14.)

   o 이라크 의회, 쿠웨이트 철수 불가 및 성전 촉구 만장일치 결의

   o 후세인 대통령, 국기에 "신은 위대하다" 라는 문구 삽입케 함으로써 성전 다짐.

     ※ 일본 외무성은 동 이라크 태도가 미국측 반응을 마지막 순간까지 관찰하기 위한 제스춰 일수도 있다고 보고 있음. (1.14. 주일 대사 보고)

2. 케야르 사무총장의 외교적 노력 비관적

   o 1.14. 케야르 사무총장, 후세인과의 회담이 성과 없었으며 평화에 대한 희망이 사라지고 있다고 언급

   o 1.15. 안보리 소집하에 회담 결과 보고 예정이나 요식행위일 뿐이라고 부연

3. 이스라엘, 준 전시체제 선포 (1.14.)

   o 이스라엘 정부, 이라크 공격시 미국의 어떠한 개입 금지 요청도 거부할 뜻 밝힘.

   o 1.15. 이전 이라크의 선제공격 가능성에 대비 준 전시체제 선포

     ※ 요르단, 이라크의 미사일 견제위해 이스라엘이 요르단 영토 일부 점령 감행 가능성 우려

4. EC 외상회의 이라크 접촉 포기

   o 1.14. EC 외상회의, 당초 계획한 이라크 접촉 일단 포기

   o 유엔 안보리 결과를 주시할 것이라고 발표

0007

6

5. 부쉬 대통령 고위 안보회의 소집 (1.14.)

 o 이라크 의회의 성전 결의후 성명을 통해 전쟁 불가피 입장 재확인 및 고위 안보회의 소집

Ⅱ. 아국 의료지원단 파견 결정에 대한 반응

1. 이 라 크

 (1.13. 외무성 정무국장의 최봉름 대사 면담시)

 o 한국의 의료지원단 파견은 비양심적인 미국 입장에 동조하는 것임.

 o 이는 아랍 전체의 절대적 지지를 받고 있는 이라크 입장에 반하는 것으로 지금이라도 재고해줄 것을 희망함.

2. 예 멘

 (1.13. 정보기관 실무자의 아국 공관원 면담시)

 o 의료지원단 파견에 불쾌감 표시하면서 이는 사우디에 대한 판파적 지원이라고 언급

Ⅲ. 교민 철수 동향

1. KAL 특별기 운항 계획 변경

 (보잉 747, KE 8011/12편)

 o 바레인 경유를 추가함.

 o 서울발 (1.14. 12:00) → 리야드착 (1.14. 22:40)

 리야드발 (1.15. 00:10) → 암만착 (1.15. 01:20)

 암만발 (1.15. 02:50) → 바레인착 (1.15. 05:30)

 바레인발 (1.15. 07:00) → 서울착 (1.16. 01:40)

2. 암만 탑승 예정 이라크 교민수 변동

 o 당초 90여명에서 30여명으로 감소

0008

7
9

o 경 위

- 1.14. 항공편 암만 도착한 8명 (한양 7, 정우 1), 요르단 입국 거부로 바그다드 귀환 (주요르단 대사 보고)

- 1.14. 육로 철수 예정 52명 (삼성 15, 현대 37) 도 이라크 국경 검문소 출국 불허로 바그다드 귀환 (주이라크 대사 보고)

o 대책본부 조치 사항 (1.15. 01:15)

- 주이라크 대사에게 이란 또는 터키 국경으로 대피 방안 강구토록 지시 및 주요르단 대사에게 요르단 정부에 강력 항의토록 지시

- 주이라크 대사 및 현지 파견 특파원에 전화로 사실 확인 요망

o 주이라크 대사 보고 (1.15. 04:00)

- 외무성측에 출국 협조 교섭 결과 출국 가능 (삼성 15명 재출국 예정 및 현대 37명 요르단 입국 완료)

- 항공편 귀환한 8명도 주요르단 아국 공관의 제3국행 출국 보증 있을시 요르단 입국 가능 (1.15. 09:00 재출발 예정)

※ 이라크가 외국인 출국을 봉쇄하거나 아국인 출국을 차별 대우한 것은 아닌 것으로 보임.

3. 이스라엘 교민 철수 동향

o 주카이로 총영사 보고 (1.14.)

- 111명중 13명 추가 대피하여 1.13. 현재 잔류인원은 98명

- 1.15. 전후하여 약40여명 이집트등으로 추가 철수 예정

o 대책 본부 조치 사항 (1.15. 01:00 주카이로 총영사에 지시)

- 재이스라엘 교민 전원의 철수 또는 안전 지대 (이집트 국경 부근) 로 대피 촉구토록 지시

0009

10

8

페灣 非常對策 本部

1991. 1. 16. 07:00

(1.15일자 주유엔, 주불, 주일 주예멘 대사 보고 및 외신종합)

題 目 : 日日 報告 (4)

I. 주요 정세 동향

1. 유엔 안보리 개최

   1) 동 비공개 회의시 케야르 사무총장은 자신의 중재 노력이 실패 하였음을 밝혔으나, 사태 타개에 연결될 새로운 내용은 제시 않음.

   2) 불란서가 제의한 평화 6개항을 토의 하였으나 미국은 동 제안이 팔레스타인 문제를 페만 위기와 연계시키고 있다는 점에서 반대, (영국, 소련도 난색 표시) 다수 EC 국가 및 아랍권은 동 안을 지지함.

   평화 6개항 :

   - o 대이락 최종 평화 호소
   - o 이락의 철군 일정 제시
   - o 철군의 국제 감시 및 아랍 평화군의 배치
   - o 대이락 불가침 보장
   - o 페만사태의 평화적 해결을 위한 아랍국가 협상
   - o 팔레스타인 문제 및 아랍.이스라엘 분쟁의 해결을 위한 국제회의 개최

   3) 예멘도 불란서안과 비슷한 조정안을 제시하였으나, 미국.이락 모두 반대

2. 차드리 알제리 대통령, 바그다드를 방문하여 후세인 대통령과 회담 검토

   o 차드리 대통령은 1.14. 걸프지역 지도자들과 회담후 성명을 통해 평화적 해결 노력 계속을 언급

3. 아라파트 PLO 의장, 미테랑 불란서 대통령에 회담 제의

   o 아라파트 의장은 평화의 길이 아직 열려있으며, 불란서와 PLO가 공동 보조를 취할 시기가 되었다고 언급

   ※ 불란서는 BIANCO 대통령 특사를 알제리에 파견 PLO와 접촉한바 있음

4. 불란서, EC와 별도 독자적 해결노력 추구

   o 뒤마 외상 또는 미테랑 대통령의 바그다드 방문도 배제할수 없다고 함

0010

5. 미국, 영국 및 독일등 유럽지역 반전시위 확산

6. 이스라엘 및 요르단 비상체제 돌입

o 개전시 이락이 이스라엘을 공격 전쟁을 아랍대 시온주의 대결로 변질시키려 시도할때 이스라엘은 요르단을 공격할 것에 대비, 양국은 비상체제 돌입

7. 시리아 골란고원 쪽으로 병력 이동

Ⅱ. 교민 철수 동향

1. KAL 특별기 1.16. 07:12 서울 도착

1) 탑승인원 : 총 301명

o 사우디 : 200

o 암 만 : 53 (이락 철수 현대직원 37+암만체류자 16)

o 바레인 : 48

2. 삼성직원 15명 1.15. 17:00 암만 도착

3. 이락 아국 공관원등 잔류자 철수

1) 1.15. 현재 총 잔류인원 : 24명(공관고용원 1 + 현대직원 23)

2) 최봉름 대사 포함 공관직원 4명 및 한양(7), 정우(1) 직원 8명은 1.15. 아침 항공편으로 암만 도착

4. 추가 철수 희망 교민

1) 희망인원(1.15. 현재) : 총 455명

o 사우디 : 397 (리야드 337, 젯다 60)

o 카타르 : 17

o U.A.E. : 41

2) 동 인원은 사태 진전추이에 따라 숫자 증감이 유동적임

3) 상기 교민 철수를 위한 특별기 추가 운항 계획시, 사우디등의 경우 이민국에 비자를 요청하는 외국인이 쇄도하고 있어, 비자 획득 기간이 1주일 이상 소요되는바, 이를 감안 운항계획을 시간적 여유를 두고 수립함이 요청됨 (주 사우디 대사관 건의)

0011

12

10

괴湾 非常對策 本部

題 目 : 日日 報告(5)

1991. 1. 17. 07:00
작성자 : 과장 유 시 야
(1.16 및 17일자 재외공관
보고 및 외신 종합)

I. 주요 정세 동향

1. 유엔에 의한 이락의 철군 시한 경과 (한국시각 1.16, 14:00)
   - ㅇ 케야르 유엔 사무총장은 안보리 회의후 철군 시한을 몇시간 앞두고 이락의 철군을 촉구하는 성명을 발표했으나 이락의 무시하에 철군 시한을 넘김.
   - ㅇ 불란서의 평화안도 미·이락 양측 모두에 의해 거부

2. 철군 시한 경과후 각국 반응

   가. 미 국
   - ㅇ 부시 대통령
     "거칠은 결정"(tough decision)을 내릴 준비가 됨.
   - ㅇ Mellilo 백악관 대변인
     철군 시한 경과한후 아무 새로운 진전 없으나 후세인은 아직 평화를 선택할 권리가 있음.

   나. 영 국
   - ㅇ Hurd 외상
     이락의 비타협적 태도 비난하고, 만약 이락의 핵보유 사실이 확인되면 영국으로서는 핵의 사용도 배제치 않음 언급

   다. 불란서
   - ㅇ 미테랑 대통령
     유엔 결의를 이행키위해 다국적군이 당연히 무력을 사용할수 있음.

0012

13 //

ㅇ 의 회

불란서군의 무력사용을 절대다수의 찬성으로 승인

라. 일 본

ㅇ 카이후 수상

아직 전투가 일어난것은 아니므로 이라크가 유엔사무총장의 성명 등을 감안하여 행동하여 줄것을 요청

마. 이 락

ㅇ 사담 후세인 대통령

전쟁을 개시할 용의 있으며 이락의 권리를 포기치 않을 것임.

바. 바레인(국내동정)

ㅇ 이락의 화학공격에 대비토록 조치중

ㅇ 각급학교 춘계 방학 앞당겨 실시(1.16부터)

3. 아국 외무부 대변인 성명 발표(1.16)

ㅇ 철수 시한이 지났음에도 불구 이락 정부가 쿠웨이트에 불법 주둔중인 이락군을 철수치 않음은 유감임.

4. 중동지역 미외교관, 미국의 공격 개시일자로 1.17 또는 18일이 될 가능성이 있다고 언급

5. 다국적군 및 이락, 상호간 전파 교란시작

ㅇ 동 조치는 상호간 공중전 개시를 위한 준비

6. 로마 교황 메시지 발송

ㅇ 로마 교황은 이락, 미 양측에 상호 자제를 호소하는 메시지 발송

7. 이락, 터키와의 국경 폐쇄

ㅇ NATO 군의 침공 가능성 대비

0013

14

12

8. 서구 각국, 이락의 테러 공격이 대비 경계 태세 강화

가. 영 국

ㅇ 히드류 공항에 30여명의 무장 병력 및 탱크 투입

ㅇ 수상 관저 및 정부청사의 경계 강화

나. 미 국

ㅇ 공항, 정부청사, 발전소 등에 대한 경계 강화

ㅇ FBI 및 이민국, 체류기간 넘긴 3,000명의 이락인에 대한 조사 실시

다. 이집트

ㅇ 스에즈 운하, 공항, 국경지역 및 공공 시설에 대한 경비, 검문 검색 강화

9. 각국의 비상 대처 현황

가. 모로코 정부, 1.11 최고 안보회의 소집

나. 이태리 정부, 1.15 특별 각의 소집코 전쟁 참여 방안 협의

다. 희랍 정부, 1.16 전국에 부분적인 비상 경계령 선포

라. 이란 의회, 1.16 비상의회 개원 예정

10. 태국, 사우디에 의료단 파견 예정

ㅇ 200여명 규모, 1.26 파견

Ⅱ. 교민 철수 현황

1. 제2차 특별기 운항 계획

가. 폐만 비상대책 제2차회의시 본부장(이기주 차관보)이 밝힌바에 따라 동2차 특별기를 1.19 파견키로 검토중

나. 기착지 : 젯다, 리야드, 도하, 아부다비등 4개 지점

다. 철수대상자 : 총 308명(1.17 07시 현재)

사우디 170, 카타르 40, UAE 74, 오만 24

2. 주이락 최봉름 대사 포함 공관원 4명, 화란 도착(1.16 05시)

0014

15/13

3. 페만 지역 교민 현황(1.17 07시 현재, 총7개국)

잔류자 5,683명, 추가철수 희망자 511명, 2차 철수 대상 308명

4. 이스라엘 교민 8명, 카이로 대피(1.15)

0015

14

페만 非常對策 本部

1991. 1. 17. 19:30

題 目 : 日日 報告 (6)

I. 전 황

가. 다국적군 공격 현황

09:00 (현지시간 03:00) 다국적군, 이라크 및 쿠웨이트 공습 개시

- 미, 영, 사우디, 쿠웨이트 전투기 참여
  - . 사우디 주둔 미 F-15E 전폭기 (대수 미확인)
  - . 동부 사우디 및 바레인 주둔 영국 공군 Tornado GR-1 편대 참가
  - . 인근 해역 미전함단 "토마호크" 순항 미사일 공격 가담
  - . 사우디 및 쿠웨이트 참가는 상징적
- 공격 목표 거의 전부 파괴
  - . 공군 기지 100여개, Scud 미사일 기지, 화학.생물 무기시설, 핵시설, 최정예 혁명 수비대등
- 대통령궁 및 국회의사당 폭파 보도

12:30 경 1차 공습 종료

15:30 경 2차 공습 감행

18:30 경 다국적군 지상군 진격 개시 (쿠웨이트 라디오 방송)

- 이라크군 2개 방위 진지 점령

※ 지상군 본격 진군은 추후 사태추이 보아가며 결정 (CNN)

24:00 경 위성 정찰 결과 판명 예정

- 정찰 결과 판명후 추후 공격 계획 결정

0016

나. 이라크군 반격 현황

o 다국적군에 대한 반격 극히 제한적

- 미사일 5기, 사우디 동부 및 바레인 공격설 (사정거리 미달로 피해 전무 보도)

- 중립지대 사우디 정유시설 포격, 피해는 경미 (사우디 군소식통)

※ 미사일 기지 파괴로 이스라엘 공격 능력 상실 추정

※ 다국적군 피해

. 미측 언론 피해 전무 보도 (공식 발표는 없음)

. 이락군, 전투기 14대 격추 주장

. 불란서 2차 공습 참가기 4대 격추

2. 미국 동향

08:00 부시 대통령, 영, 소등 주요국에 공격 개시 사전 통보

09:00경 백악관 대변인 쿠웨이트 해방 전쟁 개시 공식 발표 (Operation Desert Storm)

11:00 부시 미대통령 대국민 연설

- 후세인의 비타협으로 무력 사용 불가피

- 속전 속결 약속

11:30 체이니 미 국방장관 기자 회견

- 공격 성공적 진행 확인

- 이라크 반격 제한적이며 다국적군 피해는 경미함 시사

3. 이라크 동향

o 후세인 대통령 대국민 연설

- 최후까지 항전 결의

0017

18

16

4. 각국 반응

o 소 련

- 고르바초프 대통령 성명 발표
  . 개전에 대한 유감 표명
  . 개전 1시간여 전 미측 통보 접수시 미측에 최후까지 평화해결 노력 촉구
    - 동 사실을 주바그다드 대사를 통해 후세인에게 통보 조치
  . 향후 모든 외교적 노력을 통해 분쟁 국지화 노력 예정

o 일 본

- 사전 통보 받은 사실 확인 및 다국적군 전면 지지 공식 발표

o NATO

- 16개국 대사 회의 긴급 소집 (터키 방위 결의)

o 영 국

- 긴급 전시 내각 소집

o 터 키

- 미군의 터키내 공군 기지 사용 허가 검토 시사
- 대이라크 선전 포고 검토

o 중 국

- 전쟁 발발 유감 표시 및 참전국 자제 촉구

o 프 랑 스

- 2차 공습 참여 발표

o 유 엔

- 안보리 회의 긴급 소집

o 이 란

- 라프산자니 대통령, 유감 표시 및 중립 견지 표명 (교전국의 이란 영토 사용 불가 강조)

0018

19/7

5. 유가 동향

o 부시 대통령 비축 석유 100만 배럴 방출 지시

- 원유가 (뉴욕) 배럴당 $40 일시 앙등후 $35로 하락

o 북해산 원유 (런던) 배럴당 $2 하락 (현재 $27)

o 페만 전쟁의 국제 유가에 대한 영향을 크지 않을 것으로 전망됨. 끝.

6. 조치 사항

o 전쟁 발발사실 각부처 상황반에 통보

o 페르샤만 향해 아국 선박 안전 조치 (해운항만청 및 수산청)

o 중동지역 각공관에 긴급 지시

- 교민 보호 비상 대책 강구
- 일부 교민 철수 계획 수립
- 이락의 반격이 있을 경우 피해 상황 보고

※ 각 공관 보고

. 이상 없음

. 사우디, 바레인, 카타르 공항 폐쇄

. UAE 공항 미폐쇄

o 외교 통신망 이상 유무 모색 (정상 가동)

o 주요 우방국가와의 협의, 연락 체제 확보

- 비상 체제 돌입
- 전황 수시 보고
- 원유등 국제 원자재 시장 가격 동향 파악

0019

20

18

페灣 非常對策 本部

1991. 1. 18. 06:00

題 目 : 日日 報告 (7)

1. 전 황

가. 미 국방부 기자회견 내용

(1.17. 23:00 [한국시간] 체니 국방장관 및 포웰 합참의장)

o 지나친 기대감에 대한 경계

- 인명 피해 다수 발생, 장기전화할 가능성도 있어 지나친 낙관 곤란

o 현재까지의 전황

- 작전 개시후 1,000회 이상 출격, 성공률 80% 정도
- 주 공격 목표는 지휘체계, 방공망, 스쿠드 미사일 기지, 비행장등
- 지상작전 개시 여부에 대해서는 시인도 부인도 할 단계가 아니라 언급

o 다국적군 인명 피해

- 미군기 (F-18 Hornet) 1대 및 영국군기 (Tornado) 1대 손실, 미군 조종사 1명 사망

o 이라크의 저항 능력

- 지휘체계는 상금 유지
- 지하 벙커속의 공군기에 대해서는 아직 미공격

나. 영 국방부 기자회견 내용 (1.17. 21:15 [한국시간] 톰 킹 국방장관)

o 다국적군의 공격은 쿠웨이트 해방과 UN 결의 이행시까지 계속

o 영국 전투기 (Tornado) 1대 엔진발화, 조종사 실종

o 초반전이 대단히 고무적이나 이라크의 군사력 규모등에 비추어 성급한 결론은 금물

0020

다. 기 타

o 이라크 탱크 약50대 투항 보도 (미국 언론)

- 사우디군 대변인, 이라크군의 투항 사실만 확인

o 사우디 알카프치 (사우디-쿠웨이트 국경 남쪽 15Km 지점) 소재 정유 저장 탱크에 이라크군의 포격으로 화재 발생

2. 각국 반응

가. 미 국

o 대이라크 공격 개시 직후의 여론 조사에서 응답자의 81%가 동 공격 지지 (12% 반대)

나. 이 라 크

o "후세인" 대통령, 1.18. 01:00 (한국시간)을 기해 모든 위성 중계 통신망 사용 금지 명령

다. 독 일

o 콜 수상 성명 발표

- 페만 사태의 평화적 해결 노력의 실패에 깊은 실망 표명

- 전쟁에 대한 전적인 책임은 이라크에 있음.

- 걸프지역 독일군은 군사작전에 투입되지 않을 것임.

라. 영 국

o "허드" 외무장관, 불란서의 다국적군 작전 적극 참여에 만족 표명

마. 이 태 리

o 이태리 의회, 걸프지역 배치 자국군 (해군 및 공군) 의 참전 권한 부여

바. E C

o 긴급 외무,국방장관 회의 소집

0021

~~20~~

22

사. 호　주

o "호크" 수상, 걸프지역 배치 자국 해군 함정 (3척) 에 다국적군의 공격 지원 권한 부여

아. 스 페 인

o 다국적군의 대이라크 공격 지지 표명

3. 유가 동향

o 북해산 원유가 배럴당 21.60불로 하락

o 두바이산 원유가 배럴당 22불로 하락

o 유가의 계속적인 하락은 당초 예상과는 달리 유전시설의 파괴가 없고 전쟁이 단기간내 종료될 것이라는 전망에 기인

0022

2/

페灣 非常對策 本部

1991. 1. 18. 12:00

題 目 : 日日 報告 (8)

1. 전 황

o 09:20 경 (현지시간 02:20) 이라크, 이스라엘에 미사일 공격

- SCUD 미사일 약 8-10기 발사(정확한 기수 미확인)
- 최소한 미사일 2기에 화학탄두 장착설
  ※ 미국방부 및 이스라엘 국방부 대변인 부인
  (신경개스 피해자 약 7명 텔아비브 병원 후송설)
- 이라크, 전쟁전 SCUD 미사일 최대 1,600기 보유(현 보유수 및 Launcher 수는 미상)

o 11:00 경 이스라엘 공군기, 이라크 보복 공격을 위해 출격설

- 미국방부, 이스라엘의 보복보도 부인
- 이라크, 사우디 다란지역에 미사일 공격
  . 불란서 TV, 다란에 최소한 미사일 3기 폭발 보도

※ 다국적군 피해

- 이라크측, 항공기 76대 격추 주장
- 미측, 3대(미국기 1대, 영국기 1대, 쿠웨이트기 1대) 격추 확인

2. 각국 동향

가. 일 본

- 다국적군에 대한 최대 40억불 추가 지원 검토

나. 이스라엘

- 이라크의 미사일 공격에 대한 성명 발표 (주유엔 이스라엘 대표부)
  . 이스라엘은 대이라크 선제공격을 하지 않음으로써 이미 과도한 위험 부담을 치루었음

다. 미 국

- 부쉬 대통령, 이스라엘 및 사우디에 대한 이라크의 미사일 공격 비난 성명 발표

0023

24

22

페灣 非常對策 本部

1991. 1. 18. 20:00

題 目 : 日日 報告 (9)

I. 전 황

o 미국 대규모 공습 계속
- 전폭기 1,000여회 출격
- 이라크의 이동 SCUD 미사일 발사대 주 목표
- 이라크의 대이사라엘 공격후 이스라엘 참전 억제 위한 대리 보복 감행

o 미 지상군 작전 준비 움직임 포착
- 탱크 100여대 사우디-쿠웨이트 국경 이동설
- 헬리콥터 편대 쿠웨이트내 이라크 미사일 기지 공격설

o 이라크, 사우디 미해병 부대 포격
- 최초의 미 지상군 피해

※ 다국적군 피해 현황
- 미국기 3대, 영국기 2대, 쿠웨이트기 1대, 이태리기 1대, 불란서기 1대
- 미 해병 2명, 해군 1명 부상
- 조종사 5명 실종

II. 각국 동향

가. 이스라엘

o 이라크 미사일 공격에 대한 성명 발표 (주미 대사)
- 공격받을줄 알고 있었음에도 사전 예방을 하지않고 1차 공격 받은것은 커다란 위험 부담 감수
- 이라크에 대한 보복권을 현재로서는 유보하나 향후 행동 가능성은 배제하지 않음(군 총사령관도 같은 발언)

o 긴급 각료회의 소집

나. 미 국

o 부쉬 대통령 긴급 백악관 안보 회의 소집
- 이스라엘 공격 자제 요청
- 이라크 이동 SCUD 미사일 발사대 공격 노력 일층 강화 조치

0024

다. 불 란 서

- 군참모총장, 이라크 화학전 수행 능력 상실 평가

라. 요 르 단

o 유엔과 난민 협정 체결

- 100만명 한 누구에게나 국경 개방
- 난민 유입에 따르는 비용은 유엔 부담

o 최고도 비상 사태 돌입

- 이스라엘 전투기 영공 통과 불용 입장 표명

마. 소 련

- 이스라엘 공격 자제 찬양
- 고르바쵸프 대통령, 후세인 철군 계속 종용(미테랑 대통령, 콜 수상 접촉 : 내용은 미확인)
- 외교적 노력에 의한 평화해결 추구 입장 견지

Ⅲ. 교민 철수 동향

o 이라크 삼성 근로자 15명 및 김진환 부장 일행

- 1.17.(목) 18:00 아카바항발 페리편 이집트 누에이바 항구로 도착
- 1.18.(금) 09:00 이전 카이로 공항 도착 예정

o 사우디 동북부 지역 체류 교민중 503명 안전지대 철수

- 잔류자 618명도 안전한 것으로 파악

o 이스라엘 잔류 교민 75명 안전지역 대피 조치

0025

26

24

灣 非常對策本部

1991. 1. 19. 06:00

題 目 : 日日 報告 (10)

1. 전 황 (외신 및 공관보고 종합)

가. 다국적군 공격 현황

ㅇ 작전개시 36시간 동안 총 2,000회 출격, 적중율 80%

ㅇ 참가국(7) : 미, 영, 불, 카나다, 이태리, 사우디, 쿠웨이트

ㅇ 이라크함 3척 격침, 이라크 공군기 8대 격추

ㅇ 모빌스쿠드 미사일 11기 확인공격, 6기 격파

ㅇ 사우디 다란쪽 발사 이라크 미사일 요격 파괴

ㅇ 이집트, 영국군, 쿠웨이트 진입 전진 배치 진행중

나. 이스라엘 관계

ㅇ 1.18. 이라크 미사일 공격으로 15명이내 인명사상

ㅇ 이스라엘 정부, 긴급 동원령 발동(25만명의 예비군 동원)

ㅇ 알제리, 튀니지, 요르단, 예멘, PLO : 이라크의 이스라엘 공격지지

Ⅱ. 각국동향

가. 부시 대통령 기자회견(1.19 KST 02:00)

- 과도한 낙관자제 요망 및 작전의 장기화 가능성 언급

- 이라크의 쿠웨이트 무조건 완전철수 재요구

나. 터키의회, 정부에 전쟁권한위임 결의안 통과

- 미공군기의 터키기지 사용 이라크 공격 가능

- NATO 외상회의, 이라크의 터키공격시 강경대응 결정

0026

다. 북한

- 미국의 이라크 공격은 제국주의적 침략임.
- 북한이 대이라크 경제제재조치 위반했다는 주장도 날조된것임.

라. 일본

- 난민수송위한 자위대 군용기 파견 입장표명 (야당은 강력반대)

마. 중국

- 이스라엘 피습관련 우려표명 및 관련국의 최대 자제요망

바. 싱가폴

- 1.18. 의료지원단 30명 파견

사. 이란

- 외무부 대변인, 이란의 개입가능성 부인

Ⅲ. 교민안전동향

가. 이스라엘 체류교민(1.18. 주카이로총영사 보고)

- ㅇ 1.18. 현재 교민피해 없음.(체류교민 72명)
- ㅇ 1.19. 이집트로의 대피문제 협의예정
- ㅇ 주카이로총영사관 안전대책
  - 매일 2회 교민회와 전화연락 유지
  - 교민대피에 대비, 한인학교를 임시수용소로 준비

나. 이라크 체류교민

- ㅇ MBC 기자 4명 요르단 입국 (주요르단대사 전화보고)
  - 현지시간 1.18. 13:30 요르단 입국(출입국관리소 확인)
- ㅇ 주요르단대사, 택시운전사 1명 바그다드 급파(1.20.귀환예정)
  - 교민 긴급철수위한 메신저 역할
- ㅇ 이라크 잔류교민의 이란 피신에 대비
  - 주이란대사관 직원2명 바크타란 파견(테헤란서부 600Km, 국경 100Km)
  - 이란 외무부, 비자발급 및 교통편의 약속

0027

26

28

다. 요르단 체류 아국 기자단

ㅇ 1.18. 현재 10개언론사 소속 18명 체류중

ㅇ 사태의 위험성 고조에 따라 조속 요르단에서 철수토록 각 언론사에 요청 (1.18. 20:00)

라. 특별기 파견 계속 보류중

ㅇ 사우디 공항 및 국경폐쇄

ㅇ UAE, 카타르의 탑승희망교민 기십명 불과

Ⅳ. 경제관계 (1.18. 주일대사 보고)

ㅇ 일본 평균주가 상승 (영국주가는 소폭 하락)

ㅇ 3월인도 두바이산 원유 17-18불 전후거래

ㅇ 전쟁단기종결시 유가 20불 전후 하락예상

ㅇ 전쟁장기화시 40-50불 급등(성장율 2% 하락)

0028

27

걸프사태 명칭 조정

"페만 사태" "페만전"의 명칭은
1.19 부터 "걸프사태" "걸프전"으로
조정 지칭키로 함.

0029

28

걸프事態 非常對策本部

題 目 : 日日 報告(11)

1991. 1. 19. 14:00

1. 전 황

ㅇ 다국적군 대규모 공습 계속

- 전투기 2000여회 출격, 80% 작전 성공률 유지
- SCUD 미사일 이동 발사대가 주목표
  - 이동 발사대 11개 포착, 6개 파괴
  - 현재 발사대 약35개 잔존 추정 (미국방성)
- 현재까지 토마 호크 쿠루즈 미사일 196기 발사
- 남부 소재 공화국 수비대에 대한 공격 계속
- 미해병 쿠웨이트 상륙 준비
- 이라크 경비정 3척 격침

ㅇ 이라크 대공 포화 강화

2. 양측 전투기및 인명 피해

가. 다국적군

ㅇ 전투기

- 미국 4기(조종사 7명), 영국2기, 이태리1기, 쿠웨이트1기

ㅇ 지상군

- 부상 3명

* 이라크 주장 : - 전투기 94대 격추
- 미조종사 1명 포로

나. 이라크

ㅇ 전투기8기(공중전시)

* 이라크 주장 : - 민간인 23명 사망
- 민간인 66명 부상

0030

3. 각국 동향

가. 이스라엘

ㅇ 국방장관 대이라크 보복 의사 천명

ㅇ 미사일 피습후 3차례 공습 경보

ㅇ 전투기 2개편대 시리아 영공 통과 위협 비행(1.18)

나. 미국

ㅇ 부쉬 대통령 이스라엘 자제 재요청

- 다국적군 결속 계속 유지 강조

ㅇ 미하원(1.19) 및 상원(1.18) 전쟁 지지 결의 통과

ㅇ 여론 조사 61% 전쟁 낙관

ㅇ 반전 및 지지 시위 산발적 발생

- 워싱톤 반전 시위 : 200여명 체포

- 캘리포니아 지지 시위

ㅇ 대테러 방지 대책 강화 조치

다. 소련

ㅇ 고르바초프 대통령, 아랍국가들에 대한 긴급 자중 촉구

ㅇ 주이라크 대사 금명간 후세인 면담 예정

- 철군 촉구등 평화적 해결 노력 일환

라. 이라크

ㅇ 주유엔 대사, 미국에 이라크와의 협상 촉구

- 대이스라엘 2차 공격 감행 가능성 불배제

ㅇ 금번 전쟁은 미국, 이스라엘 대 아랍권의 대결임을 천명

(이스라엘 전투편대 위협 비행후 발표)

ㅇ 후세인 대통령 일가족 모리타니아 피신설(BBC)

마. 이집트

ㅇ 이스라엘 보복 경우에도 다국적군 이탈치 않을 것임을 표명

(주유엔 대사)

0031

30

바. PLO

ㅇ 이라크의 대이스라엘 미사일 공격 환영

ㅇ 다국적군 참가 아랍군의 이탈 호소

ㅇ 미국 및 이스라엘에 대한 아랍국의 공격 주장

사. 파키스탄

ㅇ 서방 언론의 걸프 전쟁 왜곡 보도 항의 대규모 시위

- 혁명 수비대 괴멸 보도 등 미국 CNN 집중 성토

아. EC국

ㅇ 이라크 공격 비난

ㅇ 이스라엘 자위권 인정

ㅇ 현시점 이스라엘 자제는 오히려 이스라엘의 강함을 입증 평가(영국 외상)

자. 일본

ㅇ 다국적군 50억불 추가 지원 방침

ㅇ 민간 의료진 파견은 유보

ㅇ 난민 구호위한 자위대 수송기 파견에 대한 논란

차. 브라질

ㅇ UN 요청이 있는 경우 의료진 2개 중대 파병 발표

* 아르헨티나(전함2척)에 이은 두번째 남미 참전

카. 유엔

ㅇ 케야르 사무총장, 이스라엘 자제 촉구

타. 예멘, 수단

ㅇ 다국적군 공격 반대 군중 시위 2일째 계속

파. 레바논

ㅇ 이라크의 이스라엘에 대한 치명적 공격 촉구

ㅇ 시리아의 대이스라엘 공격 촉구

0032

33 3/

하. 불란서

ㅇ 다국적군 공격 3단계 계획중 이미 2단계 진행중 평가

- 1단계 : C3I, 대공 미사일, 공군기지, 공군기 공격

C3I(Command : 지휘, Control : 통제, Communications : 통신, Intelligence : 정보)

- 2단계 : 도로, 철도 시설등 병참 관련 시설 공격

- 3단계 : 지상군 집중 공격 (공격용 헬기, 탱크 및 야포등 가동)

갸. 시리아

ㅇ 이스라엘이 이라크, 요르단 등 아랍국 공격시 이스라엘 공격할 것임을 경고

4. 테러 관련 동향

ㅇ 미국 대테러 비상 대책 회의(1.17)

- 공항 및 주요시설 보안 대책 강구

- 해외 대사관 경비 조치 강화

- 위험 지역 여행 자제

- 미국 재외공관원 신변 안변 보호 지침

ㅇ 다국적군 참가 서방국 보안 조치 강화

- 카나다 이라크 외교관 3명 추방

- 주요시설, 공항 경비 강화

ㅇ 테러 공격 세계전 양상

- 예루살렘 미대사관 총격

- 칠레 북부 미국인 몰몬 사원 폭탄 폭발

- 밀라노 여행 미국 학생 피습

- 영국 정유사 폭탄 폭발

ㅇ 이라크 테러 요원

- 2대 용병 조직 : 압둘 아바스 및 아부니달

- 이라크 공관원(80% 가 잠재 테러 요원인 무카 바라트 소속 추정)

0033

32

5. 고민 철수 동향

ㅁ 사우디 동북부 잔류 근로자중144명 안전지대 추가 대피

- 잔류 근로자 474명도 안전 확인

6. 유가 및 주가 지수

ㅁ 원유

- 뉴욕 : 베럴당 $2.19하락(현재 $19.25)

- 런던 : 배럴당 $0.8 하락(현재 $20.20)

ㅁ 주가

- 뉴욕 : 23.27 포인트 상승(2646.28)

- 런던 : 0.23 포인트 하락(2097.8)

0034

33

걸프전쟁 상황 속보

91.1.19.(토)

o 이라크, 이스라엘 제 2차 미사일 공격 (1.19. 14:20 한국시간)

- 텔아비브 중심가에 3-5차례 폭발음
- 이스라엘 라디오, 이라크의 미사일 공격이 있었다고 확인하고 시민에게 민방위 조치 당부
- 미국방부, 서부 이라크 지역으로부터 미사일 3기 발사되어 텔아비브 적중 확인
- 폭박직후 이스라엘 당국이 공습 경보 해제 한것으로 미루어 화학 탄두는 아닌 것으로 보임. 끝.

0035

36

34

걸프事態 非常對策本部

題 目 : 日日 報告(12)

1991. 1. 20. 06:00

I. 전 황

가. 이락, 대이스라엘 2차 공격

- 3기의 스커드 미사일(재래 무기 장착) 텔아비브공격, 12명 부상 (14:20 KST)
- 바그다드 방송, 스커드 미사일을 발사, 목표물을 명중 시켰다고 확인(15:50 KST)

나. 다국적군 제4차 공습

- 미군 전함, 토마호크 순항 미사일로 바스라항등 공격
- 악천후로 F-18A 기의 이락 정예 혁명수비대 폭격 실패
- 불 전투기 쿠웨이트내 이락 무기 창고 공격

다. 쿠웨이트 접경지대에서 미·이락군 소규모 지상 전투

- 미군 4명 부상, 이락군 40명 사망설

라. 다국적군 이락군 생포

- 미군함 및 헬기 쿠웨이트 연해 9개의 Oil Platform 기습, 이락군 12명 생포

II. 양측 피해 상황

가. 다국적군

- 전투기10대 실종(이락은 101기 격추 주장)
- 지상군 7명 부상

나. 이락군

- 전투기 11대 격추
- 지상군 40명 사망

0036

Ⅲ. 각국 동향

가. 부쉬 대통령, 이스라엘의 자제력 높이 평가

ㅇ 이스라엘의 자위권을 인정하지만 보복 공격 자제 요청

ㅇ 페트리오트 요격 미사일 2대 이스라엘에 추가 제공

ㅇ 미국방성은 군수송 능력 제고를 위한 민간 항공기 징발령

나. 이락, 대이스라엘 공격 계속 및 장기전 계획 언급

ㅇ 이라크내 외국기자 3~5일내 출국령

다. 이스라엘

ㅇ 대이락 보복 공격 문제는 장소와 방법 결정만 남았음

ㅇ 보복은 불가피하나 미국의 이익도 고려할 것임

ㅇ 다국적군 작전 일환으로 참가하여 대이락 보복 공격 가능성

라. 이 집 트

ㅇ 이스라엘의 단발적 보복 공격은 수용할 태세를 밝힘

마. 카나다 불란서, 벨기에, 영국, 이태리, 그리스

ㅇ 테러 요원으로 추정되는 이락 외교관 추방령

바. 요 르 단

ㅇ 1.9 이래 폐쇄되었던 요르단, 이락 국경이 1.18 오전 국적 불문 모든 국민들에게 입국이 개방되었다고 발표

사. 소 련

ㅇ 고르바초프 대통령, 이라크 체류 자국인 100명에 조속 철수 지시

아. 중 국

ㅇ 이붕 총리, 평화적 해결 추구 노력 계속할 것임

0037

36

38

자. 이 란

ㅇ 강경파 국회의원들, 이락편에 동참하여 참전 주장

차. 모리타니아

ㅇ 훗세인 이락 대통령 가족 대피설은 날조된 허위 보도라고 일축

카. 알 제 리

ㅇ 비상 각의, 걸프사태 평화적 해결 및 국제회의 개최를 촉구

ㅇ 이락에 대한 무력 사용을 반대함

타. 레 바 논

ㅇ 수만명 이라크 지지 데모

파. 튀 니 지

ㅇ 유엔 안보리가 긴급 전쟁종식결의를 취해 줄것을 촉구

ㅇ 전국 주요도시에 이라크 지지 반전 시위 확산

Ⅳ. 테러 관련동향

ㅇ 필리핀 마카티 지역에서 테러범으로 추정되는 이락인 2명, 동인들이 휴대중이던 폭발물 폭발로 1명 사망, 1명 부상

Ⅴ. 교민 철수동향

가. 이락 잔류 현대 근로자 철수 관계

ㅇ 주이란 대사관 직원 2명 및 현대 건설 직원1명 바크타란(테헤란 서부 600Km, 국경 100Km) 도착 (현지시간 1.19 08:00)

ㅇ 현대측 이락에 현지 운전수 1명 추가 급파 (현지시간 1.19 15:00)

나. 이락 철수 삼성 근로자 16명 1.21 서울 도착예정

ㅇ 1.19 카이로 출발

ㅇ 1.21 (16:15) BA-027편 김포공항 도착

0038

다. 이스라엘 체류 교민 전원 무사

ㅇ 잔류교민 71명중 27명 1.20 일경 이집트로 대피 계획

라. 사우디 동북부 체류 교민 안전

ㅇ 1,211명중 1.19 현재 751명 철수

ㅇ 잔류교민 370명 신변은 안전함을 확인

Ⅵ. 유가 및 주가지수

ㅇ 원 유

- 브렌트산 : $17.70 (배럴당 $1.6 하락)
- 두바이산 : $14.12(배럴당 $1.38 하락)

ㅇ 주 가

- 뉴욕 Dow Jones 지수 : 2,648.8(전일 대비 23.3 상승)
- 런던 Financial Times 지수 : 1,654.9(5.3 상승)
- 동경 일경 지수 : 23,808.3(361.49 상승)

0039

40

38

外務部 걸프事態 非常對策 本部

題　目: 日日 報告(13)　　　　1991. 1 · 20 · 18:00

I. 戰　況

가. 미 중앙사령부 참모장 전황 발표 (1.19.)

- o 현재까지 다국적군의 주공격 목표는 이락 및 쿠웨이트의 군사시설, 방공망, 사령부이며 아직까지 지상군의 교전은 없음.
- o 현재까지의 공중전에서 10대의 이락 공군기 격추 (미라지 3대, MIG 23 1대 포함) 하였으며 5대의 미군기 격추됨.

나. 쿠웨이트 점령지대에서 소규모 지상 전투 계속

다. 현재까지의 다국적군 공격으로 이락 군사 시설의 50% 파괴 추정

- o 그러나 이락의 TV, 통신시설이 건재함등에 비추어 장기전 추세

II. 兩側 被害 狀況 (1.20. 現在)

가. 다국적군

- o 전투기 10대 실종

  미국 6대 (9명), 영국 2대 (4명), 쿠웨이트 1대 (1명), 이태리 1대 (2명)

나. 이　락

미국의 1.19.자 공습으로 31명이 사망하고 51명 부상

다. 이스라엘

1.18. SCUD 미사일 공격으로 47명 부상 (사망자 미발표)

III. 이락의 對이스라엘 SCUD 미사일 攻擊에 대한 各國 措置 및 反應

가. 이스라엘

- o 공격직후 긴급 각의를 소집, 동공격에 의한 대응책 논의

0040

政府綜合廳舍 810號　電話 : 730-8283/5, 730-2941. 6. 7. 9, (구내)2331/4, 2337/8　Fax : 730-8286

o 각료들은 대이락 반격은 불가피하며 이스라엘은 이미 "이락과 전쟁상태에 들어갔음" 언급

o 그러나 아직 구체적인 대응 조치는 없음.

나. 미 국

o 부시 대통령, 샤미르 이스라엘 수상에 전화, 이측의 자제 요청 하고 물질적, 정신적으로 지원할 것임을 약속

o 미정부내 일부에서는 이스라엘에 의한 반격이 점차 불가피함을 인정하는 분위기

o 미 국무차관, 1.20.중 이스라엘에 파견될 예정

o SCUD 미사일의 공격 차단을 위하여 미측에서 제공한 페트리오트 미사일 1.20 부터 이스라엘내에서 작전 개시에 들어감.

다. 이 집 트

o 무바라크 대통령, 이스라엘이 이락으로부터 공격을 받을 경우 자위권을 가지고 있음 언명

라. 시 리 아

o 당초 시리아 정부는 이스라엘이 참전하는 경우 동국은 이스라엘과 싸울 것이라는 입장을 밝힌 바 있음.

o 그러나 일부 언론은 이락의 대이스라엘 공격은 쿠웨이트 침공을 은폐하고 아랍권의 지지를 얻으려는 목적이 있으므로 시리아는 이스라엘에 대항해 싸우지 않을 것이라 보도

마. 소 련

o 동 공격은 쿠웨이트 사태를 중동 전체의 분쟁으로 확대하려는 의도인바 이스라엘은 보복을 자제해야 할 것이라는 요지 성명 발표 (외무성)

바. 요 르 단

o 이락 공격을 위한 이스라엘 공군기의 요르단 영공 통과 불허

o 요르단은 이란, 이스라엘 양측으로부터의 영공 침입을 방어할 것임.

40

42

(참고) 당초 이락은 SCUD 미사일 1,000 여기 보유했으나 600여기가 개전후 파괴 또는 사용 추정 (현재 서부 전선에 40여기 배치 추정)

Ⅳ. 各國 動向

가. 미 국

o 미국무성, 주미 이락 대사대리에게 이락 전쟁 포로 (12명) 생포 사실 최초로 통보코 동 포로를 1949년 체결 제네바 협정에 의거 처우할 것이며 이락도 동일한 조치를 취해 줄것을 요청 (1.19.)

o 미 예비군 복무기간을 1년으로 연장하고 추가 예비군 20만명 동원령 발표

나. 일 본

o 다국적군 지원위해 총계 100억불 지원 예정

o 수송기 및 민간 의료 요원 파견 고려중

Ⅴ. 걸프 事態의 平和的 解決 摸索 움직임

가. 주불 이락 대사, 사태 관련국과의 협상 제의 (1.19.)

나. 소련, UN 을 통해 모종의 평화 해결 방안 제의 예정

다. 주이락 소련 대사, 수일안에 후세인 대통령 면담 예정

Ⅵ. 테러 및 이락 同調, 反戰 示威

가. 이락의 대이스라엘 미사일 공격에 이스라엘이 가급적 보복치 않겠다는 방침에도 불구, 친이스라엘 단체에 의한 대이락계 테러 가능성이 높아지고 있음.

나. 1.19. 파키스탄 극장에서 폭탄이 폭발 5명 사망, 48명 부상

다. 리비아의 카디피 대통령, 이락을 지원하는 테러는 옹호치 않을 것임을 언급 (1.19.)

마. 호주정부, 공항등 주요시설에 대한 경계 강화하고 이락 대사관 직원들에 50Km 밖으로의 여행 금지시킴.

0042

바. 다국적군의 이라크 공격 반대 군중 시위 (반미 시위)

o 모리타니아, 수단, 예멘, 요르단, 알제리, 모로코, 방글라데시, 말레이지아, 일본

사. 반전 시위

o 미국, 영국, 호주, 불란서 대규모 반전 시위 발생

Ⅶ. 僑民 撤收 動向

가. 1.19. 주제네바 대표부, ICRC 에 이락 잔류 현대 근로자 소재 및 안전 여부 파악 요청 (ICRC 측 협조 약속)

나. 사 우 디

o 1.19. 오후부터 리야드-제다간 국내선이 1일 3회 제한적으로 운행

o 제다 국제공항 1.20.-26. 간 잠정 재개

o 리야드 국제공항은 상금 폐쇄중

다. 예 멘

o 사나공항 1.19. 재개

42

44

外務部 걸프事態 非常對策 本部

題 目: 日日 報告 (14) 1991. 1 · 21 · 06:00

I. 戰 況

가. 다국적군 공습 목표 전환

o 바그다드 주변 주요군사 복합시설에서 쿠웨이트내 지상군 진지로 공습목표 전환 (제2단계 작전)

※ 파월 미 합참의장, 확인도 부인도 않음.

o 다국적군 지상군, 사우디 근처에 방어진 설치

나. 다국적군의 이락 지상군 공격

o 다국적군은 이락의 공군시설, 미사일기지, 군수공장들에 대한 공습을 계속, 이락 지상군에 대한 폭격 강화

다. 이라크, 사우디 동북부 리야드 다란지방 향해 스커드 미사일 5발 발사 (명중률 극히 적은 편임, 현지시간 1.20. 22시)

라. 미 전폭기, 대이라크 공격 위해 터키 기지로부터 출격

마. 영 해군 기뢰제거 작업 시작

o 지상군 투입 임박설 뒷바침

바. 이라크 피해 상황 (Schwarzkopf 사령관 기자회견 내용, 1.21. 01:30)

o 이라크 SCUD 미사일 30기 정착식 발사대 파괴, 20기 이상 NIBUKZ 발사대중 16대 파괴 추정

o 3기의 핵 발전소 모두 파괴

o 지휘 통제 체제에도 상당한 타격

II. 各國 動向

가. 시 리 아

o 시리아가 미국 및 다국적군과 동맹하는 것은 아랍주의를 저버리는 것이라는 이라크의 주장을 비난, 시리아를 이스라엘과의 싸움에

0044

政府綜合廳舍 810號 電話 : 730-8283/5, 730-2941. 6. 7. 9, (구내)2331/4, 2337/8 Fax : 730-8286

43

45

끌어드리려는 이라크의 어떠한 노력도 거부

나. 중 국

o 리펭 중국 수상, 걸프전의 확산을 막기 위해 모든 관계국들의 자제 촉구

다. 모로코

o 모로코 국왕 멧세지, 이락 대사에 전달
  - 마그레브 아랍 동맹 이름으로 유엔 안보리로 하여금 즉각 종전, 모든 외국군의 철수 및 쿠웨이트 주둔 이락군을 마그레브 아랍 동맹 회원국 군대로의 교체 제의

라. 알제리

o 주미 대사를 통해 Chadli 대통령 친서 유엔 사무총장에 전달

마. 리비아

o 1.19. 카다피 지도자 참석하에, 바그다드 폭격을 중지하고 쿠웨이트 자결권을 촉구하는 대규모 군중집회 개최

o 카다피 지도자, 적극적으로 이라크 지원하지 않고 전쟁종식 촉구하는 온건하고 소극적 태도 견지

바. 이 란

o 라프산자니 대통령 기자 회견
  - 전쟁이 확대되어, 이란 국가 이익이 위협될시 전쟁에 개입할 것임.
  - 이라크내 군사 쿠데타 가능성
  - 서방 군사력에 의한 이라크의 쿠웨이트 축출 가능할 것임.

o 이란은 대이라크 응징에 찬성하면서도 확전 및 장기화시 회교도의 반미감정 확산 서방측에 경고

사. 독 일

(이락의 대이스라엘 미사일 공격에 대한 반응)

o Weizsaecker 대통령, 이스라엘 대통령앞 멧세지를 발송, '경악과 심심한 동정' 표명

0045

o Kohl 수상, 이락의 이스라엘 공격을 규탄, 이스라엘 정부가 계속 사려 깊은 태도를 취해줄 것을 희망

아. 일　본

o 아사히 신문, 대이락 다국적군 원조가 8억불에 달할 것이며, 일 정부측은 이를 위해 세금 인상을 고려중임을 발표

자. 폴 요한 바오로 2세 로마 교황

o 걸프사태관련 폭격 비난

o 중동사태가 확산될 경우 매우 위험한 사태가 발생할 것임을 경고

차. 이 라 크

o 사담 후세인, 다국적군이 많은 피해를 입었다는 TV 연설로 자국 군인들 사기 진작

Ⅲ. 僑民 撤收 動向

1. 추진 현황

가. 이 라 크

o 이라크 잔류 현대 근로자 22명 이란 국경 Khosrabi 로 입국 가능성 (1.21. 주이란 대사 보고)

o 주이란 아국 공관원, 동인들의 입국 주선을 위해 Khosrabi 로 갈 것을 시도

- 이란측, 신변 안전 이유로 Khosrabi 로 가는 것을 거부

o 동 공관원 현재 Baktaram 지역 대기중

나. 사 우 디

o 사우디 체류 아국인 총 4,697명, 동부지역 320명,중부 2,814명, 서부 1,563명

o 동북부 체류 총원 1,121명중 801명 안전지대로 대피, 현재 320명 잔류중이나 이들도 대피중

다. 이스라엘

o 교민 총원 113명중, 철수인원 40명, 잔류자 71명중 9명 1.20.

0046

16:00 (현지시간) 이집트 대피 완료

o 현 잔류자 64명, 피해 전후, 신변 안전 이상 없음.

라. 기 타

o 예 멘

- 교민 안전 이상 없음.
- 총 203명중 상사원 및 가족 7명, 현대근로자 3명, 기타 교민 2명, 1.21. 귀국 예정

o 요 르 단

- 아국 기자 7명 취재차 이스라엘 입국 (1.20.)
- MBC 팀 3명 1.21. 암만 귀환 예정

2. 조치 사항

가. KAL 특별기 1.24. 추가 운항 예정

o 운항로 : 서울-리야드-젯다-두바이-서울

o 탑승 예정 인원 : 약400명

o 항공료 : 수익자 부담 원칙

※ 특별기의 공항 이.착륙 허가를 위해 사우디, UAE 당국과 교섭중

나. 특별기 운항 계획 관련, 사우디 및 UAE 공항 이.착륙 허가 획득을 위한 사전 교섭 지시 (주 사우디, UAE 대사, 주젯다 총영사)

다. 이락 공격을 위한 다국적군의 터어키 남부지역 기지에서의 공군기 이륙과 관련, 이락의 대터키 공격 가능성에 대비, 터어키 체류 교민 안전 조치 강구를 지시 (주터어키 대사)

0047

46

48

外務部 걸프事態 非常對策 本部

題 目: 日日 報告 (15)

1991. 1 . 21 .

15:00

I. 戰 況

가. 이라크, 사우디에 2차례 SCUD 미사일 공격 (사우디 주둔 미군 대변인 발표 내용)

o 1.21. 03:50 (한국시간) 제1차 공격

- 미사일 3기 발사, 사우디 동북부 다란 목표
- 모두 PATRIOT 미사일로 요격, 피해 전무

o 06:50 제2차 공격

- 미사일 7기 발사 (리야드 4기, 다란 3기)
- 6기는 PATRIOT 미사일로 요격, 1기는 목표에서 빗나감, 피해 전무

o 모두 재래식 탄두로 추정

※ 리야드 시내에 PATRIOT 미사일 1기가 잘못 추락 폭발, 피해 발생 추정(상세 미상) (목격자 증언)

※ 불란서 군소식통 : 이라크가 아직도 이동식 미사일 발사대 약 30대 보유 추정

나. 다국적군 대대적 공습 계속

o 최정예 공화국 수비대가 주 공격 목표

다. 영국 해군, 1.17.이래 이라크측 부설 기뢰 19개 제거

라. 1.21. 11:00(한국시간) 이스라엘 북부지방에 공습 경보 (공습 없었음)

- 1.18. 이래 이스라엘에서 착오에 의한 공습경보 5회 발함

마. 양측 피해 상황 (1.21. 15:00 현재 AP 통신 집계)

o 다국적군 : 항공기 14대 상실, 21명 실종, 2명 경상

- 미 국 : 항공기 9대(12명), 이라크군 포격으로 해병대 2명 경상, 기계고장으로 항공기 1대, 헬기 1대 추락
- 영 국 : 항공기 3대 (6명)
- 이태리 : 항공기 1대 (2명)
- 쿠웨이트 : 항공기 1대 (1명)

0048

政府綜合廳舍 810號 電話 : 730-8283/5, 730-2941.6.7.9, (구내)2331/4, 2337/8 Fax : 730-8286

o 이라크 : 군인 31명 사망, 51명 부상
민간인 40명 사망, 150명 부상
- 미국측은 이라크군 5명 사살, 23명 생포 발표

o 이스라엘 : 미사일 공격으로 약 30명 부상, 개스마스크 착용으로
인한 질식 및 심장마비로 5명 사망

Ⅱ. 各國 動向

가. 이 라 크

o 이라크 방송, 포로로 잡힌 다국적군 조종사 7명(미3, 영2, 이태리1, 쿠웨이트1)의 회견장면 방영
- 7명 모두 전쟁 반대 입장 표명

o 주불 이라크 대사, 다국적군측이 이라크의 조종사 생포 사실을 인정할 때까지 제네바 협정 불준수 언급

o 주 유엔 이라크 대사, 다국적군의 공습이 무차별적이고 비인도적이라고 비난

나. 미 국

o 국무부, 주미 이라크 대사대리를 불러 이라크의 다국적군 포로 처우에 관한 항의 공한 수교

다. 기타 참고 사항

(1) 바그다드 시내 상황 (1.20. 암만 도착 외신 기자)

o 바그다드 시민들은 거듭되는 다국적군 공습으로 공포에 질려 있으며, 대부분이 방공호에서 생활

o 이스라엘의 공습은 다국적군 공습보다 더욱 야만적이고 무차별적일 것이라는 점에서 이스라엘의 보복 공격에 대하여 더욱 큰 공포심
- 이라크 언론, 이스라엘의 당분간 보복자제 사실 일체 보도 안함

o 1.17. 이래 단전.단수. 쓰레기수거 중단으로 큰 고통, 휘발유 품귀

o 바그다드내 상점은 대부분 철시, 거리 한산

o 많은 시민들은 아직도 사담후세인 지지

0049

48

50

(2) 이라크, 쿠웨이트 침공시 JABER 국왕 암살기도(전 사담후세인 경호원 KHARIM 대위의 미방송 회견)

o 사담후세인 90.8.2. 쿠웨이트 침공시 JABER 국왕을 바그다드로 납치, 암살 계획

o 89.5. 당시의 실력자 KHAIRALLAH 국방장관(사담후세인의 처남)의 헬기 사고는 사담후세인의 지시에 의한 폭사임(KHARIM 대위 자신이 폭탄 장치)

o 이라크의 공군기, 미사일등은 대부분 지하 격납고에 배치되어 있음

Ⅲ. 僑民 撤收 動向

o 이라크 잔류 현대건설 근로자 22명의 소재 및 안위 계속 미확인

- 현대측, 이란 국경을 통해 메신저 파견 방안 강구중

- 주요르단 대사관 파견 메신저는 도로 파손으로 중도에서 암만 귀환

0050

外務部 걸프事態 非常對策 本部

題 目: 日日 報告 (16)

1991. 1 . 22 .
06:00

I. 戰 況

가. 다국적군측 동향

o 미 해병, 이라크에 대한 첫 지상전 전개
(전과 미상 : CNN보도)

o Bush 미 대통령, 이라크.쿠웨이트 국경선 부근으로
다국적군 이동 승인

o 메이저 영국 수상, 지속적인 공중 폭격으로 이라크의 파괴력
손상 지적 (영 국방장관, 예상보다 장기전 가능성 경고)

o 기동 섬멸부대 편성

o 이스라엘에 패트리어트 미사일 2기 추가 공급

나. 이라크측 동향

o Hussein 언급사항 (니코시아발 Reuter통신)
- 對美聖戰 촉구 및 軍士氣 왕성주장
- 이라크 지상군 건재 및 무기 충분 강조
- 전세계 회교도들에게 미.영에 대한 테러공격 촉구

o 1.21 현재 160기이상의 다국적군 항공기 격추 주장

o 다국적군 공격으로 민간인 40명, 군인 31명 사망 및
150명 이상의 부상자 발생 발표
- 다국적군 포로 25명, 주요시설에 분산배치 (인간 방패로 이용)
- 서방 사진기자 3명 스파이 혐의로 체포, 구타후 석방

0051

政府綜合廳舍 810號 電話 : 730-8283/5, 730-2941. 6. 7. 9, (구내)2331/4, 2337/8 Fax : 730-8286

50

52

Ⅱ. 各國 動向

가. 소련, 이라크의 미사일 공격에 대한 정부 성명 발표(1.21)

- o 금번 이라크의 미사일 공격은 중동에서의 군사적 도발을 재연시키려는 행위로서 소련은 이러한 행위에 대해 확고히 반대함.
- o 소련은 이스라엘 정부의 자제를 희망하며 UN안보리 결의에 기초한 쿠웨이트 사태 해결을 적극 지지함.

나. 영국 동향

- o 허드 외무장관, 이라크 대사를 불러 다국적군 포로 대우에 관해 항의
- o 톰킹 국방장관, 이라크 미사일 9기 요격 사실 확인
- o 1.21 오전 전시 내각회의 개최, 후세인에 대한 직접 공격 가능성 협의
- o 공습이후 주요 시설의 파괴 및 단전.단수로 바그다드 시민 사기 저하되고 있음을 지적 (요르단 철수 BBC 특파원 언급)

다. 反 이라크 동향

- o 화란, 5명의 이라크 외교관 24시간내 추방령
- o 필리핀, 미문화원 폭발물 설치 미수건으로 이라크 총영사 72시간내 추방령
- o 시리아, 후세인의 팽창주의 비난

라. 反美 동향

- o 이란 외무장관 기자 회견
  - 다국적군에의한 야만적인 이라크 공격은 UN결의와 불부합
  - 대이스라엘 투쟁 지지 및 이스라엘의 아랍영토 공격 불좌시
- o 시드니, 멜보른 등에서 월남전이후 최대규모 반전시위(1.19)
- o 베이루트 주재 이태리 대사관 및 영국은행에 폭발물(피해無)

0052

51

53

Ⅲ. 僑民 安全對策 및 撤收 動向

가. 교민 안전 대책

o 요르단

- 1.21 요르단 체류 특파원 8명 이스라엘 추가 입국
  (현재 특파원 총 15명 이스라엘 체류중)
- 특파원 7명중 MBC 기자 4명은 1.21 암만 출발, 귀국예정
- 교민 자진철수 권유토록 지시

o 이라크 잔류 현대건설 22명에 대한 소재확인 노력(주이란대사 조치사항)

- 바그다드 귀환 이라크 외교관 2명에게 아국인 대피 농장(추정) 전화번호 통보 및 메시지 전달요청
- 바그다드 귀임 모리타니 대사에게도 동일한 요청

o 이스라엘 교민 (1.21 현재 잔류자 64명)

- 예루살렘 34, 텔아비브 1, 하이파 3, 기타 지역 26
- 대부분 가족없는 유학생, 종교인으로서 대피여부 미결정 상태

o 모리타니

- 1.19 누아디브에서 친이라크 시위 발생 (일부교민 폭력 피해)
- 1.20 부녀자등 20명 라스팔마스 대피, 교민 안전대책 강구지시

나. 교민 철수 동향

o UAE 잔류 교민479명중 30명 추가 철수 (현인원 449명)

o 요르단 잔류 교민 21명중 1명 추가 철수 (현인원 20명)

* 첨부 : 걸프지역 체류교민 철수현황

0053

52

54

外務部 걸프事態 非常對策 本部

題 目: 日日 報告 (17)

1991. 1 . 22

14:00

I. 전 황

1. 다국적군

 o 대규모 공습 계속

  - 8,100 여회 전투기 출격

  - 핵원자로 4기, 화생방 무기시설, SCUD 이동식 발사대 16기 파괴

  - 현재까지 계획대로 잘 진행되고 있다고 평가

 o 이스라엘 방위 강화

  - Patriot 미사일 6개 포대 배치 완료 (1포대 32개 미사일 발사 가능)

  - 항모 포레스톨(플로리다 소재) 동지중해 배치 예정
   (걸프 미 항모 총7척)

 o 보병 부대 전진 배치 계속

  - 아파치 헬기 부대, M1 A1 탱크 부대등

 o 미해병대, 쿠웨이트내 이라크 포대에 포격 개시

 o 미헬기 이라크 사막 미해군 실종 조종사 구조 성공

  - A-10 전투기 2대 참여

  - 8시간 작전중 실종 조정사에 접근중이던 이라크군 트럭 1대 파괴

2. 이라크군

 o 사우디 동부에 대한 SCUD 미사일 2기 발사 공격

  - 1.22. 07:00 발사 1기는 걸프 해역에 피해없이 떨어짐

  - 1.22. 09:05 발시 1기는 미측 미사일에 의해 요격됨.
   (파편 부상자 12명 발생)

0054

政府綜合廳舍 810號 電話 : 730-8283/5, 730-2941.6.7.9, (구내)2331/4, 2337/8 Fax : 730-8286

3. 양측 피해

가. 다국적군 발표

o 다국적군 전투기 격추 : 총 16대
미국 9, 영국 4, 쿠웨이트 1,
이태리 1, 사우디 1대

o 다국적군 조종사 피해 : 총 21명 실종, 1명 사망
실종 : 미국 12(3명 포로 추정),
영국 5, 이태리 2,
쿠웨이트 1, 사우디 1

o 이라크군 전투기 격추 : 17대

o 이라크군 포로 : 23명

나. 이라크군 발표

o 다국적군 전투기 : 160대

o 다국적군 포로 : 25명

o 이라크인 피해 : 민간인 40명 사망, 군인 31명 사망
부상자 150명

II. 각국 동향

1. 이 라 크

o 다국적군 포로들의 인간 방패화 선언(경제, 사회, 교육 시설)
  - 다국적군의 경제, 사회, 교육시설 공격으로 이라크 민간인 피해 주장

o 사우디와의 불가침 협정 폐기를 포함한 모든 관계 단절 선언

o 고르바초프 대통령의 철군 종용 및 평화 해결 제의 거부 발표

54

56

2. 미 국

o 부쉬 대통령, 이라크의 포로 방패화 선언 강력 비난

- 포로의 전쟁 목적 이용은 전쟁 범죄를 구성함을 경고

- 체니 국방장관, 이라크 전술로 다국적군 공격 계획 영향받지 않을것임을 확언

- 국무성, 주미 이라크 대사대리를 3일째 초치, 제네바 협정 준수 촉구 (이라크도 동 협정 서명국)

o 이글버거 국무부 부장관 이스라엘 폭격 지역 시찰

- 이스라엘의 자위권 인정 및 이스라엘 보복 자제 찬양

o 1.23. 부터 공습 일층 강화 시사

- 기상 조건 호전 예상

o 여론조사 결과 흑인 47%, 백인 80% 전쟁 지지

- 그러나 18%만 단기전 낙관

o 미 예비군 20,000명 추가 동원 (총 131,890명)

o Iowa주 2,000여명 반전 시위

o 해외 여행자 격감

- TWA 해외 노선 운항 50% 축소

- 주요 회사 해외 여행 금지 조치

3. 영 국

o 메이저 수상, 이라크의 다국적군 포로 인간 방패화 선언 비난

o 이라크군의 방공 체제가 아직 완전히 파괴되지 않았다고 평가

- 전쟁 참혹성 및 장기화 경고

o 일부 병사, 사우디군의 임전태세 미비 불만 토로 (미군병사들도 같은 반응)

0056

5-5

57

4. 불 란 서

o 이라크와 이스라엘이 심리전 전개 중이라고 평가

- 이라크의 심리전

. 화학전 포함 대규모 파괴 능력이 있음에도 불구,
  소규모 미사일 공격만 감행

. 민간 목표 공격으로 이스라엘 자극, 참전 유도중

- 이스라엘의 역심리전

. 첨예 레이다망으로 공격 사실 감지할수 있었음에도 방치

. 국제적 동정을 얻기 위한 고도의 역심리전 전개중

5. 오스트리아

o 테러 용의 이라크인 10-11명 체포

6. 터 키

o 나토 사무소 폭탄 2개 폭발

7. 리 비 아

o 터키의 다국적군 공군 기지 사용허가 관련 경고

Ⅲ. 평화적 해결 위한 각국 외교 노력

1. 이 집 트

o 리비아 및 시리아에 특사 파견, 유엔 최후 통첩 형식의 이라크군 철수 및 잠정 휴전안 제의 실현 노력중

2. 파키스탄

o 평화 해결 모색위해 수상이 중동제국 방문 예정

0057

56

58

3. 이　　란

ㅇ 인도, 유고, 알제리등과 더불어 비동맹의 중재 노력 전개 시사

Ⅳ. 다국적군 군비 추가 지원 동향 (G-7 뉴욕 재무부장관 회의)

1. 일　　본

ㅇ 난민 수송위한 군수송기 파견 결정

ㅇ 추가 분담금 100억불 가량 지원 예정 시사

2. 독　　일

ㅇ 액수 미상이나 추가 분담금 지원 조만간 발표 예정

3. 미　　국

ㅇ 회의 참가국 지원 약속에 만족 표명

Ⅴ. 유가 및 주가 동향

1. 유가

가. 뉴욕 (Light) : $ 2.05 상승 ($ 21.30)

나. 동경 (Brent) : 변경 없음 ($ 19,25)

2. 주가

가. 뉴욕 : 17.57 포인트 하락 (2,629.21)

나. 동경 : 98.54 포인트 하락 (23,253.65)

0058

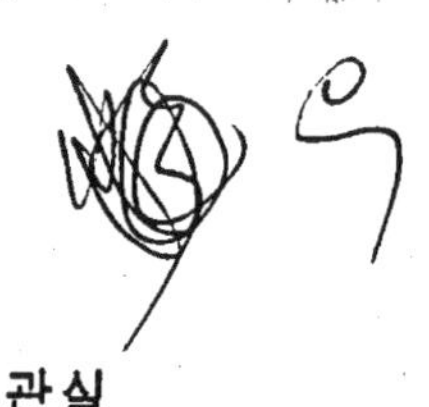

공보관실
91.1.22.

1.22 (火) 석간 보도 내용

1. 걸프 사태

o 이라크, 서방포로 인간방패 활용 (전석간)
- 조종사 25명 공습 목표에 분산 배치

o 미국방, 걸프전 수개월 예상 (전석간)
- 미 해병, 이라크 포대 첫 포격

o 이붕 중국 총리, 걸프전 지원관련 일본의 움직임에 경고 (중앙 4면)
- 수송기 지원 및 군비분담이 파병으로 이어질 가능성에 대해 우려 표명

o 서방 각국, 이라크 외교관 추방령 (중앙 1면)

2. 외무부 관련 기사

o 소에 30억불 경협 제공 (전석간, 중앙 1면 머리)
- 소비재. 플랜트 연불 20억불, 현금차관 10억불 합의
- 어업 협력, 한.소 경제.과학기술 공동위 설치도 합의
- 해설 (중앙 이규진 기자) : "비싼 댓가 치른 북방외교"
  · 경제전반 어려운때 30억불은 과중
  · 국민 부담으로 돌아갈 경협문제를 철저히 비공개로 추진한 것은 잘못, 향후 국회 동의 과정에서 큰 논란 예상

0059

o 국회 본회의, 의료진 파견 동의 (전석간)

o 한.헝가리 사증 면제협정 체결 (중앙, 경향, 국민 2면)
- 일반 여권 소지자도 무비자로 90일간 체류가능
- 국내 절차 거쳐 3월중 발효 예정

o 외무부, 이라크 체류 근로자 소재 파악에 백방으로 노력 (중앙 2면 중앙탑, 관련기사 첨부)

3. 기 타

o 팀스피리트 훈련 24일부터 실시 (동아, 중앙, 국민 2면)
- 규모는 30% 축소

o 의원 뇌물 외유, 정치문제화 (국민 1면 좌단머리)
- 상공위 소속의원, 자동차 공업 협회 등으로부터 7만7천불 받아
- 민자.평민, 해당의원 징계등 제재 검토

o 의료진 파견 반대 투표한 "권헌성" 민자위원 제명키로 (중앙 2면)
- 김영삼 대표 지시. 끝.

0060

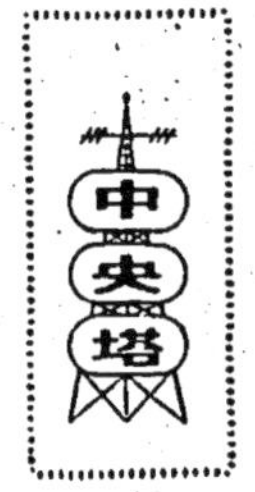

急派 요르단人 되돌아와

○…외무부의 걸프사태비상대책본부(본부장 李祺周제2차관보)는 걸프전쟁발발직후부터 신변안전을 확인하고 있는 이라크 잔류 現代건설근로자 22명의 소재가 22일까지도 알려지지않자 몹시 걱정。

외무부는 現代에 지난 18일 요르단주재공관이 요르단인을 바그다드에 보내 이들의 신변안전 확인을 시도했으나 도로의 폭격등으로 이 현지인이 중도에 돌아와 버리자 낙담。

외무부는 따라서 21일에는 본국으로 돌아가는 이락주재 이라크대사관직원 2명과 모리타니아대사등에게 現代근로자들이 은신해 있을 것으로 보이는 라마디농장의 전화번호를 알려주고 신변확인이 되는 대로 소식을 전해달라고 부탁하는등 백방으로 노력。

중앙일보 2면

0061

59 57

걸프事態 非常對策本部

題 目 : 日日 報告(18)

1991. 1. 23. 06:00

I. 전 황

1. 다국적군

ㅇ 이라크 남부 '바스라'항에 대한 2차례 대규모 공습

ㅇ 미 해병대 및 해군, 수륙 양면 쿠웨이트 상륙 작전 계획 검토

ㅇ 미공군, 터키 남부 공군기지를 이용 대이라크 공습 계속, 이에대한 이라크측 반응 상금 없음.

ㅇ 10,000 여회 전투기 출격

2. 이라크군

ㅇ 이스라엘 '텔아비브'에 SCUD 미사일 1기 발사 공격, 47명 부상

ㅇ 대사우디 SCUD 미사일 공격

- 리야드 지역 2기발사, 1기는 요격, 1기는 행방 파악중
- 동부지역 3기 발사, 1기는 요격, 2기는 사막에 떨어짐.

ㅇ 이라크군, 쿠웨이트 Al Wasra 지방 유전 및 저장 시설등 폭파

ㅇ 심리전 계속

- 다국적군 포로 2명 심문 장면 추가 방영

II. 각국 동향

1. 미 국

ㅇ 후세인 생포 및 전범자 처리 가능성 배제치 않음.(백악관)

ㅇ 미언론계, 국방성의 걸프전 전과 발표에 대한 증거 제시 요구 확산

2. 이 라 크

ㅇ 걸프전은 아랍의 신앙심과 다국적군의 콤퓨터간의 전쟁임.

0062

58

60

3. 이스라엘

ㅇ 대이라크 보복은 미국의 허가에 의해서가 아니라 이스라엘 스스로 결정할 사항임.(아렌스 국방상)

4. 이 집 트

ㅇ 이라크 철군이전엔 걸프전쟁이 종식되지 않을 것임.(무바라크 대통령)

5. 시 리 아

ㅇ 후세인 대통령의 사임 및 이라크군의 쿠웨이트 철수 촉구 (집권당 기관지 사설)

Ⅲ. 평화 해결 노력

1. 중 국

ㅇ 이붕 수상, 고르바초프 소대통령에게 걸프전쟁 종식을 위해 협력 할것을 제의

2. 인 도

ㅇ 유고를 방문중인 Shukla 외상, 유고 외상과 회담, 유엔 안보리 결정에 의한 걸프전쟁 해결 공동 노력 합의

3. 파키스탄

ㅇ 중동을 순방중인 '사리프'수상, 평화안으로 양측 동시철수, 유엔 평화유지군 대체 및 대이라크 경제 제재 조치 해제 제의

Ⅳ. 테러 관련 동향

1. 요 르 단

ㅇ 암만 소재 영국 은행지점에서 위장 폭발물 제거

2. 필 리 핀

ㅇ 폭탄 제조용 화학약품 소지 혐의로 이라크 외교관 자녀2명 체포

0063

5-9

61

3. 일 본

ㅇ 레바논 거점 적군파의 테러 위험 우려

V. 교민 철수 및 안전대책

1. 특별기 추가 운항 계획(안)

1.24(목)	22:30	서울발
1.25(금)	09:50	젯다착
"	11:50	" 발
1.26(토)	09:10	서울착

2. 사우디 교민 안전대책

ㅇ 주사우디 대사관, 동부지역 잔류 교민 및 체류자 136명에 대해 리야드로 대피 지시

3. 이스라엘 교민철수

ㅇ 1.22 현재 10명 카이로 철수, 잔류 64명

4. 이라크 잔류 현대건설 22명 소재지 1.23 현재 계속 확인 노력중

VI. 한·사우디 의료단 지위협정 서명

1.23 리야드에서 주병국 주사우디 대사와 Abdel Aziz 통합군 사령관간에 서명

0064

[62]

60

外務部 걸프事態 非常對策 本部

題 目: 日日 報告 (19)　　　　1991. 1 · 23 ·
14:00

I. 전 황

1. 다국적군
   - o 이라크 함정 2척(기뢰 부설선 1척 포함) 격침
2. 이라크군
   - o 1.23. 08:30 (한국시간) 이스라엘 "텔아비브"에 SCUD 미사일 2기 발사 공격 (미 NBC 방송보도)
     - 3명 사망(심장마비), 73명 부상
     - 이라크의 제3차 공격
3. 양측 피해 상황

   가. 다국적군
   - o 1.23 영국 Tornado기 1대 추가 격추
   - o 다국적군 항공기 총17대 상실(기계고장 추락 2대 포함)
     - 미 9, 영 5, 이태리 1, 쿠웨이트 1, 사우디 1
   - o 전투중 실종(MIA) 24명

   나. 이라크군
   - o 이라크군 항공기 17대 상실 (전일과 동일)

     ※ 이라크측, 다국적군 25명 생포, 항공기 160대 격추 주장
4. 다국적군 전과에 대한 의문 제기
   - o 일 공동통신, 영 국방부 소식통인용 이라크의 비행장, 지휘 통신망 등이 대부분 건재하다고 보도
   - o 소련군 참모본부 한 장성, 다국적군의 공습의 90%가 목표에서 빗나갔다고 언급

0065

政府綜合廳舍 810號 電話 : 730-8283/5, 730-2941. 6. 7. 9, (구내)2331/4, 2337/8 Fax : 730-8286

63 61

Ⅱ. 각국 동향

1. 미 국

   o 이스라엘에 Patriot 미사일 포대(5-6개) 추가 배치 시사 (CNN)

   o Westmoreland 전주월 미사령관, 걸프전이 최소 2개월, 최장 1년까지 계속 될것이라고 예상

2. 이 라 크

   o 주유엔 이라크 대사 기자회견

     - 다국적군 공습으로 민간인 41명 사망, 191명 부상 발표

     - 미국방부 전과 발표가 과장이라고 주장

   o 이라크 당국, 이스라엘이 팔레스타인인에 대해 제네바 협정 준수시 다국적군 포로에 동 협정 준수 주장

   o 사담 후세인 가족 스위스 대피설 (독일 신문 보도)

   o 이라크, 사담후세인 축출 기도 7명 사살설 (영 Guardian지 보도)

3. 이스라엘

   o 이스라엘 당국, 미사일 피격 보도 관련 검열 지침 위반을 이유로 미 NBC TV의 보도 일시 중단 조치

4. 이 란

   o '페르시아만' 용어 사용 촉구

     - 이란 주재 특파원이 '걸프'라는 용어 사용시 법적 조치 가능성

5. 일 본

   o 다국적군 추가지원 90억불 검토중 (미측 150억불선 요구)

6. 이슬람권, 사담 후세인 지지 시위 계속

   o 이란, 튀니지, 요르단, 알제리(40만), 리비아(100만), 예멘, 방글라데시(50만), 파키스탄등

Ⅲ. 경제 관계 동향

o 유가 상승 및 주가 하락세 계속

  - 런던시장 North Sea Brent 원유(3월 인도분) 배럴당 $1,15 상승 ($21.65 기록)

  - 일본 주가(Nikkei Index) 1.23. 오전장에서 143.37 하락 (23,110.28 기록)

Ⅳ. 교민 철수 관계

o 사우디 동부지역 체류 아국인 7명, 리야드 지역으로 이동

  - 동부지역 잔류 아국인 총 313명

0066

64

外務部 걸프事態 非常對策 本部

62

題 目: 日日報告(20)

1991. 1.24. 06:00
과 장 유 시 야

I. 전 황

1. 다국적군
   - o 대규모 공습 계속
     - 개전이후 12,000 여회 출격(전투기 6,000회, 전투기 지원기 6,000여회)
     - 바그다드, 티크리트(북부, 후세인 고향), 나시리아(남부), 알안바르 (서부), 바스라등
   - o 사우디- 쿠웨이트국경 접전시 이라크군 6명 포로
     - 미군 2명 부상
   - o 지상전 개시 준비 가속화
     - 사우디 남부 2만명 수용 포로수용소 건설
     - 부시대통령, 지상전 개시권 군지휘관에 부여
2. 이라크군
   - o 텔아비브에 대한 제4차 SCUD 미사일(1기) 공격시도 (CNN)
     - 미측 미사일에 의해 격추
   - o 사우디 동북부지역에 SCUD 미사일(2기) 발사 (CNN)
     - 미 미사일에 의해 격추
   - o 지상군 접전 시도
     - 간헐적인 야포공격
     - 미지상군 2명 포로
   - o 게릴라 자살특공대 공격 감행 시사
3. 피해상황
   - o 미전투기 손실 : 총 14대 (작전중 9대 격추, 기계고장 5대)

II. 각국동향

1. 이라크
   - o 미국의 무차별적 폭격 비난
     - 유아 우유공장, 회교성지, 박물관등 폭격주장
     - * 미측, 우유공장은 실제로는 생화학 무기제조시설 이라고 주장
   - o UNICEF 및 WHO에 식량, 의약품 원조요청

0067

政府綜合廳舍 810號 電話 : 730-8283/5, 730-2941. 6. 7. 9, (구내)2331/4, 2337/8 Fax : 730-8286

65 63

2. 이스라엘
   ㅇ 미국에 130억불 지원요청
      - 100억불은 소련거주 유태인 이주지원 자금
      - 30억불은 걸프사태관련 직간접 피해지원
      * 미측, 호의적 검토 반응
3. 미국
   ㅇ 아미티지 특사 요르단 파견
      - 난민문제 협의
      - 요르단의 전쟁 불개입 설득
   ㅇ 대통령 대변인, 현 싯점에서 이라크와의 대화 원치않음 표명
   ㅇ 부시대통령 지지도 86% 로 상승
4. 불란서
   ㅇ 쿠웨이트내 이라크 군사목표 2차례 폭격(총 6회)
   ㅇ 미테랑 대통령 불군 작전수행 범위에 이라크 포함 발표
      - 슈베느망 국방장관의 불군 작전범위를 쿠웨이트로 제한한다는 시사에 대한 다국적군 참가국의 비난에 대한 반응
5. OAU
   ㅇ 양측 중전방안 강구
   ㅇ 이라크 철군 촉구
6. 아랍·마그레브 연맹
   ㅇ 안보리 긴급 소집요구
7. 독일
   ㅇ 이스라엘의 공격자제에 대한 격려 표시위해 1억 6600만불 지원발표
   ㅇ 겐셔외상 조만간 이스라엘 방문예정
8. 파키스탄
   ㅇ 수상, 이란, 터키등 중동국가 방문중
      - 국내비난여론 무마 및 걸프지역 국가에 대한 영향력 강화
      - 평화안 내용
         · 즉각적 휴전, 사우디내 다국적군 및 쿠웨이트내 이라크군 동시 철수, 이라크-쿠웨이트 분쟁 국제중재에 의해 해결, 쿠웨이트 안전보장 장치마련, 팔문제 및 카시미르 문제에 유엔 주도적 역할
9. UAE
   ㅇ 아부다비공항 이용 급증
      - 카라치, 콜롬보, 방콕, 홍콩, 다카, 무스카트, 카이로, 봄베이, 바레인 직행편 운항중

0068

66

Ⅲ. 테러관련 동향

1. 레바논
   - ㅇ 프랑스 대사관, 프랑스계 은행 폭탄 폭발
2. 터키 및 브라질
   - ㅇ 미국계 회사 폭탄 폭발
3. 인도네시아
   - ㅇ 미국대사관, 미국계 회사 폭탄 위협

Ⅳ. 교민철수 동향

1. 이스라엘 교민
   - ㅇ 1.23. 교민 3명 카이로 대피
     - 현재 이스라엘 잔류인원 총 61명은 안전 확인
2. 1.23. UAE 14명 추가철수(현 잔류인원 435 명)
3. 제2차 특별기 운항계획 확정
   - ㅇ 1.24(목) 22:30 서울발 1.25(금) 09:50 젯다착
   - ㅇ 400명
4. 제3차 특별기 운항계획
   - ㅇ 1.25(금). 09:20 카라치 출발 12:00 젯다착
   - ㅇ 250명 예상

Ⅴ. 경제동향

1. 원유
   - ㅇ 뉴욕 (Light) : 배럴당 2.88불 상승 (24.18불)
   - ㅇ 런던 (Brent) : 배럴당 1.25불 상승 (20.55불)
2. 주식
   - ㅇ 뉴욕(Dow Jones) : 25.99 포인트 하락(2,603.22)
   - ㅇ 런던(FT-SE) : 2.4 포인트 하락(2,081.60)
3. 사우디 산유량 감소 결정
   - ㅇ 일당 200만 배럴 감소하여 650만 배럴 생산
     - 수요불안
     - 보험금 증가에 따른 선박부족

0063

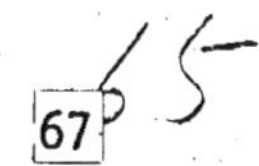

外務部 걸프事態 非常對策 本部

題 目: 日日 報告 (21) 1991. 1 · 24

14:00

I. 전 황

1. 이라크의 군사력에 대한 평가

o "체니" 국방 장관

- 이라크의 군사력은 상당히 파괴되었으며, 전세를 변화시킬 수 있는 군사력은 남아있지 않음.
- 지상군이 쿠웨이트 국경 지대로 더욱 접근하였으나 공군 공격 계속후 지상군 투입할 것임.

o "파월" 합참의장

- SCUD 미사일 이동 발사기 파괴가 예상보다 어려움을 인정

o 미국 언론

- 이라크는 다국적군의 초기 공습으로 부터 상당 부분의 군사력을 온전한 상태로 유지하고 있음.
- 이라크의 전쟁 수행 능력이 예상보다 강력함.

2. 다국적군 피해 상황 (미군당국 발표)

o 비행기 20대 : 전투중 16대 격추 (미군기 10대)

o 조종사 24명 실종 (미군 13명)

o 이라크측은 178대 격추 주장

3. 부쉬 대통령 "미국 예비역 장교 협회"에서 연설 요지 (1.23. 19:30 미국 시간)

o 전쟁은 계획대로 진행되고 있으며, 앞으로도 당초 계획대로 계속될 것임.

- 다국적군의 제공권 우위 확보
- 이라크의 핵시설, 조기 경보 체재, 방공망 대부분 파괴
- 제2의 월남전이 되지 않을 것임을 재확인 (단기전, 최소한의 인명 피해 목표)

0070

政府綜合廳舍 810號 電話 : 730-8283/5, 730-2941.6.7.9, (구내)2331/4, 2337/8 Fax : 730-8286

66

68

Ⅱ. 각국 동향

1. 마그레브 5개국, 안보리 소집 요청
   - o 알제리, 리비아, 모로코, 모리타니아, 튀니지아
   - o 미국의 완강한 부정적 입장으로 소집 여부 불투명

2. 이스라엘 경제원조 요청
   - o 이스라엘은 전쟁 피해 보상으로 미국을 포함한 서방국가들에게 총 200억불 경제 원조 요청 (미국에 대해서는 100억불)
   - o 이에 대해 미국은 "고려하겠다"는 반응 보임

Ⅲ. 교민 철수 동향

1. 제3차 특별기 운항 확정
   - o 대한항공 DC-10기 1.25. (금) 12:00 젯다 도착 15:00 젯다 출발, 1.26. (토) 10:10 서울 도착
   - o 교민 250명 수송 (젯다 80, 리야드 170명)

2. 방독면 송부 현황
   - o 1.24. (목) 서울발 제2차 특별기편으로 아국 근로자들을 위한 방독면 총 2,700여개 사우디에 추가 송부 예정
   - o 해당업체 : 현대건설, 한일개발, (주)신성등 총 8개 업체용
   - o 90.8. 이후 진출업체, 공관원, 순수교민을 위해 4,500여개를 기송부 하였으며, 금번 추가 송부로 총 7,300개를 송부하게됨.

Ⅳ. 경제 동향

1. 원 유
   - o 뉴욕 : 배럴당 22.04 불

2. 주 식
   - o 뉴욕(Dow Jones) : 15.84 포인트 상승 (2619.06)
   - o 동경(Nikkei) : 169 포인트 상승 (23,219.10)

0071

69

67

이라크 미사일 공격 상황

일　　시	발사기수	목　표	요격수	추락수	피 해	비　고
1.18. 09:00	10	텔아비브		2	15(부상)	대이스라엘 1차
	1	다　란	1			
1.19. 14:00	3	텔아비브		1	12(부상)	대이스라엘 2차
1.21. 03:50	3	다　란	3			
06:50	4	리 야 드	4			
	3	다　란	2	1		사막 추락
1.22. 07:00	2	사우디동부	1	1	12(파편부상)	해상 추락
1.23. 08:30	2	텔아비브	1	1	73(부상) 3(사망)	대이스라엘 3차
	2	리 야 드	1	1		사막 추락
	3	사우디동부	1	2		사막 추락
1.24.	4	텔아비브	?			대이스라엘 4차
	5	다란,리야드	5			
	42		19			

사 우 디 : 23기 (8차)

이스라엘 : 19기 (4차)

0072

70

外務部 걸프事態 非常對策 本部

題 目: 日日 報告 (22)

1991. 1 . 25

06:00
중근동과장 김의기

I. 전 황 (Day 9)

1. 다국적군 공중 폭격 목표 변경 준비
   - o 다국적군은 지금까지 이라크의 레이더기지, 핵시설등과 같은 전략적 목표물을 파괴하는데 주력했으나, 향후 이라크군의 지상 주력부대, 보급 기지 및 군사도로등과 같은 전술적 목표물을 공격 대상으로 전환 준비중
   - o 지금까지의 폭격 대상에 대한 정밀 정찰 결과 검토후 지상군 투입 시기 결정 예정
2. 주요사항 (1.24.)
   - o 불란스 및 캐나다 전투기 1.24. 최초로 이라크 영토내 폭격 개시
   - o 다국적군 이라크 바스라항 대규모 공습
   - o 후세인 대통령 이라크 남부 전선 시찰 (이라크 관영 라디오 보도)
3. 피해 상황
   - o 다국적군 발표
     - 비행기 손실 20대 (교전중 손실 16대)
     - 이라크 비행기 격추 41대
     - 인원 실종 24명 (미국인 13명, 영국인 8명)
     - 이라크인 포로 29명
   - o 이라크 주장
     - 비행기 격추 180대
     - 다국적군 포로 20명

II. 각국의 반응

1. 일본 정부 다국적군 추가 지원 결정 (1.24.)
   - o 지원 내역
     - (i) 다국적군 경비 90억불
     - (ii) 암만-카이로간 난민 수송 위한 자위대기 5대 파견

0073

政府綜合廳舍 810號 電話 : 730-8283/5, 730-2941. 6. 7. 9, (구내)2331/4, 2337/8 Fax : 730-8286

6P

71

o 동 추가지원 경비는 91.4. 제공예정이며, 전쟁 장기화될 경우 추가 지원 가능성 배제치 않음.

o 외교 관측통은 전쟁기간을 3개월로 보고 총전비를 450억불로 추산, 미국이 20%, 일본이 20%, 사우디, 쿠웨이트등 기타국가들이 60%를 부담한다는 가정하에 산출된 액수로 평가

o 이에 대해 주일 이라크대사는 일본이 이라크의 '적'이 될 것이라 경고

2. 이스라엘의 태도

o 미국은 이스라엘이 보복 공격을 자제하는데 동의한 것으로 평가

o 이스라엘 국민의 69%가 즉각적인 보복을 감행하지 않기로 한 결정에 찬성 표시

o 한편, 시리아는 이라크가 이스라엘-시리아간 전쟁 유발을 기도 한다고 비난하면서, 이스라엘이 이라크를 공격할시 다국적군에서 이탈 하겠다는 종래의 입장을 다소 완화

3. 외교적 해결 노력

o 유엔 안보리 비공개 회의 개최 (1.24. 오후)

- 마그레브 5개국의 요청에 따라 개전 이래 최초의 회의
- 다국적군의 전쟁 상황 보고 청취 예정

o 비 동 맹

- 인도 외무장관, 유고 방문 (1.22.) 비동맹 차원에서 해결 방안 모색 협의
- 기본 노선 : 이라크의 철수 발표와 동시에 쌍방간의 적대행위 중지

o 라틴아메리카 정당기구 (1.23.)

- 즉각적 정전과 중동문제 포괄적 해결을 위한 협상 개시 촉구

4. 기 타

o 쏘련 프라우다지

- 미국은 중동 유전에 대한 통제권 장악을 기도하고 있다고 하며 미국과 NATO 정책 비난

o 이라크-터어키 관계

- 이라크는 터어키 남부를 대이라크 폭격 기지로 제공하는 행위가 초래할 결과에 대해 경고

0074

7○

Ⅲ. 이라크의 테러 공격 및 각국의 이라크 외교관 추방

o 서방 정보기관은 이라크에서 훈련받은 테러리스트가 전세계에 파견된 징후 포착 (L.A. Times 보도)

o 아시아에서는 방콕을 거점으로 활동하는 것으로 추측

o 각국의 이라크 외교관 추방 실태

- 필 리 핀 : 미문화원 폭발사건 연루자 1명을 1.24. 추방
- 태 국 : 2명 추방
- 독 일 : 28명 추방
- 영 국 : 15명 추방, 수미상 구금
- 불란서, 벨지움, 그리스는 기추방

Ⅳ. 교민 철수 현황

1. 아국 의료진 현지시간 1.24. 예정대로 사우디 다란 도착
2. 제2차 특별기 1.24. 22:30 예정대로 서울 출발
3. 제3차 특별기 리야드 지역 탑승객 내역
   o 교민 38명 (동부지역 : 15명, 리야드 23명)
   o 업체 132명 (신화 30, 현대 22, 유원 17, 극동 23, 삼성종합 15, 국제종합 7, 경남 9, 동부 5, 한양 4)
4. 1.24. 예멘 교민 10명 추가 철수 (현 잔류인원 185명)

※ 이란 국경 대피 난민 현황 (제네바발 AP)

- 현재까지 약700여명이 이란으로 피난
- 이란 당국은 약8만명이 이란 국경을 향해 피난중이라고 추산

Ⅴ. 경제 동향

1. 유가 (1.24.) : 안정세
   o 동경 (Brent) : 배럴당 20.05불 (0.55불 하락)
   o 뉴욕 (Light) : 배럴당 21.60불 (0.44불 하락)
2. 주가 (1.24.)
   o 동경 (Nikkei) : 218.19 P 상승 (23,269.01 P)

0075

71

73

外務部 걸프事態 非常對策 本部

題　目：　日日報告(23)

1991. 1.25、15:00
신 국 호 과 장

I. 전 황

1. 다국적군
   - ㅇ 대규모 공습 지속
     - 15,000여회 출격(전투기 8,000여회)
       - 이중 84% 미국이며 나머지 16%는 사우디(1,007회)영, 불, 이태리, 쿠웨이트, 카타르, 바레인, 카나다임.
     - 기상 호전에 따라 향후 1일 3,000회 이상 출격 예상
     - 전략공습에서 전술 폭격(병력, 보급로 공격)으로 전환
     - 불란서, 카나다, 카타르 전투기 이라크 영토내 목표(공화국 수비대) 공격 최초 가담
   - ㅇ 사우디, 기뢰부설 이라크 선박 침몰
   - ㅇ 영해군, 이라크 소해정 공격 3명 사살, 22명 생포

2. 이라크군
   - ㅇ 대공포화 계속, 영전투기 1대 격추
   - ㅇ Mirage F1 전투기 2대(엑조세 미사일 장착), 사우디 정박 다국적군 함대 공격 시도(이라크 전투기 최초의 사우디 영공 침범)
     - 사우디 F15 전투기에 의해 격추됨.

3. 양측피해(1.24.현재)
   - 가. 다국적군 발표
     - ㅇ 다국적군 전투기 총 23대 손실
       - 전투중 손실 : 18 (미11, 영5, 쿠웨이트1, 이태리1)
       - 비전투중 손실 : 5 (미2, 영2, 사우디1)
         - * 헬기 비전투사고 : 3대 (미국)
     - ㅇ 이라크 전투기 : 총 41대 손실(공중전 격추:19, 지상 파괴:22)
     - ㅇ 미군 사망 7명(개전전 사망자 105명)
     - ㅇ 다국적군 포로 총 26명(미13, 영10, 이태리2, 쿠웨이트1)
     - ㅇ 이라크군 포로 80명
   - 나. 이라크군 발표
     - ㅇ 다국적군 전투기 180대 격추, 20명 이상 포로
     - ㅇ 민간인 사망 101, 군인사망 90, 민간인 부상 191

0076

政府綜合廳舍 810號　電話：730-8283/5, 730-2941.6.7.9, (구내)2331/4, 2337/8　Fax：730-8286

72

74

Ⅱ. 각국동향

1. 이라크
   - ㅇ 후세인 남부전선 시찰 격려
     - 우세한 정신력 및 인내심으로 장기전 승리 장담
   - ㅇ 다국적군의 지상전 회피 비난
   - ㅇ 이라크 반정부 단체, 해외에서 후세인 전복 촉구 방송
   - ㅇ 이라크 방공사령관 처형설
   - ㅇ 이라크 국경폐쇄(1.23)
2. 미국
   - ㅇ 상원, 이스라엘 지지 및 이라크 비난 결의
   - ㅇ 참전군인 복무기간 및 종료후 6개월간 세금면제 결정
   - ㅇ 체니 국방장관, 공습으로 막대한 타격입힌후 지상전 개시 방침발표
   - ㅇ NBC 여론 조사
     - 전쟁 지지 91%
     - 후세인 체포 주장 73%
     - 부쉬대통령 업무추진 승인율 77%
     - 미국내 테러가능성 인정 73%
3. 독일
   - ㅇ 겐셔외상 이스라엘 방문
4. 시리아
   - ㅇ 부통령, 이란방문 이라크 영토보존 확인
     - 이스라엘의 보복가능성을 크지 않다고 평가
5. 이란
   - ㅇ 다국적군의 이라크 민간인 거주지역 공격은 이라크 말살기도로 묵과치 않을것임을 경고(외무장관)
6. 터키
   - ㅇ 이라크 공격시 즉각적인 반격의사 천명
7. 이집트
   - ㅇ 무바라크 대통령 대의회 연설
     - 이집트 파병은 GCC 국가요청 및 아랍공동방위조약(1950)에 의거
     - 이라크의 이스라엘 공격은 이스라엘에 대한 세계의 동정과 미국의 원조만 증대시키는 결과
8. 사우디
   - ㅇ 동부지역 부지사, 사우디체류 외국인 신변안전 이상없음을 천명
     - 불안 느끼는 외국인에게 철수 항공권 제공 용의표명

0077

73
75

Ⅲ. 평화해결 중재노력

1. 아랍 마그레브 연맹의 유엔안보리 소집 노력

   가. 아랍마그레브 연맹 입장

   - ㅇ 휴전선언, 이라크 철군, 아랍평화유지군의 이라크군 대체

   나. 비공개 회합개최(1.24)

   - ㅇ 안보리의장(자이르대사), 협상개시전 이라크군의 완전한 철군 주장
   - ㅇ 미,영,불 전황 보고

     * 공개회의 반대국 : 미, 영,불, 소련

2. 비동맹 (인도주도 노력)

   가. 인도측안

   - ㅇ 이라크 철군 시한 선언
   - ㅇ 동이라크 선언과 동시에 무력대결중지, 연합군 철수 (팔레스타인 문제는 휴전후 논의)
   - ㅇ 비동맹중심으로 협의후 관계당국과 비공식 논의하여 유엔이 마무리하는 형식추구

   나. 비동맹 주도 4국 외상회담개최

   - ㅇ 1월 마지막주 유고에서 인도 유고, 알제리, 베네주엘라 외상 참석

3. 이란

   - 이라크 철군 선언시 UN 의 휴전 선언 주장

Ⅳ. 테러단체 동향

- ㅇ 미국 잠복 테러용의자 1,500명 추정(FBI)
- ㅇ 이디오피아 여권 140여개 도난확인(미연방 항공국)
- ㅇ 방콕, 테러용의자 4명 체포(이라크인2, 요르단인2)
- ㅇ 독일, 이라크 외교관 28명 추방 명령

0078

[76] 74

外務部 걸프事態 非常對策 本部

題 目: 이라크 잔류 현대 근로자 9명 이란 도착 1991. 1. 25.

(17:30 주이란 정경일 대사 전화 보고)

이라크 잔류 현대 근로자 22명중 9명이 금 1.25. 17:30경(이란시간 11:00) 이라크 국경을 넘어 이란의 국경도시 코스라비에 도착하여 현재 이란 이민국의 보호하에 있음.

이란측은 우리 대사관에 대해 이들을 23:30경(이란시간 17:30) 바크타란 (코스라비에서 약 100km)에서 인수할 것을 요청하였음.
우리 대사관은 홍충웅 영사등 공관원 2명을 현대 지사장과 함께 바크타란에 급파하였음(육로 8시간 소요)

9명의 인적사항은 상세 알려지지 않고 있음. 이번에 못나온 13명의 소재는 이들이 도착하면 파악될 수 있을 것으로 봄. 끝.

0079

政府綜合廳舍 810號 電話 : 730-8283/5, 730-2941. 6. 7. 9, (구내)2331/4, 2337/8 Fax : 730-8286

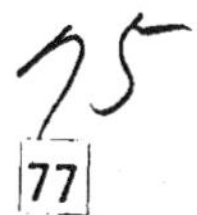

外務部 걸프事態 非常對策 本部

題　目 : 日日 報告(24)

1991. 1 · 26
작성자 : 신국호과장

I. 전 황

1. 다국적군 공격현황

ㅇ 대규모 공습 계속

- 연 16,000 여회 출격(일기좋을 경우 1일 3,000회 출격 계획)
- Tomahawk 순항 미사일 230여기 발사(일부는 잠수함에서 발사)

ㅇ 쿠웨이트 연해 'Qaruh' 섬 점령(1.24)

- 쿠웨이트 영토 최초 탈환의 상징적 의미
- 이라크군 3명 사살, 51명 생포, 이라크 소해정 2척 격침

ㅇ 쿠웨이트 주둔 이라크 군과의 간헐적 포격전 계속

2. 이라크군

ㅇ 이스라엘에 제5차 미사일 공격(1.26 한국시간 01:00경)

- 텔아비브 등지 미사일7기 발사, 모두 Patriot 미사일로 요격
- 부상자 10명 발생

3. 양측 피해

가. 다국적군 발표

ㅇ 다국적군 전투기 총26 대 상실(전투중 19대, 비전투중 7대)

ㅇ 이라크 전투기 총41대격파(공중전격추19대, 지상파괴 22대)

ㅇ 다국적군 사망 7 명, 포로26명 (미13, 영10, 이태리2, 쿠웨이트1)

ㅇ 이라크군 포로80 명

※ 이라크군 20명 터키에 투항(터키군 대변인 발표)

나. 이라크군 발표

ㅇ 다국적군 전투기 약200대 격추, 20명 이상 포로

ㅇ 민간인 사망 101, 부상 191, 군인사망 90

※ 반정부 쿠르드 민주당 소식통, 다국적군 공습으로 현재까지
이라크군 10,000여명 사상 발표

0080

政府綜合廳舍 810號　電話 : 730-8283/5, 730-2941.6.7.9, (구내)2331/4, 2337/8　Fax : 730-8286

76

78

Ⅱ. 각국 동향

1. 이라크

ㅇ 공보부 대변인, 다국적군 포로 TV 회견 당분간 중단 발표(AP)

ㅇ 바그다드 시민들 비교적 정상적 생활 영위(CNN 현지 특파원)

ㅇ 이라크 국회, 이라크 공군의 미함모 자살 공습 승인설(스페인 일간지)

ㅇ 사담 후세인, 개전 직후 공군 사령관 및 방공사령관 처형설
(소련 Interfax 통신)

ㅇ 다국적군 조종사 4명(미국3, 이태리1)회견 TV 방영(1.24)

2. 미 국

ㅇ 미공군기, 사담 후세인 직접공격 시도 실패(워싱톤 포스트)

- 지난주 이라크 중부 지방에서 사담 후세인 위치 포착, 공격 시도 하였으나 악천후로 실패(미 국방부는 부인)

ㅇ Phill Gramm 상원의원(공화) 언급

- 우방국 분담액은 해외원유 의존율에 따른것임

- 한국, 대만의 분담액 증액되어야 함

ㅇ 부쉬 대통령, 아랍계 미국인에 대한 차별 사례에 유감 표시

3. 독일, 이스라엘에 원조제의

ㅇ 이스라엘 방문중인 겐셔 독일 외무장관, 이스라엘에 Patriot 미사일 및 1.66억불의 원조 제공 제의

4. 일 본

ㅇ 난민 수송을 위한 자위대 항공기 5대 약10일후 파견 추진중

5. 시리아

ㅇ 국제사회의 압력을 통한 이스라엘의 대이라크 보복 억제 필요성 언제

6. 터 키

ㅇ 이라크의 공격시 즉각 보복 천명

7. 기 타(국제적십자사)

ㅇ 사우디에 억류중인 이라크군 포로 방문 활동 개시

- 이라크측은 다국적군 포로 방문 불허

0081

77

79

Ⅲ. 테러리즘 동향

ㅇ 아테네에서 폭탄3개 폭발

- 불란서 무관 자택 및 미, 영 은행(피해 별무)

ㅇ 말레이지아, American Airlines 지사 폭발 미수 사건 발생

ㅇ 에쿠아돌 키토, 로이드 은행 지점 폭발사건 발생 (피해 경미)

ㅇ 필리핀, 미국 문화원 폭발 미수사건 관련 이라크인 2명 추가추방

Ⅳ. 교민 철수현황

1. 특별기 서울 도착 예정

ㅇ 2차특별기(젯다발B 747)

- 교민 409명 탑승, 1.26(토) 08:43 서울도착예정

ㅇ 3차특별기(젯다발C 10)

- 교민 250명 탑승, 1.26(토) 08:56 서울도착예정

ㅇ 대책본부직원 공항 출영 예정

2. 이라크 잔류 현대직원 9명 이란 입국

ㅇ 9명 전원 건강하며 "바크타란"이민국으로부터 신병 인수 (한국시간 1.26 03:30 확인)

ㅇ 잔류13명 안전하며 이중 현지인과 결혼한 2명 제외한 11명도 곧 대피 예정

Ⅴ. 세계 경제동향

ㅇ 주가 상승, 유가 및 금값 하락세

- 미국 Dow Jones 지수 24.01 상승 (2,643.07 기록)
- 일본 Nikkei 지수 304.24 상승(23,573.25 기록)
- 원유(Light Sweet Crude) 배럴당 $0.33하락($21.71 기록)
- 홍콩 금값 온스당 $2.37 하락($375.80 기록)

0082

78

80

外務部 걸프事態 非常對策 本部

題 目 : 日日報告 (24-續)

1991. 1 . 26 .

08:00

1. 이라크의 미사일 공격

가. 이스라엘 (제5차 공격)

o 텔아비브 등지에 미사일 7기 발사

- Patriot 미사일로 전부 요격했으나, 일부 탄두 및 파편이 떨어져 사망자 1명, 부상자 40명 발생 (1.26. 01:00경 한국시간) (미국 및 이스라엘 군당국 발표 종합)

나. 사우디

o 리야드에 미사일 2기 발사

- 1기는 Patriot 미사일로 요격, 1기는 지상 폭발 (1.26. 04:30경 한국시간)

- 사상자 여부등 상세 미상

2. 현대건설 근로자 9명 이란 대피

o 현재 바크타란 게스트하우스에 임시 체류중

o 금 1.26. 15:00경 (현지시간 09:00경) 우리 대사관 영사가 신병인수 하는대로 육로 테헤란 향발 예정 . 끝.

0083

政府綜合廳舍 810號 電話 : 730-8283/5, 730-2941.6.7.9, (구내)2331/4, 2337/8 Fax : 730-8286

外務部 걸프事態 非常對策 本部

題 目 : 속 보

1991. 1 . 26

10:25

1. 이라크 사우디에 SCUD 미사일 공격 (AFP)
   - o 09:35 (서울시간) 다란 배치 미 Patriot 요격 미사일 5대 발사 목격
   - o 상금 요격 여부 및 피해 상황 미상

2. 사우디 리야드 미사일 공격 (1.26. 04:30) 피해 현황
   - o 사우디인 1명 사망
   - o 부상 총 30명
     - 사우디인 19명
     - 외국인 11명 (이집트 5, 요르단 2, 수단 1, 방글라데쉬 3)

0084

政府綜合廳舍 810號 電話 : 730-8283/5, 730-2941. 6. 7. 9, (구내)2331/4, 2337/8 Fax : 730-8286

I

82

外務部 걸프事態 非常對策 本部

題 目 : 日日 報告 (25)

1991. 1 26

14:00
작성자 : 강선용 과장

I. 전 황

1. 다국적군

o 대규모 공습 계속

- 연 17,500 여회 출격 (1.25. 2,700회 출격)
- 공화국 수비대 중점 공격

o 쿠웨이트 상륙작전 준비 완료

- 미군 8,000명 추가 배치 (총 482,000명)

o 이스라엘에 미 Patriot 미사일 포대 추가 배치

2. 이라크군

o 사우디 담맘-다란지역 미사일 2기 공격 (1.26. 09:35 속보)

- 1대는 Patriot가 요격, 1대는 피해없이 지상에 떨어짐

※ 이라크의 미사일 공격 현황 (1.25. 이전)

. 총 공격대수 : 34 (사우디 21, 이스라엘 13)
. 미측 요격 : 18
. 목표 이탈 : 9
. 민간지역 공격 성공 : 7

o 전투기 2대 (미 1, 영 1) 격추

II. 각국 동향

1. 미 국

o 국방부, 이라크의 환경 테러(Environmental Terrorism) 감행 비난

- 300만 배럴 규모 기름 방출 해역 오염
- 군사적 효과 전혀없으나 생태계에 엄청난 피해를 일으킬 범죄 행위

※ 이라크는 미측의 이라크 유조선 2척 폭격(1.22)으로 해역이 오염된 것으로 주장, 미국은 동 유조선 폭격으로 인한 소규모 오염은 인정하나 이라크가 고의적으로 다량의 기름을 방출, 오염시키고 있다고 주장

0085

政府綜合廳舍 810號 電話 : 730-8283/5, 730-2941. 6. 7. 9, (구내)2331/4, 2337/8 Fax : 730-8286

83

o 국무부, NATO 및 한국, 일본, 호주 대사에 브리핑
  - 추가 재정 지원 기대 (공여국 회의 2.5. 개최 예정)
  - 잠정 휴전후 외교적 노력을 통한 사태 해결 방안 반대

2. 이라크

o 다국적군의 바그다드 북부 Al Dour 민간 지역 폭격 비난
  - 민간인 24명 사망, 100여명 부상
    ※ 미 국방부는 동지역에 무기고, 화학무기 시설 및 저장소, 통신장비등이 위치하고 있었다고 반박

o 바그다드 시민 대피 계속
  - 단전, 통신두절, 단수, 식량 부족 현상 심각

o 쿠르디스탄 민주당, 이라크 군당국이 사망자 극소화를 통한 군사기 앙양을 위해 가족에 시신 인계치 않고 즉각 매장하고 있다고 주장

3. 사우디

o 메카 회교 지도자, 금요일 정례 기도회시 후세인 전복 촉구

4. EC

o 구주의회 다국적군 지지 결의안 채택 (1.24)
  ※ 특기사항
    - EC 회원국 정부에 UN 후원하 중동평화에 관한 국제회의 소집 원칙에 대한 지지 천명 촉구
    - 서방 선진국에 중동지역 무기 수출 제한 및 통제에 관한 협력 정책 추진 요청

5. 인 도

o 외상 이란 방문, 이란측 주장하는 이슬람 회의 기구와 비동맹과의 연계 방안 협의 예정

Ⅲ. 다국적군 군비 추가 지원

1. 쿠웨이트

o 135억불 추가 지원 발표 (1.25)

2. 일 본

o 90억불 추가 지원 발표 (1.24)

3. 주요국에 대한 미국의 추가 지원 요청설

o 전체 추가 요청액(쿠웨이트, 일본 포함) : 약 500억불(1일 전비 6억불)
  - 사우디 : 135 억불
  - 독 일 : 60 억불
  - U A E : 50 억불

o 부쉬 대통령, 추가 분담액 협의 진행상에 만족감 표명

0086

82

Ⅳ. 테러 동향

1. 방글라데시

   o 극렬 회교도 다국적군 지원 국가 공관원 및 민간인 습격 격화

     - 교포 박재걸 피습 (일본인 차량 탑승)

     - 일, 노르웨이, 이태리인등 피습

     - 서방 공관원 및 민간인 대거 철수 개시

       . 미 공관원 228명 철수 (필수요원 32명만 잔류)

       . 미 민간인 전원 철수 명령

       . 기타국 공관원 가족 및 상사원 가족 전원 철수 명령

   o 외무부, 이라크 대사관에 배후 조정 엄중 경고

2. 페　　루

   o 리마 국제공항 주차장 차 폭발, 1명 사망, 4명 부상

   o 미 대사관 총격

3. 이 태 리

   o 디스코장 폭발, 1명 사망 30명 부상

4. 불 란 서

   o 이라크인 3명, 알제리인 3명, 레바논인 7명 추가 추방조치

V. 교민 철수 동향

1. 특별기 2대 서울 귀환(1.26)

   o 2차 특별기 (B 747) : 409명 탑승

   o 3차 특별기 (DC 10) : 250명 탑승

     - 총 659명중 젯다지역 185명, 사우디 중부 및 동북부지역 474명

2. 이라크 잔류 현대 근로자 9명 이란 대피

   o 1.26. 08:30(현지시간) 이란 대사관 영사, 바크타란에서 신병 인도후 육로로 테헤란 향발 예정

   o 이라크 잔류 13명도 안전 확인 되었으며 현지인과 결혼한 2명을 제외한 11명도 곧 대피 예정

3. 이스라엘 교민

   o 현재 인원 55명 전원 무사

   o 특파원 4명(KBS 3, 조선 1) 추가 입국 활동 (총 12명)

0087

83
85

外務部 걸프事態 非常對策 本部

題　目：　日日報告 (26)

1991. 1.27. 06:00.
작성자 : 강선용 과장

Ⅰ. 전 황

1. 다국적군
   - ㅇ 대규모 공습계속(연 20,000회 출격)
     - 공화국 수비대 및 지상군 보급로등 목표
   - ㅇ 이라크전투기 3대 격추, 다국적군기 피해는 없음.
   - ㅇ 수뢰제거 작업계속 및 잠수함에서 토마호크 미사일 발사
   - ㅇ 미군당국, 이라크 핵무기 제조공장 완전 파괴 발표
2. 이라크군
   - ㅇ 원유해상방출
     - 쿠웨이트 Sea Island 원유터미날에서 원유방출계속(길이 10마일, 폭 2.5마일형성, 50만-6백만 배럴 추정)
     - 일부지점에서 화재발생
     - 미군당국, 대처방안 강구중이며 군사작전에 지장없음을 발표
   - ㅇ 이스라엘에 대한 미사일 공격
     - 1.27. 05:00경(한국시간)수기의 Scud 미사일공격, 이스라엘측은 Patriot 요격미사일로 대응 (상금 피해상황 미상)
       (1.26. 누계 : 사망4명, 부상 193명)
   - ㅇ 사우디에 대한 미사일 공격
     - 리야드에 Scud 미사일 2기 발사(1기 요격, 1기는 시내에서 폭발) 1명사망, 30명 부상
     - 아국교민 피해는 없음.
   - ㅇ 이라크군의 미사일 발사 누계(1.26.현재)
     - 총 45기(이스라엘 20기, 사우디 25기)

Ⅱ. 각국동향

1. 이란
   - ㅇ 이라크 전투기 7대 이란 영토내 비상착륙에 대해, 엄중경고
   - ㅇ 이란정부의 중립입장 재확인, 현재비상착륙 동기 심문중
2. 요르단
   - ㅇ 이라크에 난민출국을 위한 국경개방요청

0088

政府綜合廳舍 810號　電話：730-8283/5, 730-2941.6.7.9, (구내)2331/4, 2337/8　Fax：730-8286

84

3. 이집트

ㅇ Meguid 외무장관, 부시대통령앞 무바라크 대통령 멧시지 전달차 1.27. 긴급방미예정

4. 이란·시리아

ㅇ 테헤란회담(1.24)시 전쟁조기 종식 및 전후 이락 영토보존 원칙 확인

5. 말레이시아

ㅇ Omar 외무장관, 걸프전쟁이 안보리결의의 목적을 벗어나, 이라크 파괴로 확대되고 있는데 우려 설명발표

6. 파키스탄

ㅇ Sharif 수상, 걸프전쟁 평화해결 모색차 시리아, 요르단, 이란, 이집트, 각국순방중

ㅇ 1.26 무바라크 대통령과 회담

Ⅲ. 테러동향

1. 불란서

ㅇ 파리 Liberation 신문사에서 폭탄폭발

ㅇ 수위 3명 부상

2. 말레이시아

ㅇ 태국에서 보트로 밀입국한 3인의 아랍인 체포

ㅇ 쿠알라룸푸르의 미항공사 폭탄발견후 보안강화

3. 필리핀

ㅇ 미문화원 폭탄테러기도 관련(1.19)2명의 이라크인(형제) 추방(1.26)

4. 태국

ㅇ 테러혐의 이라크인 및 요르단인 각2명 구금

5. 우간다

ㅇ 주재 미국대사가 정구를 마친 수분후 테니스코트에서 수류탄 폭발 (피해자 없음)

6. 호주

ㅇ 이락대사대리에게 72시간내 출국명령

7. 테러관련기사보도(1.24자 LA 타임스)

ㅇ 세계각국의 이라크대사관이 테러사령탑 역할을 하고있음.(시한폭탄 밀반입, 위조여권사용)

ㅇ 테러리스트 활동지역은 방콕을 본거지로한 동남아 지역과 이라크인이 다수 거주하는 희랍, 이태리 및 중미, 인도, 파키스탄, 말레이시아 [illegible] 등이 테러발생 가능성이 큼.

0089

85

87

Ⅳ. 교민철수현황

1. 이라크 철수 현대직원 9명 테헤란 안착
   - ㅇ 1.27(일) 새벽 03:35(한국시간) 바크타란으로 부터 테헤란 도착(서울향발 항공편은 현재 대사관에서 최단시일내 주선중)
   - ㅇ 건강상태 모두 양호, 호텔투숙 (대사관에서 보호중)
   - ㅇ 잔여 11명의 안위여부 파악 노력중
2. 쿠웨이트 잔류교민(9명)에 외무부 비상대책본부 멧시지 방송
   - ㅇ 1.27(일) KBS 국제방송(한국시간 02:00 7.550 KHz)을 통해 1차방송후 수시방송 예정
   - ㅇ 사태의 긴박성 설명, 이란등 인근지역으로 안전대피지시

Ⅴ. 경제동향

1. 유가
   - ㅇ 뉴욕(Light) : $21.35 (0.36불 하락)
   - ㅇ 런던(Brent) : $20.25 (전일과 동일)
2. 주가
   - ㅇ 미국 Dow Jones 지수 : 2,569.41(16.34 p 상승)
   - ㅇ 영국 FT 지수 : 2,102.90 (3.6 p 상승)

0090

88

86

外務部 걸프事態 非常對策 本部

題 目 : 日日 報告 (27)

1991. 1 27
12:00

작성자 : 유시야 과장

I. 전 황

1. 다국적군
   - o 대규모 공습 계속 (20,000여회 출격)
     - 전술 폭격에서 지상 전투 준비 체제로 전환
     - 쿠웨이트 북부 국경 공화국 수비대, 통신체제, 보급로, SCUD발사대 중점 공격
   - o 28개 미사일 공격 목표물 및 14개 생화학, 핵무기 시설 파괴 확인
     - 생화학 무기 저장고는 건재
   - o 지상 공격 개시 완전 준비까지는 2주일 정도 더 소요 시사
     - 병참 문제 미해결
     - 이라크 공군 전투기 대부분 건재
2. 이라크군
   - o 이스라엘에 제 5차 미사일 공격 (1.27)
     - 텔아비브 3발, 하이파 1발 공격
     - 미 Patriot미사일 4발 모두 요격 (2명 파편에 부상)
   - o 사우디에 제 10차 미사일 공격 (1.27)
     - 리야드에 1발 발사, 미측에 의해 요격
     - 파편 교외 폭발 (인명피해 미상)
   - o 원유 해상 방출 계속
     - 쿠웨이트 연안 터미날 및 유조선 5척(300만 배럴)에서 4일째 방류
     - 길이 48km 폭 12.8km형성, 사우디쪽으로 이동중
     - 사우디 및 쿠웨이트 식수 생산 지장 초래 예상

II. 각국 동향

1. 이라크
   - o 후세인, 전세계 테러 공격 계속 감행 천명
     - 테러 감행 사망자는 성전수행에 따른 순교자라고 주장

0091

政府綜合廳舍 810號 電話 : 730-8283/5, 730-2941. 6. 7. 9, (구내)2331/4, 2337/8 Fax : 730-8286

2. 미 국

o 지난 며칠동안 24대의 이라크기가 이란에 착륙 하였다고 주장
  - 동기는 알수 없다고 발표
  - 이라크기 이란 도피 방지 노력 하겠지만 이란 영공내까지 추적치 않을것임을 발표

o CNN 여론 조사 (1,000명 전화조사, 오차 ±3%)
  - 부쉬 지지도 82% (1.24 현재, 1.10당시: 61%)
  - 3개월 이하 단기전 예상 29%, 4개월 이상 장기전 예상 47%
  - 공중전만 수행 54%, 지상공격 감행 필요 32%
  - 연합국 지원 충분 의견 33%, 미국이 과중한 부담 의견 52%

3. 이 란

o 교전국 전투기 영공 침범시 이란의 중립 고수위해 종전시까지 전투기 압류 방침 발표

o 영공침범 이라크기 7대중 1대 폭발, 2대 착륙시 파손 확인
  - 영공 침범시 이란 대공 포화에 의한 피격 가능성 시사 (이란 라디오)
  - 서방측은 이라크 전투기 조종사가 망명 시도했을 가능성 시사

4. 레바논

o 친 이란 과격파, 이라크의 민간 항공기 200여대 이란 대피 주장
  - 이란의 대 이라크 식량 및 의약품 제공도 시사

5. 사우디 아라비아

o 추가 전비 135억불 지원 발표

6. G.C.C.

o 5개국 외상 회담, 이라크 철군전 어떠한 형태의 휴전도 거부함을 발표

Ⅲ. 반전 시위 및 테러 동향

1. 반전 시위

o 워싱톤 75,000여명, LA 1,000여명 반전 시위 (애틀란타 2,000여명 지지시위)

o 본 175,000여명 반전 시위

2. 테러

o 레바논 사우디계 은행 및 불란서계 은행 수류탄 투척
  - 전쟁 발발후 7번째 테러 공격

0092

90

88

外務部 걸프事態 非常對策 本部

題 目 : 日日 報告 (28)

1991. 1. 28 06:00

작성자 : 유시아 과장

I. 戰 況

1. 다국적군 및 이라크측 피해 상황 (개전후 부터 1.28현재까지)
   가. 다국적군측 주장
      1) 다국적군 항공기 23대 파괴, 1명 사망, 25명 실종
      2) 이라크군 항공기 46대 및 군함 8척 파괴, 8명 사망, 110명 포로
   나. 이라크측 주장
      1) 다국적군 항공기 및 미사일 261대 파괴, 10명 포로
      2) 이라크 민간인 123명 사망, 327명 부상, 군인 90명 사망
   다. 이스라엘측 피해
      미사일 공격으로 민간인 4명 사망, 215명 부상
   라. 사우디 측 피해
      미사일 공격으로 민간인 1명 사망, 42명 부상

2. 영국의 Sunday times, 다국적군의 본격적인 지상공격은 다국적군의 준비 부족으로 2월 중순 후에나 개시될것으로 전망

II. 各國 動向

1. 미 국
   o 미국무장관, 이란 착륙 이라크 공군기 계속 이란내에 억류 할것을 약속 받았음 언급
   o 미정부, 걸프지역의 유류 오염사태에 대비 '해양오염 대책위' 를 사우디에 파견
2. 소 련
   o 베스메르트니크 외상, 이라크에 대한 대량 폭격은 전쟁을 위험한 방향으로 끌고갈것이며 민간인들에 대한 폭격은 자제해야할것임 언급 (1.27 미국 방문시)

0093

政府綜合廳舍 810號 電話 : 730-8283/5, 730-2941. 6. 7. 9, (구내)2331/4, 2337/8 Fax : 730-8286

3. 이스라엘

o 1.26 Herzog 대통령은 최근 이라크의 미사일 공격과 이에대한 보복자제로 이스라엘은 전세계로부터 동정을 얻고 있다고 주장

o 1.26 주유엔 이스라엘 대사는 아스라엘은 걸프전후
- 역내 군비 축소 노력에 동참토록 준비하는 동시
- 팔레스타인 인들과 새로운 평화와 대화를 가지도록 노력할것이나 국제 회의 개최방안은 거부할것이라 언급

4. 추가전비 지원동향

아래 국가들은 걸프전 장기화 전망에 따라 $370억에 달하는 추가전비 부담 용의 표명
(사우디 $135억, 쿠웨이트 $135억, 독일 $10억, 일본 $90억, UAE 추가지원 예정)

Ⅲ. 平和的 解決努力

이란 제의 평화안(1.27, 이란의회)

o 동 지역으로부터 외국군 철수

o 이라크군의 쿠웨이트로부터 철수

o 동 지역을 이슬람 군대의 관리하에 둠

o 이라크에 대한 국제적 제재의 해제

o 이스라엘에 대한 유태인 유입의 무조건 중지

Ⅳ. 테러 動向

1. 호 주

o 호주 경찰, 민항기내 폭발물 설치 및 항공기 납치기도 혐의로 아랍인 1명 기소

2. 페 루

o 리마 공항에서 고성능 폭탄 적재 차량 폭파(1명 사망, 7명 부상)

o 리마 미대사관에 폭탄이 명중, 동 건물 옥상 부분 파괴

0094

92

3. 터 키

o 미공군 기지가 인접한 Adana에서 미영사관 및 문화원에 대한 폭탄 테러 발생, 건물 대파, 인명피해는 없음.

4. 불란서

o 1.27 마르세이유 소재 '이민 안내소'에 폭발사고 발생

V. 僑民 撤收 現況

1. 교민수송 제 4차 특별기 파견 계획

o 주 사우디 대사관등 건의에 따라 제 4차 특별기 파견 여부 검토중 (1.30경, 탑승 예상 460명)

2. 이라크 철수 현대직원(9명) 동정

o 상기인들 1.30 이란 출발, 동경 경유 귀국 예정

o 잔여 13명은 이라크 발주처 소유 바쿠바 소재 농장에 안전 대피중 (현지인과 결혼한 2명 제외한 11명도 출국허가가 나는대로 2-3일내 이란으로 대피할수 있을것으로 전망)

3. 군의료진 수송기 귀환

o 군의료진 본대 수송한 군 수송기 2대 1.29. 16:00 서울 공항착 귀환 예정

0095

91

93

外務部 걸프事態 非常對策 本部

題 目 : 日日 報告 (29)

1991. 1 . 28
12:00

작성자 : 김의기 과장

I. 戰 況

1. 다국적군

   o 이라크의 원유 해상 방류 차단을 위해 쿠웨이트 송유관 폭격

   - 원유 방류를 완전히 차단하지는 못한 것으로 관측

   o '체니'미 국방장관 언급

   - 2월말 이전에 미국 지상군 공격준비 완료 가능
   - 현재 미군 지상병력 약50만명 수준이며 배치 거의 완료

   o 영국 공군 '버캐니어' 전폭기 배치 시작

   - 고정확도를 가진 폭격기로서 이라크의 통신시설, 탄약고, 미사일 기지 공격 가능
   - 위험 부담이 큰 "토네이도" 전폭기 (전쟁 발발후 6대 격추) 는 출격 중지 조치

2. 이 라 크

   o 다국적군에 대한 생.화학무기 사용 가능성 시사

   o 이라크 외무장관, UN 사무총장 비난

   - 'UN 결의'라는 명목하에 이라크에 대한 무차별 공격이 행해지고 있음.

II. 各國 反應

1. 미국 언론 태도

   o NYT (1.27.자)

   - 반전론자들의 주장을 조목조목 비판하고 걸프전쟁 지지 태도 표시
   - 미국내의 반전시위, 비아랍 동남아 회교권의 광범위한 후세인 지지 분위기 크게 보도

2. 이란의 태도

   o 현 전쟁은 선과 악의 대결이 아닌 악과 악의 대결로 이란으로서는 개입할 이유가 없음.

0096

政府綜合廳舍 810號 電話 : 730-8283/5, 730-2941. 6. 7. 9, (구내)2331/4, 2337/8 Fax : 730-8286

o 미국, 이라크를 동시에 비난하면서 미국을 '살인자'로 강력 비난

3. 이스라엘

o 1.27. 중등학교 수업 재기

o 1.27. 소집된 각료회의는 보복자제 정책에 대한 계속적 지지 표시

Ⅲ. 僑民 殘留 現況

(91.1.28. 10:00 현재)

국 별	총원 (91.1.5)	잔 류 자	비 고
사 우 디	4,980	3,991	
이 라 크	96	14	- 현대 소속 13 - 공관 고용원 1
쿠웨이트	9	9	- 개인 사업상 잔류 희망
요 르 단	66	20	* 특파원 13명 활동중
카 타 르	82	65	
바 레 인	335	259	
U. A. E.	650	423	
이스라엘	113	55	* 특파원 11명 활동중
총 8개국	6,331	4,836	

Ⅳ. 經濟 動向

1. 1.28. 오전 동경 시장

o 주식 : 58.72P 하락 (23,514.33)

o 유가 (North Sea Brent) : 안정세 $19.90-$20.00/B

2. 석유가 동향 전망

o 1.23. 미국 에너지 장관 언급

- 걸프전에도 불구 베럴당 20-25불선 유지
- 전쟁 종료후 좀 더 하락 전망

o 휴스턴 석유전문가 분석

- 사우디, UAE 소재 유전이 철저히 보호되고 있어 전쟁 발발 불구 석유 공급 원활, 수요 안정
- 석유가 비교적 안정세 유지 전망

0097

外務部 걸프事態 非常對策 本部

題 目: 日日 報告(30)

1991. 1 .29 06:00
작성자 : 김의기 과장

I. 전 황

1. 다국적군

ㅇ 주사우디 미군 사령부 전황 발표(1.29 00:00) (주사우디 대사보고)

- 1.28 2000회 이상 출격(50% 이상 전투 출격, 16%이상이 미군기 이외의 다국적군 출격 회수)
  - · 참가국 : 미국, 사우디, 쿠웨이트, 카타르, 바레인, 영국, 카나다, 이태리, 프랑스
- 이라크기 총 26대 격추
  - · 미그29 : 8대, F1:9대, 미그 23:7대, 미그 25:2대
- 이란 도주 이라크기 총69대
  - · 수송기:30대, 전투기 및 폭격기:39대
- 이라크군 포로수:105 명
- 1.26.~ 28.간 다국적군기 실종 없음
- 걸프해역 원유 방출은 1.26 폭격으로 정지 된것으로 보임

2. 이라크군

ㅇ SCUD 미사일 요르단 영토내 은닉설(타스 통신)

II. 각국 반응

1. 이 라 크

ㅇ '아지즈' 외상, '케야르' 유엔 사무총장앞 메세지에서 케야르는 이라크 국민에게 저지른 죄과에 대해 역사앞에 책임져야 한다고 언급

ㅇ '무바라크' 이집트 대통령 맹비난

- 미국 달러를 벌기위해 아랍인의 자존심을 팔아먹는 친미주의자
- 이집트 국민에게 암살당할 것이라고 인신 공격

0098

政府綜合廳舍 810號 電話 : 730-8283/5, 730-2941, 6, 7, 9, (구내)2331/4, 2337/8 Fax : 730-8286

ㅇ 화학탄 사용 가능성(이라크 언론보도)

- SCUD 미사일에 화학무기 장착은 기술상 난점이 있으나 미그기에 적재하여 자살공격을 감행할 수 있음

2. 이스라엘

ㅇ '샤미르' 수상, 후세인이 화학전을 개시할 경우 더 큰 곤경에 처할 것이라고 경고

3. 일 본

ㅇ 사회당 도이 당수, 일본정부의 90억불의 다국적군 추가 지원은 위헌이라고 비난

ㅇ 일본정부, 중동에 자위함 파견 검토

4. 이 란

ㅇ 외무성 대변인, 원유 방출 비난

ㅇ 국제기구에 원유 방출 방지를 위한 원조 요청

Ⅲ. 평화적 해결 노력

ㅇ 요르단 외무장관의 이란 방문

- 이슬람 국가 기구 및 비동맹 회의를 통한 걸프사태 조속 해결 촉구

ㅇ 이란 국회의장의 평화 5개항 발표

- 전면적 군사 행동 즉각 중지
- 대이라크 생필품, 의약품 금수조치 해제
- 다국적군 및 이라크군의 동시 철수
- 상기 조치의 원할한 이행 및 분쟁의 평화적 해결위한 이슬람 연합군 설치
- 팔레스타인 피점령지에 대한 유태인 이민 중지

Ⅳ. 테러 동향

ㅇ 터어키 앙카라 시내 사우디 항공 사무소 폭파 사건 발생

- 인명피해 없었음

0099

97

V. 교민 철수 동향

1. 고민철수 현황(1.29 07:00 현재)

국 별	총 원 (91.1.5)	기철수자 (괄호는 KAL 특별기)	잔 류 자	비 고
사 우 디	4,980	989 (859)	3,991	
이 라 크	96	82 (37)	14 (현대소속 13 공관고용원 1)	
쿠웨이트	9	0	9 (개인사업상 잔류 희망)	
요 르 단	66	46 (16)	20	※ 특파원 13명 취재 활동중
카 타 르	82	16	66	1명 복귀
바 레 인	335	96 (48)	239	
U. A. E.	650	227	423	
이스라엘	113	53	60	※ 특파원 11명 채재 활동중
총 8개국	6,331	1,509 (960)	4,822	

2. 관련사항

- 주사우디 대사, 2.5~6 4차 특별기 추가 운항 건의
  - 탑승 희망자(1.27 현재) : 541명(진출업체:375, 개인:166)
- 재외공관에 주재국의 중동 거주 자국민 철수 상황 파악 지시 (주영, 불, 독, 일, 인도, 이탈리아 대사관)

0100

ㅇ 4차 특별기 운항 계획

- 기종: B747
- 탑승인원 400명
- 운항 일시 (잠정:91.2.5)

※ 특별기 사우디 공항 이·착륙 허가 신청 예정

Ⅵ. 경제 동향

ㅇ 사우디 원유 생산 종전과 큰 차이 없음

- 12월 매주 평균 840만 배럴 생산, 지난주 800만 배럴 생산

ㅇ 유 가 (싱가폴 시장)

- 북해산 브렌트유 : 지난주 금요일 종가(20.35 $/B)에서 소폭 하락한 19.93 $/B 에서 거래

ㅇ 주 가(동경 시장)

- 전일 종가(23,573.25)보다 3.81 P 소폭 하락한 23,569.44 로 마감.

Ⅶ. 기타 동향

ㅇ MBC 정동영 특파원 요르단 국왕 단독 인터뷰 (30분간)

0101

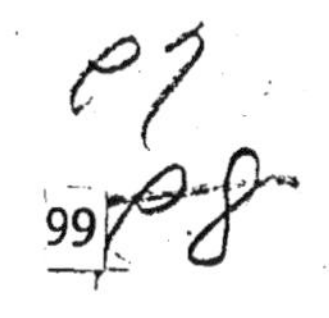

外務部 걸프事態 非常對策 本部

題 目: 日日 報告 (31)

1991. 1 . 29
14:00

작성자 : 신국호 과장

I. 戰 況

1. 사담 후세인 대통령, 미국 CNN기자와 인터뷰
   - o 이라크측 요청으로 1.28. 바그다드 근교에서 이루어짐
   - o 후세인 대통령의 주요 언급 요지
     - SCUD 미사일에 핵무기, 생화학무기 장착 가능
     - 전쟁이 얼마나 계속될지 모르나 양측은 많은 피해를 보게 될 것임.
     - 이라크의 승리를 조금도 의심치 않음.
     - 이란내의 이라크기에 대해서는 어떠한 상황에서도 이란의 결정을 존중할 것임.

2. 이란내의 아라크기 문제
   - o 1.28. 현재 약 80~100대의 이라크기가 이란으로 피난한 것으로 추산
     - 이중 최소 60여대는 이라크의 정예 전폭기
   - o 이에 대한 이유는 자세히 밝혀지지 않고 있으나
     - 이라크가 안전지역으로 대피 시켰을 가능성과
     - 망명했을 것이라는 추측을 각각하고 있음.
   - o 미군 당국은 동 비행기들을 계속 감시하고 있으며 이라크 재입국시 공격대상이 될 것이라고 언급
   - o 이란은 중립을 지킬 것이며, 동 비행기와 조종사들은 전쟁 종료시까지 이란에 억류될 것이라고 언급

3. 미 국방부 전황 브리핑 (1.28)
   - o 1.28. 미 비행기 1대 실종
     - 총 14대 손실 : 전투중 11대 피격, 조종사 14명 실종
   - o 이라크 비행기 69대 격추
   - o 미 병력 배치 : 492,000명

0102

政府綜合廳舍 810號 電話 : 730-8283/5, 730-2941.6.7.9, (구내)2331/4, 2337/8 Fax : 730-8286

4. 기 타

o 네델란드 해군 초계기 2대 동부 지중해 추가 파견
  - 걸프지역에 배치된 나토기 교대용

o 1.28. 밤, 이라크는 이스라엘(7번째)과 사우디에 대한 SCUD미사일 공격 계속

o 소련군 화학전 전문가는 미군이 이라크의 생화학 무기 저장시설을 공격 하였으나 완전히 파괴하지는 못했다고 언급

Ⅱ. U.N. 安保理 動靜

o 마그레브 5개국에 이어 요르단이 안보리 공개 회의 소집 요구

o 회의소집 협의를 위한 비공개 협의에서 미국, 영국, 소련이 공개회의 소집을 반대

o 소련 대표는 소련의 입장은 미국과 차이가 없으며, 전쟁 당사자가 아닌 소련으로서는 누구를 비난할 위치에 있지 않다고 언급 (한편 방미중인 소련 외무장관은, 소련은 U.N 결의에 따라 반이라크 입장에 서서 미국과 함께 행동하고 있다고 언급)

Ⅲ. 僑民撤收 動向

o 1.29 변동 없음.

o 제4차 특별기 2.5-6경 파견 계속 추진중

Ⅳ. 經濟 動向

o 주 가
  - 뉴욕 (1.28. Dow Jones) : 4.59P 하락 (2,654.45P)
  - 동경 (1.29. 개장시세, Nikkei) : 17.13P 상승 (23.586.57P)

0103

外務部 걸프事態 非常對策 本部

題 目: 日日報告 (32)

1991. 1.30. 06:00
작성자 : 신국호 과장

I. 전쟁관련사항

1. 이라크 비행기 이란 대피 배경
   (1.29. 주 바레인 대사, 이란대사 면담시 청취내용)
   - ㅇ 이라크의 당초 자국 민항기 보호를 위한 이란대피 요청에 이란정부 수락
   - ㅇ 대피비행기중 군용기 포함되어 있어 전쟁종결시까지 억류결정
   - ※ 비행기수는 이란측은 11대, 미국측은 80대 이상으로 추정

2. 레바논에서 로케트탄 폭발
   - ㅇ 레바논 남부 이스라엘 영향권(Security Zone) 에서 30개의 로케트탄 폭발
   - ㅇ 이스라엘, PLO 소행으로 보고 대 PLO 보복경고

3. 전황종합(1.29.현재)
   - ㅇ 다국적군 발표
     - 전과 : 전투기 50대 격추, 함정8척 격침, 110명 생포
       쿠웨이트·이라크 접경지대 공습, 탱크 24대 격파(1.29)
     - 피해 : 비행기 24대 피격, 조종사 1명전사, 27명 실종
   - ㅇ 이라크측 발표
     - 전과 : 전투기 및 미사일 278대 격추, 조종사 12명 생포
       이라크 지상군 사우디북부 15-20Km 진입, 공격후 귀환(1.29)
     - 피해 : 군인 39명전사, 민간인 123명 사망, 327명 부상

4. 전쟁지원 및 분담금
   - ㅇ 독일정부 지원발표(1.29)
     - 55억불 추가지원 및 영국에 1.12억불 지원
     - 터키에 대공미사일 배치약속 및 이스라엘에 방어용군장비 지원검토
   - ㅇ 전쟁개시후 분담금 현황
     - 사우디 135억불, 쿠웨이트 135억불, 일본 90억불, 독일55억불

5. 불란서 국방장관 사임
   - ㅇ "슈벤느망" 국방장관, 걸프전쟁 적극 개입반대, 1.29. 사임
   - ㅇ "삐에르 족스" 내무장관이 후임 국방장관에 취임

0104

政府綜合廳舍 810號 電話 : 730-8283/5, 730-2941.6.7.9, (구내)2331/4, 2337/8 Fax : 730-8286

Ⅱ. 걸프전 관련국 전략 및 향후전망

(불란서 학자들 분석내용)

1. 미·영 진영
   - ㅇ 그간 공폭의 성과를 인정, 제공권 장악후 2-3주일후 지상전 결행 가능
   - ㅇ 인명피해 적을경우 전쟁장기화가 국익에 유리하다고 판단, 강약공세를 병행하며 이라크의 탈진유도 전략
2. 이라크
   - ㅇ 3월초 지상전 감행예상, 생화학무기는 미국의 중성자탄 보복명분을 주게 되므로 절박한 상황까지 유보가능
   - ㅇ 아랍각국 국민의 지지를 얻었다고 판단, 국민들에 의한 각국 약체정부의 붕괴기대
3. 이스라엘
   - ㅇ 이라크와 PLO의 패망 확신 및 전후 중동평화국제회의 대처방안 강구중
   - ㅇ 점령지 팔레스타인인들을 요르단으로 이주시켜 독립국가 수립케할 전략 강구 및 현 후세인 국왕의 요르단체제 붕괴 예상
4. 이란
   - ㅇ 국내 회교원리주의자 압력으로 인도주의적측면 대이라크 식량공급 계속
   - ㅇ 이스라엘 참전시 및 기타상황시 대이라크 지원으로 방향선회 가능성
5. 중동평화국제회의
   - ㅇ 미국, 이스라엘은 동 회의를 용두사미화시킬 전략모색
   - ㅇ EC 측은 CSCE 방식도입 구상

Ⅲ. 각국의 외교동향

1. 유엔안보리
   - ㅇ 마그레브 5개국 및 요르단의 안보리 공개소집요구 무산
2. 파키스탄
   - ㅇ "샤리프"총리 중동순방후 1.29.귀국, 이슬람국가 외상회의 개최제의

     ※ 이란은 47개국 이슬람회의기구(OIC) 회의개최 제의
3. 요르단
   - ㅇ 요르단외상 1.27-28 이란방문, 걸프전쟁 중지를 위한 상호협력 방안논의
4. 인도
   - ㅇ 미공군수송기 중간기착 및 급유허용 발표(야당 및 이라크측은 강력항의)
5. 소련(고르바쵸프 대변인 언급)
   - ㅇ 걸프사태 관련 중대발표 임박
   - ㅇ 유엔결의는 존중되어야하나 민간인 희생이 정당화 될수는 없음.

0105

Ⅳ. 테러동향 및 반미데모

1. 터키
   - ㅇ 항구도시 Izmir의 불란서 영사관 및 미·터키문화연맹 폭탄폭발
2. 그리스
   - ㅇ 아테네 소재 BP 사무실에 대전차용 로케트탄 폭발.
3. 레바논
   - ㅇ 베이루트 소재 미국대학에 기관총 발사 사건발생.
4. 불란서
   - ㅇ 파리행 항공기에 이라크 승객 탑승금지 조치.
5. 필리핀
   - ㅇ 대규모 친이라크 반미데모 (1만명 추산).

Ⅴ. 기 타

1. 고민관계
   - ㅇ 1.30.현재 변동사항 없음.
   - ㅇ 제4차 특별기 2.5-6 파견 추진중
2. 사우디 전시 경제현황
   - ㅇ 현황
     - 생필품 수급정상, 전시특수품호황, 외환 및 금융업 정상
     - 원자재, 전자제품, 난민용품은 재고부족으로 수요급등
     - 답만, 제다항구 및 제다국제선 정상 운항
   - ㅇ 주 사우디 대사 건의사항
     - 아국업체의 선적 지원 지양하고 기존계약분 정상이행 요망
     - 기존 거래선과의 관계유지 및 조속 복귀대책 강구 필요
     - 전후시설 복구 및 물자수요급증에 대비한 수출확대방안 수립필요
3. 관계부처 특별회의
   - ㅇ 일 시 : 1.30(수) 08:00
   - ㅇ 장 소 : 정부종합청사 2층 국무위원식당
   - ㅇ 참석범위 : 관계부처 차관급 (총리행조실장주재)
   - ㅇ 안 건
     - 걸프사태 관련 추진상황 점검 및 평가
     - 향후 추진계획 협의

0106

104

外務部 걸프事態 非常對策 本部

題 目: 日日 報告 (33)

1991. 1 . 30 .
15:00

작성자 : 강선용 과장

I. 戰 況

1. 다국적군
   o 공습 계속 (연 26,600회, 1.29. 2,600회 출격)
      - 공화국 수비대 공격 계속
      - MIG 23 1대 격추 및 미사일 발사대 2대, 함정 1척, 탱크 24대 파괴
   o 미군 병력 및 장비 계속 추가 배치
2. 이라크군
   o 이스라엘에 대한 미사일 1발 공격 (제7차 공격)
      - 사상자 없으나 이스라엘내 아랍 거주지역에 폭발함
      - Patriot 미사일 요격 불시도 (미당국, 사정거리 밖이었다고 발표)
3. 이라크기 이란 대피 문제
   o 미당국, 현재까지 100여대 이라크 전투기 이란 대피 추정 (ABC, 200여대 주장)
      - 다국적군 투하 폭탄(2,000 파운드 무게)이 이라크 콩크리트 벙커 침투 성공에 따라 공격을 피하기 위한 이란 대피 추정
   o 이란, 전투기 및 조종사 전쟁 종료시까지 억류 방침 재확인
      - 1.29. 주유엔 이란 대사, 유엔 사무총장앞 서한 송부, 중립 입장 및 교전 당사국의 이란 공군기지 사용 불허 방침 재확인
   o 후세인 대통령, 이란이 우호적 제스춰로서 이라크기를 받아들이고 있다고 시사하고 전투기 및 조종사에 관한 이란의 결정과 법규 준수 의사 표명 (CNN)

II. 各國 動向

1. 미 국
   o 부쉬 대통령 연두교서 발표 (걸프전 관련 언급 사항)
      - 걸프전 계획대로 진전 및 이라크 방위 능력 상실중
      - 쿠웨이트 철군, 쿠웨이트 정권 복원 및 중동지역 평화 안정 회복 목표

0107

政府綜合廳舍 810號 電話 : 730-8283/5, 730-2941. 6. 7. 9, (구내)2331/4, 2337/8 Fax : 730-8286

103
~~104~~
105

- SDI 계획 미사일 방어능력에 중점을 두고 추진 결정
- 필요 이상 기간의 미군 주둔 없을것임
- 이라크의 이스라엘 공격, 환경테러, 인간 방패 작전 비난
- 새로운 세계질서 형성 계기 도래 주장 및 양심적 공동체 (Community of conscience) 조성 호소

o 국무성, 이라크 대사대리 초치, 전쟁포로 대우 관련 주의 재환기
  - 국제 적십자사의 포로 접촉 허락 촉구

o 미당국, 우방국 전비 분담 상황 만족 표명
  - 3개월간 전비 600억불중 연합국 450억불, 미국150 억불 부담 예정

2. 미.소 공동 성명 발표

o 이라크군 완전 철수후 휴전 가능

o 이스라엘-팔레스타인 분규가 중동문제의 핵심이며 전후 해결 노력 재개 방침 확인

o 걸프전쟁 확전 방지 공동 노력

3. 이 라 크

o 다국적군 1.29. 공습에 인간 방패 포로 1명 사망, 다수 부상 주장
  - 민간인 320명 사망

4. 영 국

o 메이저 총리, 다국적군 지상군의 이라크 영토 진격 가능성 불배제
  - 무력사용 승인 UN 결의 678(11.29)의 마지막 구절 "to restore peace and security in the area" 은 이라크의 주변국가 공격 능력 파괴로 해석함을 주장 (영 국방장관)

  ※ 동 관련 다국적군내 아랍권 입장
  - 시리아 (19,000 병력) : 지상군 공격 불가담
  - 이집트 (36,000) : 당초 대이라크 공격 불가담 입장 그러나 최근에는 쿠웨이트 영토 내에서의 대이라크 공격 가담 가능성은 배제치 않음
  - 파키스탄 (10,000) : 미국이 연합군과 유엔을 이라크 파멸의 길에 끌어들이고 있다고 비난

o 외무성, 이라크 대사 초치 인간방패 작전은 범죄이며 추후 관계자는 개별 책임 면치못할 것이라고 경고

5. 독 일

o 55억불 전비 추가 지원(종전 다국적군 지원 10억불, 피해국 경제원조 12억불)

0108

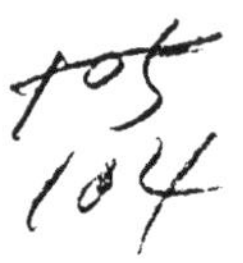

- o 터키에 미사일 포대 지원 결정
  - Roland 16기, Hawk 9기 및 관련 병력 580명
    (전쟁전 전투기 18대 및 병력 220명 기파견)
- o 이스라엘에도 미사일 포대 제공 제의 (Patriot, Roland, Hawk 및 제독 장비)

6. 이스라엘
   - o 모쉐 아렌스 국방상, 1달 이내 미사일 공격 중단되지 않으면 반격 개시 의사 표명
   - o 레바논 PLO 난민 캠프 공격 (PLO 공격에 대한 반격)
     - 1명 사망, 6명 부상
   - o 팔레스타인 지도층 인사 이라크를 위한 간첩 혐의로 체포 (6개월 구금 예정)

7. 중남미 13국 외상회의
   - o 이라크 비난 성명
     - 이스라엘 공격 비난, 생화학 무기 불사용 호소, 제네바협정 준수 촉구

Ⅲ. 테러 및 反美 示威 動向

1. 페　　루
   - o Cusco시 차량 폭탄 폭발 (인명피해 없음)
2. 멕 시 코
   - o American Express 사무실 폭파
3. 체　　코
   - o 파키스탄인 2명 추방 (지난주 리비아인 4명 추방, 아랍인 40명 구금)
4. 말레이시아
   - o 회교 야당, 회교도 800여명 반미 전투 참가 서명 주장
5. 이 집 트
   - o 기자 100여명 반미 농성

0109

107 106/105

外務部 걸프事態 非常對策 本部

題 目: 日日 報告 (34)

1991. 1. 31. 06:00

작성자 : 강선용과장

I. 전 황

1. 다국적군

o 걸프 전쟁 개전 이래 최대 지상전투

- 이라크군 3개 대대 (약1,500명의 병력 추정), 사우디 항구도시인 Khafji 지역과 동 서부 지역 두곳을 공격, 미 해병대 및 다국적군 이를 격퇴 (1.30.)
- 일부지역 전투 계속중
- 이라크군, 인원 (약25명 생포 등)과 장비 (탱크 24대 손실등)에 막대한 피해를 입음.
- 미 해병대원 12명 전사 (지상전 첫 희생자), 2명 부상
- 미 해병대 장갑차 2대 손실

※ 이라크측은 Khafji 소재 정유시설에 미사일 공격후 쿠웨이트.사우디 전선에서 사우디 영내 12마일까지 침투하였다고 주장

o 사우디 국경 경비병 매복중 이라크 장교 1명 사살

o 이라크 소계정 3척 격침

o 이라크 사막에서 공습으로 이라크 호송단 강타

o 다국적군의 야간 공습은 이라크군의 안면 방해를 위한 목적도 있음.

2. 이라크군

o 다국적군 전투기 3대 격추 (1.30.)

o 수기의 미사일 발사대 터어키 국경으로 이동 배치

o 사우디 영내 관측소 1개 습격, 전원 사살

o 이동식 스커드 미사일 발사대 100대 이란으로 부터 구입 시도 (미정보 소식통)

3. 이라크기 이란 대피 문제

o 이라크 전투기 2대 및 선박 1척 추가 이란 대피 (1.30.)

o 이란 대피 이라크 조종사들은 이란에서 전쟁 포로 취급될 것이라고 언급 (주유엔 이란 Kharrazi 대사)

0110

政府綜合廳舍 810號 電話 : 730-8283/5, 730-2941.6.7.9, (구내)2331/4, 2337/8 Fax : 730-8286

107
106

o 이라크 전 공군사령관 추종 세력들이 후세인에 의해 동 사령관이 처형된 후 쿠데타를 기도, 실패하여 이란으로 대피설 (영국 인디펜던스지 보도)

Ⅱ. 각국 반응

1. 독 일

o 이스라엘에 5억불 상당의 군수물자 지원 예정 (8대의 Patriot 미사일 발사대, 화학전 장비, 2척의 잠수함 건조 비용, 의학 장비 및 약품, 58대의 방독 특수차량 등)

2. 이스라엘

o "샤미르" 총리, 미.소 공동성명 발표시 미국이 사전에 협의를 하지 않은데 불만 표명

3. 요 르 단

o Taher Masri 외무장관, 미 전투기의 요르단, 이라크 국경 폭격으로 요르단인 4명, 이집트인 1명이 사망 (1.30.) 하였다고 밝히고 재발시 대응을 경고

4. E C

o 터어키, 이집트에 각각 2억3천만불, 요르단에 2억불의 무이자 차관 조기 제공 예정

5. 스 위 스

o 터어키, 이집트, 요르단에 총1억3백만불 지원 제의

6. 일 본

o 일본 국민의 58%가 일본 군용기의 걸프지역 파견 반대

7. 필 리 핀

o 이라크 및 친이라크 국가의 국민에 입국 제한 계획

Ⅲ. 평화적 해결 노력

1. 예멘 Saleh 대통령 수개국에 특사파견

o 걸프전쟁 종식 노력의 일환으로 파키스탄, 터키, 중국, 인도, 유고, 이디오피아등 수개국에 특사 파견 계획

o 무력 사용 허용 UN 안보리 결의로 이락에 대한 경제제재 조치 결의는 효력을 상실한 것으로 보며, 이라크 원조 제공을 위한 수송 수단 강구중

0111

107

108
109

2. 인도 CHANDRA SHEKHAR 수상

o 알제리 및 예멘정부 특사와 1.30. 걸프전 종식방안 협의

Ⅳ. 테러 동향

1. 이 집 트

o 이라크, 요르단 및 수단계 친이라크 테러 용의자 20명 체포

2. 희 랍

o 희랍 테러단 "November 17", 아테네 영국 석유회사 사무실 테러 공격이 동인들 소행이라 주장

3. 터 어 키

o 막시스트 지하 조직인 DEV SOL, 퇴역 장성 (중장) 저격 암살 (1.30.)

4. 태 국

o 이라크인 2명 및 요르단인 1명 등 3명의 테러혐의자 추방

Ⅴ. 교민 철수 동향

1. 걸프지역 체류교민 철수현황 : (별첨 참조)

2. 관련 사항

o 이라크 철수 현대직원 9명 서울 도착 예정

- 1.30. 19:15 IR-801편 테헤란 공항 출발, 동경 경유 KE-001편으로 1.31. 18:15김포도착 예정

o 카이로 대피중이던 이스라엘 교민 6명 이스라엘 복귀

Ⅵ. 경제 동향

o 유가 (1.30. 싱가폴 시장)

- 북해산 브렌트유, $ 20.30 (전일 대비 $ 0.72 하락)

o 미국의 전략 비축 원유 저질

- 전체량중 3분의2가 유황 함유량 많은 저가의 저질 원유로 정제가 어려움.

Ⅶ. 기 타

o 이라크 유전 원유 유출

- 이라크는 오일 터미널에서 고의로 원유를 다시 유출 (BBC)

0112

108

110

108

外務部 걸프事態 非常對策 本部

題　目：　걸프地域 滯留僑民 撤收現況　　　　1991.　.　.

(91.1.30. 19時 現在)

國　別	總　員 (91.1.5)	旣撤收者 (括弧는KAL特別機)	殘　留　者	備　考
사 우 디	4,980	990 (859)	3,990	
이 라 크	96	82 (37)	14 (現代所屬 13 公館雇傭員 1)	
쿠 웨 이 트	9	0	9 (個人事業上 殘留希望)	
요 르 단	66	46 (16)	20	※特派員12名 取材活動中
바 레 인	335	102 (48)	233	※ 6名 追加 撤收
카 타 르	82	16	66	
U. A. E	650	227	423	
이 스 라 엘	113	47	66	※特派員11名 取材活動中 ※카이로待避 者中6名復歸
總 8 個國	6,331	1,510 (960)	4,821	

0113

政府綜合廳舍 810號　電話：730-8283/5, 730-2941, 6, 7, 9, (구내)2331/4, 2337/8　Fax：730-8286

108

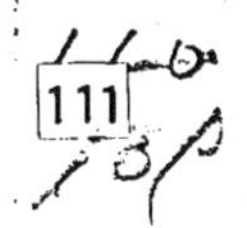

外務部 걸프事態 非常對策 本部

題 目: 日日 報告 (35) 1991. 1. 31 14:00

작성자 : 유시야 과장

I. 戰 況

1. 지상전
   - o 이라크군 4개 방향 기습 공격 감행
     - 항복을 위장한 이라크군 2개대대(탱크 80대) 3방향 공격
     - 1개대대 추후 공격 가담
     - 사우디 및 카타르 지상군 항전
   - o 이라크군 500여명(장갑차) Khafji시 점령 계속
     - 다국적군 Cobra.헬기 동원 미군 2명 구출 시도 (실패)
     - 사우디 탱크 10여대 Khafji시 포위중
     - 미해병 반격 개시 예정
     - 이라크 방송 동 전투 승리 주장
   - o 지상전 피해 상황 (다국적군 발표 상황)
     - 다국적군 : 미해병 12명 사망, 2명 부상, 장갑차 2대 파괴
     - 이라크군 : 탱크 24대, 장갑차 및 차량 7대 파괴, 수백명 사망, 25명 포로
   - o 이라크는 지상전 공격 감행으로 다국적군의 대규모 지상전 개시를 유도하고 있는 것으로 분석
2. 공 중 전
   - o 연 30,000회 출격 공습 계속(슈와츠코프 사령관 제공권 완전 장악 주장)
     - 핵무기 시설 완전 파괴, 생화학무기 시설 50% 파괴
   - o 콩크리트 비행기 격납고 70여개 파괴 (30여개 잔존 추정)
     - 레이저 유도 I-2000 Smart탄의 성공적인 격납고 파괴 Video로 입증
   - o 쿠웨이트내 병참 시설 완전 파괴
     - 쿠웨이트내 이라크군 병참 지원 체제에 막대한 타격 예상
     - 전략적 폭격 계속으로 이라크로부터의 보급량도 90% 격감 (종전 1일 트럭 1,000여대 물량에서 100여대로 감소)

0114

政府綜合廳舍 810號 電話 : 730-8283/5, 730-2941. 6. 7. 9, (구내)2331/4, 2337/8 Fax : 730-8286

110

112

111
110

3. 해 전

o 영해군, 이라크군 4척 격침, 12척 파손

- 해상전 주도권도 다국적군이 장악하고 있다고 주장

o 미해병, Umm Al Maradim섬 점령 성공(두번째 쿠웨이트섬 점령)

- 대공포대, 탄약저장고 및 통신 체제 파괴

- 이라크군 저항없이 탈환

4. 양측 피해 상황 (1.29. 현재)

가. 다국적군 발표

o 다국적군 전투기 피해 : 총 24대

- 전투중 격추(19) : 미 12, 영 5, 쿠웨이트 1, 이태리 1

- 비전투 사고(5) : 미 3, 영 1, 사우디 1, (미헬기 3대는 별도)

o 미군 10명 비전투 사망 (전쟁전 105명)

o 실종 17명 (미 8, 영 8, 이태리 1), 포로 확인 11명 (미 7, 영 2, 이 1, 쿠 1)

o 이라크군 피해 : 전투기 50대 격추, 110명 포로

나. 이라크군 발표

o 180대 이상 격추, 20명 이상 포로

o 민간인 101, 군인 90명 사망, 민간인 191명 부상

II. 戰費 追加 分擔

1. 대미 지원

o 총 액 : 417.8 억불

o 사우디 135억불, 쿠웨이트 135억불, 일본 90억불, 독일 55억불, 한국 2.8억불

o 미국은 3개월간 총 600억불로 전비 계산, 이중 450억불을 연합국이 부담하고 150억불 미국 부담 희망

2. 영국에 대한 지원

o 미국지원 전비를 재분받을 경우 미국의 용병 역할 비난 우려

o 개별적으로 독일, 일본, EC 및 중동제국에 지원 요청 (목표액 : 미국지원액 10%)

o Hurd 외무장관 독일 방문 (1.30)

- 독일로부터 8억 마르크(5.33억불) 현금지원 및 기타 물자지원 약속 획득

※ 독일, 이스라엘에도 10억 마르크(6.66억불) 상당 지원

0115

111

111
113

o 영국의 전비 부담 현황
  - 전쟁 발발전 10억 파운드(19억불, 영 국방비 5%) 지출
  - 개전초기 2억불 상당 장비 지출
  - 토네이도 6대(대당 4천만불) 피격 손실
o 현재까지 타국의 영국 지원 현황
  - 독일, 병력 및 장비 수송 부담 및 군장비 구입 차관 제공
  - 중동제국, 주둔 영국군 체재 비용 부담

Ⅲ. 各國 動向

1. 미 국
   o 이라크의 제2차 원유 방류 비난 및 폭격 경고
     - 1차 방류 규모 : 길이 80㎞ 폭 20㎞, 700-1,100만 배럴 추정
2. 소 련
   o 소련 언론, 미국이 이라크 파괴를 시도하여 중동지역에서 항구적인 우위 확보를 추구하고 있다고 비난
     - 지금까지의 착실한 미소 협력관계가 깨어질 가능성 있음
     - 이러한 소언론 논조는 이라크와의 공동 방위 조약 이행을 촉구하며 반미 참전까지 주장하고 있는 소련 군부 강경파의 압력에 고르바초프 대통령이 굴복하고 있음을 반영한다고 보임
     - 미국은 이에대해 계속 이라크 파괴 의사 없음을 천명
   o 바그다드 주재 외교관 32명 이란 대피 (1.30)
     - 현재 바그다드 잔류 외교관 13명, 기자 6명 (이라크정부 출국비자 발급 거부)
     - 지난주 97명의 소련 전문가 이란 기대피
       ※ 전쟁전 8,000여명 소련인 바그다드 체재
3. 이 라 크
   o 미소 외상 공동 성명 휴전제의 거부
   o 후세인 대통령이 직접 1.30. 성공적인 이라크의 지상군 작전 계획 수립했다고 발표
4. 이 란
   o 유엔에 국제적십자사 감시하에 대이라크 식량공급 허가 요청
     - 리비아 적십자사도 식량, 의류, 의약품 제공 희망
     - 국제 적십자사는 이란의 이라크 식량 제공과 이라크 억류 다국적군 포로들의 국제적십자 등록 문제 연계 시도 가능성

0116

112

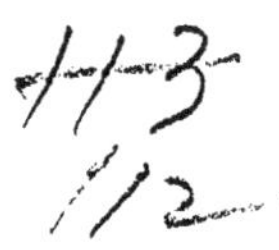

5. 이 집 트

o 무바라크 대통령, 사우디 방문

- 이라크 철군 선언시 즉각 휴전 약속 (사우디 국왕과 공동 성명)
- 수단의 아스완댐 공격설 경고
  (이라크, 수단에 미사일 및 전투기 배치설 있음)

6. 이 태 리

o 걸프지역 해군 사령관 사임 발표

- 1.30. 잡지 기자회견시 다국적군의 전쟁 개시는 잘못이라고 언급

※ 이태리 참전 현황 : 토네이도 전투기 10기, 전함 5척

7. 영 국

o 이란 대피 이라크기, 자유로운 이란 영공 출입설 (SKY TV News)

Ⅳ. 테러 動向

1. 레 바 논

o 카타르 대사관 폭탄 폭발

- 레바논 12번째 테러, 사상자 없음

Ⅴ. 經濟 動向

1. 주 가

o Dow Jones : 50.50 포인트 상승 (2713.12 : 5개월내 최고 수준)

2. 유 가

o 뉴욕(Light) : 0.88불 하락 (20.97 불)

0117

113

정리보존문서목록					
기록물종류	일반공문서철	등록번호	2021010228	등록일자	2021-01-28
분류번호	721.1	국가코드	XF	보존기간	영구
명 칭	걸프사태 : 일일보고, 1990-91. 전4권				
생 산 과	북미1과/중동1과	생산년도	1990~1991	담당그룹	
권 차 명	V.3 일일보고, 1991.2-3월				
내용목차					

0001

113
115 44

外務部 걸프事態 非常對策 本部

題 目 : 日日 報告 (36)

1991. 2. 1 06:00

작성자 : 유시야 과장

I. 戰 況

1. 다국적군, '카프지' 재탈환 발표
   - o 미국 헬리콥터의 지원을 받은 사우디군과 쿠웨이트군은 격렬한 전투 끝에 1.31 아침 '카프지'를 재탈환 했다고 발표
   - o 미측은 미군 11명 사망, 이라크군 포로 160명 생포 발표
   - o 이라크측은 이라크의 승리를 주장하면서, 이제 시작에 불과하며 금번 전투로서 전쟁의 방향을 바꾸어 놓았다고 발표
   - o 다국적군 사령부는 아직 본격적인 지상전은 시작되지 않았음을 강조하고, 본격적인 지상전 개시 시기와 방법에 대해 이라크에 말려들지 않겠다고 발표

2. 이라크, 이스라엘에 대한 미사일 공격 재개
   - o 1.31 저녁 이라크는 West Bank 지역에대한 SCUD 미사일 공격 재개
   - o 이스라엘 수상은 이라크의 화학무기 공격시 '보복자제정책' 변경 가능성 시사

3. 이라크 부수상, 이란 방문
   - o 1.31 사담 후세인의 측근인 '하마디'부수상이 이란 방문
   - o 동 방문은 이란이 이라크의 비행기를 전쟁이 끝날 때까지 돌려보내지 않겠다고 발표한 이후 이루어졌음이 주목됨

4. 기 타
   - o 이라크를 탈출한 난민들에 의하면, 미군 폭격이 완화된 후 바그다드는 어느 정도 정상 상태 회복하였다함 (기름배급 재개, 상가 개점등)
   - o 이라크군은 사우디-쿠웨이트 접경 Al-Wafra지역에 또다른 공격을 위해 병력 6만을 집결하였다고 보도됨

0002

政府綜合廳舍 810號 電話 : 730-8283/5, 730-2941.6.7.9, (구내)2331/4, 2337/8 Fax : 730-8286

o 이라크측, 바스라항에 대한 다국적군의 대규모 공습 시인함

o 1.31 바그다드에 외국인기자 20여명 재입국함

o 미국방성은 미군용기 1대가 격추되었다고 발표함

- 격추시기 및 기종등 상세한 내용을 밝히지 않았으나, 특별임무 수행기로 추측하고 있음.

Ⅱ. 各國 反應

1. '부시'대통령의 미국민 지지 유지 능력 우려

o '카프지'전투에서 미군 전사자가 다수 발생하기 시작함에 따라, 향후 대규모 사상자가 생겨날때 부시 대통령이 국민들의 지지를 계속 유지할 수 있을 것이냐에 대해 미의회는 우려 표시

o 민주당은 부시 대통령이 이러한 사태에 대비, 국민들이 대비할 수 있도록 조치를 취해야 할 것이라고 주장

2. 미.소 공동 성명 관련

o 미국무성 대변인은 이라크에 대한 평화 제스쳐로 해석된 1.30 미.소 공동성명이 부시 대통령과 베이커 국무장관간의 견해차이를 반영한다는 추측을 부인함.

o 이와 관련 ⅰ) 미국은 어떠한 정책의 변화도 없으며, ⅱ) 금번 전쟁과 이스라엘-팔레스타인 문제를 연계시키는 것을 수락했다는 보도도 강력 부인함.

3. 기 타

o 국제적십자사(ICRC) 이라크 입국

- ICRC는 1.31. 19톤의 긴급 의약품과 함께 4명의 ICRC요원이 이란으로부터 이라크로 입국하였다고 발표

o 요르단

- 요르단 외무장관은 미군이 요르단 국경부근 민간 목표물을 공습한데 대해 주요르단 미국 대사에게 강력 비난

o 독 일

- 이스라엘에 대한 무기 원조를 시작하였음을 발표하고, 독일의 이스라엘 지지 입장을 명백히 천명

- 겐셔 외무장관 이스라엘 방문시, 6억7천만불 상당의 무기지원 합의

0003

115

o 중 국

- 민간인 사망에 대해 동정표시
- 양측에 종전 촉구

Ⅲ. 僑民撤收 動向

1. 이라크 잔류 현대건설 직원소재

o 요르단주재 현대건설 지사는 1.19 제 2차로 파견된 요르단인 메신저가 가져온 1.27자 이라크 잔류 현대직원 명의의 서신을 1.31 수령

o 상기 편지 내용

- 잔류인원 13명 전원 무사하며 현재 바쿠바에 체류중임 (식량, 전기사정 양호)
- 제 3국인 42명과 함께 출국 수속을 위해 노력중이며, 이란 국경으로 출국 예정임

2. 기 타

o 1.26 이란으로 대피한 현대건설 직원 9명 1.31 예정대로 서울도착함.

o 제 4차 특별기 운항 일정

- 2.5 10:30 서울출발
- 2.6 09:50 젯다도착, 11:50 젯다출발
- 2.7 09:10 서울도착

Ⅳ. 經濟 動向

1. 주 가 (1.31)

런던 (FT-SE) : 17.7P 상승 (2,170.30)

뉴욕 (Dow Jones, 오전) : 11.13P 상승 (2,724.25)

2. 유 가

뉴욕 (Brent) : 0.38불 상승 (20.08불/B)

0004

116

116
-117

118

外務部 걸프事態 非常對策 本部

題 目: 日日 報告 (37)

1991. 2 . 1 .
14:00

작성자 : 김의기 과장

I. 전 황

1. 지 상 전

o '하프지' 전투

- 사우디, 카타르군 '하프지' 재탈환 선언 (미해병 지원)
- 이라크군 200여명 사상, 400명 생포 발표 (사우디 당국)
- 이라크 탱크 42대, 각종 차량 35대 파괴
- 현재 잔류 이라크군 생포 위한 수색중
- 다국적군측 이라크 공격은 무모한 자살행위 였다고 언급 (공군지원 전혀 없었음)

o 이라크 지상군 대규모 공격 감행위해 이동중

- 이라크군 15,000 여 병력, 1,000여대 차량 동원
- 다국적군 공군, 이라크 이동병력 대규모 폭격중

o 이라크군 미여군 생포 발표

- 미군당국 미여군 1명 실종 확인

※ 전체 미병력중 여군 비율 : 11%(196,055), 장교비율 11.2%(33,768)
사우디 주둔 병력중 여군 비율 : 8%(40,000여명, 비전투부대 배치)

2. 공 중 전

o 대규모 공습 계속 (32,600회 출격)

- 공군기지, 고속도로, 공화국 수비대 중점 공격

o 다국적군 C-130기 (전투 지휘, 통제기) 1대 격추 확인(14명 실종)

o 이라크군, 다국적군 58회 공습중 전투기 및 미사일 10대 격추 주장

o 영국, 미 B52 폭격기 Fairford 공군기지 (런던 서북부 112㎞) 사용 허가

- 중동기지 및 Diego Garcia 협소문제 해결 위한 방안
- 700여명 병력도 Fairford 이동 예정
- 불란서 영공 통과를 위한 협상 문제있음 시사

o 이라크, 대 이스라엘 제8차 미사일 공격 (1발)

- 피해없이 아랍거주 지역에 떨어짐
- 미군 당국, 방어지역 밖이라서 요격 시도치 않음

0005

政府綜合廳舍 810號 電話 : 730-8283/5, 730-2941, 6, 7, 9, (구내)2331/4, 2337/8 Fax : 730-8286

117

119

3. 해 상 전

o 영 헬기, 이라크 함정(엑조세 미사일 장착) 1척 및 소련제 수륙 양용차 1대 파괴

- 지난 3일간 10대 격침

4. 양측 포대 전력 비교

o 다국적군 우위점

- 레이저 유도에 의한 정확성
- 우수한 통제 시스템 보유
- 휴대용 radar (Global Positioning System, 위성과 교신 상대 부대 위치 파악 능력) 보유
- Fire-finder radar 장비 훨씬 우수
- 강력한 공군 지원
- 신속한 이동능력 보유

o 이라크군 우위점

- 긴 사정거리 보유 (39km, 미국:29km)
- 숫자상 우위 (4000, 미국: 1000 여문, 곡사포 제외)
- 생화학탄 사용 의지

5. 이스라엘-PLO 분쟁

o 3일째 양측 공방전 계속

o PLO, 다국적군의 이라크 공격 응징위해 이스라엘 공격 선언

- 남부 레바논 이스라엘 안전지역에 로케트포 공격

o 이스라엘은 Rashidiyeh 지역 PLO 난민 캠프 포격

o 양측 피해 상황

- 이스라엘 : 민병대 2명 부상
- P L O : 8명 사망, 17명 부상

II. 각국 동향

1. 이 라 크

o PLO에 대한 이스라엘 공격 촉구설

o 아지즈 외상, 제3세계 외상들에게 다국적군 비난 서한 발송

o 쿠르드 애국연맹, 약 13만 이라크군인 및 15만 민간인 북부 이라크 산악지방 도피 주장

0006

118

2. 이　　란

o Velayati 외상, 이라크 Hamadi 부수상(후세인 친서 휴대) 면담
  - 이란의 중립입장 재확인, 이라크 철군 촉구
  - 이란의 이라크 전투기 및 조종사 억류 방침 재확인

o 불란서 Sheer 외무차관, 알제리 Gozali 외상, 예멘의 Al-Dali 외무담당 국무상 이란 방문중
  - 이란과의 평화 해결 가능성 논의 예상
  - 불 외무차관은 이란의 중립 및 이라크 전투기 대피문제 제기 예정

3. 소　　련

o 이라크에 위성 정보 사진 제공설

4. 이스라엘

o 대법원, 아랍인 거주지역에도 방독면 지급 결정
  - 지금까지 이스라엘 당국은 아랍지역은 이라크 공격 목표가 아니라는 이유로 전체 지급 조치 유보(현재 아랍인에는 40,000여개만 지급)

5. 유　　엔

o 마그레브 5개국 및 예멘, 쿠바, 수단이 주장한 안보리 공개회의 개최 요구 거부

Ⅲ. 테러 및 반전 시위 동향

1. 테　　러

o 예멘주재 미대사관 총격, 일본 및 터키 대사관저 다이너마이트 투척

o 전쟁이후 70여건의 테러 발생

2. 반전 시위

o 알제리 수십만 회교 원리주의자 성전 수행 주장 시위
  - 이라크 지지자 훈련 캠프 설치 주장

Ⅳ. 경제 동향

1. 유　　가

o 뉴욕(Light) : 0.57불 상승 (21.54 불)

2. 주　　가

o Dow Jones : 23.27 상승 (2736.39)

0007

119

外務部 걸프事態 非常對策 本部

題 目 : 日日 報告(38)

1991. 2 2 06:00
작성자 : 김의기 과장

I. 전 황

1. 지상전

ㅇ '하프지' 전투 간헐적 계속

- 사우디군의 완전 철수 장악 발표에도 불구 이라크군 계속 항전 확인
- 이라크군 탱크 33대, 장갑차 28대 파괴
- 이라크군 30여명 사망, 500여명 생포 발표
- 사우디군 및 카타르군 비조직 노출(미병사들 관측)
- 서방 기자단, 전반적 상황에 대한 혼란상 불만 토로
- 사망 미해병 일부 미공군기 발사 미사일에 사망했을 가능성 조사중 (미 당국)

ㅇ 이라크 4개 기계화 여단 사우디 국경 이동(4,500병력 추정)

- 다국적군, 계속적 공습 감행(100여대 탱크 파괴)

ㅇ 이라크군 사우디 국경 2군데 돌파 공격 감행

2. 공 중 전

ㅇ 대규모 공습 지속(2.1 2500여회 출격, 연35,100회)

- 지휘, 통제, SCUD 발사대, 공화국 수비대 및 탱크, 장갑차 등 지상군 공격 무기(300여회 출격 대상) 공격
- 공화국 수비대에 대해 B52 5회 포함 500여회 출격 공격 감행

ㅇ 이라크 SCUD 미사일 공격 격감

- 다국적군의 공격 성공적 진행 반영

3. 해 전

ㅇ 영미해군, 이라크 함정 3대 격침

ㅇ 다국적군, 이라크 해군 20명 생포 발표

ㅇ 불란서, 소해정 3척 및 병참 지원선 1척 추가 파견 발표

0008

政府綜合廳舍 810號 電話 : 730-8283/5, 730-2941, 6, 7, 9, (구내)2331/4, 2337/8 Fax : 730-8286

122

4. 이스라엘-PLO 분쟁

- 양측 공방전 4일째 계속(제2의 걸프 전선화)
- PLO, 이스라엘 안전지역에 소제 로케트포 13발 공격
- 이스라엘, 300발 포격 감행

Ⅱ. 각국 동향

1. 이라크

- 부쉬 대통령, 미테랑 대통령, 메이저 총리, 파드국왕의 전쟁에 대한 개인적 책임 추궁 협박
- 포로들에 대한 전범 취급 선언
- 하프지 전투 승리 선전으로 이라크국민 사기 재충전 확인(요르단 난민 전언)
- 다국적군 발사 Tomahawk Cruise 미사일 민간지역 공격 비난

2. 미 국

- 부쉬 대통령, 남부 3개 미군 기지 방문
- 퀘일 부통령, 영국 방문중 핵무기 사용 가능성 불배제 및 전후 미군의 사우디 주둔 계속 시사
- 북한의 이라크 SCUD 미사일 공급설에 대한 우려 표명 및 유엔 대이라크 금수 결의 준수 촉구

3. 소 련

- 외무성 대변인, 소련의 걸프전 미국 지지 및 미국의 소련 발틱 공화국 진압 비난 자제 미·소 양국 묵계설에 대해 공식 부인
  - 종전 위한 외교적 노력 계속추진 의사표명

4. 이스라엘

- 군 참모총장, 이스라엘의 계속적인 보복 자제 시사
  - 이라크의 화학전 감행 능력 의문 표시
  - 이란의 이라크 대피 전투기 반환 가능성 주의 환기

0003

5. 시리아

ㅇ 이라크에 미소 외상 공동 성명 휴전 제의 수락 촉구

6. 이 란

ㅇ 2.1을 이라크 국민을 위한 동정의 날로 선포(구호 성금 모금)

7. 말레이시아

ㅇ 요르단에 난민 지원기금 37,000 불 지원 발표

ㅇ 회교도 2,500여명, 반미 참전 자원 선언

8. 홍 콩

ㅇ 미국의 비공식 요청에 대해 2,900만불 지원 결정 발표

Ⅲ. 평화해결 노력

1. 인도 Shukla 외상, 중국 방문

ㅇ 비동맹 평화안을 중심으로 걸프전 해결 방안 논의

ㅇ 추후 유고 방문, 유고, 알제리, 베네수엘라 외상과의 회담 참가 예정

- 외무 차관은 알제리 및 짐바브웨 방문

2. 알제리 특사, 중국 방문 친서전달(1.28)

Ⅳ. 교민철수 동향

1. 이라크 잔류 현대 인원

ㅇ 잔류 인원중 2명(김규문, 이영일) 1.31 19:00 이란 국경지역 호스라비 도착 확인

ㅇ 이란 대사관 직원 또는 현대측 인수예정

2. 요르단 주재 MBC 특파원 4명 철수

ㅇ 현재 요르단 주재 특파원 총8명(KBS2, MBC2, 한국, 조선, 동아, 경향1)

3. 사우디 항공기운항 증가 조치

ㅇ 제다-봄베이 주4회, 제다(리야드)-뉴델리 주1회, 제다-리야드 1일4회, 제다-카이로 1일 2회, 리야드-런던 1일1회, 제다-파리 주2회, 리야드-파리 주1회, 제다(리야드)-다카 주1회, 제다-싱가폴 주3회, 리야드-싱가폴 주1회.

0010

122

122
123

124

外務部 걸프事態 非常對策 本部

題 目: 日日 報告 (39)

1991. 2. 2. 14:00

작성자 : 신국호 과장

I. 전황 및 각국 반응

1. 사우디군, '하프지' 전투 결과 발표
   - o 이라크군 30명 사망, 400명 포로
   - o 사우디군 15명 사망
   - o 한편 이라크는 이라크군이 '하프지'로 부터 철수했다고 발표하였음
2. 미국, 지상전 조기개시 가능성 배제
   - o 2.1. 부시 대통령은 지상전은 필요한 경우에만 미국의 계획에 따라 개시할 것이라고 발표
   - o 미군 사령부도 '하프지' 전투에도 불구하고 성급한 지상전은 시작하지 않을 것이라고 발표
3. 아라파트 PLO 의장 기자회견 요지
   - o PLO 가 이스라엘을 공격하라는 사담 후세인의 지시를 받았다는 보도를 강력 부인
4. 불란서, 미국 폭격기 영공 통과 허용
   - o 불란서는 영국 주둔 B-52 미국 폭격기가 이라크 폭격을 위한 불란서 영공 비행 및 재급유를 허용했다고 발표
   - o 또한 상기 조치는 걸프전 기간중 재래식 무기만을 운반할 경우에 한한다고 조건을 붙임.
5. 기 타
   - o 이란은 다국적군 전투기가 이라크 공격을 위해 이란 영공을 통과했다는 이라크측 보도 부인
   - o 이란과 알제리는 사태의 평화적 해결을 위해 적대행위를 즉각 중지할 것을 공동 발표 (2.1.)

0011

政府綜合廳舍 810號 電話 : 730-8283/5, 730-2941.6.7.9, (구내)2331/4, 2337/8 Fax : 730-8286

133

123 124 125

Ⅱ. 교민 철수 동향

1. 이라크 현대 직원 1명, 이란 추가 철수
   - 이라크 잔류 현대직원 양동수가 한국시간 2.2. 00:00시경 (현지시간 2.1. 18:30) 제3국인 근로자 44명과 함께 이란 국경도시 코스라비에 무사히 도착함.
   - 동인들은 오늘중 바크타란으로 이동, 1.31. 철수한 2명과 함께 테헤란으로 이동 예정임.
   - 이로써 현대소속 이라크 잔류자는 10명으로, 전원 바쿠바에 안전하게 대피중인 바, 현지인과 결혼 예정인 2명을 제외한 8명이 철수할 것으로 예상됨.
2. 제4차 특별기 운항 일정 조정
   - 제4차 특별기 2.6. 11:50 젯다 도착, 13:50 젯다 출발, 2.7. 11:20 서울 도착으로 조정됨.

Ⅲ. 경제 동향

1. 유가 (2.1.)
   - 뉴욕 (Brent) : 0.39불 하락 (20.87불/B)
2. 주가 (2.1.)
   - 뉴욕 (Dow Jones) : 5.7 P 하락 (2730.7 P)
   - 동경 (Nikkei) : 136.4 P 하락 (23,156.7 P)
   - 런던 (FT-SE) : 2.1 P 상승 (1694.0 P)

0012

134

124
925

126

外務部 걸프事態 非常對策 本部

題 目: 日日 報告 (40)

1991. 2.3. 06:00
작성자 : 신국호 과장

I. 戰 況

1. 쿠웨이트 주둔 이라크 지상군 전력 건재
   - o 미 국방부 고위관리, 이라크의 '카프지' 공격 실패 및 다국적군의 대규모 공습 불구 이라크군 전력 건재하다고 평가
   - o 이라크 지상군, 쿠웨이트 국경지대 (Wafra) 집결 계속
   - o 다국적군의 집중 폭격 및 간헐적 전투 계속중
2. 전과 및 피해 (2.2. 다국적군측 발표 내용)
   - o 이라크군 탱크 33대, 장갑차 26대 격파
   - o 거의 모든 이라크 순시선 파괴로 이라크 해군 전투력 무력화
   - o 이라크 전함 1척 이란 영해 대피 (이라크 해군 포로, 함선을 종전시까지 이란으로 대피시키도록 지시 받았다고 진술)
   - o 미군 비행기 2대 피격 (현재까지 다국적군기 피격 총22대)
   - o '카프지' 전투에서의 사상자 (사우디군 당국 정정 발표)
     - 사우디군 : 사망 18, 부상 29, 실종 4
     - 이라크군 : 사망 30, 부상 37, 포로 429
3. 이라크의 휴전협상 제안 가능성
   - o 후세인이 갑자기 휴전 제의 가능성 있다고 추측 (요르단 주재 서방 외교 소식통)
   - o 이라크측은 휴전 협상에 유연한 자세임을 확인 (바그다드 방문 PLO 대표단)
   - ※ 이란 방문 이라크 부수상 귀국 (2.2.)
     - 이란 대피 이라크 공군기 복귀문제 타결 실패로 추측

II. 心情的 親이라크 國家 動向

1. 이란 중립입장의 가변성
   (불란서 언론인, 이란의 중립입장고수표명 불구 가변적라고 분석)
   - o 이라크 패망시 서방측의 차기 타도 표적이 이란일 가능성에 대한 대비

0013

政府綜合廳舍 810號 電話 : 730-8283/5, 730-2941. 6. 7. 9, (구내)2331/4, 2337/8 Fax : 730-8286

135

125
126

127

o 역사적인 숙적 터키가 서방측 지원으로 이란에 직접적인 위협이 될것이라는 우려에서 기인한 대서방 반발

o 따라서 유사시 국내 회교 원리주의자들의 요구를 구실로 이란이 중립을 파기하고 이라크에 가담할 가능성 배제 못한다고 판단

2. 리비아의 이라크 지원 참전 희박

o 카다피, 1.30. 대학생들과의 면담시 리비아의 이라크지원참전요구 거부

o 이는 리비아의 이라크 가담 방지를 위해 노력해온 무바락 대통령의 설득 외교의 성공을 의미

3. 이란, 알제리, 예멘 외상들 협의 (2.1. 테헤란)

o 2.11.-12. 벨그라드 비동맹 회의시 (비동맹 15개국 외상 회합예정) 이라크군과 다국적군의 동시 철수안 본격 논의할 것 주장

4. 북한의 대이라크 Scud 미사일 공급 부인

o 미국의 조작 및 왜곡 선전이라고 주장

Ⅲ. 多國籍軍 派遣國 動向

1. 미 국

o Bush 대통령, 2.3.을 「걸프전 참전 미군을 위한 기도의 날」로 선포

2. 불 란 서

o 대통령 특사 (Sheer 외무차관) 이란 방문 (2.1.)

o 이라크의 중립견지 및 이라크 공군기 계속 억류 요망

3. 시 리 아

o 독일의 대이스라엘 군사원조 비난

o 미사일 공격으로 이스라엘의 입지만 강화시킨다고 이라크도 비난

4. 이 집 트

o 이스라엘이 이라크 보복 공격하더라도 이집트는 쿠웨이트 해방을 위한 다국적군에 계속 남을 것임. (무바락 대통령)

o 이스라엘의 요르단내에서의 어떤 목적 달성도 불허할 것임. (대통령 정치 담당 특보)

Ⅳ. 僑民 待避 및 安全 現況

1. 현대건설 근로자 이란 대피

o 1.31.자 이란 입국 아국인 2명 신병 인수 (한국시간 2.2.)

0014

136

126
127

128

o 2.2. 오후 1명 추가 인수 계획

o 2.2. 현재 이라크에 11명 잔류

2. 요 르 단

o 2.1. 아국 기자 4명 (KBS, 동아, 한겨레) 요르단 입국

o 2.1. 현재 아국기자 총12명 체류

3. 이스라엘

o 2.2. 현재 아국교민 66명 특파원 9명 전원 무사

4. 제4차 특별기 운항 조정 일정

o	2.5.(화)	22:30	서울 출발
o	2.6.(수)	08:20-09:20	아부다비 도착 / 출발
o	2.6.(수)	11:50-13:50	젯다 도착 / 출발
o	2.7.(목)	11:20	서울 도착

V. 기 타

1. 아국 추가 지원에 대한 반응 (2.2. 주요르단 대사 보고 및 건의)

o 아국 추가 지원 내용, 요르단 TV 및 언론에 크게 보도

o 요르단 일부 언론인 및 친한인사들, 한국이 구태여 타국보다 앞장서 아랍인 감정 자극할 필요가 있는지 반문하며 우려 표명

o 주요르단 대사 건의사항

- 아랍인의 반한감정 고조시 아국인도 테러 대상 포함 가능성 우려
- 아국 지원 보도시 신중한 조치 요망

2. 해상 유출 원유관계

o 유출 원유 제1파

- 사우디 동북부 해안에 길이 100마일 형성, 1100만 배럴 유출 추정
- 리야드 식수 3/4 공급하는 주베일항 담수화 공장 아직 가동중

o 유출 원유 제2파

- 길이 48마일 폭8마일 형성. 끝.

0015

137

外務部 걸프事態 非常對策 本部

題 目 : 日日 報告 (41)

1991. 2 4
06:00

작성자 : 강선용 과장

I. 戰 況

1. 다국적군 공습(2.3. 2,500회)
   - ㅇ 공습으로 이라크군의 쿠웨이트 국경 대규모 집결 저지
   - ㅇ 쿠웨이트-사우디 국경지대 전투 소강상태
     - 이라크 육군 수비태세 전환(이라크 해.공군 공격없음)
   - ㅇ 이라크내 보급기지인 바스라시등 동남부 공습
     - 유전, 정유시설 및 연료, 보급창 집중 폭격
     - 스커드 발사대 1기 파괴
   - ㅇ 미 B-52 폭격기 1대 인도양에 추락
2. 이라크의 미사일 공격
   - ㅇ 미사일 발사횟수 감소 및 정확도등 공격능력 저하
     - 사우디 리야드에 발사된 미사일 요격(파편 부상 29명)
     - 이스라엘에 발사된 2발의 미사일중 1발은 팔레스타인 난민 거주지역에 낙하, 다른 1발도 목표이탈
3. 이라크, 시리아의 미군 조종사 미국 인계 주장
   - ㅇ 바그다드 라디오, 이라크 대공포에 맞아 시리아에 낙하한 미군 조종사 7명을 시리아 정부가 미 대사관에 인계 주장
   - ㅇ 시리아 및 미국은 허위 보도라고 부인
4. 양측 전과 및 피해(1.17-2.2간)
   - ㅇ 다국적군 발표
     - 총 37,600회 출격
     - 이라크군 30명 사살, 포로 630명
     - 이라크 전투기 59대 격추
     - 전투기 27대 상실 (작전중 22대)
       미국 15, 영국 5, 쿠웨이트 1, 이탈리아 1
     - 미군 12명 사망, 실종 32명, 포로 12명

0016

政府綜合廳舍 810號 電話 : 730-8283/5, 730-2941.6.7.9, (구내)2331/4, 2337/8 Fax : 730-8286

o 이라크측 발표

- 다국적군기 180대 이상 격추
- 다국적군 포로 20명 억류
- 이라크군 90명 사망
- 민간인 320명 사망, 400명 부상

Ⅱ. 各國 動向

1. 미 국

o 체니 국방장관, 이라크의 화학 무기 공격시 이스라엘의 비재래식 무기 (핵) 대응 가능성 시사

o 전국적으로 걸프전 지지 시위, 집회 개최

- 2.3 '걸프전 참전 미군 기도의날' 지정

2. 이라크

o 후세인 대통령, 전선 사령관들에 화학무기 사용 재량권 부여설

o 미국 평화운동가 Clark(전법무장관) 2.3 바그다드 도착, 후세인 대통령과 면담 예정

3. 이스라엘

o Arens 국방장관, 이라크 미사일 공격에 대해 이스라엘의 보복재확인

4. 일 본

o 90억불 다국적군 추가지원 실시 난항

- 야당은 자위대 군용기 파견 및 군사지원 강력 반대
- 국회통과를 위한 정치권내 협상 진행중

5. 요르단

o 난민 수송을 위한 일본 자위대 군용 수송기 착륙 보장

6. 북 한

o 이라크의 쿠웨이트 철수를 촉구

o 미국은 걸프전을 중동내 군사기지 강화기회로 이용해서는 안됨

0017

13P

129

1311-3-0

Ⅲ. 平和 解決 努力

1. 예멘 대통령 특사, 터키 방문
   - ㅇ 예멘 평화안에 대한 터키 정부협조 요청, '외잘' 대통령은 평화 선행 요건으로 이라크의 쿠웨이트 철수강조

2. PLO 의장 특사, 인도 방문
   - ㅇ 걸프전 해결을 위한 인도의 적극적인 비동맹 운동촉구
   - ㅇ PLO는 쿠웨이트의 완전한 주권회복을 희망

3. 이집트 외무장관, 휴전을위해 이라크의 쿠웨이트 철군 촉구

Ⅳ. 僑民撤收 動向 (2.3 現況)

1. 이라크 철수 현대 근로자 양동수 바크타란 도착(2.3한국시간 0시)
   - ㅇ 2.1 바크타란에 기도착한 현대직원 2명과 함께 2.5 테헤란 경유 2.6 귀국 예정
   - ㅇ 잔류 현대 근로자 10인중 9인 (현지인과 결혼한 1인은 타지 대피) 은 이라크 국경에서 5㎞ 지점에 소재한 마을에 안전 대피중 (양동수 제보)

2. 요르단 : 2.3 특파원 3명 철수, 특파원 총 9명 잔류중

3. 이스라엘 : 교민 전원 무사

※ 첨 부 : 걸프지역 체류교민 철수 현황

Ⅴ. 테러 動向

1. 예 멘
   - ㅇ 프랑스 대사관에 폭탄테러, 건물 손상 (인명피해 없음)

   ※ 한국, 내무부 장관 주재로 테러대책 실무위 소집(2.3)

0018

120

132

外務部 걸프事態 非常對策 本部

130
131

題 目: 걸프地域 滯留僑民 撤收現況 1991.

(91.2.4. 06 時 現在)

國 別	總 員 (91.1.5)	旣撤收者 (括弧는 KAL特別機)	殘 留 者	備 考
사 우 디	4,980	997 (859)	3,983	※ 2.3 僑民 7名 個別 出國
이 라 크	96	85 (37)	11 (現代所屬 10 公館雇傭員 1)	
쿠 웨 이 트	9	0	9 (個人事業上 殘留希望)	
요 르 단	66	45 (16)	21	※特派員 9名 取材活動中
바 레 인	335	102 (48)	233	
카 타 르	82	16	66	
U. A. E	650	227	423	
이 스 라 엘	113	50	63	※2.3僑民3名 歸國(豫定) ※特派員 9名 取材活動中
總 8 個國	6,331	1,522 (960)	4,809	

0019

政府綜合廳舍 810號 電話: 730-8283/5, 730-2941.6.7.9, (구내)2331/4, 2337/8 Fax: 730-8286

12

1

131
132
133

外務部 걸프事態 非常對策 本部

題 目： 日日 報告 (42)

1991. 2 4 14:00
작성자 : 유시아 과장

I. 전 황

1. 다국적군 공습 계속
   - o 지상전 개시를 위한 전술 목표 중점 공격
     - 공화국 수비대, 쿠웨이트내 전투병력 및 장비, 보급로등
   - o 토네이도 전폭기(영국, 이태리, 쿠웨이트) 공격 임무 변경
     - 저공 비행으로 인한 피격 가능성이 높은 공군기지 공격에서 보급로 저장고, 병력등 공격으로 임무 변경
     - 이라크 서부 원유 생산시설 2개소 파괴
   - o 다국적군 비행기 3대 파손
     - B52 1대 임무 완수 귀환중 기계고장 추락, 승무원 6명중 3명은 구조, 3명은 실종 (월남전시 B52 추락대수 : 29)
     - AH-1 Cobra 헬기 추락 2명 사망
     - UH-1 Huey 헬기 추락 4명 사망
     - ※ 전쟁 개시후 총 30명 사망 집계
   - o 다국적군, 공중전 및 해상전에서 주도권 완전 장악
   - o 미전폭기, 이스라엘에 대한 제10차 미사일 공격 이라크 발사대 발사즉시 즉각 포착 파괴
2. 지 상 전
   - o 지상전 개시 향후 10-20일 더 소요 예상(LA Times)
     - 이라크 전투 차량 및 장비 50% 파괴 확인시 개전
     - 독일주둔 미 7사단 배치 완료
   - o 하프지 전투시 사망한 미해병 11명중 7명은 미전투기 발사 미사일에 의해 사망됨이 확인 (미군 발표)
   - o 이라크, 제3차 원유 방류 개시설

0020

政府綜合廳舍 810號 電話：730-8283/5, 730-2941.6.7.9, (구내)2331/4, 2337/8 Fax：730-8286

162

3. 이라크 민간인 피해 문제

o 알제리 고잘리 외무장관, 수천여명의 이라크 민간인 사망 주장

o 이라크 당국은 현재까지 320명 사망, 400명 부상이라고 발표

o 미당국, 상당부분 이라크 민간인 피해는 이라크의 비효율적인 대공포화에 의한 것일 것이라고 주장

Ⅱ. 각국 동향

1. 미 국

o 국무부, 요르단 체류 전미국인에게 즉각적인 철수 촉구

- 대사관 필수요원외의 공관원 가족 포함한 전미국인 대상

o Dinkins 뉴욕시장, 연대감 표명차 이스라엘 방문

2. 요 르 단

o 후세인 국왕, 친이라크 태도 희석 (이집트 언론)

- 후세인 대통령의 쿠웨이트 탈취 자산 분배 약속 불이행

- 후세인왕의 중재 노력에 대한 이라크의 무반응

- 다국적군에 유리한 전세 전개

o Hassan 왕세자, 이라크의 석유와 요르단의 식량 교환 사실 시인

- 사우디 국경 폐쇄에 의한 불가피한 자구책 주장

- 이라크가 항복없이 끝까지 싸우리라 예상하고 전후 아랍 전반의 반미 감정 격화 예상 주장

3. 알 제 리

o 고잘리 외무장관, 이라크기 100여대 이상 이란 대피 주장 (이란 방문후 발언)

- 이라크, 이란간 민간 항공기 대피에 관한 합의는 존재, 그러나 전투기 대피는 양국간 합의없이 급박하게 이루어진 것임

4. 네덜란드 걸프전 지원 현황

o NATO 요청에 따라 터키에 대공미사일 2개 포대 추가 지원

- Patriot 미사일 2개 포대는 전쟁전 기배치

o 소형 구축함 2척, 지원선 1척 다국적군 참가중

o 소계정 2척, 해상경보정(Orion) 2척 지중해 활동중

o 현재까지 1억 8,000만불 상당 다국적군 재정 지원

o 부시 대동령, 방미(1.31) Broek 외상에 깊은 사의 표명

0021

5. 이 집 트

- o 야당, 이라크 파괴 미국 비난 및 즉각 휴전 선언 촉구
- o 22,000 여명의 난민 카이로 대피(요르단 아카바항 경유 선박 대피)
  - 이라크인 14,000, 이집트인 12,000, 베트남인 887, 수단인 730, 타이인 103등

6. 일본의 중동정책

- o 일본은 1973년 1차 석유 파동이래 중동정책에 관한한 미국과는 별개의 정책 추구
  - 전체 도입 원유중 중동산 70% 점유
  - 이란, 이라크 포함한 모든 중동국가와 우호관계 유지노력 (대규모 경제 원조)
  - PLO 사무실 동경 유지 허용
  - 이스라엘과의 통상 자제
- o 금번 걸프전쟁을 계기로 미국과 유착, 아랍권의 반목 가능성 우려
  - 이라크와의 우호관계 상실
  - 이란, PLO와도 관계 소원해질 가능성 있음
- o 또한 전쟁이 장기화되어 사상자가 많아질 경우, 미국으로부터 전후 복구사업에만 인력 투입코자 하는 '돈만 대는 동맹국(Checkbook ally)' 으로 비난받을 가능성도 있을 우려
  - 미행정부, 일본의 전후 중동 전후 복구사업 환영 의사 표명에도 불구하고 미의회는 일본의 참여 제한 주장할 가능성 있음
- o 이와같이 걸프 전쟁으로 일본의 기존 중동정책 기조가 완전히 흔들려 진퇴양난의 어려움에 빠질 가능성이 있으나 일본은 전후 더욱 긴밀해질 것으로 예상되는 사우디, 쿠웨이트와의 관계를 토대로 대중동 외교 발판을 마련하고 금번 전쟁으로 피해를 본 기타 피해 아랍국가들에게는 대규모 복구사업 원조를 통해 종전의 선린 관계를 유지코자 노력할 것임

Ⅲ. 테러 동향

- o 예멘 주재 이태리 대사관 수류탄 투척
  - 예멘주재 미국, 일본, 터키 대사관(1.31), 불란서 대사관(2.2)에 이은 5번째 주예멘 외국 대사관 테러
  - 전쟁 발발후 80번째 테러

0022

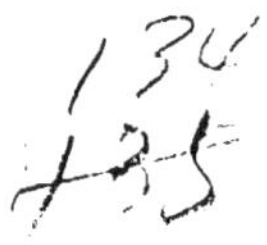

136

外務部 걸프事態 非常對策 本部

題 目: 日日報告 (43)

1991. 2. 5. 06:00
작성자 : 유시야 과장

I. 戰 況

1. 다국적군 공습
   - ㅇ 전략목표물에 대한 공격 계속
   - ㅇ 25-35개 주요다리 및 도로파괴
   - ㅇ 미전함 "미조리"호, 쿠웨이트 영내에 첫 포격개시(2.4), 동전함은 한국전 참전이후 처음으로 전쟁에 참가중
2. 양측 전과 및 피해
   - ㅇ 다국적군측 주장
     - 총 40,000회 출격
     - 99대의 이라크 공군기 지상에서 파괴
     - 27대 격추, 89대 이란 피신
   - ㅇ 이라크측 주장
     - 다국적군 공군기 9대 격추(2.4)

II. 各國動向

1. 영 국
   - ㅇ 허드 외상, 브러셀 EC 외상회담에서 4개주요 전후목표(쿠웨이트 회복, 걸프지역 약소국 보호보장 신구조 형성, 아랍·이스라엘 문제 해결, 새로운 통제질서 수립)를 수반하는 중동안보계획 발표 예정
2. 이 란
   - ㅇ 라프산자니 대통령 기자회견
     - 터키의 걸프전 개입시에도 중립유지 표명
     - 주이란 스위스대사관 통해 미국관리와 수차례 접촉, 후세인 이라크 대통령에게 걸프전의 외교적 해결방안 기제시 언급
     - 양당사자간의 대화위한 중재 의향 시사
     - 이라크 공군기가 이란측의 저항에도 불구, 허가없이 이란영내에 착륙했다고 주장(현재 13대 억류중 주장)
       (제네바의 "La Suisse" 지는 90.8. 이·이양측간에 체결된 비밀 협정에 의해 이라크 공군기가 이란 영토에 착륙했다고 보도)
   - ㅇ 이란인의 사우디내 성지순례문제 해결을 위해 사우디측과 협의할것을 언급

0023

政府綜合廳舍 810號 電話 : 730-8283/5, 730-2941, 6, 7, 9, (구내)2331/4, 2337/8 Fax : 730-8286

3. 미 국

ㅇ 체니 국방장관, 대이라크 핵공격은 자제하지만 이라크측의 화학무기 사용시 광범위한 대응방안 강구 시사

ㅇ 피츠워터 백악관 대변인, 최근 이란이 제의한 걸프전 해결방안에 대해 이라크의 철수가 유일한 해결방안임을 언급(2.4)

4. 이라크

ㅇ 자국 공군사령관의 처형을 부인(2.5)

ㅇ 아지즈 외무장관, 유엔사무총장이 다국적군의 이라크 공격에 침묵을 지키고 있다고 비난

5. 소 련

ㅇ 벨로노코프 외무차관, 걸프전 문제협의위해 2.5.이란 방문예정

ㅇ 걸프전 해결위해서는 이라크군의 쿠웨이트 철수가 선행되야 한다는 종전입장 재확인

6. 불란서

ㅇ Pierre Joxe 신임 국방장관, 불란서군 격려차 사우디방문(2.4), 사우디 국방장관과 회담예정

7. 유 엔

ㅇ 케야르 사무총장, 이란이 걸프전 해결위해 좋은 입장에 있으며 최근의 중재노력에 환영의 뜻 표명

8. 이스라엘

ㅇ 다국적군참가 아랍국가들의 전열을 흐트러뜨리지 않는 범위내에서 이라크의 스커드 미사일 및 발사기지를 파괴시킬 비밀계획 마련 (쥬이쉬 프레스지 2.4. 보도)

ㅇ 사미르 수상 2.4. 의회연설에서 이스라엘이 적절한 시기에 가서는 이라크를 공격할것임을 언급

9. 일 본

ㅇ 가이후 수상, 국회 예산위원회에서 90억달러의 다국적군 지원은 수송, 식량, 의약품등 인도적 대상으로 제한될 것임을 표명(2.4)

10. 터 키

ㅇ 오잘 대통령, 이라크 영토에의 욕심은 없으나 공격받을 경우 다국적군에 참가할 것이라고 표명

ㅇ 외무장관, 2.6부터 3일간 이란 방문예정

11. 쿠웨이트 망명 정부

ㅇ 다국적군이 쿠웨이트령을 수복할 경우 사용할 비자신청서를 언론인들에게 배포

12. 모로코

ㅇ 5개 야당 주도 30만명이상 이라크 지지 시위(2.3), 다국적군에 포함된 1,300명의 모로코군 철수요구

0024

146

13. 수 단

ㅇ 이라크를 지원하기 위한 13명으로 구성된 의료단 2.4. 이라크로 향발

14. 인 도

ㅇ 인도가 미국공군기의 재급유를 위한 시설을 제공해왔다는 보도부인

Ⅲ. 平和的 解決努力

ㅇ 파키스탄의 샤리프 수상, 걸프전 해결위한 5개항 제의(2.4)

- 종전선언
- 이라크의 쿠웨이트로 부터의 철군 선언
- 비회교국 군대의 철수
- 회교회의기구(OIC) 긴급정상회의 개최
- 회교국들에 의한 걸프전 해결

Ⅳ. 테러 動向

1. 사우디아라비아

ㅇ 두명의 미군병사와 사우디 보안대원, 테러리스트의 총격에 의해 가벼운 부상당함.(2.3) - 사우디에서 최초의 테러공격

2. 필리핀

ㅇ 140개의 이디오피아 여권(이중 12개는 외교관 여권)이 테러집단 수중에 들어갔으며 이들 여권소지자로 보이는 용의자 검거지시

3. 오스트리아

ㅇ 비엔나 소재 영국석유회사 부근에서 소이탄 발견, 즉시 제거(2.4)

4. 태국

ㅇ 방콕 경찰, 서방인 및 미국 정보기관 공격계획한 테러용의자 4명 검거

5. UAE

ㅇ 두바이 수상(水上) 식당에서 화재발생, 사상자 없음(2.4)

Ⅴ. 僑民撤收動向

1. 제4차 특별기 운항

가. 목 적 : 군수송지원 사전조사단(14명) 파견 및 사우디지역 교민철수

나. 철수예정인원 : 약 326명 (공관직원 1, 고민 111, 진출업체소속 214)

다. 운항일정

ㅇ 2.5(화) 22:30 서울발

ㅇ 2.6(수) 02:10 방콕착

" 04:40 방콕발

" 08:20 아부다비착

" 09:20 아부다비발

" 11:50 젯다착

" 13:50 젯다발

ㅇ 2.7(목) 11:20 서울착

2. 특파원 동향

ㅇ 요르단에서 취재중인 기자 9명중 일부가 이라크 입국비자신청중, 서방기자들과 함께 일부기자 이라크에 입국 취재 가능

0025

外務部 걸프事態 非常對策 本部

題 目 : 日日 報告 (44)

1991. 2. 5. 14:00
작성자 : 김의기 과장

I. 양측 전과 및 피해 (2.4. A.P. 통신 집계)

1. 다국적군 주장
   - o 총 44,000회 출격
   - o 사망자 : 30명 (미군 12명, 사우디군 18명)
   - o 실종자 : 42명 (미군 24, 영국군 8, 이태리군 1, 사우디군 9)
   - o 전쟁포로 : 12명 (미군 8, 영국군 2, 이태리군 및 쿠웨이트군 각 1)
   - o 비행기 격추 : 27대 (전투중 21대 피해)
   - o 이라크측 피해
     - 사망자 : 30 여명
     - 이라크군 전쟁 포로 : 630 여명
     - 이라크 비행기 파괴 : 126 대

2. 이라크측 주장
   - o 다국적군 비행기 격추 : 180 여대
   - o 전쟁포로 : 20 여명
   - o 이라크군 사망자 : 90 명
   - o 이라크 민간인 사망자 : 320 명

II. 외교적 노력 및 각국 반응

1. 이란의 중재 제의
   - o 라프산자니 이란 대통령은 2.4. 기자회견을 통해 걸프전의 종전을 위한 중재 역할 제의
     - 사담후세인 대통령이 이란의 제의를 수락한다면 직접 사담후세인을 만날것임.
     - 이란은 미국과도 직접 접촉을 재개할 용의가 있음.

0026

政府綜合廳舍 810號 電話 : 730-8283/5, 730-2941.6.7.9, (구내)2331/4, 2337/8 Fax : 730-8286

o 각국 반응

- 미국(체니 국방장관) : 미국은 군사적 목표 달성시까지 군사행동을 계속할 것이며, 현재로서는 외교적 해결 가능성을 배제함.
- 소 련 : 이란의 제의를 환영하며, 이를 지원하기 위해 이란에 특사 파견 예정임.
- UN 사무총장 : 이란의 제의 환영하며, 이란은 금번 사태를 종식 시킬 수 있는 좋은 위치에 있음.

2. 소련 최고 회의, 걸프전에 경계감 표시

o 소련 최고회의 외교 위원회는 다국적군의 활동은 이라크군을 쿠웨이트에서 축출한다는 UN 안보리의 결의를 초월하는 것임.

o 걸프전은 미.소 관계를 냉전시대로 회귀 시킬 수도 있다고 경계감 표시

3. 일본의 다국적군 추가 지원 경비 사용 문제

o 미국방성은 일본의 추가지원 경비 90억불이 무기구입에는 사용되지 않을 것이라고 발표

o 한편 일본은 추가지원 경비가 식량, 운송 및 비살상 군수품 구입에만 사용되어야 한다는 것을 미측에 통보했다고 비공식 발표

4. 독 일

o 이스라엘 지원차 이스라엘을 방문중인 독일 국회의장은 독일 기업의 이라크 화학무기 개발 지원을 금지하는 입법 조치를 준비중이라고 발표

5. 유엔 사무총장은 미국의 이라크-요르단 국경지역 민간인에 대한 폭격을 비난함.

6. 구주의회

o 구주의회 의장, 사담후세인이 걸프전에 전적인 책임이 있다고 비난

o 구주의회, UN 주관하에 국제회의를 통한 평화적 해결 방안 모색. 끝.

0027

外務部 걸프事態 非常對策 本部

題 目: 日日 報告(45)

1991. 2 6 06:00
작성자 김의기과장

I. 전 황

- ㅇ 사우디 주둔 미중앙사 발표(한국시간 2월6일 02:10 정례기자 회견)
  - 어제 국경상황은 상호 포격이 있은 이외에는 비교적 조용
  - 해군 작전으로는 이라크내의 SILK WORM 미사일 발사대에 대한 공격이 있었고, 미조리함 전함이 이라크 포대에 대해 포격
  - 2월3일 제다 총격사건 범인 6명이 체포되었으며, 동 범인에 이라크인은 없었음
- ㅇ 시리아 지상군, 이라크군과 최초로 교전(사우디군 대변인 발표)
  - 동 교전은 시리아군에 대한 이라크군의 로켓트포 발사로 발단
  - 사상자 및 교전장소 미발표
- ㅇ 이라크측 반응
  - 다국적군의 TV 방송국 및 중앙은행 건물 등의 민간시설 공격을 비난

II. 각국동향

- ㅇ 이스라엘
  - 이스라엘 공군기, 레바논 남부의 PLO 기지 공격
  - '샤미르' 총리, 이라크가 비재래식 대량 살상 무기로 공격할 경우 즉각 보복 경고
- ㅇ EC 제국
  - 이스라엘 점령지 팔레스타인인에 대해 이라크의 화학무기 공격에 대비 방독면 지급 계획
- ㅇ 요르단
  - 사우디로부터 원유도입 중단 상태로 격일제 차량 운행, 유류 쿠폰 배급제 실시 예정

0028

政府綜合廳舍 810號 電話: 730-8283/5, 730-2941. 6. 7. 9, (구내)2331/4, 2337/8 Fax: 730-8286 o 멕시코

- 전후 국제유가 급락에 대비키 위해 비축 기금 18억불 조성

o 인도

- 부정기 항공기에 대한 급유는 특별허가 취득후 가능할것임을 발표
- 차기 기착지까지 충분한 급유 지원

o 유엔 사무총장

- 요르단-바그다드 도로상의 유류 및 난민 수송차량 폭격 비난

Ⅲ. 평화적 해결 노력

o 이란

- 라프산자니 대통령 걸프사태에 대한 이란 입장 천명(2.4 내외신 기자회견)
  - · 이란의 중립 재확인
  - · 이라크 포함 역내 국가 영토의 현상 변경 반대, 양측군대 철수 주장
  - · 분쟁의 평화적 해결을 위한 모든 노력 경주
  - · 전쟁이 계속되는한 압류 이라크 항공기 반환 불가
  - · 이란의 입장이 반영되지 않는 전후의 어떠한 역내 안보구도 형성 반대
  - · 미·이란 접촉 가능성 불배제

※ 라프산자니 대통령의 후세인 이라크 대통령앞 친서전달(2.3)

o 터키 오잘 대통령

- 이란 라프산자니 대통령의 평화적 해결 노력 환영(테헤란 라디오)
- Davos 개최 World Economic Forum 에서 전후 중동 경제 협력 방안 등을 제의
  - · 중동 평화를 위한 제일 조건은 아랍·이스라엘 분쟁과 팔레스타인 문제 해결이며, 이를 위한 미국과 서구의 적극적 역할 필요
  - · 중동 산유국 석유 수입의 일정 비율과 선진 서방 세계의 기부금에 의한 중동경제 개발기금 창설

0029

· 전후 암카라 또는 이스탄불에서 중동평화회의 개최

ㅇ 소련 외무차관

- 라프산지니 이란 대통령과 걸프전의 평화적 해결 방안 논의위해 이란 방문 예정

Ⅳ. 테러 동향

ㅇ 파키스탄

- 사우디 총영사 관저에 폭발물 투척(AP 통신, 카라치발)
  - · 파키스탄 경찰은 친이라크 분자 소행으로 추측
  - · 경호원 1명 부상

ㅇ 콜롬비아

- 보고타소재 유태인 피혁공장, 몰몬 교회에 폭탄 투척
- 콜롬비아 경찰, 친이라크 테러리스트 소행으로 추측

Ⅴ. 교민철수 동향

ㅇ 제다행 제4차 특별기 예정대로 출발

- 일 정
  - · 서울출발 : 2.5. 22:30
  - · 제다도착 : 2.6. 11:50
  - · 제다출발 : 2.6. 13:50
  - · 서울도착 : 2.7 11:20
- 탑승 예정인원 : 400명

Ⅵ. 기타동향

ㅇ 환경문제 전문가회의 개최(2.5)

- 유엔사무총장 요청으로 걸프전이 세계 환경에 미치는 영향논의
- WHO 등 11개 국제기구에서 참석

0030

144

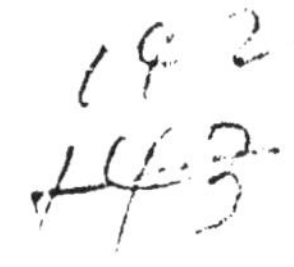

外務部 걸프事態 非常對策 本部

題 目: 日日 報告 (46)

1991. 2 6 14:00

작성자 : 신국호 과장

I. 전 황

1. 공 중 전

o 공습계속 (2.5. 2,000회 출격)

- 1분에 1대 공습 규모(미 중앙사)
- 이라크 지상군 수행 능력 50% 파괴 주장 (미 공군 고위 장성)
- 공화국 수비대(3시간에 1번 공습 규모), 재보급로 공격 집중
- 전체교량 1/3 전파

o 미국 B 52 편대 영국 Fairford 기지 도착

- 불란서, 자국 영공 통과 이라크 공격 승인 (재래식 폭격에만 한정 단서)
- 지원 병력 규모 1,000여명도 영국 도착

o 이라크 전투기 이란 추가 대피(2.5)

- 테헤란 라디오, 4대 긴급 착륙 발표 (미군 당국 10대 주장)
- 이란 발표 총대피 이라크 전투기 16대 (미당국 주장 110대)

o 이라크 발표 다국적군 공습 회수 대폭 증가 추세

- 지난주 1일 20여회 공습 규모 발표에서 2.4.에는 77회, 2.5.에는 373 회 공습 사실 인정 발표
- 다국적군 전폭기 13대 추가 발표 주장

o 미공군, 이라크군이 학교 및 주거지역 은익중이나 계속적인 공습 감행할 것이라고 발표

2. 지 상 전

o 이라크군 사우디 동북부 시리아군 2개소 공격 감행

- 1개 지역은 점령 다른지역은 시리아군에 의해 패퇴
- 사상자 유무 미상

o 지상전 및 해전 개시 최종 계획 입안 완료 (영국 언론 보도)

o 미중앙사, 이라크 화학전 감행 책임자 전범 취급 의사 발표

o 이라크 보병 25명 투항 (포로 총수 817명)

- 미군 삼포 전단 소지, 이라크군 사기 저하 입증

o 미군, 탱크 공격용 Maveric 미사일(공대지) 사용 개시

0031

政府綜合廳舍 810號 電話 : 730-8283/5, 730-2941. 6. 7. 9, (구내)2331/4, 2337/8 Fax : 730-8286

153

143
~~144~~ 145f

3. 해 전

o USS Missouri 전함 16인치 함포 사격 2회 감행

- 공화국 수비대 참호 공격, 레이다 기지 및 포대 파괴

- 조만간 Wisconsin 전함도 합류 예정

o 바그다드 지역 크루즈 미사일 공격 계속

4. 이스라엘-PLO 분쟁

o 이스라엘, 남부 레바논 PLO 게릴라 지역 폭격(전투기 7대, 폭탄 30발 투하)

- 친이라크 바트당 사무소 소재지와 이스라엘 안전지역 공격을 감행한 PLO 게릴라 소재지 6개 지점이 목표

- 8명 사망(민간인 1), 28명 부상(민간인 6) 발표

Ⅱ. 각국 동향

1. 미 국

o 부쉬 대통령 기자회견 (2.5)

- 체니 국방장관 및 파월 합참의장 사우디 파견(지상전 개시 시점 협의)

- 전쟁 승리 위한 지상전 필요성 인정

- 이란의 평화 중재 제의 실효성 의문 표명(이란의 중립 유지 자세는 찬양)

- 후세인 대통령이 축출되기를 희망함을 시사

- 종전후 즉각적인 주둔군 철수 의사 재확인

2. 이 라 크

o 유류 판매 중단 조치 발표

- 다국적군 공습에 의한 경제, 군사시설 피해 반영

- 바그다드 시민 400만명중 100만명 대피 추정(수도공급 간헐적, 전기는 완전 공급 중단, 유류 구입난으로 마차 수요 급증)

o 아지즈 외무장관, 유엔 사무총장 비난 서한 발송

- 1.24. 서한에 이은 2차 서한으로 유엔 사무총장이 다국적군의 이라크 민간인 대량학살에 침묵하고 있는것은 이들과 공모중임을 입증

- 현재까지 민간인 434명 사망, 671명 부상

o 후세인 대통령, PLO 아라파트 의장이 튜니지 PLO 간부 장례식 이후 바그다드로 귀환치 않고 있다고 반역자라고 비난(이집트 Al Khbar지 보도)

3. 이 란

o 주유엔 이란 대사, 이란 평화 제의에 대해 이라크 상금 무반응 언급

- 현상태 이란이 구체적 평화안을 제의한것은 아니고 우선 이라크의 철군 의사와 평화해결 희망 여부를 알아보기 위한 제의임.

o 이란기자 24명 바그다드 체류, 취재 활동 확인

0032

154

4. 수 단

ㅇ 이라크 전투기 및 미사일 수단 주단 사실 강력 부인

- 미군 당국도 사실 무근 확인

Ⅲ. 전선국가 재정 지원 (걸프사태 재정지원 조정 그룹)

1. 총약속액 : 143억불 (90.12. 로마 회의시 135억불에서 증가)

ㅇ GCC 95억불(전선국가 3국 : 61억불, 기타국 31억불, 미정 3억불)

ㅇ EC 23억불(전선국가 : 20억불, 기타국 1억불, 미정 2억불)

ㅇ 일본 21억불(전선국가 ; 20억불, 미정 1억불)

ㅇ 기타국 4억불

2. 기 지원액 : 67억불

ㅇ GCC 50억불 이상, EC 6억불, 일본 4억불

ㅇ 재정지원 그룹 회의 참가국은 다국적군 지원 26개국, EC, 세계은행, IMF 이며, 일본의 재정지원은 대부분이 공여가 아닌 차관 형식임.

Ⅳ. 테러 동향

1. 페 루

ㅇ 미 대사관 경비 회사 다이너마이트 폭발(3명 사망, 7명 부상)

- 친쿠바 테러 집단, 미국의 걸프전 수행 관련 감행 주장

2. 그 리 스

ㅇ 미국 시티은행 지점 및 불란서 관련기관 차량 폭탄 테러(사상자 없음)

- 좌익 November 17 테러분자들, 전쟁 개시후 American Express, BP, Citibank 2차례, 영은행, 불무관 사무실도 공격 주장

Ⅴ. 경제 동향

1. 주 가

ㅇ Dow Jones : 16.09 포인트 상승 (2788.37)

2. 유 가

ㅇ Brent North : 전일과 동일 (배럴당 19.17불)

ㅇ Light(N.Y.) : 0.48불 하락 (배럴당 20.66불) . 끝.

0033

外務部 걸프事態 非常對策 本部

題 目: 日日報告 (47)

1991.
2. 7. 06:00
작성자 : 이병현 서기관

I. 戰 況

1. 다국적군 공세 계속
   - 2.6. 이란 대피시도 이라크 공군기 4대 격추(미그 21 및 SU-25 각2대)
     - 이라크 공군기 3대 이란으로 추가대피, 현재 이라크 전투기 95대 및 수송기 25대 대피추정
   - 사우디 KHAFJI항 근해에서 이라크 초계정 1척 격침, 2척은 도주
   - 이라크 서부에서 스커드 미사일 발사대 운반차 및 운송 트럭1대 파괴
   - 공화국 수비대에 대한 24시간 공습계속
   - 이라크군 장고 2명 및 사병 23명 '하프지' 주둔 사우디군에 투항
   - 전함 미주리호 연 3일째 레이다기지, 포대등에 대한 해상 공격계속
   - 공습계속으로 42개 고량 및 통신망 70% 파괴

2. 이라크측 발표
   - 다국적군, 민간구역에 대한 무차별 공습계속
     - 이라크 남부 '나싸리아'시 공습으로 민간인 150명 사망(아동 35명 포함)
   - '바스라'항 무차별 공습계속으로 개전이래 민간인 포함 총 349명 사망

3. 전황종합(2.6. AP 집계)
   가. 다국적군 발표
   - 총 47,000회 출격
   - 전사자 : 30명(미군 12, 사우디 18)
   - 비전투요원 사망자 128명
   - 실종자 : 42명 (미군 24, 영국 8, 이태리 1, 사우디 9)
   - 전쟁포로 : 12명(미군 8, 영국 2, 이태리 1, 쿠웨이트 1)
   - 공군기 27대 실종 (미군 18, 영국 6, 쿠웨이트 1, 이태리 1, 사우디 1)
   - 헬기 15대 실종
   - 이라크측 피해
     - 사망자 : 30여명
     - 이라크군 전쟁포로 : 850명(사우디측 발표 : 885명)
     - 이라크 공군기 격추 : 130대

   나. 이라크측 발표
   - 다국적군 공군기 격추 : 180대
   - 다국적군 전쟁포로 : 20여명
   - 이라크 군인 90명 전사, 민간인 578명 사망 및 650명 부상

0034

政府綜合廳舍 810號 電話 : 730-8283/5, 730-2941. 6. 7. 9, (구내)2331/4, 2337/8 Fax : 730-8286

Ⅱ. 평화해결노력 및 각국동향

1. 걸프전 관련 이란측 입장

가. 기본입장

ㅇ 이라크의 쿠웨이트로부터 조속 철수

ㅇ 이스라엘 및 터키의 직접 참전없을 경우 엄정 중립유지

ㅇ 인도적 견지에서 이라크 국민에 대한 의약품 및 식량지원

나. 평화해결 노력

ㅇ 이슬람회의기구(OIC) 회의 및 비동맹회의 개최 추진

ㅇ 이란측 평화안 : 이라크군 및 다국적군 철수후 이슬람 평화 유지군으로 대체

(알제리, 파키스탄등 회교국가 및 불, 터키, 쏘등은 이란측 입장 환영, 미국은 부정적 태도)

다. 이란 대피 이라크 항공기 문제

ㅇ 전쟁 종료시까지 억류방침 재천명

* 2.6. 소련 외무차관 평화해결안 협의차 이란도착

2. 이라크

ㅇ 2.6 이라크 외무부, 미국, 영국, 불란서, 이태리, 이집트 및 사우디와 단교발표(바그다드 라디오)

3. 이스라엘

ㅇ 2.6. 남부 레바논 팔레스타인 게릴라 기지 보복 공습

4. 요르단

ㅇ 다국적군 무차별 공습으로 원유수송트럭 운전수 7명 사망, 11명 부상 : 미국 및 유엔에 강력 항의

5. 시리아

ㅇ 영국을 방문중인 Al-Shara 외상, 이라크 영토내에서의 군사작전엔 불참 예정임을 언급

6. 말 련

ㅇ '마하티르' 수상, 이라크의 쿠웨이트 철군 전제하 파키스탄의 평화안 지지 표명

* 파키스탄 평화안 : OIC 외무장관 회의개최를 통한 걸프전 종식 방안협의 및 평화위원회 구성

0035

Ⅲ. 테러동향

1. 이라크
   - ㅇ 서방국에 대한 테러활동강화 예정임을 발표(바그다드 라디오)

2. 터 키
   - ㅇ 테러행위 예방조치로 현재 70명에 달하는 외교관 포함 이라크인 수를 1/3수준으로 감축토록 이라크측에 요청

Ⅳ. 교민철수동향

1. 이라크 교민
   - 가. 이라크 철수 현대근로자 2명 2.7. 18:30 KE-001편 서울도착 예정 (1명은 예약착오로 2.11. 서울도착 예정)
   - 나. 이라크 잔류교민 10명 동향
     - ㅇ 5명 : 바그다드 북방 200Km '키와스' 상수도 처리 현장 체류중
     - ㅇ 4명 : 바그다드 체류중
     - ㅇ 1명 : 현지인과 결혼, 현제로선 철수의사 전무

2. 4차 특별기 운항
   - ㅇ 2.7.(목) 11:20 서울도착 예정
   - ㅇ 탑승인원 : 413명

Ⅴ. 기 타

- ㅇ 군수송단 파견 조사단 예정대로 2.6 UAE 안착

0036

150

外務部 걸프事態 非常對策 本部

題 目: 日日 報告 (48) (D22일)

1991. 2 7
14:00
작성자 : 강선용 과장

I. 주요 동향

1. 요르단, 친이라크 입장 표명

o 후세인 요르단 국왕은 2.6, T.V 연설에서 종래 중립입장에서 탈피, 이라크 지지 입장을 명백히 함.

o 연설요지

- 다국적군의 전쟁목적은 이라크를 파괴, 중동지역의 질서를 재편하여 이 지역을 정치적으로 지배하려는 것임.
- 금번 전쟁은 이라크 만에 대한 것이 아니라 전 아랍과 이슬람권에 대한 것임. 모든 아랍 및 이슬람 교도는 이라크를 지지하여야 함.
- 아랍과 이스람 국가들은 다국적군이 정전을 수락토록 촉구하여야 함.
- 사우디와 이집트는 정치적으로 이스라엘의 동맹국임.

o 태도 변경 배경

- 사우디의 대요르단 원조 중단에 대한 요르단의 경제적 곤란
- 대부분 요르단 국민의 친이라크 입장 반영
- 다국적군의 이라크 접경지역에서 요르단 유조차 파괴에 대한 반발.

o 각국반응

- 미 국 : 부시 대통령은 후세인 국왕의 정전요청을 즉각 거부
- 이스라엘 : 요르단의 이라크에 대한 전적인 지지로 해석, 심각한 우려 표시

0037

政府綜合廳舍 810號 電話 : 730-8283/5, 730-2941. 6. 7. 9, (구내)2331/4, 2337/8 Fax : 730-8286

2. 미국.시리아 관계

o 부시 미 대통령은 2.6 아사드 시리아 대통령에게 걸프전 종결후 아랍-이스라엘 분쟁 해결에 착수할 것을 약속(시리아 신문 보도)

- '전후 중동지역에 공정하고 전반적인 평화 마련을 위한 작업이 필요하다'라고 언급

3. 이라크, 다국적군 주요 6개국과 외교관계 단절 발표 (2.6)

o 미국, 영국, 불란서, 이태리, 이집트, 사우디

4. 이라크의 공화국 수비대의 전력에 대한 다국적군측 평가

o 다국적군의 계속된 공습으로 심한 타격을 받았음에도 불구, 아직 효과적인 군사력을 유지하고 있음.

o 지금까지 공격으로 공화국 수비대는 전투력의 30%를 상실 (불란서군 관계자)

o 공화국 수비대에 대한 계속적 폭격은 이라크군에 대한 수면 부족 상태를 야기, 사기를 저하시키는데도 목표가 있음.

5. UN, 이라크에 의약품 긴급 원조

o UN은 UNICEF와 WHO의 공동 주관으로 유아 및 부인용 긴급 의약품을 내주중에 원조키로 했다고 발표

6. 일본과 독일의 다국적군 추가 지원에 대한 미국 반응 (2.6 부시대통령 경제클럽연설)

o 일본과 독일의 다국적군 추가 지원조치에 대해"관대한 기여" (generous contribution)라고 평가.

o 걸프전에서 정치.군사적인 측면에서 일본과 독일의 역할은 양국의 평화헌법을 이해하여야 할 것임.

0038

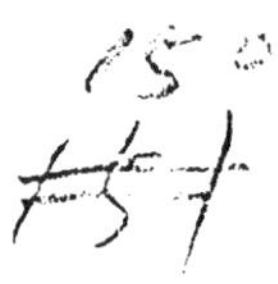

Ⅱ. 교민 철수동향

1. 제 4차 특별기 귀환

- 2.7(목) 10:10 예정대로 서울 도착
- 교민 및 근로자 총 413명 철수

2. 잔류교민 현황(91.2.7. 현재)

국 별	총 원(91.1.5)	잔 류 자
사 우 디	4,980	3,552
이 라 크	96	11
쿠웨이트	9	9
요 르 단	66	21
바 레 인	335	233
카 타 르	82	66
U A E	650	423
이스라엘	113	59
총 8개국	6,331	4,374

0039

161

外務部 걸프事態 非常對策 本部

日日 報告 (49)

題 目:

1991. 2. 8 06:00

작성자 : 허덕행 서기관

I. 주요 동향 (D+22일)

1. 영국수상 관저에 테러 공격
   - o 2.7 KST 19:15. 각의 주재 중인 메이저 수상관저 목표로 박격포탄 3발 차량에서 발사, 관저 부근에서 폭발
     - 메이저 총리, 자신 및 각료 암살을 위한 테러기도 였다고 발표
     - IRA게릴라 소행 추정, 사상자는 없음.
2. 전 황(2.7)
   - o 다국적군 공습
     - 공화국 수비대 지휘부, 쿠웨이트내 이라크군, 각종 지휘 및 통신 시설 목표 2,600회 공습(누계 52,000회)
     - 이라크 헬기 2대 격추 및 순시선 2척 격침
     - 항모 귀환 전투기 1대 해상추락, 조종사 실종
     - 미군 헬기 2대 추락(비전투중) 1명 사망, 4명 부상
   - o 지상전 최종 준비 진행중
     - 미해병 기동타격대 17,000명, 오만 해상에서의 쿠웨이트 탈환 훈련 종료, 걸프북부로 이동
     - 지상군은 탐색전 전개
   - o 미전함 Wisconsin 16인치 포격 개시(11발), 쿠웨이트내 이라크 포대 1개소 파괴
   - o 이라크군, 쿠웨이트내 유전 수개 방화
   - o 이라크군 민간 거주지역에 전투 장비 이동배치
     - 바그다드, 쿠웨이트 시내 주거용 건물 옥상에 대공포 설치 증강

0040

政府綜合廳舍 810號 電話 : 730-8283/5, 730-2941. 6. 7. 9, (구내)2331/4, 2337/8 Fax : 730-8286

o 이라크군 발표

- 2.7 다국적군 33회 공습, 22명 민간인 사망, 다수 부상
- 이스라엘(하이파 지역)에 미사일 공격(이스라엘측은 2.4이후 미사일 피격 발표 없음)
- 2.6 다국적군 교량 공습시 민간인 200명 사망, 100명 실종

3. 이라크 공화국 수비대 피해 상황

o 다국적군 공습으로 공화국 수비대 정예 1개사단 괴멸 및 탱크 600대 파괴 추정(W.P지 보도, 이스라엘 소식통인용)

o 불란서 국방장관도 15만명 공화국 수비대의 전투력 30% 상실 및 이라크군 수천명 사망 언급

Ⅱ. 각국 동향

1. 미 국

o 부시 대통령, 아사드 시리아 대통령과 통화 걸프전쟁에서 민간인 피해 최소화 노력 및 성지보호 약속

o 체니 국방장관, 파월 합참의장 전황 파악차 사우디 향발

o 이집트가 이라크로 부터 미사일 피습시, 페트리오트 미사일 공급 예정 (주 이집트 미 대사)

2. 불란서

o 미테랑 대통령, 라프산자니 이란 대통령과 통화, 걸프전 협의위한 불.이란 정상 회담 개최 문제 협의

o 쉐르 특사 2.8 시리아 방문, 샤라 시리아 외무장관과 회담 예정

3. 이스라엘

o 샤미르 수상, 걸프전쟁의 종식이 다가오고 있다고 언급

4. 사우디

o 사우디 정부, 걸프전 불구 회교도의 성지 순례 보장

- 나이제리아, 회교도 1만명 금년 순례 예정

5. 소 련

o 벨라노코프 소련 외무차관,이란 방문후 터키도 방문 예정

- 소련 외무차관, 이란 외무장관, 걸프지역 군사작전 확산에 우려 표명

6. 유 고

o 2.11-12간, 15개국 비동맹 외무장관 회의 개최

o 이라크의 쿠웨이트 철수후 협상 개시안 제시 예정

0041

163

Ⅲ. 교민 철수 동향

1. 사우디

   o 교민 42명 개별 철수

   o 동북부 잔류 교민 257명중 30명 서부지역으로 추가 대피

2. 잔류교민 현황 (91.2.8.06시 현재)

국 별	총원(91.1.5)	철수인원	잔류인원
사 우 디	4,980	1,452	3,528
이 라 크	96	85	11
쿠웨이트	9	0	9
요 르 단	66	45	21
바 레 인	335	102	233
카 타 르	82	16	66
U. A. E.	650	227	423
이스라엘	113	54	59
총 8개국	6,331	1,981	4,350

Ⅳ. 테러 동향

1. 바그다드 방송, 이라크 공격 중인 미국등 서방 세력에 대한 성전 참여 호소
2. 터키 남부 Incirlik 공군기지 부근에서 미국인 1명 피살
3. 필리핀 정부, 테러 관여 혐의로 추방 당한 이라크 외교관의 후임 부임 거부, 본국 송환
4. 그리스 경찰, 주재 프랑스 외교관 차량 장치 시한 폭탄 제거

Ⅴ. 경제 동향

1. 주 가

   o 동 경 : 152.39P 상승 (24,104.43)

2. 유 가

   o Brent North : 소폭 상승(베럴당 20.1불)

0042

164

156

外務部 걸프事態 非常對策 本部

題 目: 日日 報告 (50)

1991. 2 8 14:00
작성자 : 유시야 과장

I. 주요 동향 (Day 22)

1. 지상전 개시 임박
   - o 영국군 사령관, 전쟁 승리 위해서는 지상전 불가피 주장
   - o 불란서 미테랑 대통령, 지상전 2월중 조만간 개시될 것으로 전망 (TV 기자회견시)
     - - 쿠웨이트 해방시 다국적군 전쟁 목표 대부분 성취 (이라크 영토내 대규모 진격 필요성 부인)
     - - 화학, 세균, 핵무기 반격 가능성 배제
     - - 유엔의 전후 평화 정착 노력 주도
     - - 전후 팔문제 해결 위한 중동 평화회의 개최
   - o 미국 체니 국방장관 및 파월 합참의장 사우디 방문 (2.8-2.10)
     - - 슈와츠코프 총사령관과 지상전 개전 시기 관련 협의후 귀환 예정
2. 베이커 국무장관, 미 상원 청문회 발언(2.7)
   - o 전후 중동 재건 및 개발 은행 설치 제의
   - o 이라크 복구 지원은 후세인 대통령이 제거되어야 본격 실시 가능 시사
     - - 부쉬 대통령 기자회견(2.5) 언급에 이은 일련의 이라크 군부에 대한 후세인 대통령 제거 촉구로 해석됨
     - - 후세인 계속 집권 경우 무기통제 및 금수조치 계속
   - o 대요르단 경제 원조 규모 삭감
     - - 요르단 국왕의 대미 비난 연설(2.6)에 따른 조치
3. 영국, 시리아 외교관계 재개
   - o Al-Shara 시리아 외무장관 영국 방문(2.6-7)
     - - 서방국의 전후 팔문제 해결 약속 이행 촉구
     - - 이스라엘의 서안 및 가자지구 철수 불실현시 전후 중동사태 악화 경고
   - o 영국, 시리아 조만간 대사 교환 재개 발표
     - - 1986. 헤드로 공항 이스라엘 민항기에 요르단인 폭탄 테러 기도 체포후 단교
4. 루마니아, 다국적군 지원 발표
   - o 의료지원단 및 화학전 탐지반 사우디 파견

0043

政府綜合廳舍 810號 電話 : 730-8283/5, 730-2941. 6. 7. 9, (구내)2331/4, 2337/8 Fax : 730-8286

157

Ⅱ. 전　황

1. 공중전

o 이라크, 사우디 리야드에 대한 SCUD 미사일 1발 발사

- 리야드에 18번째, 사우디 전체로는 29번째 미사일 공격

- Patriot 미사일 2대가 요격, 피해 경미

o 대규모 공습 계속

- 통신체제, 도로, 교량, 병참 센터 공격을 통한 전투부대 고립화에 주력

o 미 F-15 2대, 이란 대피 시도 이라크 SU-22 전폭기 2-3대 격추

- 미당국, 이라크 보유 전투기(590대)의 40% 상실 주장

. 이란대피 134, 공중전 격추 37, 공습 지상 파괴 100여대

- 이란, 이라크기 1대 추가 대피 발표(대피 시도 5대 추락, 조종사 1명 사망)

. 이란 발표 대피 총수 : 18대 (총 27대 대피 시도)

. 미측 주장 대피 총수 : 134대 (전투기 109, 수송기 25)

o 미당국, 이라크 헬기 3대 격추 주장

2. 지상전

o 다국적군 지상전 준비 가속화

o 소규모 접전 계속(사우디군과 이라크군)

- 이라크군 1명 생포

3. 양측 피해 상황 (2.7. 현재)

o 다국적군 발표

- 전투 사망 30명 (미 12, 사우디 18)

. 비전투 사망 미군 24 (전전 105)

- 실종 44명 (미 26, 영 8, 이태리 1, 사우디 9)

- 전쟁포로 12명 (미 8, 영 2, 이태리 1, 쿠웨이트 1)

- 전투기 피격 21대 (미 14, 영 5, 쿠 1, 이 1)

. 비전투 전투기 사고 7대 (미 5, 영 1, 사우디 1)

. 비전투 사고 헬기 6대 (미국)

- 이라크군 포로 885, 이라크기 135대 파괴

o 이라크군 발표

- 다국적군 40명 사살, 20여명 포로

- 전투기 180여대 이상 파괴

- 이라크군 90명 사망, 민간인 597명 사망, 민간인 650명 부상

0044

158

4. 화학전 위기의식 고조

o 국경 부근 배치 미군 병사들 위기의식 고조

- 각 병사에 최소 보호의 2벌씩 지급(미당국 총 9,870만불 상당 130만벌 주문)

o 이라크 전쟁 포로에도 화학전 방어장비 지급 방침 발표

o 불란서 외무성, 팔레스타인 난민용 방독면 5,000개 지원 발표

5. 이라크 민간시설 피격 문제

o Clark 미 전법무장관, 바스라시 방문후 다국적군의 과도 공습 비난

o 미당국, 이라크의 방공포 민간지역 배치 주장

- 아직까지 공격 개시하지 않고 있으나 공격 감행 여부 검토중 시사

o 이라크, 다국적군의 민간시설 계속 폭격 주장

- 2.7. 공습으로 22명 민간인 사망자 추가 발생 및 빌딩 10채 파괴

- 대공포화 규모 대폭 증가

III. 평화 해결 중재 동향

1. 이란

o 라프산자니 대통령, 평화해결 중재노력 계속 의사 재확인

- 소련, 불란서의 긍정적 반응 표명 확인

o 부쉬 대통령의 전쟁후 미군 조속 철군 확인 메세지 접수 확인

2. 터키

o Alptemocin 외무장관, 라프산자니 이란 대통령 면담

- 오잘 대통령 친서 전달

- 평화해결 위한 노력 계속 확인

IV. 테러 동향

1. 터키

o Izmir시 소재 나토 공군사령부 폭탄 테러

- 좌익 지하단체 Dev Sol 감행주장, 피해 없음

V. 경제 동향

1. 유 가

o 뉴욕(Light) : 0.27불 하락 (배럴당 21.22 불)

2. 주 가

o Dow Jones : 20.30 포인트 하락 (2810.64)

※ 정정사항

일일보고(48) D22 → Day 21, 일일보고(49) D23 → Day 22

0045

159

外務部 걸프事態 非常對策 本部

題 目: 日日 報告 (51)

1991. 2. 9 06:00
작성자 : 강선용 과장

I. 주요 동향 (Day 23)

1. 이스라엘의 전후 중동평화안 (5개항)
   - o PLO 배제
   - o 이스라엘, 아랍제국간 상호 불공격
   - o 지역 군축 협정
   - o 팔레스타인 문제 해결을 위한 전반적인 테두리 합의
   - o 지역적 경제 협력 및 수자원 공유
   - ※ Lovy 이스라엘 외무장관은 2월말 미국 방문시 베이커 미 국무장관과 동 평화안 협의 예정
2. 영.불, 전후 걸프문제 해결을 위한 전문가 그룹 창설
   - o 양국 외무장관, 2.7. 런던 회담시 동 창설 합의
   - o 동 그룹은 안보, 지역 분쟁의 해결, 유엔의 역할등에 대한 계획 수립 예정
3. EC 의 중동지역 마셜 플랜
   - o 2월말 이전에 중동지역을 위한 마셜 플랜 제안 예정 (Poos 룩셈불크 외무장관)
   - o 동 제안을 2.19. EC 회의시 협의, 이스라엘, 아랍제국의 의견도 청취 예정
4. 이라크군, 탈주병 처형 부대 조직 (칼리드 사우디.아랍군 사령관)
5. 일부 이라크 조종사들, 이란 대피전에 후세인 살해키 위해 후세인궁을 폭격 (슈바코프 사령관)

II. 전 황

1. 영국 국방장관 (톰 킹) 의 전황 브리핑 (2.8.)
   - o 이라크군의 전투력 15-20% 감소
   - o 공화국 수비대, 1개 전투사단의 50% 전투력 상실
   - o 핵연구 및 생산 능력 거의 전부 파괴
   - o 정유 능력 반감, 통신망 및 전기 배전망 심대 타격
   - o 쿠웨이트로의 공급로 50% 차단

0046

政府綜合廳舍 810號 電話 : 730-8283/5, 730-2941, 6, 7, 9, (구내)2331/4, 2337/8 Fax : 730-8286

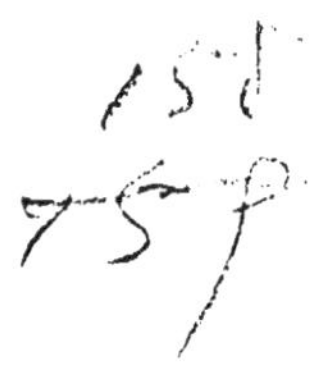

2. 공 중 전

o 대규모 공습 계속

- 이라크 Scud 미사일 발사대 1기 파괴
- 이라크의 바스라항과 Mosul 시에 집중 폭격
- 바그다드의 통신 센타 완파

o 쿠웨이트 연안 이라크 초계정 1척 격침

3. 지 상 전

o 소규모 접전 계속

4. 양측 피해 상황

o 다국적군 발표

- 미군 헬기 2대 추락 (1명 사망, 4명 부상)
- F-18 전투기 1기 실종
- 이라크군 4명 생포 (포로 총936명)

o 이라크군 발표

- 전투기 1기 격추 (총302대 격추)

Ⅲ. 각국 반응

1. 미 국

o 터어키에 82백만불 추가 군사원조 제공 예정

o 대요르단 경제 및 군사지원 (1억불) 재검토 발표

- 이라크에 대한 공습이 전아랍 회교도에 대한 공격이라는 후세인 국왕의 비난 관련

2. 일 본

o 일본 외무성, 이라크의 쿠웨이트 철수를 설득키 위한 50억불 제공 제의설 보도 부인

3. 화 란

o 패트리어트 미사일 발사대 8기, 25명의 공군 요원 이스라엘 파견 발표

4. 홍 콩

o 걸프지역 주둔 영국군에 29.4백만불의 재정 지원 (홍콩 의회 의결)

5. 루마니아

o 비전투 의료단 (360명) 및 대화학전 부대 (180명)의 사우디 파견 동의안 의회 통과

0047

1616

Ⅳ. 평화적 해결 노력

1. 이 란

   o Velayati 외무장관, 인도, 싸이프러스, 유고 외무장관과 걸프전쟁 종전 방안 협의 (2.8. 전화), 2월중순 독일 방문 예정

2. 소 련

   o Aleksandr Belonogov 외무차관, 걸프전쟁 종식을 위한 이란 평화안 협의후, 가능한 빠른 종전의 필요성에 양국간 견해가 일치하였다고 언급 (2.8 테헤란 출발)

3. 영 국

   o Hurd 외무장관, 중동문제 협의차 이집트, 사우디향발 (2.8.)

4. 독 일

   o Stoltenberg 국방장관, 다음주 이태리, 그리스, 터어키 방문 예정

Ⅴ. 테러 동향

1. 터 어 키

   o 미국인 1명, Incirlik 공군기지 부근에서 피살
     - 좌익 지하단체 Dev Sol, 자기 소행 주장

2. 인 니

   o Medan 주재 일본 총영사관에 일본인 살해 협박

Ⅵ. 경제동향

o 유 가
  - 싱가폴 (Dubai) : 0.4불 상승 (배럴당 15.45불)
  - 런던 (Brent) : 0.29불 상승 (배럴당 20.45불)
  - 뉴욕 (서부텍사스 중질유) : 0.83불 상승 (배럴당 21.49불)

Ⅶ. 기 타

o 걸프전 관련 한국특파원 현황
  - 요르단 (암만) : 7개사 11명 (동아, 경향, 조선, 한국, 한겨레, KBS, MBC)
  - 이스라엘 (텔아비브, 예루살렘) : 9개사 14명 (중앙, 경향, 국민, 조선, 한국, 서울, 연합, KBS, MBC)
  - 사우디 (젯다) : 1개사 5명 (KBS)

0048

162

/167

外務部 걸프事態 非常對策 本部

題 目: 日日 報告 (52)

1991. 2. 9 14:00

작성자 : 정진호 과장

I. 주요 동향 (Day 23)

1. 이라크, 대이스라엘 미사일 공격
   - o 이라크는 6일만에 이스라엘 중부지역에 재래식 무기 장착한 SCUD 미사일 1대 발사(이스라엘에 대한 11번째 미사일 공격)
   - o 피해상황 : 최소 15명이 부상, 건물 파괴됨
   - o 패트리어트 미사일 발사되었으나, 요격 여부는 발표하지 않음
   - o 이스라엘측은 이라크의 SCUD 미사일 발사능력이 상당히 저하된 것으로 평가

2. 이라크, 유엔사무총장 면담록 공개 요청
   - o 이라크는 유엔사무총장과 사담 후세인 대통령간의 1.13 면담록을 공개할 것을 유엔에 요청
   - o 유엔은 면담록 공개가 관행에 어긋난다는 이유로 이라크 요청 거부
   - o 유엔 관측통들은 면담록 공개시, 유엔 안보리가 미국의 주도하에 이라크를 제재키로 결의하였다는 사담 후세인 대통령의 대미 비난을 유엔 사무총장이 동조 했다는 인상을 줄수도 있다고 우려

3. 체니 미국방장관 사우디 방문 동정
   - o 제한적인 지상전 전개 가능성 언급
     - 다국적군은 이라크군을 쿠웨이트에서 축출시키기 위해 지상전 및 상륙작전과 병행하여 공중폭격을 계속할 것임
   - o 쿠웨이트 국왕은 쿠웨이트-이란간 고위급 접촉 결과 설명
     - 이란은 중립 유지할 것임
     - 이란은 이란내 이라크 비행기를 종전시까지 이란에 억류시킬 것을 약속
     - 이란은 전후 쿠웨이트 영토내 외국군의 주둔을 허용치 않을 것임

4. 사담 후세인 이라크 대통령 동정
   - o 혁명 지도 위원회 회의 소집(2.8. 바그다드 라디오 보도)

0049

政府綜合廳舍 810號 電話 : 730-8283/5, 730-2941. 6. 7. 9, (구내)2331/4, 2337/8 Fax : 730-8286

5. 요르단의 입장

o 후세인 국왕의 친이라크 입장 표시에도 불구하고, 요르단이 어느정도까지 이라크를 지지할 것인지에 대해서는 애매한 태도 표시

o 요르단은 이라크 지지 및 미국과 외교관계 단절이 가져올 파급 효과를 검토중이라고 언급

6. 이라크의 군사력 손실 평가

o 미군측은 지금까지의 공습으로 이라크 군사력의 12%가 파괴 되었다고 평가

o 탱크 총 5,000대중 600대, 포 3,200문중 400문을 파괴

7. 기 타

o 말레이지아

- 말레이지아 외무부는 미국과 다국적군이 이라크를 쿠웨이트에서 축출한다는 유엔 결의를 위반하였다고 비난

o 소련, 해상방류 석유 제거 작업에 참가

- 석유 제거 선박 3척 파견 약속

o 석유 방류 결과 사우디 북부에 위치한 담수화공장 2.8 폐쇄됨

0050

172

164

外務部 걸프事態 非常對策 本部

題 目: 日日 報告(53)

1991. 2 10
06:00
작성자 : 장석철 서기관

I. 주요동향(Day 24)

1. 지상전 개시 시기에 관한 전망

가. 빠르면 "금주중" 개시 가능성

근 거

ㅇ "체니" 미 국방장관 일행의 사우디 방문종료에 따라 부시 대통령의 최종 결단이 내려질 것으로 추측("다란"발 AP 통신 보도)

ㅇ 다국적군에 가담한 아랍제국의 국내여론, 라마단, 계절적 요인 등으로 지상전에 의한 조속한 전쟁 종결이 긴요(2.9. 영국 언론 전망)

ㅇ 미 해병, 쿠웨이트에 대한 다각도 정밀조사 개시

나. 불 합참의장, 5-6주후 개시 필요성 지적

ㅇ 다국적군의 전투는 제1단계 작전(제공권 완전 장악)과 제2단계 작전(지상 장애물, 군수시설, 통신망 제거) 병행 실시중

ㅇ 이라크 공화국 수비대의 노련한 사막전 경험 및 후세인에 대한 투철한 충성심 등으로 본격적인 지상전 개시에는 5-6주의 사전 준비 기간 필요

- 쿠웨이트 탈환에도 최소한 3-4주 소요

ㅇ 걸프지역에 비계절적인 짙은 구름이 덮혀 있어 공중전 가속과 지상전 전개를 지연

2. 유엔 안보리, 걸프전에 관한 공식회의 개최 결정

ㅇ 주유엔 짐바브웨 대사(안보리 의장), 2.13 안보리 회의 소집 발표

ㅇ 안보리 회원국중 비동맹권 국가들은 동회의 "공개 개최" 주장하고 있으나 미국, 영국은 "비공개 개최" 노력 전개중

ㅇ 케야르 유엔 사무총장, 화학무기 등 대량 살상 무기 불사용을 기원

3. 고르바초프, 이라크의 쿠웨이트 철수 재촉구

ㅇ 고르바초프 개인특사를 이라크에 파견, 후세인 대통령과 면담 예정

0051

政府綜合廳舍 810號 電話 : 730-8283/5, 730-2941. 6. 7. 9, (구내)2331/4, 2337/8 Fax : 730-8286

4. 이라크, 주카라치 총영사관 폐쇄 결정

ㅇ 이슬라마바드 소재 대사관은 유지

ㅇ 총영사관 관원 25명, 2-3일내 요르단 거쳐 귀국 예정

ㅇ 이라크 부총영사, 동 조치가 재정적 이유 때문이며 지난번 6개국과의 단고 결정과는 무관하다고 언급

Ⅱ. 전 황

1. 이라크의 2.9 대이스라엘 미사일 공격 피해

ㅇ 동 공격은 개전후 이라크의 31발째 대이스라엘 공격

ㅇ 이스라엘 군 당국, 동 공격으로 빌딩 및 아파트가 파괴되고 25명 이상이 부상 당했다고 발표

2. 이라크 전투기 14대, 이란으로 추가 탈출

ㅇ 이로써 개전이후 147대의 이라크기가 이란으로 탈출(사우디 주둔 미군 사령부 발표)

ㅇ 주유엔 이란 부대사, 현재 이란에는 이라크기가 20대뿐이라고 상기 미측 발표 부인

3. 이라크 군인 포로수 및 투항 동향

ㅇ 6명의 장교를 포함한 8명이 2.8 사우디, 쿠웨이트 국경 부근 주둔 미 해병부대에 투항(미 해병 대위 언급)

ㅇ 2.8 까지 이라크군의 포로수는 900 명 이상(다국적군측 발표)

Ⅲ. 각국 반응

1. 요 르 단

ㅇ 일부 시민들, 성조기와 유엔기 및 이스라엘 국기 불사르고 부시 대통령 비난

2. 파키스탄

ㅇ "나와즈" 수상, 걸프사태 협의위해 마그레브지역 회교국가 순방차 2.9 출국

0052

164 165

ㅇ 동 순방은 이슬람국 회의(OIC) 개최 등 파키스탄 평화안에 대한 순방국 지지 획득 목적(야쿱칸 외무장관 수행, 리비아, 알제리아, 모로코, 튜니시아 등 순방 예정)

3. 비동맹 외무장관회의 개최 예정

ㅇ 걸프전 종식 위한 평화적 해결 방안 모색위해 2.11-12간 유고 "베오그라드"에서 개최 예정(2.11. 고위급 회담, 2.12. 외무장관 회담)

4. 이스라엘

ㅇ "샤미르" 수상, 대이라크 보복 공격 자제를 계속할 것임을 재차 강조(2.9)

5. 이 집 트

ㅇ 50여명, 반미, 반전 데모 전개(개전이후 이집트에서는 처음)

ㅇ 외무부, 이라크 공관원 및 가족 퇴거 요청(2.7)

6. 불란서

ㅇ 외무부, 파리주재 이라크 대사 통해 이라크의 대불 단교에 관한 공식 통보 접수(2.8)

- 이라크 대사 및 잔류직원 2명, 내주중 공관 폐쇄후 2.16경 파리 출발 예정

7. 이태리

ㅇ 이태리정부, 이라크로부터 대이태리 단교 공식 접수(2.8)

ㅇ 쿠바, 이태리내에서의 이라크 이익 보호할 예정(2.9. ANSA 통신 보도)

Ⅳ. 이스라엘 체류 교민 안전

ㅇ 이라크의 2.9 대이스라엘 미사일 공격시 아국 교민59명 및 특파원 전원 무사 (2.9. 주카이로 총영사, 이스라엘 한인회로부터 확인)

0053

170

165
167
166

外務部 걸프事態 非常對策 本部

題 目: 日日報告 (54)

1991. 2.10. 14:00

작성자 : 강선용 과장

I. 주요동향(Day 24)

1. 영국 Hurd 외무장관, 이집트, 쿠웨이트 및 사우디 지도자 면담
   - ㅇ 무바라크 이집트 대통령 면담시, 전후 중동 군축협의에 이스라엘 참여주장
   - ㅇ 쿠웨이트 망명 국왕과 전후 쿠웨이트 복구문제 협의
     - 전후 쿠웨이트 복구사업 예상 소요경비 : 600억불
     - 영국 경제인들 직접 소개, 전후 복구사업을 위한 사전 협의 개시
   - ㅇ 사우디 국왕과 면담

2. 이라크 Hammadi 부수상, 이란, 요르단 방문(2.9)
   - ㅇ 이란의 평화 중재제의에 대한 후세인 대통령 친서 전달
     - 라프산자니 대통령, 최고안보회의를 소집 후세인의 친서 검토
   - ㅇ 후세인 요르단 국왕 면담

3. 미국 Baker 국무장관, 대이란 대화재개 용의표명
   - ㅇ 이란이 테러정책을 포기하고 레바논 억류중인 미국인 석방을 주선할 경우 대화재개
   - ㅇ 이란의 평화 중재노력 자세는 평가하나 효율성에 의문 제기

4. 소련 Gorbachev 대통령, 다국적군의 유엔결의 과도 이행 경고
   - ㅇ 걸프전쟁이 현재 심각한 국면에 접어들었음.
   - ㅇ 이라크 점령 가능성에 대해 심각한 우려표명

5. 이스라엘 Shamir 수상, 국민의 인내 찬양
   - ㅇ 이라크의 11차 미사일 공격(31발째)으로 26명 부상, 150여 가옥파손

6. 이라크, 대미 단교 공식통보(2.9)
   - ㅇ 주미 이라크 대사대리, 단교 서한 국무부 송부

0054

政府綜合廳舍 810號 電話 : 730-8283/5, 730-2941.6.7.9, (구내)2331/4, 2337/8 Fax : 730-8286

116

Ⅱ. 전 황

1. 공중전

ㅇ 공습지속(2.9. 2,400회 출격, 총 57,000회)

- 이라크 전투기 공중전 격추 총 39대 점점 발표
- 현재까지 이라크 탱크 750대 (쿠웨이트 국경배치 4,000대중 20% 해당), 대포 650문(3,200문중 20% 해당), 장갑차 600대(5,000대중 15% 해당) 파괴주장

ㅇ 미공군 Glosson 준장, 악천후로 당초 계획에 비해 공습계획이 10여일 지연되고 있다고 언급

2. 지상전

ㅇ 체니 국방장관, 파월합참의장, 쉬와츠코프 사령관 사우디 국방부에서 지상전 개시 여부 및 시기관련 회의

ㅇ 이라크군, 지상전 대비한 탐색 공격 간헐적 감행

ㅇ 미해병 제1사단, 이라크 지휘통제소 1개 파괴 주장

ㅇ 쿠웨이트 배치 이라크군, 탈영병 증가(투항 이라크군 증언)

- 중령 1명포함 이라크군 21명 투항(2.9)
- 다국적군에 투항하는 이라크군 숫자보다 훨씬 많은수가 이라크쪽으로 무단 탈영중

Ⅲ. 테러동향

이집트

ㅇ 무바라크 암살 독적 테러분자 17명 체포 발표

0055

169

外務部 걸프事態 非常對策 本部

題 目: 日日報告 (55)

1991. 2.11 06:00
작성자 : 정진호 과장

I. 주요동정

1. '체니' 미국방장관 사우디 방문결과
   - ㅇ '체니'장관은 2.10(일) 사우디 방문을 마치고 귀국, 방문결과를 2.11. 부시 대통령에게 보고 예정임.
   - ㅇ 지금까지의 전쟁 진전결과에 만족표시
   - ㅇ 이라크군 전략에 대한 평가
     - 이라크군의 거대한 전력 보유사실에 놀라움 표시
     - 현재 이라크 공군은 무력화되었으며, 해군은 없는 상태나 다름 없으나, 기습공격 능력은 아직 보유하고 있는 것으로 평가
   - ㅇ 지상전 개시시기 언급 거부
     - 부시 대통령이 사우디 국왕과 협의후 결정할 것임.
     - * (한편, 군사관측통은 유럽에서 이동배치된 대전차부대의 적응기간을 감안할때 최소 3주일이 더 소요될것으로 추산)
   - ㅇ 조기 정전 가능성 배제
     - 이라크군이 쿠웨이트 철수할때 까지 작전 계속
2. '허드' 영국 외무장관, 사우디 방문
   - ㅇ 다국적군에 참여하고 있는 아랍국가들을 분열시키려는 사담 후세인의 시도는 실패했다고 언급
   - ㅇ 사우디, 시리아, 이집트의 다국적군 이탈 가능성은 없음.
3. 쿠웨이트의 영국 전비부담 내용
   - ㅇ 쿠웨이트 정부는 영국군의 전비지원용으로 13억불을 지원키로 합의했다고 허드 영국외상이 발표
   - ㅇ 사우디도 영국의 전비를 부담하고 있으나, 자세한 액수는 밝히지 않음.
     - 영국군에 대한 식품, 연료, 운송등을 지원하고 있는 것으로 알려짐.
4. 이라크 부수상, 요르단 돌연 방문
   - ㅇ '하마디' 이라크 부수상은 이란방문후 2.9. 요르단을 방문, 다국적군의 이라크 '침략행위' 중지를 요청하고 반미 이슬람 연합전선을 결성할 것을 촉구
   - ㅇ 아울러 동지역 문제해결을 위한 대화를 요청
5. 이라크 수입관세 면제조치 발표
   - ㅇ 이라크는 물품부족사태 해소책으로 수입관세면제 조치 발표
     - 이란으로부터 물품유입 촉진의도
   - ㅇ 아울러 매점매석 행위에 대해서는 벌칙 강화

0056

政府綜合廳舍 810號 電話 : 730-8283/5, 730-2941.6.7.9, (구내)2331/4, 2337/8 Fax : 730-8286

6. 터키 외무장관 이란 방문결과 (주 이란 대사보고)
   - ㅇ 터키·이란간 지속적 협조유지
   - ㅇ 터키는 이란의 평화 이니셔티브에 인식을 같이함.

Ⅱ. 외교적 해결노력

1. 이라크, 이란 평화안 거부
   - ㅇ '하마디' 부수상이 '라프산자니' 대통령에게 전달한 친서에서 이라크는 이란의 평화안을 거부함.
   - ㅇ 이란의 평화안은 종전문제 협의차 '라프산자니' 대통령이 사담 후세인 대통령과 부시대통령을 만나겠다는 제의를 한것으로 알려짐.
2. 이라크, 파키스탄의 중재외교 비난
   - ㅇ 아지즈 이라크 외상은 사리프 파키스탄 수상의 아랍국가들에 대한 외교적 중재노력 비난
   - ㅇ 파키스탄의 중재노력은 다국적군에 참여를 반대하고 있는 파키스탄 국민들의 반정부 감정을 무마하기 위한 것임.
3. 소련 외무차관 이란 방문결과(주 이란 대사 보고)
   - ㅇ 동 차관은 i) 전쟁의 조속 종결, ii) 다국적군 및 이라크군의 철수, iii) 이라크 영토보존 및 이라크 분할 반대라는 이란입장에 인식을 같이 한다고 언급
4. 소련, 이라크에 고위특사 파견예정
   - ㅇ 미국은 소련의 대이라크 고위특사 파견 제의에 동의함.
   - ㅇ 소련은 특사파견에도 불구하고 이라크군의 쿠웨이트로 부터 철수를 정전 조건으로 분명히 밝힘.

Ⅲ. 전후 평화구상에 대한 각국 입장

1. 카나다 (주 카나다 대사 보고)
   - 가. 멀루니 수상과 클라크 외무장관이 2.8. 발표
   - 나. 기본원칙
     - ㅇ 이라크의 쿠웨이트로 부터의 완전한 철수문제에 관한한 불타협
     - ㅇ 유엔을 중심으로한 해결책 모색
     - ㅇ 동 지역 안보는 정치, 경제, 군사, 인도적 문제등 모든 문제를 포괄적으로 다루어야 함.
   - 다. 종전 직후 중점과제
     - ㅇ 민간피해자에 대한 인도적 원조제공
     - ㅇ 유엔 평화유지군에 의한 쿠웨이트 국경선 안전보장

0057

169
440

171

라. 중장기적인 중동지역 안보 및 신뢰구축 모색

ㅇ 제도적인 지역안보 장치 마련

ㅇ 아랍-이스라엘간 분쟁의 항구적, 평화적 해결책 모색

ㅇ 역내 국가간 경제적 불균형 해소

- 마샬 플랜과 유사한 사업추진 및 지역경제 협력기구 창설

마. 유엔주관하의 "전쟁수단 및 대량파괴무기에 관한 세계 정상회담" 개최 제창

2. 이집트(이집트 대통령 정치특보 발언)

ㅇ 이집트는 전후 필요할 경우 이집트군을 사우디나 여타 아랍제국에 계속 주둔시킬 용의가 있음.

ㅇ 전후 팔레스타인 문제는 걸프전과 연계없이 최우선 해결되어야 함.

ㅇ 이집트의 대이라크 관계는 특정인과의 관계가 아니라, 정책관계에 따라 협조 또는 반대입장이 될 것임. 끝.

0058

180

172

外務部 걸프事態 非常對策 本部

題 目 : 日日 報告 (56)

1991. 2 . 11.
14:00
작성자 : 유시아 과장

I. 주요 동정

1. 사담 후세인, 2주만에 처음으로 대 국민 연설(2.10)
   - o 다국적군의 공격적이고 수치스러운 공습에 맞서고 있는 이라크 국민의 인내와 용기 찬양
   - o 걸프전 타협 가능성 일축
     ※ 부쉬 미 대통령, 사담후세인의 연설에서 전세계가 듣기를 원하는 내용은 하나도 없다고 논평
2. Arens 이스라엘 국방장관, 미국방문(2.10)
   - o 이라크의 SCUD 미사일 공격 저지 대책 협의 목적(이스라엘 국방부 대변인)
   - o 1.18 이래 이라크의 대이스라엘 SCUD 미사일 공격 총 31발 2명 사망, 300여명 부상
3. 후세인 요르단 국왕, 자신의 발언에 대한 미국 정부의 비난 반박 (미ABC-TV 회견)
   - o 자신의 발언은 인도주의적 입장에서의 발언이며 친이라크 입장 표명이 아니라고 강조
     ※ Baker 미국무장관, 후세인 국왕의 발언은 무척 실망 스럽다고 논평
4. Pierre Joxe 불국방장관, 지상전 개시 시기는 다국적군 참여 주요국 정상간의 협의에 의해 결정될 것이라고 발언 (2.10. 불 TV회견)
   - o Joxe 국방장관, Cheney 미국방장관과의 협의차 2.12 미국방문 예정
5. Khaddam 시리아 부통령, 이라크의 쿠웨이트 철수시까지 걸프전 종전 불가 재확인
6. 쿠웨이트 전후 복구 사업 관련 사항 (Al-Shaheen 쿠 복구 특별대책반장)
   - o 전후 복구에 최소 5년, 수십억불 소요
   - o 전후 복구사업 계약 171건(총 8억불 규모) 기 체결 (70%가 미국회사로 낙찰)

0059

政府綜合廳舍 810號 電話 : 730-8283/5, 730-2941. 6. 7. 9, (구내)2331/4, 2337/8 Fax : 730-8286

173

Ⅱ. 전 황

1. 공중전

   ㅇ 공습지속

   - 2.10. 2,800회 출격 (총 59,000여회)
   - 공화국 수비대 및 병참선 집중 공습
   - 바그다드시내 군수산업성등 정부 관서, 티그리스강 교량 2개등 파괴
   - 2.10중 미군기 1대 (AV-8) 추가격추(미군기 총 18대 격추)

2. 지상전

   ㅇ 간헐적 포격전 계속

   ㅇ 쿠웨이트 주둔 이라크군 75명 투항(개전이래 이라크군 포로 약 1,000명)

   ※ Cheney 미국방장관, 다국적군 공습으로 일부 이라크군 사단의 전투력 49% 상실 평가

3. 기 타

   ㅇ 미 여군 포로 1명, 인간 방패로 바스라 억류중 (이라크군 포로 증언)

Ⅲ. 외교적 해결 노력

1. Primakov 소련 특사, 바그다드 향발 (2.11)
2. Velayati 이란 외무장관, 이라크의 이란 평화안 거부에 실망 표시 및 계속 노력 천명
3. 2.12 유고 개최 비동맹 외무장관 회담관련 동향 (주인도 대사 보고)

   ㅇ 참가국(15개국)

   - 친이라크 성향 : 알제리, 쿠바
   - 반이라크 성향 : 유고, 이집트, 사이프러스, 알젠틴, 스리랑카, 베네수엘라
   - 중 립 : 인도, 인니, 잠비아, 짐바브웨, 나이제리아
   - 입장 불확실 : 이란, 가나

0060

174

o 인도, 이란, 유고등 하기 요지의 걸프전 종식 방안 제안 계획

(제 1단계)

- 이라크, 쿠웨이트 철수 의지 선언
- 상기 선언과 동시 적대 행위 중단
- 철수와 적대 행위 중단 감시 위한 유엔 감독기구 설치

(제 2단계)

- 대이라크 제재 조치 해제
- 유엔군 창설 검토등 포함한 걸프지역 안보 장치 수립
- 팔레스타인 문제를 포함, 중동 문제 전반 토의를 위한 유엔 주관 국제 평화 회의 개최. 끝.

0061

175

外務部 걸프事態 非常對策 本部

題 目 : 日日 報告 (57)

1991. 2 . 12 .
06:00
작성자 : 유시야 과장

I. 주요 동정 (Day 26)

1. 부쉬 대통령, 체니 국방장관과 파월 합참의장 면담 (2.11)
   - o "적절한 시기"에 지상전 개시시기를 결정 하겠다고 언급
2. 하마디 이라크 부총리, 암만에서 기자회견 (2.10)
   - o 다국적군이 먼저 이라크에 대한 공격을 중단한다면 이라크는 아무런 조건없이 아랍국가들과의 회의를 통해 걸프사태 해결을 위한 협상에 응할 용의가 있다고 언급
3. '허드' 영국 외무장관, BBC 라디오 회견 (2.11)
   - o 이라크의 쿠웨이트 철수 이전에는 어떠한 휴전 논의도 무의미 하다고 언급
4. PLO 아라파트 의장, '팔레스타인의 소리' 방송에서 연설 (2.10)
   - o 이라크 영웅들의 피로 더럽혀진 자는 모두 처벌을 받게 될것 이라고 경고
   - o 미국이 걸프사태를 평화적으로 해결하려는 아랍국가들의 시도를 방해 했다고 비난
5. 이라크 정부, 모든 17세의 국민들은 징집될 것임을 발표 (2.11)
   - o 또한 이라크 정부 각료, 1.17 개전 이래 수천명의 민간인이 사망 또는 부상 당하였음을 언급
6. 바레인 정부, 오일 유출로 부터 자국을 보호하기 위해 전세계에 지원 요청 (2.11)
   - o 1주일 이내에 유출된 오일이 바레인 해안에 도달 예상

0062

政府綜合廳舍 810號 電話 : 730-8283/5, 730-2941.6.7.9, (구내)2331/4, 2337/8 Fax : 730-8286

7. 사우디 주재 미 고위군관계자, 최근 유럽에서 사우디에 도착한 지상 부대가 공격준비를 완료하는데 시간이 필요하기 때문에 지상 공격은 최소한 앞으로 3주동안은 일어나지 않을 것이라고 언급 (주사우디 대사 보고)

8. 불란서 정부, 지상전에 대비 해병 특공부대(RIMA) 병력 670명을 2.12 사우디에 급파

   o Joxe 불란서 국방장관, 2.12 방미 예정

Ⅱ. 전 황

1. 미군사 소식통 발표 (2.11)

   o 다국적군은 2.10. 이라크의 이동 미사일 발사대 4기를 파괴

   o 이라크군과 다국적군 사이에 사우디 국경지대에서의 야간 지상 전투는 없었음

2. 미 군사 전문가, 이라크내에는 아직 최고 수준의 공군 조종사 건재하고 있음을 주장

3. 양측 피해 상황 (2.11)

   o 다국적군 발표

     - 다국적군 피해 : 항공기 30대, 헬기 4대 (미국 25, 영국 6, 이태리 1, 쿠웨이트 1, 사우디 1)
       사망 30명, 실종 43명, 포로 11명

     - 이라크군 피해 : 항공기 134대 (지상 파괴 99, 공중전 파괴 35)
       헬기 4대, 해군함정 54척, 탱크 750대 이상, 장갑차 600대 이상, 포 650문 이상
       사망 30명, 포로 1032명

   o 이라크군 발표

     - 다국적군 피해 : 항공기 371대, 사망 40명

     - 이라크군 피해 : 사망 91명

     - 이라크 민간인 피해 : 사망 431명, 부상 576명, 실종 100명

0063

195
196
177

o 이집트의 Al Hakika 지는 다국적군의 공습으로 14개의 이라크 군기지가 파괴되고 15,000명의 이라크 군인이 전사 하였음을 이라크 정부가 비밀리에 이라크에 대해 우호적인 국가에 통보 하였음을 보도 (2.11 자이로발 AP)

Ⅲ. 외교적 해결 노력

1. 고르바쵸프 대통령 특사 Primakov, 바그다드 향발 (2.11)
   - o 특별한 중재안은 휴대치 않음
   - o UN 결의안에는 지지하나 범위를 벗어난 다국적군 행동에는 경고
2. 터어키 외무장관, 시리아 도착
   - o 시리아, 이집트, 사우디에 터어키의 걸프 정책 설명 목적
   - o 터어키는 영토적 야심이 없음을 밝힘
3. 중국 외무부, 걸프사태 평화적 해결 노력
   - o 전기침 외무장관, 유고 비동맹 회의의 성공을 기원하는 메시지 발송 (2.11)
   - o 외무차관, 걸프사태 협의차 이란, 시리아, 터키, 유고 향발 (2.11)
4. 이란 외무장관은 최근 이란의 제의에 대해 이라크가 기대했던 만큼 긍정적인 반응을 보이지 않고 있음에도 불구하고 평화적인 해결을 위해 계속 노력할 것임을 언급

Ⅳ. 테러 동향

이스라마바드 시위 군중들, 다국적군 파견 국가의 은행 및 항공사 공격

0064

178

外務部 걸프事態 非常對策 本部

題 目: 日日 報告 (57-속보)

1991. 2. 12 09:30

작성자 : 정진호 과장

o 이라크 체재 현대 근로자 3명 이란 호스라비 추가 대피 (2.11. 현지시간 17:00)

- 박효중(35세, 사원), 아들 2명 박민후(7), 박진후(5) 동반
- 이칠성(32세, 근로자)
- 이홍규(48세, 근로자)

o 2.12. 바크타란에 도착, 현대측에 인계될 예정이며 이후 즉시 테헤란 이송, 최단시일 귀국 예정

o 현재 잔류인원 7명 모두 안전

- 조만간 출국비자 획득, 출국 가능 예상

0065

政府綜合廳舍 810號 電話 : 730-8283/5, 730-2941.6.7.9, (구내)2331/4, 2337/8 Fax : 730-8286

外務部 걸프事態 非常對策 本部

題 目 : 日日 報告 (58)

1991. 2. 12.
14:00
작성자 : 정진호 과장

I. 주요 동정 (Day 26)

1. 미국 Bush 대통령 당분간 공중공격만 계속 실시하겠다고 언급
   - o 현재까지의 공중공격 효과적이라고 평가
   - o 적절한 시기가 오면 자신이 직접 지상전 개시 여부 결정할 것임을 밝힘
     - 체니 국방장관과 파월 합참의장이 즉각적 지상전 개시를 건의하지 않은 인상을 주고 있음
     - 상원 공화당 및 민주당 지도자, 지상전 개시 연기 주장 언급
   - o 소련의 다국적군 지지 태도 변화 관측에 대해 명백히 부인
2. 이라크 Hammadi 부수상, 아랍제국 순방
   - o 마그레브 아랍 연방(리비아, 알제리, 튜니지, 모로코, 모리타니아), 수단, 예멘 순방
   - o 미국에 대한 강력 반대 조치 채택 촉구 목적
   - o 아랍 테두리 안에서의 분쟁 해력 노력 용의 시사
3. 이슬람 회의 기구(IOC) 소집 노력 계속
   - o 2.21. 카이로에서 45개국 참석하에 개최 예정
   - o 파키스탄 Sirijani 철도청 장관, 말련, 인니 및 부루나이 방문 참석 요청
4. 이라크 종교장관 사우디 메카에의 성지 순례 거부 발표
   - o 여타 아랍 국가에도 성지 순례 거부 발표 협조 요청중임 시사
   - o 수천명의 민간인 사망 주장(이라크 고위 관리로는 최초의 다수 민간인 사상자 발생 언급)
5. 불란서 Dumas 외무장관 소련 방문(2.12)
   - o 주소 불란서 대사 고르바초프 대통령 면담(2.9)
   - o 걸프사태 관련 협의 예상
6. 이집트 Mubarak 대통령의 TV 연설(2.11)
   - o 후세인 대통령의 즉각적인 철군 재촉구
   - o 후세인 태통령이 아랍의 분열을 조작하고 아랍 형제국들에게 형언하기 어려운 고통을 주고 있다고 비난

0066

政府綜合廳舍 810號 電話 : 730-8283/5, 730-2941.6.7.9, (구내)2331/4, 2337/8 Fax : 730-8286

7. 이라크 민간인 피해

o 유엔 사무총장 유감 표명

- WHO 및 UNICEF 관계자가 조만간 의약품 조달차 이라크 방문 예정임을 밝힘
- UN은 다국적군 활동에 직접 관여치 않고 있으며 참전 3개 상임 이사국 (미, 영, 불)로 부터 사후 전황 보고만 받고있을 뿐이라고 언급

o 아테네 Tritsis 시장 바그다드 방문 (2.11)

- 다국적군의 민간인 공격은 모든 기본적인 국제법을 위반한 비인도적 행위라고 비난

o 미국 Clark 전법무장관 6일간의 바그다드와 바스라 지역 방문후 민간인 6,000-7,000 명의 사망자 발생을 밝히고, 다국적군의 과도 공격 비난

o 바그다드 라디오 방송, 다국적군의 계속적인 민간지역 폭격 주장

- 2.11. 다국적군의 63차례 바그다드 공습중 28번이 민간지역 목표 폭격

Ⅱ. 전 황

1. 대규모 공습 지속

o 기상 조건 호전과 함께 공습 회수 증가

- 2.10. 2,800회, 2.11. 2,900회, 2.12. 3,000회
- 바스라 지역, 보급로(교량), 공화국 수비대 집중 공격

※ 지상 전투 준비 단계 작전을 계속 실시하고 있는 것으로 평가됨.

2. 이라크, 이스라엘 및 사우디에 SCUD 미사일 공격 재개

o 사우디 리야드에 SCUD 미사일 1발(32발째) 공격

- 미국 미사일에 의해 요격, 파편 추락으로 학교 파손, 경상자 2명 발생

o 이스라엘 중부(비거주 지역) 및 텔아비브에 미사일 각 1발(총 33) 공격

- 피해 상황 경미

3. 아프간 게릴라 300명 다국적군 가담

o 1979-1988 아프간 사태시 게릴라 전투경험 있는 병사 집단

o 걸프전쟁에는 큰 활약 기대가 어려운 상징적 지원 부대

4. 이라크 탈영병 증가 추세

o 다국적군에의 투항자 1,000여명 도달

- 지뢰밭, 투항 발견시 처형등의 위험을 무릅쓰고 감행중인 것으로 보아 이라크군의 사기 저하 입증

o 이라크쪽 귀환 시도 탈영자는 4,000여명 도달 추정

0067

179
480
181

Ⅲ. 테러 동향

1. CNN Headline News 방송국 폭탄 위협
   - o 2.12. 07:00-08:00(한국시간) 생방송 중지, 전직원 대피
   - o 거짓 위협 판명
2. 불란서 퐁피두 전대통령 저택 소형 폭탄 폭발
   - o 테러 감행자 상금 미상
3. 전세계적 테러 공격 계속중
   - o 전쟁이후 100여차례에 걸친 테러 발생

0068

外務部 걸프事態 非常對策 本部

題 目: 日日 報告 (59)

1991. 2. 13.
06:00
작성자 : 김동억 서기관

I. 주요 동정 (Day 27)

1. 아랍 9국 카이로 외상회담 개최 예정 (2.15-16)
   - o GCC 6국, 이집트, 시리아, 모로코 참석
   - o 걸프전후 중동지역 안전 보장 확보 방안 논의
     - 현재 운영중인 GCC 아라비아 반도군 (10,000명 규모)를 중심으로 구성
     - 미, 영, 불 3국에의 해군 주둔 요청은 고려 가능하나 지상군 주둔은 곤란 시사
     - 궁극적으로는 추후 이란, 터키, 파키스탄과 이라크까지 포함 구상
   - o 동지역 안보 참가국에 대한 경제개발 지원 방안 논의
     - 90.12. 카타르 개최 GCC 정상회담시 걸프 기금 설치 원칙 합의
     - 이집트, 시리아등 반이라크 참전국, GCC 로부터의 경제 지원 기대
   - o 종전후 이스라엘-팔레스타인 문제의 즉각적인 해결 추진 방향 논의
     - 팔레스타인의 대표 문제가 최대의 걸림돌로 등장
2. 영국 Major 수상 독일 방문
   - o Kohl 수상과 걸프 사태관련 심층 논의
     - 전후 복구지원 문제
     - 전후 이라크에 대한 무기 수출 통제 협의
     - 전후 아랍국의 요구에 의한 유엔 평화군 주둔 가능성 인정
   - o 양국 수상 회담시 독일의 부적절한 역할이 중점 논의될 것으로 예상 되었으나, 회담후 Major 수상은 독일의 지원이 매우 관대하다고 언급 하였으며 Kohl 수상은 향후 또다시 추가 전비 지원 요청이 있으면 기꺼이 검토할 용의가 있음을 밝힘.
3. 요르단 동향
   - o Hassan 왕세자, 친이라크 선회부인, 엄정 중립 유지 주장
     - 그러나 이라크의 쿠웨이트 일부 영토에 대한 주장은 근거있다고 언급

0069

政府綜合廳舍 810號 電話 : 730-8283/5, 730-2941. 6. 7. 9, (구내)2331/4, 2337/8 Fax : 730-8286

o 일본 외무성 대변인 대요르단 차관 (7억불) 지원 방침 불변 발표
  ※ 일본, 기타 전선국가인 터키와 이집트에도 각7억불 및 6억불 저리 차관 지원 약속
o 시리아 및 예멘으로부터 시장가 기준 원유 도입 방침 결정
  - 이라크로부터의 공급 물량 대폭 감소에 따른 조치 (종전 6만 BPD 에서 1만 BPD 이하로 감소)
  - 사우디도 90.9. 요르단의 친이라크 태도에 대한 보복으로 3.5만 BPD 규모의 긴급 공급 중단
  - 이라크로부터의 특혜 도입시 (배럴당 16.60불) 비해 1개월당 2500만불 추가 부담 발생 예상
  - 시리아 (일일 생산량 43만 배럴) 로부터의 도입은 1개월 단위로 육로 수송 방법으로 실시 예정이며, 예멘으로부터는 최근 구입한 (750만불) 10만톤 규모 유조선을 이용 선적 예정임.
o PLO 의 Arafat 의장 암만 도착 (2.12)
  - PLO 의 확고 부동한 이라크 지지 입장 재차 확인
  - 후세인 국왕과 걸프사태, 이스라엘 점령 서안 현황, 양자관계 및 GCC 의 대 PLO 지원 감소 문제 논의
o 이스라엘을 위한 스파이 혐의로 공군 조종사 2명 처형 (BBC)
  - 1960년대 이래 처음 보이는 반서방, 반이스라엘 전쟁 피해 망상 의식 반영 평가

4. 영국 King 국방장관 및 불란서 Joxe 국방장관 미국 방문 (2.12)
  o 지상전 개시 여부관련 전략 협의 목적
  o 영국의 지상전 필요성 인식 전달 예상

5. 독일 Genscher 외무장관, 전선 3국 순방
  o 이집트, 시리아, 터키에 대한 경제 지원 (13억불 약속) 문제 협의
  o 전후 중동 전반 문제 논의
    - 유럽 안보 협력 회의 (CSCE) 와 유사한 형태의 중동기구 설치 제의

6. 스페인 Ordonez 외무장관, 마그레브 5국 순방 (2.13)
  o 리비아, 알제리, 모로코, 튜니지, 모리타니아와 걸프 전쟁 평화 해결 및 전후문제 협의 예정
  o 유럽과 회교국가간의 불신 심화 방지 노력 촉구
    - 4 plus 5 그룹 회의 주장 (이태리, 불란서, 스페인, 포루투갈, 마그레브 5국)

0070

7. 쿠웨이트 망명정부, 전후 쿠웨이트 의회 재개 불허 방침 발표
   - o Al-Yacoub 공보장관, 전후 파괴된 쿠웨이트에서의 즉각적인 선거 불가 입장 발표
     - 계엄 정부 도입 필요성 주장
   - o 반왕정 세력은 민주화 약속 위반이라고 비난하고 민족 전선 구성 방침 발표
     - 쿠웨이트 탈환 6개월이내 선거 실시 주장
       ※ 90.10. 쿠웨이트 정부 및 반대파, 쿠웨이트 해방 위한 공동 투쟁 합의
   - o 쿠웨이트 전후 국내 정치상 문제 발생 예상
8. 이스라엘 Arens 국방장관 미국 방문 (2.12)
   - o 대이라크 보복 계속 자제에 대한 유보 입장 표명
     - 그러나 미국 동의 없는 상태의 보복 가능성은 배제
   - o 이스라엘 공군의 SCUD 미사일 발사대 색출 및 파괴 능력 보유 과시
     - 전쟁 참가 권유가 있기를 바라는 듯한 발언으로 해석
       ※ 이란 Velayati 외무장관, 이스라엘 전쟁 직접 개입시 이란의 중립 파기 입장 발표 (2.12)
   - o Bush 대통령, Baker 국무장관, Cheney 국방장관등 면담
     - Baker 국무장관, 골란 고원 비무장화 제의설
9. 이라크 Hammadi 부수상, 튜니지 도착
   - o 언제든지 지상전 개시할 만반의 준비 완료 주장
   - o 다국적군 참가국에 대한 보이코트 촉구
   - o 다국적군 반대 시민 시위 촉구
10. 기 타
   - o 인도 Ghandi 전수상, 인도의 핵무기 공격 능력 개발 필요성 주장
     - 미국이 걸프전쟁에서 핵무기 사용을 위협하거나 실제로 사용할 경우 인도의 자구책을 위해 핵무기 개발 가속화 주장
     - 핵사용은 유엔 안보리 결의의 한계를 초과함을 지적
   - o CBS 기자 4명 (1.21 실종) 이라크군 억류
     - 이라크 포로를 심문한 미군 정보 소식통 비공식 확인
     - 니카라구아 Ortega 전 대통령, 후세인 대통령에게 소재 파악 협조 요청

0071

183

. Bob Simon 특파원, Peter Bulff 프로듀서, 큐바 태생 Roberto Alvarez 비데오 촬영기사, 니카라구아 태생 Juan Munuel Caldera 음향기사

o 미국 Fitzwater 백악관 대변인, 이라크의 민간인 사상자 (수천명 주장) 발표는 과장이라고 일축

o 소련 Dzasokhov 인민의회 외교분과 위원장, 갑작스러운 확전 경우, 미.소관계 악화 경고

o 소련 군사전문가, 이라크내 계속 활동중일 가능성 탐지 (미군 당국)
  - 155명이 계속 잔류 이라크군 장비 유지, 통신 체제 복구등 협조
  - 전전 4000명중 일부가 귀국 거부하고 용병으로 잔류하고 있을 가능성 추정

o 영국정부, 벨기에에 4천만불 상당 전비 지원 공식 요청

o 난민 320명 (베트남, 수단, 예멘), 이란 Khosravi 대피
  - 현재까지 외국인 4110명, 이라크인 105명 이란 대피 추계

Ⅱ. 전 황

1. 대규모 공습 지속
   o 연 65,700 회 출격
   o 25-50대 규모 기갑차 수송단 파괴
   o SCUD 미사일 발사대 4개 파괴
   o 전투기 3대 및 헬기 1대 격추
   o 이라크군 전체 전력 20% 파괴 추정

2. 지 상 전
   o 미 지상군 추가 배치 계속
     - 현재 513,000명 도달
   o 해병 사단 전투 예상 국경 지역 이동 배치 계속
   o 소규모 접전 간헐적 발생

3. 양측 피해 상황 (2.12)
   o 다국적군 발표
     - 사망 30명 (미 12, 사우디 18), 민간인 : 사망 9, 부상 64
     - 실종 46명 (미 28, 영 8, 이태리 1, 사 9)
     - 포로 12명 (미 8, 영 2, 이 1, 쿠 1)

0072

186

- 전투기 피격 25대 (미 18, 영 5, 쿠 1, 이 1)
- 전투기 사고 추락 7대 (미 5, 영 1, 사 1)
- 헬기 사고 추락 6대 (미국)
- 이스라엘인 4명 사망, 305명 부상
- 이라크군 포로 1095명 이상, 사살 53명
- 이라크군 전투기 135대 및 헬기 4대 파괴
- 이라크 함정 73척 파괴

o 이라크군 발표
- 다국적군 전투기 180대 이상 격추
- 79명 사살, 20명 이상 포로
- 민간인 647명, 군인 90명 사망, 민간인 750명 부상

Ⅲ. 평화 해결 중재 동향

1. 유고 비동맹 외상 회의 개최 (2.12)

o 참가국 (15) : 유고, 큐바, 이집트, 스리랑카, 인도, 이란, 인도네시아, 가나, 나미비아, 짐바브웨, 사이프러스, 나이제리아, 베네주엘라, 아르헨티나, 알제리

o PLO 는 당초 초대되지 않았으나 2.11 PLO 사무총장 Al-Sourani 가 예고없이 유고 도착 합류

o 첫날 예비 회담시 난항 노정
- PLO, 큐바, 알제리는 즉각적인 휴전 선언 촉구 주장
- 다수국 지지안은 후세인 선철군 의사 확고 발표, 다국적군 정전, 양측 단계적 철군, 유엔 평화군의 다국적군 대체등의 내용임.

o 전후 신국제 질서상에서 비동맹 입지 강화 위한 구체적 행동 추진 노력 강구중

2. 소련 Primakov 특사, 바그다드 도착 (2.12)

o 후세인 대통령 면담, 철군시 보복 금지 보장 제의할 것으로 예상

o 소련 방문후 일본 방문 예정
- 일본 보험회사 주최 전후 동-서관계와 세계 정세 전망 심포지움 참석 연설

0073

187

外務部 걸프事態 非常對策 本部

題 目: 日日 報告 (60)

1991. 2. 13
14:00
작성자 : 강선용 과 장

I. 주요 동정 (Day 27)

1. 지상전 개시 관련, 다국적군간 협의 내용
   - o 미국을 방문중인 영, 불 국방장관의 부시 대통령 면담후 다국적군의 지상전 개시 시기 관련 언급
   - o 부시 미 대통령
     - 전쟁은 계획대로 진행되고 있으며, 지상전 개시 시기를 인위적인 일정(Timetable)에 구애되어 결정하지는 않을 것임.
   - o King 영국 국방장관
     - 미국의 전략에 강력한 지원 표시
     - 지상전 개시전에 이라크 군사력이 상당부분 약화되어야 하며, 이를 위해 공중공격이 계속 필요함.
   - o Joxe 불란서 국방장관
     - 미국과 다국적군들이 군사적, 정치적 고려후 지상전 개시 시기를 결정할 것임.
     - 불란서군도 지상전에 참여할것임.
   - o 사우디 주둔 미군 사령부
     - 향후 3-4주간의 공중공격이 필요함.
   - o 이라크의 반응
     - 다국적군은 속임수를 쓰고 있으며, 지상전이 임박했다고 발표
2. 미국, 서유럽국가들의 이스라엘 지원 요청
   - o 미국은 이스라엘의 미사일 피해와 전쟁관련 비용을 보상키 위해 서유럽 국가들에게 대이스라엘 원조 제공 요청
   - o 미국은 이스라엘을 '전선국가'(이집트, 터키, 요르단)에 추가로 포함시키고, 이들 전선국가에 대한 원조증액을 고려중이라고 밝힘

0074

政府綜合廳舍 810號 電話 : 730-8283/5, 730-2941.6.7.9, (구내)2331/4, 2337/8 Fax : 730-8286

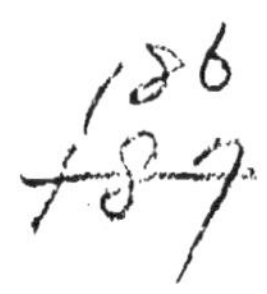

3. UN 안보리 공식회의 개최 예정

o 걸프전 관련 토론을 위해 2.13. 전쟁발발 이래 최초의 공식회의 개최 예정

o 동 회의는 쿠바 및 예멘의 공개회의 요청에도 불구하고 미, 영, 소의 주장대로 비공개로 개최될 전망

Ⅱ. 평화적 해결 중재 동향

1. 소련 특사 이라크 방문 결과

o 이라크 방문중인 '프리마코프' 소련특사, 후세인 대통령을 면담하고 메시지 전달

o 사담후세인 대통령의 반응

- 이라크는 사태의 평화적, 정치적 해결책 모색을 위해 소련을 비롯한 기타 국가의 평화안에 협력할 용의가 있음.
- 그러나 다국적군 폭격이 우선 중지되어야 하며 이라크는 어떠한 희생이 따르더라도 침략에 대항할 것임.

o 미국의 반응

- 사태 해결은 이라크가 쿠웨이트 철수 문제에 대해 어떤 입장을 취하는가에 달려 있으며, 걸프전과 팔레스타인 문제를 연계시키려는 동일한 전략의 반복으로 평가

o 유엔 사무총장

- 이라크의 평화적 해결 움직임 환영하나, 쿠웨이트로 부터 완전 철수가 전제조건이 되어야 할 것임.

o 한편 소련도 제안의 내용에 대해, 유엔결의와 상반되는 내용을 포함하고 있지 않으며, 이라크의 쿠웨이트로 부터 철수가 전제 조건임을 명백히 밝힘.

2. 비동맹 회의, 이라크에 사절단 파견 발표

o 비동맹권은 걸프전의 확전 방지를 위해 가능한 조속한 시일내 이라크와 미국에 대표단 파견을 결정

Ⅲ. 테러 동향

1. 다국적군 재정지원 국가에 대한 테러 위협

o 2.10. 예멘에서 개최된 제3차 아랍 민중회의에서, 예멘은 다국적군에 재정 지원을 한 국가에 대해서도 보복할 것을 내용으로 하는 결의안 제출

0075

189

Ⅳ. 교민 철수 동향(91.2.13. 13시 현재)

국 별	총원(91.1.5)	잔 류 자	
사 우 디	4,980	3,423	- 교민 23명 추가 개별 출국 - 특파원 : 17명
이 라 크	96	8	- 현대소속직원자녀 2명 별도잔류
쿠웨이트	9	9	
요 르 단	66	21	- 특파원 : 12명
바 레 인	335	233	
카 타 르	82	66	
U. A. E.	650	423	
이스라엘	113	59	- 특파원 : 3명
총 8개국	6,331	4,242	

0076

190

188 / 189

外務部 걸프事態 非常對策 本部

題　目：　日日 報告(61)

1991. 2. 14 06:00
작성자 : 김의기과장

I. 주요동정(Day 28)

1. 다국적군 공폭으로 이라크 민간인 500여명 사망
   - ㅇ 다국적군, 2.12 밤부터 12시간 동안 개전이래 최대규모의 공습
   - ㅇ 2.13 새벽 다국적군 공군기들이 발사한 미사일 2발이 바그다드 시내의 지하 대피소에 명중, 걸프전 개전이래 민간인 인명피해론 최대규모인 민간인 500여명 사망(이라크측 주장)
   - ㅇ 체니 미국방장관, 이라크가 주장하는 민간인 대피소가 아니고 군지휘 통제 벙거로서 정당한 목표물이었다고 강조
     - 사담 후세인의 인간 방패 작전으로 간주
   - ㅇ 영국 외무장관, 동 사태에 대한 1차적 책임은 사담 후세인에게 있다고 언급
   - ㅇ 알제리 및 튜니지아, 학살 행위라고 규탄
   - ㅇ 유엔사무총장, 민간인 대규모 사망 사실 개탄

2. 걸프전 관련 소련 군부 반응(2.13 모스크바발, 로이타 통신)
   - ㅇ 2.13 소련 군부, 걸프전에서 민간인 희생이 늘어나고 있음에 우려 표명, 현수준의 무력사용이 쿠웨이트 해방에 필요한 것인지 의문 제기
   - ㅇ 유엔 결의안은 이행해야 한다는 정부의 입장을 두둔할 것이 아니라 정치적 해결을 위한 다양한 조치를 취해야 할것임을 촉구
   - ㅇ 고르바초프 대통령이 걸프전 등 국내외 문제에 대해 보수파로부터 상당한 압력을 받고 있는 것으로 관측됨.

3. 이라크, 사우디 주둔 모로코군 철수 요청
   - ㅇ 모로코를 방문중인 '하마디' 이라크 부총리, 2.13 하산 국왕에게 사우디 주둔 모로코군 철수 촉구
   - ㅇ 하산 국왕은 즉각적 답변 회피

0077

政府綜合廳舍 810號　電話 : 730-8283/5, 730-2941. 6. 7. 9, (구내)2331/4, 2337/8　Fax : 730-8286

191

4. 미국무부, 북한의 대이라크 스커드 미사일 부품공급설에 우려 표명 (2.13 마이니찌 신문 보도)

ㅇ 지난주 미사일 부품 운송용으로 추정되는 북한 점보제트기 이라크 향발

ㅇ 미점부, 2.4 북경개최 북한과의 비공식 접촉시 우려 전달

5. 소련 국방부, 이라크내 소련군사 고문단 잔류 부인(프라우다지 보도)

ㅇ 쿠웨이트 침공이전 잔류중이던 소련 군사기술자 및 고문 5,000명, 91.1.9-10 이라크로부터 최종 철수

ㅇ 현재 잔류자 없음

Ⅱ. 평화적 해결 중재 동향

1. 유고 비동맹 외무장관 회의 개최(2.12)

가. 유고측 해결안

1) 이라크의 쿠웨이트 철군 및 정통정부 회복

2) 교전 당사자의 적대 행위 중지

3) 사태의 평화적, 정치적 해결

4) 중동지역 전체 문제, 특히 팔레스타인 문제 해결위한 Peace Process 개시

나. 인도 및 이란측 해결안

1) 이라크의 철군 약속

2) 적대 행위 중지

3) 유엔 감시하의 철군 실시

4) 중동문제 해결 위한 지역 회의 개최

다. 전 망

ㅇ 상기 해결안에 대한 통일된 입장 도출 여부가 주목되고 있는 가운데 2.11 이라크측이 쿠웨이트 철수 불가 입장을 발표함으로써 금번회의의 전망이 더욱 어두어짐

0078

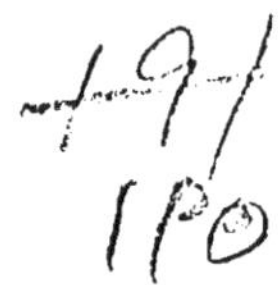

2. 이라크 외무장관 소련 방문예정

ㅇ 후세인 이라크 대통령은 2.12 프리마코프 소련 특사와의 회담에서 평화적 해결 노력 용의를 표명한데 이어 '타리크 아지즈' 외무장관을 2.17 소련에 파견, 2.18 고르바초프 대통령과 회담을 갖게 할 예정임

3. 터키 외무장관, 무바라크 이집트 대통령과 회담(2.13)

ㅇ 전쟁 진행상황 및 해결방안 논의

ㅇ 이라크군의 쿠웨이트 철수가 평화적 해결의 전제 조건임을 재확인

ㅇ 걸프전 종료후 아랍-이스라엘 문제가 최우선적으로 논의돼야 한다는데 합의

4. 겐셔 독일 외무장관, 시리아 도착(2.13)

ㅇ 아사드 대통령 및 파룩 외무장관과 회담 예정

5. 카다피 리비아 지도자, 카이로 도착(2.13)

ㅇ 북아프리카5개국 제안 평화안에 대해 무바라크 이집트 대통령과 회담 예정

6. 사우디, 이란, 파키스탄 3 국 외무장관 제네바 회동(2.13)

ㅇ 걸프전 관련 이란측 입장 청취 및 이란 평화안에 대한 이라크측 반응 확인 목적

Ⅲ. 테러 동향

ㅇ 팔레스타인 회교 근본주의 단체 테러 위협(팔 과격 단체, 2.13자 독일 시사주간지 슈테른지 회견 내용)

ㅇ 이라크에 대항하고 있는 다국적군을 지지하는 모든 국가들이 공격 목표

- 터키내 독일 조종사 및 프랑크푸르트내 목표물이 주요 공격 대상
- 무바라크 이집트 대통령 암살시도 예정

0079

193

外務部 걸프事態 非常對策 本部

題　目：　日日報告 (62)

1991. 2.14 14:00
작성자 : 유시야 과장

I. 주요동정(Day 28)

1. 다국적군의 이라크 민간인 방공호 폭격 관련(계속)
   - ㅇ 이라크 외무장관은 이를 '가증스런 범죄'라 비난하고 유엔이 미국을 비난할것을 촉구하는 서한을 유엔사무총장 앞으로 발송
     - 다국적군의 무력사용을 허용한 유엔결의에 찬성한 국가들이 전적으로 책임을 져야할 것임
   - ㅇ 동 폭격은 이라크의 쿠웨이트 철수를 위해 사용되는 다국적군의 전술에 문제점 제기 가능성
   - ㅇ 각국반응
     - 요르단 : 3일간 조의기간 선포, 친이라크 분위기 고조
     - 튀니지 : 1일간 조의기간 선포
     - 불란서 : 민간인 사망에 유감표시. 그러나 사담후세인 대통령의 책임임.

2. '겐셔' 독일 외무장관, 시리아 방문 결과
   - ㅇ 아사드 시리아 대통령은 이라크의 쿠웨이트로부터 철수만이 종전을 가져올 것이라는 입장 재확인
   - ㅇ 시리아는 중동문제 해결을 위해 이스라엘의 생존권을 인정할 태세가 되어있음.
   - ㅇ 시리아와 이집트는 전후 평화질서 구상에 관해 신뢰할만한 관계를 유지하고 있음.
   - ㅇ 독일은 시리아에 7,500만불 원조제공 약속

3. 소련특사 이라크 방문 결과
   - ㅇ '프리마코프' 특사는 정전 가능성에 '일말의 희망'을 갖고 있다고 언급
   - ㅇ 한편 주유엔 이라크대사도 '아지즈' 이라크 외무장관의 소련방문은 '한가닥 희망'을 의미한다고 언급

4. 이라크, 미국의 비타협 태도 비난
   - ㅇ 이라크는 종전을 위해 걸프전과 여타 중동문제를 함께 토론할 '진정한 대화'를 희망하고 있다고 주유엔 이라크대사 발표
   - ㅇ 이에대한 미국의 비타협 태도를 비난하면서 미국이 대화에 응하지 않을 경우 이라크는 전쟁을 가속화 시킬 것이라고 경고

0080

政府綜合廳舍 810號　電話 : 730-8283/5, 730-2941, 6, 7, 9, (구내)2331/4, 2337/8　Fax : 730-8286

5. 유엔안보리, 비공개 회의 개최 결정(2.14)
   ㅇ 유엔안보리는 걸프전 관련 회의를 비공개로 개최키로 찬성 9, 반대 2로 결정
   ㅇ 반대국가 : 쿠바, 예멘
   ㅇ 기권국가 : 중국, 에쿠아돌, 인도, 짐바브웨

Ⅱ. 아랍의 전후 중동질서 구상

ㅇ 사우디, 시리아, 이집트 외무장관은 경제원조, 지역안보 및 팔레스타인 문제해결을 포함한 전후 중동질서 청사진 협의
  - 동구상은 여타 걸프지역 국가와 모로코가 참가할 2.15. 개최예정인 카이로 회의에서 광범위하게 토론될 예정임.

(주요내용)

ㅇ 팔레스타인 문제
  - 이스라엘이 금번 보복 자제로 획득한 세계의 동정심을 이용, 방해 시도할 것을 우려

ㅇ 지역안보 문제
  - 전후 외국군을 걸프지역에서 신속히 철수시킬수 있는 방안 강구

ㅇ 경제원조
  - 사우디는 전후 원조가 아랍민중에게 직접 혜택이 갈수 있는 방안 마련 희망
  - 현금원조를 지양하고 공공사업 위주로 전환

ㅇ 군비통제
  - 핵무기, 생·화학무기 반입 및 제조금지 포함

Ⅲ. 테러동향

1. 독일 Red Army 파 게릴라, 미국대사관에 총격(1.13)
   ㅇ 걸프전에서 미국정책과 이에대한 독일정부의 지지에 반대
   ㅇ 인명피해 없음.

2. 그리스
   ㅇ 친이라크 도시게릴라는 아테네 불란서 문화관 차량등 2곳에서 차량 폭발하였으나 인명피해 없음.

0081

195

外務部 걸프事態 非常對策 本部

題 目: 日日報告 (63)

1991. 2.15 06:00
작성자 : 박종순 서기관

I. 주요동정(Day 29)

1. 다국적군의 이라크 방공호 폭격 관련(계속)

ㅇ 미 부쉬대통령, 미군기 폭격으로 민간인 사망자가 발생한 바그다드내 건물은 군사시설이었다고 언급

ㅇ 미 백악관 대변인, 사담후세인 이라크 대통령이 전쟁을 위해 민간인을 또 이용하고 있다고 언급

ㅇ 미국, 400여명이 사망한 동 방공호 폭격이후, 바그다드내 전략 목표물에 대해 재점검

ㅇ 미국의 바그다드 공중폭격으로 인한 이라크 민간인 사상자 발생이 미국의 공중전 전략에 대한 국제적 지지를 상실할 가능성이 농후함. (워싱턴, AFP 보도)

ㅇ Tom King 영국 국방장관,
  - 이라크 방공호 민간인 희생자들은 고의적으로 군사시설물에 수용되었던 것이며, 다국적군은 민간인들이 다치지 않게 하기위해 대단한 노력을 하였음을 언급
  - 다국적군이 방공호를 공격함으로써 민간인들로 방패를 삼았던 후세인의 덫에 걸려들었을지 모른다고 시사

ㅇ 각국반응
  - 이 라 크 : 케야르 UN 사무총장에게 민간인 사살은 고의적이라고 규탄
  - 알 제 리 : 정오에 1분간의 묵념실시
  - 파키스탄 : 의회에서 민간인 폭격비난
  - 중 국 : 민간인 죽음에 깊은 유감표시
  - 팔레스타인 : 희생자 애도위해 파업
  - 예 멘 : 동 폭격 규탄 (살레흐 대통령)
  - 요 르 단 : · 경악과 분노와 비통함을 금할수 없다고 애도의뜻 표시
    · UN 안보리 의장에게 걸프전의 즉각적 휴전 및 진상 조사단 파견요청 메세지 발송(후세인 국왕)
  - 아프가니스탄 : · 수백명 사망자를 발생케한데 대해 비난
    · 즉각적 휴전요구 및 대화를 통한 걸프사태 해결촉구

2. Tom King 영국 국방장관, 사담후세인 대통령이 쿠웨이트로 부터 철수할 조짐은 보이지 않고 있으며, 곧 지상전이 개시될지 모른다고 언급

0082

政府綜合廳舍 810號 電話 : 730-8283/5, 730-2941.6.7.9, (구내)2331/4, 2337/8 Fax : 730-8286

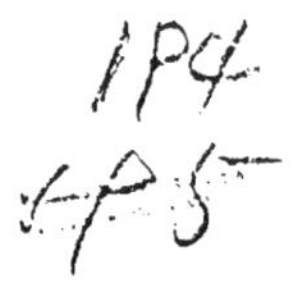

3. 이라크, 알 라쉬드 호텔내 비밀 군사통신센타 설치
   - 호텔 지배인, 동 비밀시설 부인(CNN TV 인터뷰에서)
   - 외국언론인 포함 많은 민간인이 체류중인 바그다드 호텔 지하 비밀장소에도 이라크 주요 군사통신센타 설치 (뉴욕 타임즈 보도)

4. 주일 이라크대사, 미국주도 다국적 공군의 이라크 폭격으로 7,000여명 민간인 사망 및 수천명 부상함을 언급

5. 아지즈 이라크 외무장관, 걸프전 문제 협의차 2.18. 모스크바 방문 (소련 대변인 발표)
   - 걸프전 종결 위한 외교노력
   - 미국, 동 이라크 외무장관의 모스크바 방문 계획에 대해 일단 긍정적 반응을 표시하면서, 그러나 이라크의 쿠웨이트 철수 선행없을때 아무것도 수락하지 않을 태도 견지

6. 이라크 공보장관, 케야르 UN 사무총장을 '더러운 범죄자'라고 비난
   - 걸프전쟁에서 UN 사무총장이 공모역할을 하고 있음

7. Helmut Kohl 독일수상, 걸프전 재정지원을 위해 세금인상 준비중

8. 벨라야티 이란 외무장관, 이라크 군용기를 몰고 이란에 들어온 이라크 일부 조종사들이 이란에 정치적 망명을 요청하였음을 시사

Ⅱ. 평화적 해결중재 동향

1. 파루크 알 샤라 시리아 외무장관, 중동평화는 모든 아랍지역에서의 이스라엘의 철수가 전제되어야 한다고 주장
2. 샤리프 파키스탄 수상, 걸프사태 논의차 이란 외무장관과 사우디 외무장관을 제네바에서 각각 면담
   - 2.20-25 중국, 2.25부터 소련 방문 예정
3. 중국 부수상, 시리아 방문 하페즈 시리아 대통령과 면담, 이라크의 쿠웨이트 철수를 공동촉구
   - 걸프전 종식은 이라크의 철수에 좌우됨을 공동인식
4. 시리아 및 5개 걸프지역 외무장관들, 걸프사태 논의위한 회담참석차 카이로 도착
   - 시리아 외무장관, 아랍-이스라엘 문제 관련, 시리아는 UN 안보리 242, 338 에 의거한 국제평화회의 개최를 추구하고 있음을 언급

0083

1ρ5
197 1ρ6

Ⅲ. 전 황

1. 이라크, 사우디에 스커드미사일 공격
   - 사우디 동북부지역 HAFAR AL-BATIN에 미사일 1발 발사하였으나, 페트리오트 미사일에 의해 요격됨.
   - 동지역은 주요 아랍군이 주둔하고 있는 전선지역임.
   - 이라크가 낮에 사우디에 대해 미사일 발사한 것은 이번이 처음.
2. 미군 전투기 EF-111 1대 피격 격추, 조종사 2명 사망
3. 다국적군 공습지속
   - 연 1,300대 이라크군 전차, 800 무장차, 1,100대포 파괴
   - 전투기 2.14. 2,800 회 출격, 교량, 통신, 화학무기 수송시스템 및 통제센타에 중점 공습
   - A-6 해군전함, 쿠웨이트에서 이라크 순양선 격침
   - 594개 이라크 방공시설중 절반이 다국적군 공격에 파괴 또는 무용지물화(영국군 대변인 언급)

Ⅳ. 테러동향

ㅇ 파나마의 COAPESCA 사 (미국회사합작) 소속 어선 3척과 VINKINGO 사 어선 1척이 FAKC 게릴라 습격으로 소각

ㅇ 독일주재 미 대사관 총격
   - 적군파 편지 발견

Ⅴ. 아국 교민 철수 및 안전동향

1. 사우디 체류 교민 79명 2.14. 개별철수, 총 4,980명중 잔류 3,344명
2. 이스라엘 잔류교민 59명 및 취재중인 특파원 3명 전원 무사 안전
3. 걸프지역 체류교민 총 6,331명중 철수 2,168명, 잔류 4,163명

0084

206

外務部 걸프事態 非常對策 本部

題 目: 日日 報告 (64)

1991. 2. 15
14:00
작성자 : 정진호 과 장

I. 주요 동정 (Day 29)

1. 다국적군의 이라크 방공호 폭격 관련(계속)

   o 이라크 대미 비난 계속
   - 바그다드 시민 5,000여명 반미 극렬 구호 시위
   - 공보장관, Bush 대통령을 유대인 말살을 시도한 히틀러와 비교하며 이라크 민간인에 대한 무차별 공격 비난
   - 2.14까지 시체 288구 발굴 발표 (700여명 사망 추정)
   - 서방 언론에 자유로운 현장 출입 허가 (군사시설 흔적없는 것으로 보도)
   - 군인 사망자 전무 주장

   o 미국, 공습 계속 강행 방침 발표
   - 민간인 사상자 최소화를 위한 여러 방안 검토중임 시사
     . 폭격 목표 사전 발표
     . 민간인들에 대한 군사 목표물 대피 거부 설득 전단 살포

   o 스페인 Gonzales 수상, 다국적군의 이라크 도시에 대한 공습 중지 촉구
   - 유엔 또는 적십자사의 바그다드 벙커 폭격 조사 주장
   - 쿠웨이트 지역에만의 공습 전념 촉구
   - Bush 대통령에게 민간인 사망 우려 표명 서한 송부

   o 이태리 Lenoci 외무차관, 이라크 도시에 대한 폭격 감소 촉구(의회 증언시)
   - Regnoni 국방장관, 융단 폭격 형식 공격 반대 표명

   o PLO Arafat 의장, 방공호 방문, 미국 비난
   - 유엔 결의 한계를 명백히 초과하는 범죄 행위임
   - 평화협상 개시 촉구

   o 이집트 Mubarak 대통령, 후세인의 인간방패 전술 비난
   - 후세인 대통령이 무고한 민간인을 인간방패화 함으로써 비극 자초

   o 영국 군사문제 전문지 Jane, 다국적군 폭격 바그다드 방공호는 군사 및 민간 공동 사용 목적 방공호였다고 주장(미국 합참 Kelly 중장 부인)

0085

政府綜合廳舍 810號 電話 : 730-8283/5, 730-2941, 6, 7, 9, (구내)2331/4, 2337/8 Fax : 730-8286

o 요르단, 1,000여명 미 대사관앞 시위

o 인도네시아 학생단체, 미.영.일 대사관 앞 시위

- 이슬람 연합 개발당도 바그다드 방공호 폭격을 야만 행위라고 미국 비난

o 모리타니아 학생들, 친이라크 시위

2. 이라크군의 쿠웨이트 민간인 대규모 학살

o 쿠웨이트 망명 정부군 대변인, 개전이래 이라크가 200여명(65명 어린이 및 부녀자 포함)의 쿠웨이트 민간인을 학살했다고 주장

- 방공호 폭격으로 인한 민간인 사상자 발생 관련 이라크의 Propaganda 전술 효과를 상쇄키 위한 다국적군의 반격으로서 쿠웨이트 점령 이라크군의 잔혹 행위 국제 여론 호소

3. 이집트-이란 외교관계 재개 협상 진행

o 이란의 요청으로 91.1. 이래 뉴욕과 제네바에서 양측간 공식적 접촉 다각 진행중

- 오만, 시리아, 이태리, 터키의 중재 노력

- 이집트, 90.6. 이란 지진시 긴급물자 원조 군수송기 파견

- 이란, 대이집트 Propaganda 방송 중지(오만의 중재)

o 양국간 경제 관계는 이미 부분 재개

- 양국 공동 투자 MISR 은행 사무소 상호 교환 합의

- 양국 직항로 재개 협상

o 전후 지역안보 구상 관련 양국관계 정상화는 필수적인 요소로 평가됨.

4. 유엔 안보리 비공개 회의 소집 (2.15)

o 상임이사국 5국, 오스트리아, 벨지움, 쿠바, 에쿠아도르, 인도, 아이보리 코스트, 루마니아, 예멘, 자이르, 짐바브웨 참석

- 1975. 서부사하라 문제 비공개 토의 이후 16년만의 비공개회의 이며 유엔 역사상으로는 4번째임.

o 이라크 민간인 사망자 문제 중점 논의 예상

- 상세 회의록, 관례에 따라 2.16. 발표 예정

o 각국 언급 사항

- 이라크 : 민간폭격은 전쟁 범죄라고 미측 비난, 철군 여부는 언급치 않음

- 중국 : 민간인 사망과 대규모 파괴는 극도로 심각한 문제임을 지적

- 쿠바 : 정전 결의안 채택 주장

- 사우디 : 모든 평화노력을 거부했던 후세인 대통령에 전쟁의 모든 피해 책임 있음. 민간인 사망자 발생에는 유감 표명

o WHO 및 UNICEF, 긴급 의약품 이라크 전달 (2.16)

0086

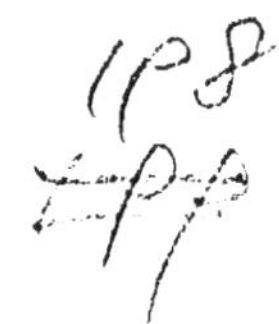

Ⅱ. 평화적 해결 중재 동향

1. 이란 Velayati 외무장관

   o 제네바 유엔 군축회의 참석시 사우디 Faisal 외무장관 및 파키스탄 Sharif 수상 면담 (2.14)

   - 사우디와의 외교관계 재개 협의
   - 금년도 메카 순례 실시 여부는 평화적 해결 노력 진전상에 따라 결정될 것임을 밝힘.

   o 이태리 방문 (2.15)

   - 이라크는 평화 해결 가능성을 완전히 배제치 않고 있으나 쿠웨이트 사태와 팔레스타인 문제 연계를 계속 주장하고 있다고 밝힘.
   - EC, 소련, 제3세계, 회교국들과 긴밀한 협의하에 평화적 해결 노력 계속 예정

2. E C

   o 이태리, 룩셈부르크, 화란 외무장관이 EC를 대표하여 소련 방문(2.16)

   - 평화적 해결 방안 협의

3. 이라크

   o 아지즈 외무장관 소련 방문 예정 (2.17)

   - 지상전 개시전 최후의 평화적 해결 노력으로 평가됨.

Ⅲ. 전 황

1. 대규모 공습 지속

   o 2,800회 출격 (연 70,000회)

   - 공화국 수비대(200회), 쿠웨이트내 군사시설(800회), 병참로 집중 공격
   - 미사일 발사대 2-3대 추가 파괴

   o 이라크군 전력 1/3이상 완전 파괴 평가 (미군 당국 발표)

   - 탱크 1,300대(4,200대 보유 추정), 대포 1,100문(3,200문 보유 추정), 장갑차 800대(3,000대 보유 추정) 완전 파괴 및 10-15% 작동 불가 상태 파손

   ※ 1주일전 발표 비교 : 탱크 750, 대포 650, 장갑차 600 (15% 수준 파괴)

   - 이라크 전투기 콘크리트 격납고 600개중 50% 이상 파괴

2. 지상전 준비 가속화

   o 지상군의 공격 대형 배치 계속

   o 4번째 항모 USS America 추가 배치 완료

   - Ranger, Midway, Theodore Roosevelt는 기 활동중

0087

o 이라크군 지상병력 대폭 파괴 발표

o 영국군 De La Billiere 사령관, 지상전 개시 일자는 이미 잠정 결정되어 있다고 시인

o 이라크군 50%이상 이미 탈영(이라크로 포로 전언 정보)

※ 현시점 미언론은 지상전 개시 시간이 임박하고 있는 것으로 평가

3. 이라크, 사우디에 SCUD 미사일 2발 발사

o 사우디 북부 Hafr Al-Batin 지역을 목표로 발사했으나 목표 도달전 공중 폭발

o 부상자 4명 발생

o Patriot 미사일 요격 시도치 않음 (방어 사정거리 밖)

4. 양측 피해 상황

o 다국적군 발표

- 사망 33명 (미 14, 사우디 19)

. 비전투 사망 미군 25명 (전전 105)

- 실종 49명 (미 28, 영 10, 이태리 1, 사우디 10)

- 포로 12명 (미 8, 영 2, 이 1, 쿠 1)

- 전투기 격추 25대 (미 16, 영 6, 쿠 1, 이 1, 사 1)

. 전투기 사고 손실 7대 (미 5, 영 1, 사 1)

. 헬기 사고 손실 6대 (미국)

- 이라크 포로 1,040명 이상

- 이라크 전투기 139대, 헬기 4대 격추

o 이라크군 발표

- 전투기 180여대 이상 격추, 20명 이상 포로

- 민간인 1,147명, 군인 90명 사망, 민간인 750명 부상

Ⅳ. 경제 동향

1. 주 가

o Dow Jones : 31.93 포인트 하락 (2,877.23)

2. 유 가

o 뉴욕(3월, West Texas) : 0.24불 하락 (배럴당 22.32불)

o 런던(4월, Brent) : 0.23불 하락 (배럴당 18.79불) 끝.

0088

外務部 걸프事態 非常對策 本部

題 目: 이라크 혁명 평의회 철군발표 분석　　1991. 2. 16 03:00

1. 발표 내용

가. 유엔 안보리 결의 660호를 수락하여 쿠웨이트로 부터의 이라크군 철수를 결정함.

나. 이라크군의 육, 해, 공 작전을 전면적으로 즉각 중지함.

다. 철군의 실제 이행은 다국적군의 철수, 이스라엘의 아랍 점령지 철수, 시리아의 레바논 군사개입 중지와 연계될 것임.

라. 유엔은 이라크에 대한 안보리의 12개 결의, 특히 경제 제재를 취소 해야 함.

마. 이라크의 대외 부채(600억불 추정)가 탕감되어야 하며, 이라크에 대한 침략에 참가하였거나 재정 지원한 모든 나라는 이라크 재건 책임을 보증해야 함.

2. 미국의 반응(부쉬 대통령 연설 내용)

가. 종전을 위해서는 쿠웨이트로 부터의 무조건 철수, 모든 유엔 결의의 완전한 이행, 다른 문제와의 연계 포기, 쿠웨이트 정통 정부 복귀를 이라크가 수락함을 표명하여야 하며 실제로 대규모적 철군이 개시되기 전까지는 다국적군의 공격이 계속될 것임.

나. 종전을 위한 또다른 방법이 있는바 이는 이라크 군부와 국민이 직접 나서서 무자비한 독재자 사담후세인을 축출하는 것임.

3. 분 석

가. 후세인 대통령은 그간 다국적군의 대규모 공습으로 인한 막대한 전력 상실, 군과 국민의 사기저하로 지상전 수행이 어려울 것으로 판단, 다국적군의 지상전 돌입이 임박한 시점에서 이를 중지시키고자 의도 했을 가능성이 큼.

0089

政府綜合廳舍 810號　電話 : 730-8283/5, 730-2941.6.7.9, (구내)2331/4, 2337/8　Fax : 730-8286

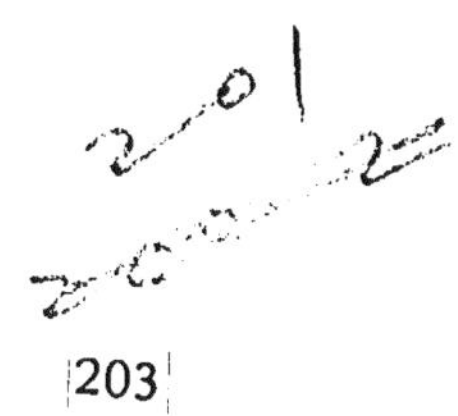

203

나. 다국적군에 참여하고 있으나 비교적 소극적 입장을 취하고 있는 일부 서방국과 특히 아랍국의 동정을 유발하여 다국적군의 결속을 이완시키고, 아랍권의 민심을 이라크 지지 방향으로 끌고 나가려는 심리전의 일환일 가능성도 있음.

다. 이라크가 미.영등 다국적군 주도국들이 수락할 수 없는 조건들을 내놓은 것은 받아들여지기를 기대해서라기 보다는 세계 여론의 반응을 보고 다음 단계 행동을 결정키 위해 시간을 벌기위한 작전일 수도 있음.

라. 한편 실제 협상에 임할 용의를 가지고 협상의 전단계로서 조건부이기는 하지만 철군 의사를 표명했을 가능성도 있음. 이와관련 최근 Primakov 소련 특사가 이라크를 방문하였고 이라크 Aziz 외무장관이 2.17. 소련을 방문할 예정으로 있으며, 이라크의 철군 성명 발표직후 고르바초프 대통령이 만족과 희망을 표명하고 외교적 해결 노력 경주의사를 밝힌것이 주목됨.

마. 다국적군의 철수, 이스라엘의 점령지역 철수는 종래 이라크가 계속 주장해오던 것이나 시리아의 레바논 군사개입 중지, 이라크의 대외 부채 탕감, 전쟁피해 보상 요구는 새로운 조건들로서 이는 향후 평화 협상이 전개될 경우 이라크의 요구사항이 될 것으로 보임

바. 미국으로서는 금번 성명을 계기로 종전이 될 경우 후세인이 계속 상당한 군사력을 유지하게 되고, 미국을 비롯한 서방세계에 대항해 아랍 저력을 보여준 지도자라는 정치적 소득을 얻게 되며, 소련이 주도한 외교적 노력이 결실을 거둠으로써 중동정치에 있어 소련의 영향력이 증대될 가능성이 있으므로, 전쟁의 계속수행과 협상의 수락 사이에서 어려운 선택을 해야할 기로에 직면할 가능성이 있음.

4. 우리의 대응책

가. 이라크의 철군 의사의 진지성이 불확실하고 또한 미국도 강경 대응을 하고 있는 상태에서 정부 입장을 밝히는것은 적절치 않을것으로 판단 되나, 만일 실제 철군이 이루어질 경우에는 정부 성명 발표를 검토함이 좋겠음.

나. 군수송기 파견은 일단은 예정대로 추진하되 만일 제 1진이 출발하는 2.19. 이전에 가시적인 휴전조치가 취해질 경우에 대비한 예비 계획 (Contingency Plan)을 준비할 필요가 있음.

0090

202

外務部 걸프事態 非常對策 本部

題 目 : 日日 報告 (65)

1991. 2. 16.
06:00
작성자 : 이병현 서기관

I. 이라크의 쿠웨이트 철군 발표 관련동향 (Day 30)

1. 이라크 혁명평의회 발표 내용 (2.15. 20:30 한국시간)
   - o 정치적 해결 달성위해 이라크 철군관련 조항을 포함한 유엔 안보리 결의 660호 수락 발표
   - o 혁명 평의회의 철수 용의 표명 사실은 이라크의 모든 지상군, 해군, 공군 작전의 즉각 전면 중지 및 철군에 대한 이라크의 보장으로 간주되어야 함.
   - o 철군의 실제 이행은 걸프지역으로 부터의 다국적군 철수, 이스라엘의 아랍 점령지 철수, 시리아의 대레바논 군사개입 중지와 연계되어야 함.
   - o 또한 혁명 평의회는 유엔의 대이라크 제재 결의등 12개 결의 모두 취소, 이라크의 외채(600억불) 탕감 및 향후 쿠웨이트 정권 선택은 쿠웨이트인에게 일임할 것과 다국적군에 참여하거나 재정 지원을 제공한 국가들이 이라크의 재건에 대한 책임을 질것을 요구함.

   ※ 이라크 혁명 평의회 : 하기 5인으로 구성, 국가 최고 의결기관
   - Saddam Hussein 대통령
   - Izzat Ibrahim 혁명 평의회 부의장 (1979 이래)
   - Taha Yassin Ramadan 제1부수상 (1969 이래 평의회 위원)
   - Saadoun Hammadi 부수상겸 외무담당 국무상 (1980-89 국회의장, 73-81 외무장관)
   - Tariq Aziz 부수상겸 외무장관 (유일 기독교 신자, 전공보장관)

2. 각국의 반응

   가. 미 국 (부쉬 대통령)
   - o 종전을 위해서는 쿠웨이트로 부터의 무조건 철수, 모든 유엔 결의의 완전한 이행, 지역내 다른 문제와의 연계 포기, 쿠웨이트 정통 정부 복귀를 이라크가 수락함을 표명하여야 하며 실제로 대규모 철군이 개시되기 전까지는 다국적군의 공격이 계속될 것임.
   - o 종전을 위한 또다른 방법이 있는바, 이는 이라크 군부와 국민이 직접 나서서 무자비한 독재자 사담후세인을 정권에서 축출하는 것임.

0091

政府綜合廳舍 810號 電話 : 730-8283/5, 730-2941. 6. 7. 9, (구내)2331/4, 2337/8 Fax : 730-8286

나. 영 국

o 이라크는 쿠웨이트 철수 증거를 보여주어야 함. (Major 수상)

다. 스 페 인

o 이라크는 모든 유엔 안보리 결의를 존중해야 함. (Gonzales 수상)

라. 이스라엘

o 후세인 대통령의 군사적 결의 약화 조짐 반영

o 후세인의 선전 책략 가능성이 농후하므로 계속적인 공격 감행 필요 주장

o 후세인의 축출 필연성 강조

마. 소련 (고르바초프 대통령)

o 이라크의 발표에 만족과 희망 표시

o 외교적 해결 노력을 계속 경주

o 이라크의 제의로 걸프 분쟁 해결을 위한 새로운 장을 전개한 것으로 평가 (베세르메트니흐 외무장관)

- 이라크 Aziz 외무장관 소련 방문시 평화안 구체화 기대

바. G C C

o 이라크의 모든 유엔 결의의 전면적 수락 촉구

사. 요 르 단

o 이라크의 철군 발표 환영

아. 이 란

o 이라크의 조치는 평화를 위한 진일보임 (벨라야티 외무장관)

o 이라크 Hammadi 부수상 2.16. 이란 방문

- 이란과의 구체적 평화 해결 방안 협의 예정

자. 리 비 아 (카다피 지도자)

o 이라크에 대한 철군 수락 설득 성공 자찬

o 다국적군의 공격 계속 정당성 상실 주장

Ⅱ. 주요 동정

1. 유엔 안보리 비공개 회의 속개

o 이라크의 철군 성명 중점 논의

o 케야르 사무총장, 이라크 제의에 대한 주의깊은 검토 필요성 인정

o 미.영.불 대사는 언급 자제

o 소련 대사, 개인 의견 전제 이라크안은 수락이 불가능하도록 의도되어 있는 이라크 국내 Propaganda 용 제안임.

0092

o 쿠바, 예멘 대사는 이라크의 입장 근본적 변경을 반영하므로 즉각적인 종전 및 이를 위한 정전 위원회 구성 결의 채택 촉구

o 이집트 대사는 무조건적 철군이 모든 평화 협상의 출발점임을 재강조

o 짐바브웨(의장국) 대사, 새요소가 있는 긍정적 제의 평가

o PLO 옵서버, 진지하고 긍정한 제의이며 종전을 위한 새로운 문이 마련되었음을 주장

o 인도대사, 이라크 제의 거절치 말고 검토하여야 함을 주장

o 쿠웨이트 대사, 이라크 제의는 너무 많은 전제가 있으며 단순한 시간벌기 전략임

o 튀니지 대사, 이라크의 근본적 태도 변경을 의미하는 중요한 성명이며 이라크 제의 환영함

2. 다국적군의 이라크 방공호 폭격 관련 (계속)

o 미 고위 군사 소식통, 폭격 이유는 미국의 공식 입장처럼 군지휘 통제 시설이기 때문에 아니고 이라크 군 고위 지휘관들이 피신한 것으로 믿었기 때문임. (영 Independent 지)

- 미 국방성 대변인, 공식 부정

o 이붕 중국 수상, 슬픔과 유감 표시

- 외교적 해결 노력을 계속 추구

3. 이란-소련 외무장관 회담

o 양국 및 기타 직간접 이해 당사자와의 협력하에 지역 평화 노력 계속 전개 합의

o 양측 평화안 의견 접근 확인

4. 말레이지아 야당, UN 무력행사 결의에 대한 말레이지아 정부의 지지 철회 촉구

5. CBS 실종기자 4명 바그다드 억류중 확인 (CNN)

o 후세인 대통령이 직접 처리 문제 결정 예정

Ⅲ. 평화적 해결 동향

1. 소련의 외교적 해결 노력

o 2.15. Velayati 이란 외무장관, 고르바초프 대통령 면담

o 2.16. Sabah Ahmed Al-Jaber 쿠웨이트 외무장관, 대통령 면담

o 2.16. EC 외무장관 대표단 (이태리, 룩셈부르크, 화란), Bessmertnykh 소련 외무장관 면담

o 2.17. Aziz 이라크 외무장관, 소련 방문

0093

207

2. 주유엔 중국대사 5개 평화해결 방안 제시 (2.14)

   o 이라크의 즉각적인 쿠웨이트 철군 의사 표시
   o 당사자간 평화적 해결 방안 추구에 합의
   o 교전 당사국간의 적대행위 자제
   o 팔레스타인 문제를 포함한 중동문제 해결을 위한 시간표 작성
   o 외국군대 철수후 역내 국가가 전후 안보 장치 협의

Ⅳ. 전 황

   o 2.15. 공습 2,600회 감행 (총 73,000회)
     - 쿠웨이트 주둔군(800회), 이라크-쿠웨이트 국경지역 공화국 수비대 (100회), 병참로 집중 공격
   o 이라크 공군기 총 138대 이란 대피 (전투기 118대, 수송기 20대)
   o 다국적군 A6-E 전폭기 착륙 시도중 사고 폭발 (조종사는 무사)
   o 이라크군 헬기 1대 격추
     - 이라크기 격추 총 41대 (전투기 36, 헬기 5)
   o 이라크군 탈영병 격증 조짐
     - 지난 4일간 터키로의 탈영자 256명 (걸프전 이후 총 347명)
     - 이라크군 병사 41명, 다국적군 투항
       . 미군지역 8, 이집트군 지역 30, 사우디군 지역 3

Ⅴ. 경제 동향

1. 주 가
   o Dow Jones : 40 포인트 상승 (2926.23)
2. 유 가
   o 런던(3월, Brent North) : 1.14불 하락 (배럴당 17.65불) 끝.

0094

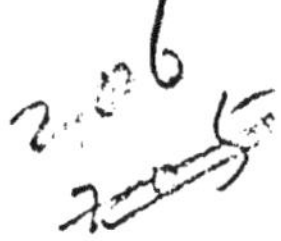

外務部 걸프事態 非常對策 本部

題 目 : 日日 報告 (66)

1991. 2. . 16 .
14:00
작성자 : 강선용 과장

I. 주요 동향 (Day30)

1. 이라크의 쿠웨이트 철군 관련 성명발표 (계속)

   o 이라크의 철군 전제 조건

   (혁명 평의회는 긴 내용의 성명을 발표한 것으로 알려지고 있으나 동 Text 전문이 입수되지 않고 있어, 최초 보도에 포함되지 않았던 새로운 조건들이 나타나고 있음)

   - 다국적군의 철수, 이스라엘의 아랍 점령지 철수, 시리아의 대레바논 군사 개입 중지를 이라크군의 철수와 연계
   - 유엔의 대이라크 12개 제재 결의, 특히 경제제재 결의 취소
   - 이라크의 대외 부채(600억불 상당 추정)탕감
   - 쿠웨이트의 왕정 복귀 불가
   - 다국적군에 의해 파괴된 이라크 시설에 대한 다국적군의 복구 보장
   - 걸프전 관련 이스라엘에 지원한 병기와 물자를 정전 선언 1개월 이내 철수
   - 전후 중동지역 안보 구축 회의시 이라크의 역할 보장

2. 각국 반응

   o 알제리

   - 수천명, 이라크 지지 시위
   - 유엔 사무소, 이집트, 시리아, 이태리, 불란서 국영 항공회사 건물에 투석

   o 독일

   - 이라크 입장에 변화없는 것으로 평가

0095

政府綜合廳舍 810號 電話 : 730-8283/5, 730-2941. 6. 7. 9, (구내)2331/4, 2337/8 Fax : 730-8286

o 불란서

- Propaganda 외교 전술에 불과하며 현단계 시행 불가

o 이태리

- 걸프사태의 정치적 해결 가능성이 있음을 보여줌

o 인도

- 즉각적 종전이 이루어지기를 희망
- 이라크측의 철군 시한 제시, 즉각 종전, 양측 동시 철군, 이라크 제재 즉각 해제 주장

o 파키스탄

- 이라크의 대화용의를 반영, 평화를 위한 새로운 환경 조성

3. 카이로, 아랍 8개국 외무장관 회담 개최 (2.15)

o GCC 6국, 이집트, 시리아 외무장관 참석

o 이라크 제의 거부 (공동 성명 발표)

- 당초 의제에 포함되지 않았던 후세인의 철군 성명을 중점 논의
- 유엔 결의안의 내용과 배치되는 조건을 내걸고 있어 진지성이 결여된 제안임

o 이집트, 시리아, 사우디 외무장관은 각각 별도 회담 개최

o 2일째 회의 속개시 전후 중동지역 안보 강화 문제 중점 논의 예정

4. 다국적군의 이라크 방공호 폭격(계속)

o 이라크 당국 2.15 현재 시체 304구(어린이 시체 91구 포함) 발굴 발표

o 이라크, 다국적군의 계속적인 민간인 목표 공습 비난

- 2.15. 다국적군 100회 공습중 30회가 민간 목표 공격

o 미국 언론, 민간인 폭격 관련 여론조사 결과 (ABC, W.P.지)

- 방공호는 정당한 군사 목표 였음 : 81 %
- 다국적군은 민간인 피해 최소화 위해 충분히 노력중임 : 67% (반대 13%)
- 방공호 참사는 전쟁의 피할수 없는 비극임 : 92%

0096

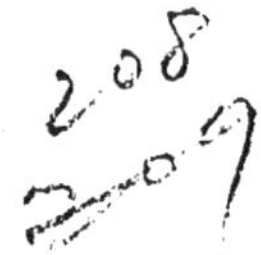

- 후세인이 방공호 참사에 가장큰 책임을 져야함 : 84%
- 민간인 피해 방지 위한 바그다드 공습 중지 반대 : 75%
- 군 목표물에 근접한 민간인 폭격도 미군 사망자 최소화 목적이라면 정당함 : 67%

5. 이라크 Hammadi 부수상, 수단 방문
   o 마그레브 5국, 예멘, 이란등 회교국 순방 일환
   o 이라크에 대한 전폭적인 지지 촉구
   o 미국의 이라크 민간 방공호 폭격 비난

6. 소련 Primakov 특사, 일본 방문
   o 가이후 일본수상과 걸프전쟁 및 양국 관계 협의
     ※ 당초 방문 목적은 보험회사 주최 전후 동서관계 심포지엄 참석

7. 스웨덴, 이라크 외교관 4명 추방
   o 스웨덴 법 위반 및 외교관 신분에 부적합한 행동 이유

Ⅱ. 전황

1. 이라크, 사우디 Al Jubail 에 SCUD 미사일 공격
   o 미 Patriot 미사일에 요격, 파편 피해없이 걸프해역에 떨어짐

2. 다국적군의 공습 계속
   o 대규모 공습 계속
   o 미 해병대 북부 국경지대 이동 배치 가속화
   o 국경부근 탱크 및 포대 집중 공격

Ⅲ. 경제 동향

1. 주가
   o Dow Jones : 전일 대비 57.42 포인트 상승 (2,934.65)

2. 유가
   o 뉴욕(Light, 3월) : 1.44불 하락 (배럴당 20.88불)
   o 런던(Brent, 4월) : 1.75불 하락 (배럴당 17.04불)

0097

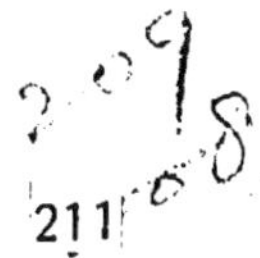

外務部 걸프事態 非常對策 本部

題 目 : 日日 報告 (67)

1991. 2. . 17
06:00
작성자 : 허덕행 서기관

I. 주요 동향 (Day31)

1. 소련의 평화적 해결 노력
   - o 이란 '벨라야티' 외무장관 방소, 걸프전 종식을 위한 양국 협력 방안 협의 (2.15)
   - o 이라크 '아지즈' 외무장관 방소, 고르바초프 대통령과 회담예정 (2.18)
     - \- 미국, 고르바초프 대통령의 동 회담 종료시까지 지상전 개시 보류 요청 수용 (뉴욕 타임즈지 보도)
     - \- 소련 외무부 대변인, 이라크 철군 제안은 단순한 선전 공세가 아니라 평화적 해결의 실마리로서 '아지즈' 외무장관 방소 협상시 수락가능한 철군안의 협의 표명
     - \- 미 국무성도 이라크의 철군 제안은 종전 쿠웨이트의 자국령 주장에서 진일보한 것으로 소련.이라크 협상에 기대 표명

2. 아랍 8개국 외무장관 회담, 공동 성명 발표 (2.16)
   (종전 조건 4개항)
   - o 쿠웨이트로 부터 무조건적 완전 철수
   - o 쿠웨이트의 합법 정부 회복
   - o UN 안보리 제결의의 완전 이행
   - o 국가간 분쟁의 평화적 해결 약속

II. 이라크의 철군 성명 관련 각국 반응

- o 이라크
  - \- 주유엔 이라크 대사, 철군조건은 협상시 타협가능하다고 설명
  - \- 관영 일간지 '알 줌후리아', 철군제의는 반 이라크 세력을 테스트 하기위한 것이라고 보도

0098

政府綜合廳舍 810號 電話 : 730-8283/5, 730-2941, 6, 7, 9, (구내)2331/4, 2337/8 Fax : 730-8286

o 요르단

- 팔레스타인 문제를 연계시킨 이라크 제의는 매우 긍정적인 이니시아티브의 하나
- 부시 대통령의 성급한 반대의견에 유감

o 사우디

- 수락 불가능한 전제조건을 포함하고 새로운 것이 없음
- 다국적군의 지상전 개시를 연기시키려는 술책

o 이집트

- 철수없는 휴전은 성립 불가, 이라크의 쿠웨이트 철수 재촉구

o 이태리

- 안드레오티 수상, 정치적 해결 가능성 제기 한것이나 즉각 이행이 필요하다고 언급

o 중 국

- 이라크에 의한 최초의 철군 발표로서 정치적 해결을 위한 긍정적 조치

o PLO

- 철군조건인 이스라엘의 점령지 철수 및 팔레스타인 문제 해결 방안 지지
  서방측의 이라크 제의 거부 비난

Ⅲ. 전 황

o 다국적군 사우디 북부로 이동

- 병력 수만명, 수천대의 탱크 및 트럭 쿠웨이트 접경지대로 이동

o 다국적 지상군, 이라크 진지 공격

- '아파치' 헬기 동원, 레이다 차량등 파괴

o 다국적 공군기, 이라크 수비대 및 이라크 남동부 4개도시 집중 폭격 (2.16)

- 미군 전투기(A-10) 2대, 수비대 공습중 격추
  (다국적군기 총 29대 격추)

o 이라크 지휘본부, 민간 주거지역 잠입

- 영국 공군사령관, 이라크군의 주요 지휘본부가 Al-Rashid호텔 (서방기자단 투숙) 지하에 구축됐을 가능성 언급
- 또한 중전투 장비도 학교, 병원 및 주거지역에 분산 배치

0099

213

o 이라크 민간 피해 (이라크 공보부 발표)

- 다국적군기에 의한 유프라테스강 교량 폭격시, 오폭으로 인해 이라크내 Fallujah시 거주 민간인 130명 사망, 87명 부상

o 이스라엘 미사일 피격

- 2.17. KST 03시 남부지역 스커드 미사일 2기 피격 (피해없음)

Ⅳ. 테러 동향

o 이태리

- 이태리 경찰, 로마 공항에서 4명의 테러단과 교전
- 아랍인들로 보이는 동 테러단은 이.착륙 항공기에대한 공격을 시도한 것으로 추정 되며, 모두 도주

Ⅴ. 교민 철수 동향

1. 사우디

o 교민 85명 개별출국, 3,209명 잔류

o KBS 기자 4명 귀국, 기자 13명 잔류 (KBS 5, MBC 6, 동아일보 2)

2. 이스라엘

o 교민 2명 귀국, 57명 잔류

o 기자 3명 잔류 (MBC, KBS, 국민일보 각 1명)

Ⅵ. 경제 동향

1. 주 가

o FT-SE 100지수 : 전일 대비 2.5P 상승(2,296.9)

2. 유 가

o 런던 (Brent, 3월분) : 1.40불 하락 (베럴당 18.4불)

0100

214

外務部 걸프事態 非常對策 本部

題 目: 日日 報告 (68)

1991. 2. . 17 .
14:00
작성자 : 유시야 과장

I. 주요 동향 (Day31)

1. 이라크 '아지즈' 외무장관의 방소 회담 관련 동향
   - o '부쉬' 대통령, 소련의 건설적인 역할 찬양
     - 고르바초프의 이라크 철군 설득 가능 희망 표명
     - 고르바초프의 다국적군에 대한 지지에 확신
   - o Poos 룩셈부르크 외무장관, 고르바초프 및 소련 외무장관과의 회담후(2.16) 이라크 철군에 대해 EC 와 소련간에 입장차이가 없다고 언급
     - 고르바초프, '아지즈'와의 회담시 이라크의 쿠웨이트 철군 요구 예정
     - 고르바초프의 다국적군에 대한 지지 확고
   - o 미군 수뇌부, '아지즈' 외무장관이 공로로 모스크바 향발시 안전 통행 보장할 수 없다고 언급

2. '부쉬' 대통령, 이라크의 대규모 철군에 대한 확실한 증거만이 다국적군의 공습을 중지시킬수 있다고 강조

3. '안바리' 주유엔 이라크 대사, 다국적군의 대규모 무차별 고공공습이 계속되면 이라크의 화학무기 사용이 정당화될 수 있다고 주장(2.16)

II. 이라크 철군 성명 관련 각국 반응

가. 이라크

- o '안바리' 주유엔 이라크 대사, 유엔 안보리 회의시(2.16) 이라크 철군 제의를 기초로 한 협상 개시 요구

0101

나. 소 련

o Churkin 외무부 대변인, 이라크 제의가 종전에는 충분치 못하다고 브리핑(2.16)

- 이라크의 철군 협상 용의 표명에 의미 부여

다. 모로코

o 다국적군 참여 국가로서는 처음으로 이라크 철군 제의 환영

라. 이 란

o 미국 및 다국적군 참가국에 이라크의 제의에 대한 적극적인 대응 촉구

마. 스페인

o '오르도네츠' 외무장관, 이라크의 조건부 철군 제의가 너무 늦었고 유엔 안보리 결의안과 모순된다고 언급(2.16)

- '아지즈' 이라크 외무장관이 모스크바 회담시 종전 가능한 제의 희망 표명

III. 전 황

o 이라크군, 군사장비의 40% 상실(런던 군사소식통)

o 미 육군, 대포, 다연발 로케트, 헬기등 이용, 쿠웨이트 국경 이라크군 공격

- 벙커 1개, 관측소 2개소, 군용 차량 6대 파괴

o 다국적군, 바그다드 공습 및 쿠웨이트내 혁명 수비대 공격 계속

o 미 국방부, 선전을 목적으로 한 이라크의 민간인 건물 파괴 발표(2.16)

- 최소한 1동 파괴, 다국적군의 공습에 의한 것처럼 위장

IV. 테러 동향

o 페 루

- 리마 교외 '켄터키 후라이드 치킨'가게 테러 발생(2.16)

. 6명부상, 가게 대파

. 경찰, 이라크 동조 막시스트 그룹 '투팍 아마루 혁명운동' (MRTA) 게릴라 소행으로 판단

0102

V. 기 타

- 이라크 회교 학자들, '부쉬' 대통령, '파드' 사우디국왕 '무바락' 이집트 대통령, '아싸드' 시리아 대통령의 살해가 모든 회교도의 종교적 의무라고 언급(바그다드 라디오 방송)
- UNICEF 와 WHO 공동 사업에 의한 50톤의 모자용(母子用)긴급 의료품이 트럭편으로 바그다드 도착(2.16)

0103

215
217

外務部 걸프事態 非常對策 本部

題 目: 日日 報告 (69)

1991.2. 18
06:00
작성자 : 강선용 과장

I. 주요 동향 (Day32)

1. 지상전 개시 관련 동향

   o 미 국방부 관리들, 금주중 대규모 지상전 개시 가능성 언급(LA Times 지)

   - 3일 이내 이라크의 항복이나 외교적 해결이 실현되지 않을경우 금주중 대규모 육해군의 공격 개시 가능
   - 전쟁 발발시 2.15 이후 언제든 지상군 공격 개시 준비토록 명령 기하달
   - 현재 동 공격 개시 준비 완료
   - 이라크군 장비 50% 가량 파괴 주장
   - 주공격은 중부 또는 서부 사우디.쿠웨이트 국경 지역에 걸쳐 전개될 것임 (7만명의 병력, 수백대의 전차, 이동식 대포, 로켓트 발사대등 동원)

   o '뒤마' 불란서 외무장관, 지상전 개시 일자 기통보 받았음을 언급

   o Sir Patrick Hine 영국 공군 중장, 지상전 조기 개시 기대 언급

2. '아지즈' 이라크 외무장관, 육로로 이란 도착(2.17)

   o 고르바초프 등과의 회담(2.18)차 비행기편으로 테헤란 경유 모스크바 도착 예정

3. '부쉬'의 일부 보좌관들, '부쉬' 대통령이 사담 후세인의 제거와 이라크 군사력 파괴 이외에는 만족치 않을 것으로 기대(LA Times지)

II. 각국 반응

1. 이라크

   o '안바리' 주유엔 이라크 대사, 이라크의 제조건은 조건이 아니고 단지 논의를 위한 정당한 문제들의 희망 목록이라고 주장(2.16)

0104

政府綜合廳舍 810號 電話 : 730-8283/5, 730-2941.6.7.9, (구내)2331/4, 2337/8 Fax : 730-8286

226

o '하마디' 부총리, 테헤란을 방문, 자국의 철군 제의를 Velayati 이란 외무장관과 협의(2.16)

2. 이 란

o Velayati 외무장관, 이라크의 철군 제의가 종전을 위한 긍정적인 조치라고 평가

o 이란의 평화 제안과 관련, 1주일전에 접수한 후세인 대통령의 친서에 대한 답신을 소지한 고위 대표단을 곧 이라크에 파견 예정

3. 인 도

o Chandra Shekhar 수상, 미군 수송기에 대한 재급유 허용 결정 철회 발표(2.17)

- '라지브 간디' 의회당(Congress Party), 동 재급유 계속 허용시 Shekhar 의 소수 정부 붕괴 위협(2.16)

- 간디 등 다수 정치인들, 동 재급유 결정이 인도의 오래된 비동맹 정책에 위배된다고 비난

4. 파키스탄

o Sahabzada Yaqub Khan 외무장관, 걸프 평화 협의를 위해 테헤란 방문(2.17)

5. 북아프리카 3국(모로코, 튜니지아, 알제리)

o 수만명 각국 수도에서 이라크 지지, 반미 및 반불 데모

III. 전 황

o 다국적군, 지상전에 대비 사우디.쿠웨이트 국경지역의 새로운 전투 진지로 이동

o 사우디 연안에 한국전 이래 최대의 미 해병 수륙 양용 작전 특수 부대(수만명) 수송 전함 집결

o 미 해군 보급선, 지상권 개시시 수륙 양용 작전을 전개할 전함들에 시간당 수백톤의 보급품 공급

o 다국적군기, 공습 계속

- 1일 2,500회 이상 출격

- 이라크 SCUD 미사일 발사대 1기 공격(파괴 여부 미확인)

0105

- Faw, Basra, Abul Khasib 등 이라크 남부 국경도시, 6개의 폭탄, 미사일 폭발로 진동(IRNA)

o 이라크군 발표

- 이스라엘의 Daimouna 소재 핵원자로에 SCUD 미사일 3발 및 Haifa 시에 1발 공격(2.16)
- 다국적군 전투기 4대(A-10 1대, F-15 1대 포함) 격추

IV. 테러 동향

o 칠 레

- 산티아고 교외 미대사관 경비요원 처소에 대전차 로케트 공격(2.16)
  . 미 해병대원 1명 부상
  . 소행 미상

V. 기 타

o 독일의 제1차 대이스라엘 원조 군사장비, 생화학 및 핵전 탐지용 FOX 장갑 차량, 이스라엘 도착(2.17)

o 미 군사 소식통, 이라크 당국이 2월초 바그다드 소재 한 회교사원의 원형 천장을 뜯어낸후 다국적군 공습 피해라고 주장하고 있다고 발표(2.17)

o 미 국방부 한 고위관리들, 지난주 수백명이 사망한 바그다드 벙커 공격은 오판 정보에 의한 실수였음을 개인적으로 인정(Sunday Times지)

o 서부 이란에 검은비가 내림(2.17)

- 동부 이라크 석유시설물 공습화재로 인한 연기공해에 기인(IRNA)

0106

外務部 걸프事態 非常對策 本部

1991. 2.18.
中 近 東 課

題 目 : 軍 輸送團 派遣 事前調査團 現地 出張 報告

UAE 알아인 美國 空軍基地에 駐屯 計劃인 我國 軍輸送團의 法的 地位問題, 軍 實務 約定書 및 支援問題등 協議를 위하여 軍 事前 調査團員으로 UAE에 出張한 中東아프리카국 審議官 出張 結果를 아래 報告 합니다.

1. 出張期間 : 1991. 2. 5. - 12.

2. 出張場所 : UAE 아부다비 및 알아인

3. 出 張 者 : 國防部 및 空軍 調査團 : 13名

   外務部 : 中東아프리카局 審議官 양태규

4. 出張目的

   가. UAE 政府와의 韓國 輸送團 駐屯에따른 法的 地位問題 協議 (外務部)

   나. 韓國 輸送團의 UAE 滯留 條件에 관한 約定 協議 (國防部)

   다. 輸送團 作戰 運營, 作戰 支援 關聯事項 承認 및 協調 (空軍, 國防部)

0107

365

5. 出張 主要 活動 (外務部 審議官)

가. UAE 軍當局者 接觸 : 4回

Al-Badi 參謀總長

Al-Raymay 空軍 司令官

Ahrahim 空軍 作戰局長 (2)

나. 알아인 美空軍 司令官 接觸

다. 알아인 空軍 基地 및 現代 캠프 視察

6. 主要 協議 內容

가. UAE 駐屯에 따른 韓國軍 法的 地位 問題 (外務部)

1) UAE 外務部 立場

- 美國과도 地位 協定을 締結하지 않았다면서 我國과의 地位 協定 締結 提議에 否定的

- 韓國軍의 駐屯 問題는 外務部와는 無關하므로 自國 軍當局과 接觸해 보라는 態度

2) UAE 軍當局 態度

- 調査團의 地位 協定 必要性 强調에 대해 UAE 軍當局은 我側이 간단히 草案을 提示하면 外務部등 自國의 責任部署와 協議해 보겠다고 하였으나 극히 微溫的 反應

- 調査團은 UAE 軍當局과 2次에 걸쳐 協議後 地位 協定 草案 (書翰形式)을 提示하였으나 UAE側은 이에 대한 意見을 주기로된 調査團과의 再接觸을 一方的으로 取消

나. 滯留 條件에 관한 軍實務 約定 (國防部)

- 2次에 걸쳐 協議後 我側 約定書 草案을 提示 하였으나, UAE側은 自國에 意見 提示 日字를 一方的으로 延期함으로서 國防部 調査團 一部 殘留 待機中

0108

7. 綜合評價

가. UAE 政府는 外國軍의 自國內 駐屯에 따른 法的 地位 協定 締結에 否定的이고 美國은 UAE側과 地位 協定 締結을 繼續 試圖하고 있으므로 我側도 無理하게 서두르는 것보다는 現地 公館에서 美側과 協調 UAE 政府 當局과 時間을 두고 協議하는 것이 바람직 했었음.

나. 調査團의 알아인 軍基地 派遣이 美國 本國 政府로 부터의 事前 諒解없이 이루어져서 調査團이 美軍基地로 부터 支援 協調를 얻는데 限界가 있었으며 我國 政府에 軍輸送團 派遣 提議해 대한 美國 政府의 方針 決定이 遲延된 結果로 推定됨

다. (參考事項) 美側은 本 調査團 現地 出發 以後인 2.12. 國務部, 國防部 合同 名義로 我國 軍輸送機 派遣 提議에 대하여 美國이 原則的으로 受諾하고 韓.美 相互 軍需支援에 관한 合意書 (88.6.8)에 依據, 알아인 美軍 基地에 駐屯 한다는 內容의 電文을 美合參, 리야드 美中央司, 駐 UAE 大使등에 打電함. 끝.

0109

220

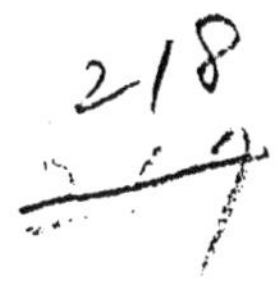

外務部 걸프事態 非常對策 本部

題 目: 日日報告 (70)

1991. 2.19 06:00
작성자 : 장석철 서기관

I. 주요동향(Day 33)

1. '아지즈' 이라크 외무장관 방소(2.17-18)동향

가. 고르바초프 대통령과의 회담내용(2.18. Ignatenko 대통령실 대변인 발표)

- 고르바초프 대통령은 걸프사태의 평화적 해결과 유혈방지를 위한 건설적이고 구체적인 제안을 제시함. 3시간 반에 걸친 회담은 매우 진지하고 건설적이었음.
- 동 제안의 구체적 내용은 밝힐수 없으나, 이라크의 쿠웨이트로 부터의 무조건 철군과 UN 안보리 결의 준수를 촉구하는 소련의 기본입장을 반영하고 있음.
- 이라크 외무장관은 동 제안을 "관심과 이해"를 갖고 접수하였으며, 특별기편으로 바그다드로 조속 귀환, 사담 후세인 대통령에게 보고한후 회답을 지참, 가능한한 조속히 다시 방소할 것임.
- 소련측은 이라크측의 조속한 반응이 있을 것으로 기대하며, 미국, 이태리, 이란 대통령등에게도 조만간 동 제안 내용을 통보할 것임.

나. '아지즈' 이라크 외무장관 기자회견(2.18. 모스크바 공항 이룩전 언급)

- 고르바쵸프, 프리마코프와의 회담은 매우 중요했으며, 양측은 앞으로 회담을 계속 갖기로 합의함.

2. 미군함 2척, 북부 걸프해역에서 유동기뢰와 충돌(2.18)

- Princeton (헬리콥터 탑재 수륙양용전함) 탑승원 3명 부상(1명 중상)
- Tripoli (크루저 미사일 탑재함) 탑승원 4명 경상
- 개전이래 기뢰에 의한 다국적군 함정의 최초 피해로서 동 함정의 작전 수행에는 별 문제가 없다고 미해군 대변인 발표

3. 다국적군의 지상전 대비동향

- 다국적군 상륙함정단(31척, 3만여 해병승선) 쿠웨이트 동부 걸프해역에 집결
- 대규모 탱크, 장갑차가 사우디·쿠웨이트 국경쪽으로 이동

0110

政府綜合廳舍 810號 電話 : 730-8283/5, 730-2941.6.7.9, (구내)2331/4, 2337/8 Fax : 730-8286

Ⅱ. 각국 반응 및 동정

1. 이라크
   - ㅇ 사우디 소재 다국적군 심층부에 地對地 미사일 발사, 다국적군 수백명 사상 및 다량의 군사장비 파괴 주장(2.18. 바그다드 방송보도)
   - ㅇ 이라크의 대공포 반격으로 다국적군 전투기 4대 격추 주장 (2.18. 바그다드 방송보도)

2. 이란
   - ㅇ Valeyati 외무장관, 3일간 방문일정으로 2.18. Bonn 에 도착(Kohl 수상 및 Gensher 외무장관과 걸프사태등 협의예정)

3. 사우디
   - ㅇ Fahd 국왕, 고르바쵸프- 아지즈 회담은 이라크의 무조건 철군없는한 대이라크 군사작전에 아무런 영향을 주지않을 것이라고 언급
   - ㅇ 사우디는 외국으로부터 $30억 차관을 도입중이며 걸프전 전비로 $480억 지출할 것을 약속함. (Mohammad Abalkhail 사우디 재무장관 확인)

4. 요르단
   - ㅇ 이란과 대사관 상호 재개 예정(요르단 소식통 인용, 신화사 보도)

5. UAE
   - ㅇ 개전후 처음으로 대이라크 공습 참가(2.17. 사우디군측 발표)

6. 중 국
   - ㅇ Yang Fuchang 외무차관(특사), 걸프사태 협의등 위해 시리아 및 터키 방문후 유고도착, 유고 외무장관과 회담
   - ㅇ 신화사 통신, 다국적군 지상공격시 이라크는 "바스라"로 후퇴할것 이라고 보도(아랍소식통 인용)
     - 지상전 개시일자로 2.21. 예측

7. 예 멘
   - ㅇ Saleh 대통령, 걸프전에서 이란의 대이라크 지지입장 높이 평가 (2.17. 이란 의회 사절단 접견시)

8. 파키스탄
   - ㅇ "나와즈" 수상, 걸프사태등 협의위해 2.26-3.1간 중국방문 예정
   - ㅇ "야쿱 칸" 외무장관, 2.17-19 간 이란 방문후 회교 10개국 외무장관 회담(2.20. 카이로)참석 예정

0111

9. 베트남
   ㅇ 걸프사태 해결위한 협상을 촉구하고 이라크의 2.15. 성명을 긍정적으로 평가(2.18. 베트남 정부 대변인 언급)

Ⅲ. 전 황

1. 다국적군 공습 (2.18. 미중앙사, 정례기자브리핑시 발표)
   ㅇ 2.18.중 통신망, 공화국 수비대, 전략목표물, SUCD 미사일에 대한 공격 계소(2,400회 출격)
     - 전략목표물 공격 870회, 공화국 수비대에 대한 출격 100회, SCUD 미사일에 대한 출격 130회
   ㅇ 2.17. 이라크군 장갑차 6대와의 교전시, 2대 파괴(4대는 도주)
2. 현재까지 다국적군 인명피해(사우디 장성 발표)
   ㅇ 38명 사망, 96명 부상, 63명 실종

3. 이라크측 인명피해 (2.17. 이라크 정보문화장관 표명)
   ㅇ 개전이래 585 명의 이라크 민간인 사망

Ⅳ. 테러동향

1. 런던 철도국에 폭발물 2회 폭발
   ㅇ 동 폭발은 영국의 걸프전 참전에 대한 복수로 추정(이라크 관영 통신보도)
2. 이집트 당국, 리비아 및 수단에서 이집트로 잠입하려는 테러용의자 10명 체포 발표
3. 필리핀, 일본에 입국하려는 테러용의자 2명 체포 발표

Ⅴ. 군 수송단 파견

1. 제1진 2.19. 출발
   ㅇ C-130 기 2대에 72명 탑승
     - 조종사·정비사·항법사 : 18명
     - 지원요원 : 54명
   ㅇ 2.19. 06:00 서울출발, 클라크 공군기지·방콕·콜롬보 경유, 2.20 UAE 알아인 도착 예정

2. 제2진 2.20. 출발 예정
   ㅇ C-130기 3대에 81명 탑승
     - 조종사·정비사·항법사 : 28명
     - 지원요원 : 53명
   ㅇ 2.20 06:00 서울출발, 2.21. UAE 도착 예정

0112

2-7 /
223

外務部 걸프事態 非常對策 本部

題 目: 日日 報告 (71)

1991. 2. 19
15:30
작성자 : 강선용 과장

I. 주요 동향 (Day33)

1. 소련의 비밀 평화안 제의
   - o 소련 제의안 주요 내용 (독일 Bild Zeitung 보도)
     - - 유엔 안보리 결의 660에 의거 이라크의 쿠웨이트 철군
     - - 이라크 영토 및 국가 구조 유지 보장
     - - 팔레스타인 문제 전후 해결 노력 약속
   - o 미국, 영국, 불란서, 이태리, 이란에 동 제안 내용 통보
   - ※ 소련 Ignatenko 대변인은 고르바초프, 아지즈 회담시 CBS기자 4명 문제도 논의되어 이라크로 부터의 호의적 고려 약속 받았다고 밝힘.
2. 미국의 소련 비밀 평화안에 대한 반응(Fitzwater 대변인)
   - o 소측안 검토하겠으나, 현시점에서 이라크의 입장에 변경이 없는 것으로 간주하여 전쟁은 계속 수행함.
   - o 소련으로부터 이라크 회답 접수시까지 지상전 개시 보류 요청은 없었으나 동 내용의 대외 공표는 삼가해 달라는 요청이 있었다고 하며 소측안 접수 사실을 확인함.
   - o 소측안에 대한 미측 회신은 송부 계획임.
   - ※ 불란서 Le Monde지, 당초 소련은 이라크 회신 접수시까지 10일을 요청하였으나 24-36시간만 기다리는 것으로 통보되었다고 보도
3. EC 외무장관 긴급 회담 개최 (2.19)
   - o 소련 제의 비밀 평화안 논의
   - o 전후 중동평화 시나리오 논의
     - - 현 의장국인 룩셈부르크의 Jacques Poos 외무장관이 기초
     - - 중동지역 불안정 요소로서 역내 안정적 안보 장치 부재, 군비경쟁, 종교적 원리주의, 민주주의 결핍, 아랍-이스라엘 분쟁을 예시함
     - - CSCE 를 모델로한 중동자체의 안보, 안정, 협조 체제 구축 제안 (이태리, 불란서, 스페인, 포루투갈 지지)
     - - 전후 중동지역 경제 협력, 팔문제를 포함한 중동지역 긴장완화 노력에 EC의 역할 증대 주장

0113

政府綜合廳舍 810號 電話 : 730-8283/5, 730-2941. 6. 7. 9, (구내)2331/4, 2337/8 Fax : 730-8286

o 영국의 전후 중동 평화 구상(Hurd 외무장관 견해)
- GCC를 중심으로 이집트, 시리아가 참여하는 방안 선호
. 쿠웨이트 복구
. 이집트, 시리아, 사우디군으로 구성되는 아랍 평화 유지군 창설
. 아랍-이스라엘 분쟁 종식 노력 확대

4. 국제 적십자사, 바그다드 전염병 위험 고조 평가
o 이동 정수장비(일당 76,000리터 생산) 지원 발표
o 현재까지 35톤 상당 의료품 지원
※ Al-Anbari 주유엔 이라크 대사, 국제 적십자사의 포로방문 문제에 관한 협상 진행중임을 밝힘

5. 이스라엘, 점령지구 비상 조치 일부 해제 발표
o 서안 및 가자 지구 유치원 및 국민학교 정상화 조치 발표
- 전쟁 발발후 이라크 지지 폭동 방지위해 전면적인 통금조치 실시해옴
- 전쟁 발발후 팔레스타인인 3명 사살 사고 발생
o Intifadah, 대이스라엘 저항 운동 계속
- 이스라엘 영토내 아랍인에 대한 Intifadah 지원 위원회 구성 촉구
- 팔레스타인 인에게는 봉기 확산 촉구 (이스라엘 주재 이집트 대사관 boycott 포함)
※ 인티파다 기간중 희생자 (87.12.이후)
이스라엘측 사살 팔인 804명, 팔인 동족에 의한 이적행위 혐의 피살자 343명, 이스라엘인 사망자 57명

Ⅱ. 전 황

1. 대규모 공습 계속 실시
o F-16 1대 피격, 조종사는 구조됨

2. 지상전 준비 최종단계
o 미해병 제 2사단 공격 대형 재배치
o 국경지역 이라크군에 대한 포격 계속
- 영국 포대 최초 가담

Ⅲ. 테러 및 반전시위

1. 테 러
o 푸에르토리코 National Guard 소속 트럭 2대 방화

2. 반전 시위
o 미국 메사추세츠주 앰허스트시 20세 청년 분신 자살

0114

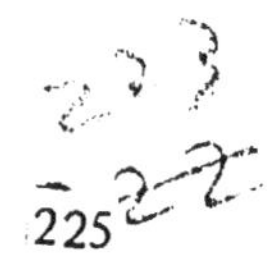

外務部 걸프事態 非常對策 本部

題 目 : 日日 報告 (72)

1991. 2. 20
06:00
작성자 : 정진호 과장

I. 이라크, 소련 평화안 수락 가능성 시사

1. 소련 평화안 요지

o 소련 평화안의 자세한 내용은 밝혀지지 않았으나 지금까지 밝혀진 내용을 종합하면 아래와 같음.

i) 유엔 안보리 결의 660호에 의거, 쿠웨이트로부터 무조건 철수

ii) 이라크 국경선 보장

iii) 전후 이라크 및 사담 후세인 대통령에 대한 보복 금지

iv) 팔레스타인 문제를 포함한 모든 중동지역 문제 협상

2. 소련의 입장

o 이라크는 쿠웨이트에서 무조건 철수할 태세가 되어 있는 것으로 보며, 소련 평화안의 성사 여부에 대해 '낙관적'이라고 평가 (프리마코프)

o 이라크측의 조속한 회답 (2일 이내) 촉구

o 전후 국제사회에서 이라크가 중요한 역할을 수행하기를 희망

3. 이라크의 반응

o 아지즈 외상은 2.19 이라크로 귀환, 혁명평의회에서 소련 평화안을 검토후 회답을 가지고 모스크바 재방문 예정

o 이라크는 안보리 결의 660호에 따른 소련 평화안 수락함으로써 협상을 심각하게 모색하고 있다고 발표

4. 미국의 반응

o 부시대통령은 소련안이 요구조건에 '몹시 미흡하다' 고 일축하고 협상이나 양보 가능성을 배제한다고 발표

o 영국 수상도 소련안이 유엔 결의 충족에 미흡한 것으로 평가

5. 기타 각국 반응

o 이 란

- 외교적 해결 지지 확산위해 외무장관 독일 파견
- 이라크가 유엔 결의 660호에 의거, 무조건 철수할 것을 확신한다고 발표

0115

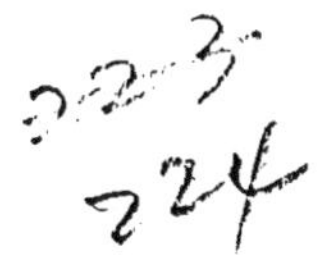

- 군사적 해결보다 정치적 해결에 노력 집중하여야 함.
- 이라크가 내건 조건들은 철수와 연계된 조건이 아니라 거론되어야 한다는 것을 밝힌 것에 불과함.

o 독 일
- 전후 중동지역에서 소련의 강력한 역할에 지지 표시
- 소련은 중동지역 신질서 형성에 동동하게 참여할 권리 보유하고 있음. (겐셔 외무장관 언급)

o 요 르 단
- 소련 평화안 환영

Ⅱ. 지상전 개시 임박

1. 이라크가 소련 평화안을 수락할 가능성을 시사하고 있음에도 불구하고 다국적군의 지상전 개시가 임박한 징후가 나타나고 있음.

o 부시대통령 언급
- 소련 평화안에 냉담한 반응, 지상전 개시 암시
- 목표는 정해졌으며 전쟁은 계속되고 있음.

o 영국 수상도 미국과 협의후 군사작전 계속키로 결정했다고 의회에서 발표

o 미군 사령부는 소련의 평화안이 군사작전에서 아무런 변화도 줄 수 없으며 지상전 준비는 예정대로 진행되고 있음을 강조

o 다국적군 함대 쿠웨이트 해안 접근중

o 다국적군, 지상전 준비단계로 공화국 수비대를 포함한 전선의 이라크 군사 목표물에 대한 공중.지상 폭격 계속

2. 지상전 개시 여건 성숙

o 향후 며칠간은 상륙작전에 적합한 만조시기이며, 아울러 고성능 야간 작전에 유리한 달이 없는 기간임.

3. 소련의 지상전 반대 경고

o 소련 외무장관은 지상전 개시시 상호 막대한 희생만 날뿐, 아무런 결과도 얻지 못할 것이라고 경고

0116

Ⅲ. 기타 주요 동향

1. 이라크 인명 피해 상황 발표

   o 이라크는 전쟁 개시 26일간 총 피해 상황을 처음으로 언급

     - 사망자 : 2만여명, 부상자 : 6만여명
     - 군인, 민간인 피해 구분하지 않았음.
     - 총 피해액수 : 2000억불

   o 상기 숫자는 종전 이라크 공식 발표보다 20배나 많은 숫자임.

2. 한국 군수송단 파견

   o 한국 군수송기와 비전투병력이 다국적군에 참여하기 위해 2.19 출발 (국방부 대변인 발표)

3. 이라크, 이스라엘 대한 SCUD 미사일 공격

   o 1.19 저녁 이스라엘 중부지역에 SCUD 미사일 1대 발사

   o 재래식 무기 장착, 피해여부 밝혀지지 않음.

4. 인도, 미군용기 재급유 금지 발표

   o 인도정부는 걸프전 참가위해 인도를 통과하는 미군용기에 대해 재급유를 금지한다고 발표

   o 이에 대한 구체적인 이유는 밝히지 않음.

5. 불란서.리비아의 역할

   o 걸프전 종전 및 중동지역 안보문제 협의차 리비아를 방문중인 불란서 하원 외무위원장은 불란서와 리비아가 '중요한 역할'을 수행하고 있다고 발표

0117

外務部 걸프事態 非常對策 本部

日日 報告 (73)

1991. 2. 20.
16:00

題 目 : - DAY 34 -

작성자 : 정진호 과장

I. 평화해결 관련 동향

1. 소련의 평화안 제의 관련 동향

가. 이라크

o Aziz 외무장관, 2.20중 모스크바 도착 예정

o Aziz 외무장관, 이란 Rafsanjani 대통령과 면담(2.19)

- 쿠웨이트 철군을 심각하게 고려하고 있다고 밝힘
- 그러나 동시에 철군을 위한 협상 개시도 고려하고 있다고 발언하여 무조건 철군 입장은 아니라는 인상을 풍김

나. 소 련

o Bessmyertnykh 외무장관, Bush 대통령의 거부의사 표명에 중요성 부여치 않음

- 미국에 대한 평화제의가 아니고 이라크에 대한 제의임

o Gratchev 공산당 중앙위 외교위원, Aziz 외무가 무조건 철군을 수락할 것이라고 언급하였다고 밝힘(불란서 라디오 인터뷰)

다. 미 국

o Cheney 국방장관, 휴전 반대 입장 재확인 (하원 청문회)

- 현 단계 휴전은 후세인 대통령에게 전력 재정비 기회만 주게됨

o 행정부 고위관리, 소련안이 걸프전쟁의 새로운 국면 시발점이 될수도 있다고 평가 (CNN)

라. 사우디 아라비아

o Fahd 국왕, 무조건 철군이외 어떤 제안도 수락 불가하다고 언급

- 이라크의 쿠웨이트 침공으로 인한 전쟁피해 보상 책임 회피 가능성 부인

마. 이 란

o Velayati 외무장관, 독일 방문(2.19-21)시 언급 사항

- 이라크는 유엔결의 660에 의거한 철군 준비중임
- 이라크 제의는 작지만 긍정적인 진전인바 이제는 다국적군이 반응을 보여야할 때임
- 전쟁 평화 해결을 위해서는 양측의 철군이 보장되어야 가능함

0118

政府綜合廳舍 810號　電話 : 730-8283/5, 730-2941.6.7.9, (구내)2331/4, 2337/8　Fax : 730-8286

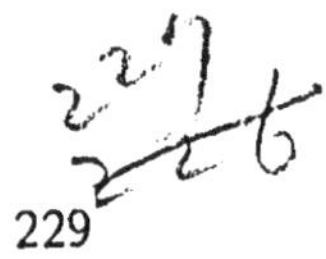

229

- 전후 중동지역 평화는 외부 간섭이 배제되어야 성취 가능함
- 독일 방문후 불란서도 방문 예정임

2. 터키 Alpetmocin 외무장관 미국 방문(2.20)
   - o Bush 대통령, Baker 국무장관 면담 예정
     - 최근 전쟁 상황, 소련 평화안, 전후 문제 협의 예정

3. 수단 Bashir 대통령, 긴급 아랍 정상 회담 촉구
   - o 수단, 리비아, 튜니지, 알제리, 예멘, 요르단 정상회동 요구
   - o 동 관계 협의차 리비아 향발 (2.20)

4. 교황, 걸프 참전국 카톨릭 지도자 회의 소집
   - o 3.4-5 바티칸 개최 예정
   - o 중동인에 대한 전쟁 영향 및 종교 관련 문제 논의 예정

5. 적십자사 전쟁 구호 지원 노력
   - o UN, 의약품 50톤 바그다드 도착 발표
   - o 미적십자사, 3,000만불 모금 개시 발표

Ⅱ. 전쟁 관련 동향

1. 지상전 임박 조짐
   - o 미합참 Kelly 중장, 지상전 준비 완료 표명
     - 정치 지도부 결정만 있다면 당장 지상전 개시 가능
     - 지상전 개시 경우 단시일내 승리 확신
   - o Cheney 국방장관, 이라크군 능력 30-40% 괴멸 주장
   - o 국경지대 공격성향 탐색작전 집중 실시
   - o 함포 및 해병대 포격 계속 실시(이라크 포대 무력화 목표)

     ※ ABC 여론조사

     . 지상전 개시 찬성 85%, 이라크의 철군 제의 수락 반대 66%

     . 후세인 축출 찬성 58%, 소련 평화안 실패 예상 75%,

2. 대규모 공습 지속
   - o 2.19. 2,800회 출격
     - 2차례 출격 전과 예시 : 탱크 6대, 장갑차 3대, 대포 5문,
       로케트포 발사대 1개, 트럭 15대
       탄약저장 벙커 2개소, 사격대 3개소 파괴
     - SCUD 미사일 발사대 4개, 미사일 2기, 지원차량 3대 파괴
     - 이라크 전투기 5대 지상 파괴
     - A-10기 1대 피격(조종사는 실종 발표)

0119

238

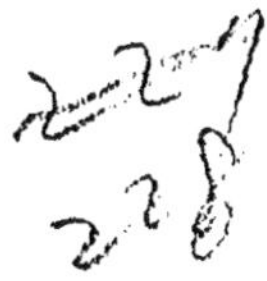

3. 쿠웨이트 해역 수뢰 제거 작업 강화

o 160 여개 발견, 80개 파괴

- 이라크 보유 "Influence Mine" 파괴 노력 경주

. 소련제 KMD-500, KMD-1000

. 비행기, 함정, 잠수함으로 부터 설치 가능

. 해저에 설치되며 소리에 의해 원거리 작동됨

. 개당 무게 675 kg, 막대한 파괴력 보유

o 미군의 상륙작전 수행에 커다란 장애 초래 예상

4. Cheney 국방장관, 전비 추갱 예산 의회에 제출 예정 (2.22)

o 정확한 액수는 밝혀지지 않고 있으나 Desert Shield시 비용 및 전쟁 최초 3개월 비용 합계 560억불 계상 추정

- 이중 연합국이 410억불 부담

- 90.8.2.-12.31. 지출 비용 110억불 추정

. 연합국이 이중 90억불 부담

- 현재 전비 보유액 : 90억불

. 최근 사우디, 18억불 지원

. 금주중 독일이 22억불 지원 예정

5. 다국적군 발표 피해 현황 (2.19 현재)

o 사망 35명 (사우디 19, 미국 16)

- 미군 30명 비전투 사망

o 실종 51명 (미국 30, 영국 10, 사우디 10, 이태리 1)

o 전쟁 포로 12명 (미국 8, 영 2, 이태리 1, 쿠웨이트 1)

o 전투기 손실 40대

- 전투중 피격 31대 (미 22, 영국 6, 쿠웨이트 1, 이태리 1, 사우디 1)

- 비전투 사고 파괴 (대 (미국 7, 영국 1, 사우디 1)

- 미헬기 비전투 사고 6대

o 이라크군 1,280명 이상 포로, 전투기 135대 파괴, 헬기 6대 파괴

Ⅲ. 경제 동향

1. 유 가

o 뉴 욕 (3월 WTI) : 0.81불 하락 (배럴당 20.07불)

o 뉴 욕 (4월 WTI) : 0.51불 하락 (배럴당 18.79불)

2. 주 가

o Dow Jones : 2.47 포인트 하락 (2,932.18)

0120

225

外務部 걸프事態 非常對策 本部

題 目 : 日日 報告 (74)
- DAY 35 -

1991. 2. 21 06:00
작성자 : 정진호 과장

I. 평화해결 관련 동향

1. 소련의 평화안 내용 (Komsomolskaya Pravda 지)
   - ㅇ 이라크군 즉각적인 철군후 휴전 고려
   - ㅇ 쿠웨이트 정통 정부 복귀후 쿠웨이트-이라크 및 이스라엘-아랍 분쟁 해결위한 협상 제의
   - ㅇ 다국적군 점차적 철군 및 아랍 다국적군 또는 유엔 평화 유지군 대체
   - ㅇ 이라크에 대한 제재 해제

2. 이라크 답신 미도착
   - ㅇ 소련 외무부 대변인 Churkin, Aziz 외무장관의 2.20 소련 도착은 물리적으로 불가능할 것이라고 언급
     - Aziz 외무가 직접 다시 소련 방문할 것이라는 이라크측의 확인도 없었음을 밝히며 바그다드 주재 소련 대사관을 통한 회신 접수도 가능함을 시사
   - ㅇ 독일 Vogel 야당 당수, 이란 Velayati 외무장관과 면담후 Aziz 외무장관의 소련 도착이 하루더 연기될 것이라는 인상을 받았다고 언급
   - ㅇ 불란서 Dumas 외무장관, 다국적군이 이라크 회신 시한을 24시간 연장(2.21까지)하였다고 언급

3. 이라크 Hammadi 부수상 중국 방문 (2.20)
   - ㅇ 소련안 설명, 종전을 위한 이라크 입장 지지 호소
   - ㅇ 이붕수상, 기회를 포착하여 철군위한 즉각적이고 구체적 행동 취할것을 촉구

     ※ 소련 Yazov 국방장관 2.25 중국 방문 예정

4. 소련 반응
   - ㅇ Bessmertnykh 외무장관, 소련의회 연설시 아랍-이스라엘 분쟁을 평화 제안과 연계하는 것은 바람직하지 않다고 언급
   - ㅇ Falin 공산당 국제국장, 평화적 해결이 가능하며 Bush 대통령이 소련안을 완전히 거부한 것으로는 생각치 않는다고 평가

0121

政府綜合廳舍 810號 電話 : 730-8283/5, 730-2941. 6. 7. 9, (구내)2331/4, 2337/8 Fax : 730-8286

5. 미국 반응

o Foley 하원 민주당 지도자, 후세인이 무조건 철수를 수락하면 Bush 대통령은 거부하기 어려운 입장에 처할 것이라고 평가

o Bush 대통령, 종전 이라크 전후 복구 적극 참여 추진 자세에서 후퇴 입장 발언 (이라크는 자원만 잘 활용하면 부유한 나라임)

6. 이태리, 소련안 지지 표명

o 소련안이 유엔의 내용과 일치하다고 평가하며 공식 환영 의사 표명하고 일부 소련 제의안 내용을 밝힘

- 휴전 성립 하루후 이라크 철군 개시

- 이라크 철군중 다국적군 공격 중지 보장

7. 유엔 사무총장, 소련안 환영 태도 표명

o 소련안은 평화해결을 위한 역사적인 기회를 제공함

o 이라크 철군시 감시 위한 유엔 평화군 파견 여부 검토중임

8. 이집트 반응

o Ghali 외무담당 국무장관, 소련안 상세 내용은 모르지만 유엔 철군 결의에 기초한 어떠한 평화안도 환영함을 밝힘

- 지상전 회피 및 평화 해결위해 모든 노력 경주 필요주장

- 전후 후세인 대통령 정권과 공존 가능 언급

o Mubarak 대통령, 지상전 개시시 이집트군의 다국적군 가담 입장 재확인

9. 아랍 마그레브 연맹 5국 외무장관 회의 (리비아)

o 걸프전쟁 즉각 휴전 촉구

- 이라크가 지상전 개시로 더 이상 모욕당할 경우 아랍 전역에 걸쳐 감당하기 어려운 소요사태 발생가능 경고

Ⅱ. 전쟁 관련 동향

1. 지상전 개시시 다국적군 단기 승리 위한 요소 (AP)

o 전술적 기습 공격 성공 (공격 개시 장소 기만 성공)

o 야간 작전 수행 능력 우수 입증

o 통신 체제 유지

o 해병대 상륙작전 성공

o 공중전 절대 우위 계속 유지

o 이라크 공화국 수비대의 무력화

0122

2. 전 황

o 대규모 공습 계속 (2,900회 출격, 연 86,000회)

- 쿠웨이트 지역 900회, 공화국 수비대 100회, SCUD 발사대 100회 공격
- B52 전폭기, 이스라엘 공격 SCUD 발사 추정 장소 폭격 성공
- 이라크군 기갑부대(차량 300여대) 발견 폭격 실시
  . 탱크 28대, 차량 26대, 포대 3개, 저장벙커 3개소 파괴

o 지상군 접전 계속

- 쿠웨이트 영토내 이라크군 초소 탈환
- 탱크 25대, 대포 20문 파괴, 7명 생포
- 미군 1명 사망, 7명 부상

o 이라크군 bunker complex 집중 포격

- 벙커 13~15개 파괴, 450-500명 생포

o Schwartzkopf 사령관, 이라크 괴멸직전 상태 평가

- 이라크군 병력, 1일 100대 탱크 손실 속도로 파괴되고 있음

Ⅲ. 기 타

1. 이스라엘 -PLO 분쟁 계속

o 아랍게릴라, 남부 레바논 '안전지대'내 이스라엘 초소 로케트 수류탄 공격

- 이스라엘, 탱크포 및 포대 반격

o 이스라엘, 동부 레바논 시리아 통제 지역 PLO 기지 전폭기 폭격

2. 세계 교회 평의회, 즉각 종전 촉구 (2.20. 캔버라 개최 7차 총회)

o 유엔 중재하 휴전 즉각 촉구 및 기타 문제 해결위한 국제 회의 소집

o 팔레스타인 인권 침해 관련 이스라엘 비난

3. 일 본

o 걸프지역 특사 파견, 종전 방안 및 전후 일본 역할 협의 예정

4. Amnesty International

o 미, 영, 터키, 이집트, 이스라엘에 걸프전 관련 안보 이유로 인권 침해 중지 촉구

5. UNRWA

o 점령지역 팔레스타인 인에 대한 긴급 식량 지원 (17톤 규모)

o EC 12국도 비상 식량 원조 계획 예정 발표

6. 테헤란 주재 서방국 대사관 폭탄 테러 (이태리 언론 보도)

o 이태리, 영국, 터키, 독일 대사관 대상 (2.20)

0123

234

外務部 걸프事態 非常對策 本部

題 目: 사담 후세인 대통령 연설(속 보)

1991. 2. 22 01:30

1. 연설 요지

* 사담 후세인은 약35분간의 연설(2.22 00:00, 한국시간)을 통해 쿠웨이트 무조건 철수 거부 및 계속 항전 결의 표명
  - o 이라크는 승리의 자신감을 가지고 계속 투쟁할 것임.
  - o 그들은(미국등 지칭) 이라크의 항복을 기대하고 있으나 실망할 것임.
  - o 2.15 이라크 평화 제의 거부와 관련 부쉬 미대통령 비난
  - o 사우디, 이집트등 반이라크 진영 가담 아랍국가들을 아랍의 배신자라고 규탄
  - o 걸프사태는 40여년간의 PLO 숙제를 결부시키지 않고는 해결될수 없음.
  - o 이스라엘과 그 동조세력이 저지르는 모든 범죄 행위를 좌시하지 않겠음.
  - o 이라크는 협상을 통한 해결을 모색했으나 사우디, 쿠웨이트 등의 비타협적 태도로 실패하게 되었음.
  - o 미국 등이 당초의 쿠웨이트 철수 요구에 추가하여 계속 새로운 요구조건을 내걸고 있는데 이는 결국 이라크의 모든 힘과 능력을 제거하려는 그들의 의도를 나타낸 것임.
  - o 아직 본격적인 지상군 교전이 없어 누구도 이라크 지상군의 진정한 전력을 정확히 모르고 있음.

2. 평 가

- o 구체적인 언급은 없었으나, 사담후세인이 쿠웨이트 무조건 철수를 거부한 것으로 보이며, 이에따라 다국적군은 즉각적으로 지상공격을 개시, 쿠웨이트 탈환 작전에 나설것으로 봄.
- o Aziz 이라크 외무장관이 소련측에 전달할 소련 평화안에 대한 이라크측 입장에 관해서는 명확한 언급이 없었음.

0124

政府綜合廳舍 810號 電話 : 730-8283/5, 730-2941.6.7.9, (구내)2331/4, 2337/8 Fax : 730-8286

外務部 걸프事態 非常對策 本部

題 目: 日日 報告 (75)
- DAY 36 -

1991. 2. . 22 .
06:00
작성자 : 김동억서기관

I. 사담후세인 연설 (2.22 00:00 한국시간)

1. 연설 요지

o 이라크는 승리의 자신감을 가지고 계속 투쟁할 것이며, 그들은 (미국등 지칭) 이라크의 항복을 기대하고 있으나 실망할 것임.

o 걸프사태는 40여년간의 팔레스타인 숙제를 결부시키지 않고는 해결될수 없음.

o 이라크는 협상을 통한 해결을 모색했으나 사우디, 쿠웨이트 등의 비타협적 태도로 실패하게 되었음.

o 미국 등이 당초의 쿠웨이트 철수 요구에 추가하여 계속 새로운 요구 조건을 내걸고 있는데 이는 결국 이라크의 모든 힘과 능력을 제거하려는 그들의 의도를 나타낸 것임.

o 아직 본격적인 지상군 교전이 없어 누구도 이라크 지상군의 진정한 전력을 정확히 모르고 있음.

2. 각국의 반응

가. 미 국

o Fitzwater 백악관 대변인

- 사담 후세인 연설에 실망함. 동 연설은 이미 전세계가 수차 들은바 있는 같은 독설(same invective)을 되풀이 한것이고, 유엔 결의를 무시하는 것임.

o Foley 하원의장

- 실망함. 전혀 다른 내용의 이야기가 있을 것이라고 생각하였음.

나. 영 국

o 사담 후세인의 연설로 한가닥의 희망이나 타협가능성이 사라졌음. 지상전은 불가피함.(Major 수상)

0125

政府綜合廳舍 810號 電話 : 730-8283/5, 730-2941, 6, 7, 9, (구내)2331/4, 2337/8 Fax : 730-8286

다. 이스라엘

o 도발적, 비타협적 내용의 연설임. 사담 후세인은 이라크 군.민을 절망적인 전쟁에 몰아 넣으려하고 있음(Avi Pazner 수상 보좌관)

라. 쿠웨이트

o 사담 후세인의 연설은 국제사회의 총의를 무시한 것이며, 지상전을 초래했음.(주유엔 대사)

마. 이 란

o 외교에는 자제와 신중함이 필요 사담후세인이 강경 연설을 행한 것은 미. 영이 소련 평화안에 부정적인 반응을 보인데도 연유가 있다고 생각함. 다만, 소련 제안에 대한 이라크의 최종적 입장은 Aziz 외무장관에 의해 밝혀질 것으로 봄.(주유엔 대사)

바. 예 멘

o 혁명 평의회의 이름을 빌리지 않고 사담 후세인이 직접 쿠웨이트 철수를 언급했다는 점에서 긍정적인 면도 있음(주유엔 대사)

II. 소련 평화안 관련동향

1. Aziz 이라크 외무장관 2.22 새벽(한국시간) 모스크바 도착

o 이라크 혁명 평의회, 2.21 사담 후세인 주재 야간 회의 개최

- 소련 평화안에 대한 이라크 입장 결정(내용 미상)
- Aziz 외무장관 소련 파견 결정

2. 미국의 입장

가. Baker 국무장관, 이라크의 즉각, 무조건, 전면 쿠웨이트 철수 및 걸프사태 관련 유엔 제결의 이행 재촉구

나. Bush 대통령, Gorbachev 소대통령에게 소련 평화안에 하기 3개 조건 추가 요구설(2.21 워싱톤포스트 보도)

o 미국의 추가요구 3개 조건 내용

- 합의 도달후 4일내 이라크군의 쿠웨이트 철수 완료
- 전쟁포로 전원 석방
- 모든 지뢰밭의 위치 공개

0126

o 외교 소식통, 4일내 철군완료 요구는 이라크로 하여금 탱크 상당수를 철수시킬수 없도록 하려는 미측의 의도로 분석

o 상기3개조건이 충족 안될 경우 Bush 대통령은 지상전 즉각 개시 결정 예상

3. Velayati 이란 외무장관, 이라크의 회답지연 관련 사태의 평화적 해결 전망에 다소 비관적 견해 표명

4. "전기침" 중국 외무장관, 미국에 소련 평화안 수락 촉구

o 중국 외교부 성명, 이라크에 즉각 철군개시 촉구 및 걸프전 문제와 팔레스타인 문제간의 연계에 원칙적 거부 입장 표명

5. 유럽의 반응

가. 유럽 의회, 소련 평화안 지지 결의안 채택 전망

o 2.21 밤(현지시간) 표결 예정인바, 대다수 의원 지지 표명

나. 교황청, 소련 평화안에 대한 지지 표명(교황청 대변인 성명)

다. Eyskens 벨기에 외무장관, 이라크가 즉각 철수개시 보장할경우 안보리에서 걸프전 정전안에 지지 용의 표명

o 벨기에, 안보리 비상임이사국

6. 비동맹 4개국, 2.23 테헤란 회합 예정

o 사담후세인에게 소련 제안 수락을 요청키 위한 대표단 이라크 파견 가능성

o Sadoun Hammadi 이라크 부수상, 비동맹 대표단과의 대화 용의 표명

7. 소련 평화안의 문제점(유엔 외교 소식통)

o 이라크의 쿠웨이트 철군에 관한 명확한 시간표가 없음.

o 전쟁포로 문제, 쿠웨이트 정부 복귀, 이라크의 전쟁 배상에 대한 언급이 전혀 없음.

o 이라크의 쿠웨이트 침공이래 유엔안보리가 채택한 12개 결의 모두를 이라크가 이행해야 한다는 명확한 요구가 없음.

0127

III. 전쟁관련 동향

1. 다국적군 지상전 준비 강화

   o 지상 공격 현황(미중앙사 2.21. 정례브리핑)

   - 공화국 수비대, 통신망, 전략목표물, 지휘 시설에 대한 개전이래 최대 규모의 포격
   - 2.21 사우디군 포함 다국적군이 개전이래 최초로 국경을 넘어 공격 감행
   - 이라크 벙커 공격에서 이라크군 435명 생포(장교20명, 대대장1명 포함)

   o 체니 미 국방장관, 상원 군사위원회 증언에서 사상 최대규모의 지상공격 준비 완료 발표

   * 참 고 : 미측 전과분석에 혼선

   - CIA, 쿠웨이트 주둔 이라크 군의 탱크, 대포등 10-15% 파괴 평가 (국방부의 30% 파괴 주장과 상치)

2. 이라크 반격 동향

   o 이라크, 후세인 연설 1시간전 Scud 미사일, 사우디 중북부에 발사

   - Patriot 에 요격됨, 사상자 없음.

   o Frog 미사일 2발 발사 : 세네갈 군인 8명 부상

3. 쌍방 피해현황

   o 다국적군 발표

   - 전과
     . 포로 1,780여명, 항공기 격추 141대
   - 피해
     . 전사 36명(미 17, 사우디 19)
     . 실종 51명(미30, 영10, 이태리1, 사우디10)
     . 포로 13명(미9, 영2, 이태리1, 쿠웨이트1)
     . 항공기 상실 41대

   o 이라크측 발표

   - 전과
     . 항공기 격추 180대, 포로 20여명
   - 피해
     . 사망 20,000명, 부상 60,000명

0128

239

IV. 기타 동향

1. Shamir 이스라엘 수상, 이스라엘은 걸프전 참전에 적극적이 아니나 부득이 참전이 필요해 질지도 모른다고 언급

   o 이라크가 화학무기 공격을 가하거나 대량인명 손실이 발생할 경우에는 이스라엘의 보복이 불가피함.

   o 걸프전을 통해 이스라엘에 대한 이라크의 안보 위협이 제거되고 걸프지역 평화가 회복되기를 기대

2. 쿠웨이트 망명 정부의 전후 대책(Al-Awadi 관방장관 언급 요지)

   o 3-6 개월의 비상통치 기간을 설정, 동 기간중 이라크 동조자 색출 등 치안 회복에 중점. 이후 정상적 왕정 회복

   o 최초 90일간 의료시설, 식량.식수 공급, 통신시설 복구 등에 약 8억불 투자 계획

     - 완전 복구에는 5년간 최대 1,000억불 소요 예상

   o 기타 사항

     - 현재 쿠웨이트 잔류 쿠웨이트인 약30만, 해외 거주 약50만 (절반이 사우디 체재중) 추산

     - 이라크 침공이래 약 25,000명의 쿠웨이트인 실종(이라크 당국에 의해 억류 또는 처형 추정)

V. 군수송단 2진 출발

o C-130 3대(84명 탑승)

o 91. 2. 22 05:30 서울 공항 출발

  - 제1진 2대는 UAE 알아인 기지에 2.21 무사히 도착함.

0129

240

外務部 걸프事態 非常對策 本部

題 目: 속 보

1991. 2. 22
09:30

고르바쵸프 대통령과 이라크 외무장관 회담후 소련 대통령 대변인이 발표한 (08:30) 휴전안

1. 이락은 무조건 전면 철수에 합의

2. 휴전후 제 2일부터 철수 개시

3. 철수는 시한을 정해 시행

4. 2/3 철수후 경제 제재 해제

5. 철수 완료후 모든 유엔 결의 무효 선언

6. 휴전후 전쟁 포로의 석방

7. 참전국 이외 국가와 유엔이 철군 감시

8. 세부 문제는 계속 유엔에서 논의

0130

政府綜合廳舍 810號 電話 : 730-8283/5, 730-2941. 6. 7. 9, (구내)2331/4, 2337/8 Fax : 730-8286

外務部 걸프事態 非常對策 本部

題 目: 소련.이라크간 합의 8개항 평화안에 대한 분석　　　　1991. 2 . 22 .

1. 휴전의 시점에 대한 언급이 없는바 이것은 미국등 다국적군의 동의가 있어야 하므로 일방적으로 결정할수 없는 사항이었기 때문일것임.

2. 철군 시한을 정한다고만 되어있을뿐 철군의 시간표는 제시되지 않음.

3. 처음에는 유엔 결의의 효력 정지로 발표되었으나 후에 무효로 수정되었는바 확실한 표현은 미상임.

4. 휴전후 포로의 석방을 수용한것은 미국의 요청을 포함시킨 것으로 보임.

5. 소련.이라크 평화안은 대체적으로 문제의 해결 장치를 유엔의 테두리 안에 두려는 의도가 보임.

6. 대체적으로 당초 소련의 평화안 4개항을 기초로 하였으며 포로의 석방, 유엔 결의의 무효 선언, 유엔에서의 계속 논의등 새로운 항이 추가된 반면 당초 소련 평화안에 포함되었던 것으로 알려진 팔레스타인 문제를 포함한 중동문제 전반에 관한 협상 개최에 관한 언급이 없음.

7. 유엔 결의중 쿠웨이트 왕정 복귀, 전쟁 피해에 대한 이라크의 책임등에 관한 언급이 없음.

8. 선휴전 후철군의 형식을 채택하고 있고, 유엔결의의 무효선언을 통해 쿠웨이트 합법정부의 복귀, 전쟁배상등을 사실상 거부하고 있으므로 미국으로서는 수락하기가 어려울 것이나, 대부분 EC등과 소련의 동정적 입장때문에 현시점에서 지상전 개시도 역시 어려울 것으로 보임.

0131

政府綜合廳舍 810號　電話 : 730-8283/5, 730-2941.6.7.9, (구내)2331/4, 2337/8　Fax : 730-8286

242

外務部 걸프事態 非常對策 本部

題 目 : 속 보 1991. 2 22 11:00

피츠워터 백악관 대변인 성명 발표 (10:40경)

1. 고르바초프 소련 대통령의 외교적 노력에 사의 표명함.
2. 소련.이라크가 합의한 전쟁 종식안에 대해 다국적군 여타국과 협의, 검토 계속할 것임.
3. 현시점 유엔 안보리 결의안이 완전히 이행되지 않았기 때문에 전쟁은 계속될 것임.
4. 소련.이라크 합의안에 몇가지 문제점이 있다고 생각함.

0132

政府綜合廳舍 810號 電話 : 730-8283/5, 730-2941. 6. 7. 9, (구내)2331/4, 2337/8 Fax : 730-8286

外務部 걸프事態 非常對策 本部

題 目: 걸프사태관련 안보리 결의 12개 요지 1991. 2 . 22

결의 번호 (표결 일자)	결 의 주 요 내 용
660 (90.8.2.)	ㅇ 이락의 쿠웨이트 침공 규탄 및 이락군의 무조건 철수 촉구
661 (90.8.6.)	ㅇ 이락에 대한 광범위한 경제제재 조치 결정 - 안보이사회내에 제재위원회 설치 - 유엔비회원국 포함 모든국가의 661호 이행 촉구
662 (90.8.9.)	ㅇ 이락의 쿠웨이트 합병 무효 간주 ㅇ 쿠웨이트 신정부 승인 금지
664 (90.8.18.)	ㅇ 이락과 쿠웨이트내 제3국민들의 즉각 출국 허용 요구 ㅇ 쿠웨이트 주재 외국 공관폐쇄 조치 철회 요구
665 (90.8.25.)	ㅇ 결의 661호 위반 선박에 대한 조치 권한 부여
666 (90.9.13.)	ㅇ 인도적 목적의 대이락 식품 수출 제한적 승인
667 (90.9.16.)	ㅇ 쿠웨이트 주재 외국공관 침입 비난 ㅇ 외국공관원 즉시 석방 및 보호 요구
669 (90.9.24.)	ㅇ 대이락 제제조치에 따른 피해국 지원
670 (90.9.25.)	ㅇ 모든국가의 이락 및 쿠에이트내 공항 이착륙 및 영공통과 불허 (인도적 식품 및 의약품 운송 제외) ㅇ 모든국가에 의한 이락 국적선박 억류 허용
674 (90.10.29.)	ㅇ 이락의 쿠웨이트 침공으로 인한 전쟁피해 및 재정적 손실에 대한 이락의 책임 규정 및 추궁
677 (90.11.28.)	ㅇ 이락에 의한 쿠웨이트 국민의 국적 말소기도 비난 ㅇ 쿠웨이트 인구센서스 기록의 유엔내 보존
678 (90.11.29.)	ㅇ 이락의 91.1.15 한 상기 안보리 제결의를 이행치 않을 경우, 필요한 모든 조치를 취할 수 있도록 유엔 회원국에게 허용

0133

政府綜合廳舍 810號 電話 : 730-8283/5, 730-2941. 6. 7. 9, (구내)2331/4, 2337/8 Fax : 730-8286

홍

外務部 걸프事態 非常對策 本部

題 目 : 日日 報告 (76)
- DAY 37 -

1991. 2. 23. 06:00
작성자 : 김의기 과장

1. 주요 동향

가. 부쉬 대통령 대이라크 최후 통첩 주요 내용 (00:40분 KST)

- 이라크는 쿠웨이트로 부터 2.23.(토) 정오까지 즉각적이고 무조건적인 철수를 개시하여야 함.
- 미국과 다국적군 국가들은 후세인 대통령에게 즉각적이고 무조건적인 철수를 요구하는 유엔 결의안을 강행키로 했음.
- 소련 평화안은 너무 많은 조건이 있어 수용할수 없으며 무조건 철수를 요구한 유엔 안보리 결의안 660호와도 부합되지 않음.
- 이라크는 모스크바에서 회담이 진행중인 동안에도 이스라엘에 미사일을 공격하고 쿠웨이트에서 초토화 작전을 수행하였음.

〈참 고〉 백악관 대변인이 발표한 미국의 종전 관련 주요 제의 내용

- 2.23. 정오(워싱턴 시간)까지 철군 개시
- 1주일 이내에 철군 완료 (쿠웨이트시로 부터는 48시간 이내에 철군하고 쿠웨이트 합법정부의 복귀를 허용함)
- 48시간 이내에 모든 전쟁포로 및 민간인 인질 석방
- 쿠웨이트내에 매설된 모든 폭발물 및 지뢰 제거

나. 고르바쵸프 소련 대통령 6개항의 새로운 평화안 제의

- 이라크의 쿠웨이트로 부터의 조속한 무조건 철수
- 휴전후 24시간 이내에 철군 개시
- 이라크는 쿠웨이트시로 부터 4일 이내에, 쿠웨이트 전역으로부터 21일 이내에 철군 완료
- 휴전후 72시간 이내에 모든 전쟁포로 석방
- 철군이 완료되면 모든 대이라크 유엔 안보리 제재 해제
- 평화안 이행을 감시하기 위한 유엔안보리 옵서버 파견

0134

政府綜合廳舍 810號 電話 : 730-8283/5, 730-2941, 6, 7, 9, (구내)2331/4, 2337/8 Fax : 730-8286

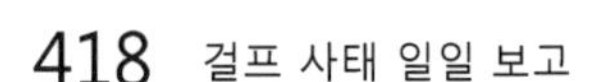

다. 평 가

- o 미국 부쉬 대통령이 성명 내용에 소련 평화안이 철군 관련 너무 많은 조건이 있어 수락할수 없다고 하였으나 소련의 노력에 대해서는 평가 한다고 언급 하였으며 소련이 부쉬 성명 발표후 곧 새로운 평화안을 제의한점을 보아 아직도 지상전을 피할수 있는 협상 여지는 있는 것으로 보임.
- o 미측은 소련의 철수 기간 21일이 너무 길어 이라크측이 철수시 무기등 군사장비를 반출할수 있어 종전후에도 이라크의 군사력이 상당수준 유지될수 있을 가능성을 우려하고 있는 것으로 관측됨.

2. 전 황 (2.22. 현재 쌍방 피해 현황, 로이타 집계)

o 다국적군 발표

<다국적군 피해>

- 인 명 : 전사 84명, 포로 또는 실종 64명
- 항공기 : 47대 (미국 35, 영국 7, 사우디 3, 쿠웨이트 1, 이태리 1)

<이라크 피해>

- 인 명 : 전사 80명 포로 또는 실종 1,907명
- 항공기 : 135대
- 선 박 : 73척

o 이라크군 발표

<다국적군 피해>

- 인 명 : 전사 53명
- 항공기 : 329 대

<이라크 피해>

- 인 명 : 전사 90명
- 항공기 : N/A
- 민간인 피해(공식) : 사망 967명, 부상 480 명
- 민간인 피해(비공식) : 사망 20,000명, 부상 60,000명

0135

3. 기타 동향

o 프랑스, 쿠웨이트 전후 복구사업 참여 교섭단 파견 예정
(2.22. 파리발 로이터)

- 프랑스 정부는 3월중 Jean-Marie Rausch 통상장관을 단장으로한 대표단을 사우디에 파견, 쿠웨이트 망명정부와 전후 복구사업 참여 교섭 예정.
- 동 대표단에는 프랑스 건설업계, 대표들도 참여
- 불정부 및 건설업계, 미국의 전후복구 참여 독립적 계약 우려
- 쿠웨이트 복구사업에는 500억달라 소요

o 쿠웨이트 유정 140여개 파괴 (사우디 미군 중앙사 Neal 준장 발표)

- 이라크는 2.22. 하루동안 140여개의 유정을 파괴함.
  . 쿠웨이트에는 약 950개의 유정이 있음.
- 쿠웨이트 유전의 약 25%가 검은 연기에 싸여있음.
- 쿠웨이트 원유생산 시설이 체계적으로 파괴되고 있어 이라크는 초토화 작전을 개시한 것으로 보임.

o 부쉬 대통령 대 이라크 최후 통첩후 유럽 금융시장 동향 (2.22.)

- 4월 선적 예정 북해산 원유가 : 배럴당 16.57 불 (28센트 하락)
- 금 (1온스) : 358,75불 (2.21. 종가 대비 4.50불 하락)
- 런던 파이넨셜 타임스 주가지수 : 2,314.3 (1.9 포인트 상승)
- 파리 CAC-40 주가지수 : 1,716.88 (개장시에 대비 7.16 포인트 상승)
- 독일 DAX 주가지수 : 1,582.52 (16.20 포인트 상승)

0136

外務部 걸프事態 非常對策 本部

題　目 : 미국의 철군안에 대한 주요국 반응　　　　1991. 2 23 12:30

1. 영국(Major 총리)
   - o 대 이라크 최후 통첩은 협상될 수 없음.

2. 불란서(Dumas 외무장관)
   - o 부쉬 대통령의 결정은 다국적군 참가국들의 의견과 완벽하게 일치되는 것임.

3. 이라크(혁명평의회)
   - o 부쉬 대통령의 최후 통첩은 수치스러운 것이라고 맹렬 비난
   - o 이라크에 대한 공격을 계속코자 하는 사악한 의도 표명

4. 이스라엘
   - o 부쉬 대통령의 최후 통첩에 대환영 표시

0137

245
247

外務部 걸프事態 非常對策 本部

題 目: 미, 이라크의 소련 수정평화안 수용을 거부(속 보) 1991. 2.23 23:30

(워싱턴 AFP 보도)

- 미국, Aziz 이라크 외무장관이 이라크는 휴전후 21일내 쿠웨이트로 부터의 무조건 완전 철수라는 소련의 수정제안을 전적으로 수용한다는 발표 직후, 이를 거부(2.23)

- 거부이유는 동 수정제안이 ① 유엔결의안인 즉각적이고 무조건적인 철수에 대한 분명한 언질이 없고 ② 다른 유엔 안보리 결의의 완전한 이행이 불가능하기 때문에 무효임.

- 이라크측의 수용선언은 아무런 효력도 없으며 미국은 현재 다국적군의 최후 통첩에 대한 이라크의 반응을 계속해서 기다리고 있음.

- 워싱턴의 이러한 단호한 입장은 부쉬 대통령이 금요일 내놓은 GMT 17:00시 제한시간 7시간 전에 나옴

- 한편, 이라크의 Aziz 외무장관은 이라크의 철수가 1주내 완결되어야 하며 이라크군은 철수개시후 48시간내 쿠웨이트시로 부터 철수하여야 한다는 다국적군의 최후 통첩에 대해 상금 불언급

0138

政府綜合廳舍 810號 電話: 730-8283/5, 730-2941.6.7.9, (구내)2331/4, 2337/8 Fax: 730-8286

外務部 걸프事態 非常對策 本部

題 目 : 이라크, 미국 종전안 수락 시사 (속 보) 1991. 2.24 03:00

○ 유엔 주재 유리보론초프 소련대사, 아지즈 이라크 외무장관이 미 부쉬대통령의 종전안에 대한 일부조건에 긍정적 반응을 보였다고 유엔안보리 회의시에 언급 (이란 및 카나다 외교관 말 인용)

○ U.N 안보리, 이라크의 쿠웨이트 철수시한 직전 걸프사태 관련 공식 비공개 회의 개시

○ 이라크 철수관련 미국측 주장과 일치하는 철수조건 목록을 동 소련대사가 동 회의에서 발표

○ 이라크 외무장관이 긍정적 반응을 나타냈으나, 이것이 모든 조건을 포함하는 것인지는 불분명한 것으로 알려짐.

○ 피크링 유엔 주재 미국대사, 동 이라크측의 철군조건에 대해 분명하게 구체화 할 것을 요청

○ 미측은 미국 종전안과 관련, 사우디, 이라크 및 쿠웨이트 국경과 쿠웨이트로 부터 48시간 이내 이라크군 철수, 1주일내 철수 종료할 것을 언급

0139

政府綜合廳舍 810號 電話 : 730-8283/5, 730-2941, 6, 7, 9, (구내)2331/4, 2337/8 Fax : 730-8286

外務部 걸프事態 非常對策 本部

題 目: 부쉬 미대통령, 지상전 개시 시사(속 보) 1991. 2.24 04:30

o 이라크의 쿠웨이트 무조건 철수에 대한 U.N 결의 이행을 위해 사담 후세인이 아무런 행동을 취하지 않 은 점에 유감표명

o 다국적국가가 제시한 이라크 철수시한이 만료됨에 따라, 쿠웨이트 해방을 위해 다국적군의 군사행동을 계획에 따라 예정대로 계속할 것임.

o 슈바르츠코프 미군사령관이 다음 단계의 전쟁을 위해 걸프 지상전 전개 전권을 수임(미국방성 고위관리 언급)

0140

政府綜合廳舍 810號 電話 : 730-8283/5, 730-2941. 6. 7. 9, (구내)2331/4, 2337/8 Fax : 730-8286

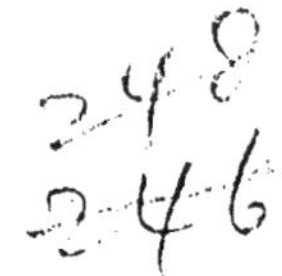

外務部 걸프事態 非常對策 本部

題 目: 日日報告 (77) 1991. 2.24 06:00

작성자 : 박종순 서기관

I. 주요동향

1. 이라크 외무장관, 미국 종전안 수락 시사

ㅇ 유엔 주재 유리보론초프 소련대사, 아지즈 이라크 외무장관이 미 부쉬 대통령의 종전안에 대한 일부조건에 긍정적 반응을 보였다고 유엔안보리 회의시에 언급 (이란 및 카나다 외교관 말 인용)

ㅇ U.N 안보리, 이라크의 쿠웨이트 철수시한 직전, 걸프사태와 관련 공식적 비공개회의 개시

ㅇ 이라크 철수관련 미국측 주장과 일치하는 철수조건 목록을 동 소련대사가 동 회의에서 발표

ㅇ 이라크 외무장관이 긍정적 반응을 나타냈으나, 이것이 모든 조건을 포함하는 것인지는 불분명한 것으로 알려짐.

ㅇ 피크링 유엔 주재 미국대사, 동 이라크측의 철군조건에 대해 분명하게 구체화할 것을 요청

ㅇ 미국은 미측 종전안과 관련, 사우디, 이라크 및 쿠웨이트 국경과 쿠웨이트로부터 48시간 이내 이라크군 철수, 1주일내 철수를 종료할 것을 언급

2. 부쉬 미대통령, 지상전 개시 시사

ㅇ 다국적국가가 제시한 이라크 철수시한이 종료됨에 따라, 쿠웨이트 해방을 위해 다국적군의 군사행동을 예정대로 계획에 의거 계속할 것임.

- 이라크측, 걸프전 종식을 위한 유일한 방법은 미국이 소련측 평화안을 받아드리는 것이라고 표명(이라크 관영라디오 보도)

ㅇ 이라크의 쿠웨이트 무조건 철수에 대한 U.N 결의 이행을 위해 사담 후세인이 아무런 행동을 취하지 않은 점에 유감표명

ㅇ 슈바르츠코프 미군사령관이 다음 단계의 전쟁을 위해 지상전 전권을 수임(미국방성 고위관리 언급)

0141

政府綜合廳舍 810號 電話 : 730-8283/5, 730-2941. 6. 7. 9, (구내)2331/4, 2337/8 Fax : 730-8286

251

3. 미, 이라크의 소련 수정평화안 수용을 거부

ㅇ 미국, Aziz 이라크 외무장관이 이라크는 휴전후 21일내 쿠웨이트로 부터의 무조건 완전 철수라는 소련의 수정제안을 전적으로 수용한다는 발표 직후, 이를 거부(2.23)

ㅇ 한편, 이라크의 Aziz 외무장관은 이라크의 철수가 1주내 완결되어야 하며 이라크군은 철수개시후 48시간내 쿠웨이트시로 부터 철수하여야 한다는 다국적군의 최후 통첩에 대해서는 언급치 않음.

Ⅱ. 다국적군 지상전 돌입태세

1. 이라크 철수시한 종료에 따라 미국주도 다국적군은 지상전 개시 돌입태세

ㅇ 미군사령관, 지상전 준비는 예정대로 진행되고 있음을 강조

ㅇ 대규모 지상부대 병력 사우디 및 쿠웨이트 국경배치 완료, 공격준비

ㅇ 다국적군, 동시다발적 전략에 따른 전선분산작전 계획

ㅇ 사우디 주둔 미중앙사령부, 지상전 돌입경계령

ㅇ 이라크의 철수시한내 철수불이행 직후 다국적군의 즉각적인 지상공격은 없었던 것으로 나타남.(사우디아라비아 AP 보도)

2. 전 황(2.23)

ㅇ 2,700여회 다국적기 출격 (연 9만회 출격)

ㅇ 다국적군 야포부대 이라크군에 로켓포 발사

ㅇ 이라크, 철수시한 종료 7분전, 이스라엘에 미사일 발사

- 인명피해 없음.(CNN 뉴스보도)

ㅇ 이라크, 다란에 스커드 미사일 발사

- 패트리어트에 의해 요격됨.

ㅇ 이라크, 이라크 남부전선을 공격한 2대의 다국적군 장갑차 격퇴주장

ㅇ 다국적군, 이라크측에 제시한 철군시한 종료와 함께 바그다드 교외 지역에 출격공습(2.24)

0142

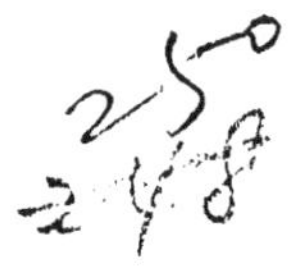

Ⅱ. 기타동향

1. 이라크, 소련측 수정평화안 수용

ㅇ 아지즈 이라크 외무장관, 고르바초프 소련대통령과의 회담후 소련측 6개항의 수정평화안에 대해 전적 동의, 이를 지지(2.23)

ㅇ 소련측은 미국이 거부한 동 수정평화안에 대해서 상금 포기하지 않고있음.

2. 이란, 걸프전 중재노력 실패할 경우, 수일내 지상전 불가피 전망

ㅇ 이 경우 이라크의 화학무기 사용 가능성이 큼.(주 이란 대사관 보고)

3. 소련, 지상전 발발 경우 많은 희생자 발생우려 시사

ㅇ 2차 대전이래 가장 치열할 것으로 봄.

4. 쿠웨이트, 파괴된 유전시설 복구 계획

ㅇ GCC 및 기타우방국 지원희망

ㅇ 이라크의 쿠웨이트 철수후, 동 유전시설 원상 복구작업 즉시 개시 예정 (UAE 주재 쿠웨이트 대사언급)

0143

2-4-P 253 251

外務部 걸프事態 非常對策 本部

題 目: 주요동향(속 보) 1991. 2.24 07:30

1. 다국적국 최후 통첩에 대한 이라크측 반응

   ㅇ 2.24 까지의 이라크 철수시한 제시를 비난하면서, 이는 어떠한 관심도 가질 수 없는 침략적인 최후 통첩이라 함.

   ㅇ 이라크군 지휘부, 위협적인 다국적군 지상전이 개시될 경우 그들은 죽음의 참상에 직면할 것이라고 언명

   ㅇ 이자트 이브라힘 이라크 혁명평의회 부의장, 이라크 철수시한 종료후 첫공식 논평에서, 이라크는 전쟁상태에 있기 때문에 아무런 관심을 끌지 못하는 침략적인 최후 통첩임으로, 부쉬 미 대통령 요구를 거부한다고 표명

     - 부쉬와 그의 동맹들의 오만함을 벗겨놓았어야 한다고 언급하면서, 이라크는 소련측 평화안을 수용했으며, 부쉬의 최후 통첩은 이라크를 파멸시키려는 범죄 의도가 있는것 이라함.

2. 소련, 다국적국 최후 통첩인 이라크 철수시한을 연장할 것을 제의

   ㅇ 2.24. 고르바쵸프 대통령은 부쉬 미대통령과 전화접촉을 통해 철수시한 문제에 관해 협의

     - 고르바쵸프, 동 이라크 철수시한을 1-2일 연장할것을 부쉬대통령에게 제의

     - 이르나텡코 대통령실 대변인, 부쉬의 반응에 대해서는 불언급

   ㅇ 다국적국가가 제시한 이라크 철수조건과 관련, 이라크가 자국의 입장을 바꿀수 있을 것이라는 낙관론을 피력(이그나텡코 대변인)

     - 미·소 간 입장에 큰 차이가 없음을 언급

   ㅇ 고르바쵸프, 일본 및 독일수상과 이란 대통령과도 전화 접촉

0144

政府綜合廳舍 810號 電話: 730-8283/5, 730-2941.6.7.9, (구내)2331/4, 2337/8 Fax: 730-8286

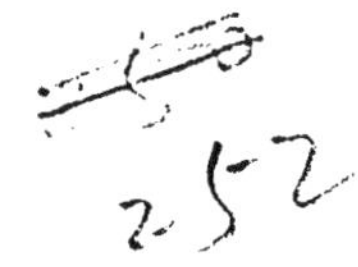

外務部 걸프事態 非常對策 本部

題 目 : 속 보

다국적군 지상전 전면 개시

1991. 2. 24.
10;45

- ㅇ 현지시간 2.24. 04:00(한국시간 10:00) 개시
  - 서방 언론 일제 보도
- ㅇ 이라크, 쿠웨이트, 사우디 전 국경지대에서 이라크군에 대한 전면 공격
  - 상륙작전 개시여부는 아직 확인되지 않고 있음.
  - 이라크, 지상전 전면 개시후 사우디에 스커드 미사일 공격
- ㅇ 미국 Bush 대통령 2.24. 12:00(한국시간) 대국민 개전 사실 발표 예정
  - 다국전군 참가 기타국 정상들도 동시 발표 예정

0145

政府綜合廳舍 810號 電話 : 730-8283/5, 730-2941.6.7.9, (구내)2331/4, 2337/8 Fax : 730-8286

253
255

外務部 걸프事態 非常對策 本部

題 目: 속 보 1991. 2. 24. 12:00

Bush 대통령 개전 성명 발표(12:00)

o 다국적군 참가국들과 협의후 다시한번 마지막으로 후세인 대통령에게 UN 결의를 이행할 기회를 주었었으나 후세인 대통령은 이에 응하지 않았음.

o 후세인은 오히려 쿠웨이트 파괴와 쿠웨이트 국민 학살 노력을 배가하고 있는 것으로 파악되어 다국적군 참가국 지도자들과 집중적인 협의후에 슈워츠코프 사령관에게 지상병력을 포함한 모든 수단을 동원하여 쿠웨이트로 부터 이라크군을 축출키위한 작전을 수행할 것을 지시 하였음.

o 현재 전쟁은 마지막 단계에 있으며 다국적군이 결정적이고 신속한 승리를 성취할 것임을 믿어 의심치 않는바 다국적군 공격에 참가하고 있는 모든 병사들의 안전을 위해 기도 드릴 것을 요청함.

0146

政府綜合廳舍 810號 電話 : 730-8283/5, 730-2941.6.7.9, (구내)2331/4, 2337/8 Fax : 730-8286

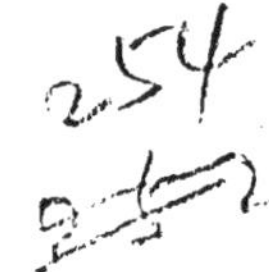

걸프전 지상전 개시에 즈음한

외무부 대변인 성명

91. 2. 24(일)

o 우리는 이라크가 UN 안보 이사회의 제반 결의에 의거한 연합군측 국가의 2.22.자 종전 방안을 거부함으로써 걸프사태가 지상전으로까지 이르게 된 것을 유감으로 생각한다.

o 금번 지상전은 걸프사태 해결을 위한 유엔 안보 이사회의 제반 결의를 이행하기 위하여 취해진 불가피한 조치로서 우리는 미국을 비롯한 연합군측의 이러한 사태해결 노력을 지지한다.

o 우리는 전쟁이 조기에 종결되어 인명피해등 전쟁의 피해가 최소화되고, 걸프 지역의 안정과 평화가 조속히 회복되기를 기대한다.

0147

255
257

外務部 걸프事態 非常對策 本部

題 目: 속 보 1991. 2. 24. 17:00

1. 사담 후세인 이라크 대통령, 대국민 특별성명 발표 (KST 16:30)

   o 오래 기다려온 지상전에 대비, 만반의 준비를 갖추었음.

   o 본격적인 전쟁이 시작되었는바, 전 이라크 장병들은 끝까지 결사항전 할것을 촉구함.

   o 다국적군의 정밀 무기는 신의 보호를 받는 이라크군에게 무의미하며, 전 이라크 국민은 신에대한 믿음으로 용감히 싸워 다국적군을 패배시킬 것임.

2. 전 황 (외신종합)

   o 미공병대, 사담 라인 3-4개처 돌파

   o 쿠웨이트 영내 40km 까지 진격

   o 다국적군 바스라시 남부 외곽지대 까지 진격, 이라크군 수비대와 접전중

   o 미해병 상륙작전 개시

0148

政府綜合廳舍 810號 電話 : 730-8283/5, 730-2941. 6. 7. 9, (구내)2331/4, 2337/8 Fax : 730-8286

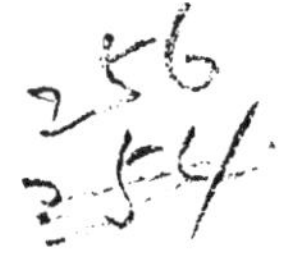

外務部 걸프事態 非常對策 本部

題 目: 日日 報告 (78)

- DAY 39 -

1991. 2 25 06:00

작성자 : 이병현서기관

Ⅰ. 전황

1. '슈워츠코프' 미군 사령관 브리핑 (2.24 KST 22:00)
   - o 공격개시 첫날목표 완전 달성, 극적인 성공을 거둠
   - o 이라크군 저항 미미, 북부 전선으로 쾌속 진격
   - o 5,500명 이상의 이라크군 포로 생포
   - o 다국적군 피해 극히 경미
   - o 다국적군 28개국중 13개국이 육.해.공 작전에 참가
     - 미, 사우디, 영, 불, UAE, 바레인, 카타르, 오만, 시리아, 쿠웨이트, 이태리, 카나다, 이집트
2. 다국적군측 주장
   - o 대규모 미공수부대 투입으로 쿠웨이트시 진입 (CBS, CNN, ABC)
   - o 쿠웨이트항 진입 요충인 Faylakah섬 탈환
   - o 이라크 바스라항과 쿠웨이트 북부 접경지대 사이에서 상륙작전 개시
   - o 불란서군 이라크 영내 50km 지점까지 진격, 이라크군 포로 천명 생포
   - o 이라크군, 쿠웨이트내 양민학살, 고문 및 200개 이상의 유정방화 파괴
   - o 지상전 개시이후 미군 전사자 11명에 불과
3. 이라크측 주장
   - o 이라크는 방어를 위한 어떠한 무기도 사용할 권리 보유 (주불대사)
   - o 지상전 개시후 10시간 동안 6개 사단이 공격 받았으나 다국적군의 공격은 완전 실패
   - o 다국적군의 Faylakah섬 탈환 보도 부인
   - o 쿠웨이트 침투 다국적군 공수부대 완전 소탕, 격퇴 주장
   - o 다수의 이집트군 포로 생포

Ⅱ. 각국 반응

1. 소 련
   - o 사태의 평화적 해결 기회가 무산된데 대해 유감표명
   - o 부쉬 대통령이 군사적 해결에 대한 본능에 따라 행동 했다고 비난
   - o 이라크측 입장과 다국적군 입장 조정을 통한 평화적 해결 도출이 아직도 늦지 않았으며, 이를 위해 유엔 안보리 소집 요구

0149

政府綜合廳舍 810號 電話 : 730-8283/5, 730-2941.6.7.9, (구내)2331/4, 2337/8 Fax : 730-8286

2. 영 국

o 지상전 개시 관련 메이저 총리 회견요지

- 이라크는 쿠웨이트내 200개 유전을 발화, 쿠웨이트를 조직적으로 파괴하고 있으며 젊은 쿠웨이트 인들을 학살하고 있어 지상전 개시가 불가피 했음

- 금번 전쟁은 오래 계속되지는 않을 것이나 격렬한 전쟁이 될것임

o 군사 전문가들, 쿠웨이트 수복에 낙관적 견해론 3일, 길게는 3주간이 소요될 것으로 전망

3. 불란서

o 미테랑 대통령, 기자회견에서 예상했던 것보다 지상전이 더 순조롭게 진행중이라고 밝힘

4. 이 란

o 라프산자니 대통령, 지상전 개시에 유감 표명과 함께 이란은 걸프지역에서 비극을 피하기 위한 외교노력을 계속할 것임을 선언

o 2.24. 비동맹 4개국(이란, 유고, 인도, 쿠바) 외무장관 회담 이란 개최, 평화적 해결 노력 계속 예정

o 이란 강경파 지도자, 미국주도하 지상전을 이슬람에 대항한 전쟁으로 간주, 회교도들의 보복이 따를 것임을 경고

5. 이집트

o 무바라크 대통령, 걸프전에 참전중인 이집트군의 임무는 쿠웨이트 수복에 있으므로 이라크 영토내의 진격을 하지 않을것 이라고 발표

6. 요르단

o 이라크가 쿠웨이트로 부터의 철수를 승낙 했음에도 불구, 다국적군의 지상전 개시는 '국제적 합법성' 범주를 벗어난 것이라고 강력비난

7. 사우디 아라비아

o 이라크가 평화적 해결의 기회를 거부했기 때문에 지상전은 불가피 했다고 언급

o 지상전은 다국적군의 계획대로 진행되고 있으며 사우디 포함, 아랍국가들도 작전에 참여하고 있음

8. 이스라엘

o 지상전에 대해 지지와 만족을 표시

9. 터 키

o 수상, 이라크군의 공격을 받지 않는한 걸프전 불개입 언급

0150

10. 예 멘

o UN대사, 지상전은 정당화 될수 없는 불필요한 것이었다고 언급

o 수십만 군중 항의 시위, 다국적군 국가들과 단교 요구

11. 중 국

o 외교부 성명을 통해 확전에 대한 유감 표명과 함께 걸프사태의 조기 평화적 해결을 희망

12. 리비아

o 카다피, 현재 진행중인 전쟁은 쿠웨이트 해방전이 아니라 이라크를 통한 아랍세계에 대한 공격

13. 수 단

o 알 바쉬르 대통령, 미국과 연합국의 최종 목표는 쿠웨이트 해방이 아니라 이라크의 파괴에 있음

III. 잔류 교민 현황 (2. 25. 06:00 현재)

국 별	잔 류 자	기 타
사 우 디	3,022	특파원 19명
이 라 크	8 (현대 7, 공관원 1)	현대 자녀 2명 (현지인과 결혼)
쿠웨이트	9 (개인적 잔류 희망)	
요 르 단	21	특파원 12명
카 타 르	66	
바 레 인	233	
U. A. E.	423	
이스라엘	57	특파원 6명
총 8개국	3,839	

※ 이라크 잔류 현대 근로자 근황 : 전원무사

o 바그다드 잔류 : 2명

o 키와스 (터키쪽 300km) 잔류 : 5명

IV. 기 타

o 공군 수송단 제 2진 수송기 3대, 사우디 알아인 기지에 안착 (2.24. KST 01:15)

o 걸프사태 현지 조사단 지상전 개시로 인한 항공일정 변경으로 계획보다 하루늦게 두바이 도착 예정

0151

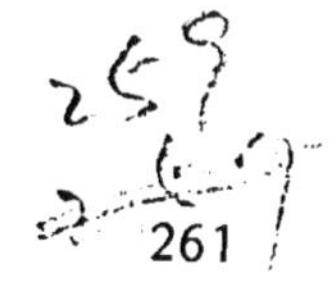

外務部 걸프事態 非常對策 本部

題　目 : 日日 報告 (79)

- DAY 40 -

1991. 2 . 26 . 06:00

작성자 : 허덕행 서기관

I. 전　황

1. 미군사령부 군사 브리핑(2.26 KST 0시)
   - ㅇ 쿠웨이트 탄환작전 성공적 진행중
   - ㅇ 미군 피해 경미(사망4, 부상21)
   - ㅇ 이라크군 대거투항(1개 대대 전원 투항한 경우도 있음)
   - ㅇ 지상전 개시후 이라크 탱크 270대 파괴
   - ㅇ 공군 3,000회 출격, 지상군 근접지원 실시(미군기 4대 피격)
   - ㅇ 해병 및 해군, 쿠웨이트 해안 전역에서 작전 실시
   - ㅇ 공화국 수비대와 교전중
   - ㅇ 이라크군 쿠웨이트내 유전 500개 방화, 정유시설, 주요건물에대한 조직적 파괴 진행

2. 다국적군 공격 상황(외신종합)
   - ㅇ 지상군의 쿠웨이트 진격 신속 실시
     - 다국적군 쿠웨이트시 포위 및 본격 탄환전 임박
     - 미 82 공정사단, 쿠웨이트 외곽 지대에 교두보 확보
     - 다국적군 피해 미약(사망9명 부상 40명)
   - ㅇ 이라크군 포로 20,000명 생포, 대규모 후송 및 수용작전 진행중
   - ㅇ 프랑스 기갑부대, 쿠웨이트서부 이라크 영내 160Km 진격, 공화국 수비대 후방 공격중
     - 이라크 1개사단 무력화, 이라크군 포로 3,000명 전과
     - 미공정대 2,000명 공수낙하, 바스라시 외곽주둔 수비대 협공
   - ㅇ 미 공군 사령관, 한국특파원과 회견시 다국적군 공습으로 이라크군 전투력 50% 파괴 언급

0152

政府綜合廳舍 810號　電話 : 730-8283/5, 730-2941. 6. 7. 9, (구내)2331/4, 2337/8　Fax : 730-8286

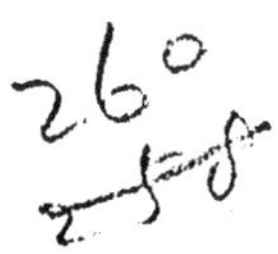

3. 이라크군 반격 상황(외신종합)

o 이라크 공화국 수비대 방어에서 공격 태세로 전환

- T 72 탱크 80대 선봉으로 다국적군에 대항키위해 쿠웨이트 국경쪽으로 대규모 남하, 다국적 공군기 공습중(이라크 탱크 35대 파괴)

o 이라크군 미사일 공격

- 걸프 북부해상의 미.영 함정에 중국제 실크웜 미사일 2기 발사 (요격 미사일에 피격됨)
- 이스라엘 남부에 스커드 미사일 2기 발사(피해없이 사막지대 낙하)
- 사우디 다란에 스커드 미사일 공격(페트리오트로 요격했으나 미군포함 사상자 다수발생)

o 이라크군 코뮤니케 발표, 이라크군이 전전선에서 다국적군의 공격 격퇴 및 진지사수 주장

- 이라크군 1,3 사단, 진지 재탄환, 수백대 적탱크 파괴 및 공수부대 섬멸
- 다국적군의 전황 발표는 허위, 이라크군의 계속적 항전 독려

II. 각국반응

1. 미 국

o 부쉬대통령, 체니 국방장관 및 파월 합참의장 등 군수뇌부로 부터 지상전 전황 브리핑 청취후, 성공적 작전 진행에 만족 표명 쿠웨이트 조기 탄환 전망

o 체니 국방장관, 쿠웨이트 탄환 작전상 이라크 영내 진격하지만 이라크 점령은 하지 않을 것이라고 언급

o CNN 여론 조사 결과 미 국민 84% 이상 지상전 지지

2. 사우디

o 술탄 통합군 사령관, 쿠웨이트내 이라크군의 잔학행위 관련, 국제사범 재판소에서 전쟁 범죄자로 처리할것임 경고

- 사담 후세인 대통령의 처리 문제는 이라크 국민에게 달려 있음 언급

3. 네덜란드

o 개량형 페트리오트 요격 미사일 1개 포대 이스라엘 파견 예루살렘 설치

4. 파키스탄

o 파키스탄군 대변인, 다국적군 참가 파키스탄군(11.000)명은 지상전 불참가, 방어 임무만 수행 강조

0153

5. 이 란

o 라프산자니 대통령, 이라크는 걸프전 발발 전 과 후 사태를 오판 했으며, 이라크가 양보시작 했을때는 이미 때 늦었다고 언급

6. 아르헨티나

o 대통령 대변인, 지상전을 예의 주시하며 유엔의 제결의가 이행될 것으로 확신 발표

7. 인도네시아

o Alatas 외상, 지상전개시에 유감 표명, 외교적 해결 노력 촉구

8. 인 도

o 외무부 대변인, 걸프전 평화 종식 노력의 실패와 대규모 지상전 개시에 유감 표명

- 쿠웨이트 및 이라크의 파괴, 무고한 국민의 고통과 피해에 깊은 우려

9. 베트남

o 관영언론, 다국적군의 지상전개시는 유엔 안보리 결의를 초과한 평화보다 전쟁을 선택한것이라고 비난

10. 예 멘

o Saleh 대통령, 이라크의 철군 표명 불구 지상전 개시한것은 이라크 파괴하기 위한 것이라고 다국적군 강력 비난

o 십자군 전쟁에 직면한 이라크와의 단결 도모 약속

11. 비동맹

o 인도, 유고, 큐바, 이란등 비동맹 4개국 외상; 2.24 테헤란에서 회담, 지상전에도 불구 걸프사태 종식을 위한 외교적 노력을 계속키위해 바그다드에 대표단 파견키로 합의

0154

262
260

264

III. 잔류교민 현황(2.26 06:00 현재)

국 별	잔 류 자	기 타
사 우 디	3,022	특파원 19명
이 라 크	8 (현대소속 7, 공관고용원 1)	현대자녀2명 (현지인과 결혼)
쿠웨이트	9 (개인적 잔류 희망)	
요 르 단	21	특파원 13명
카 타 르	66	
바 레 인	233	
U. A. E.	423	
이스라엘	57	특파원 6명
총 8개국	3,839	

IV. 경제동향

1. 유 가
   - o 브렌트유(4월분) : 30 C 하락 (베럴당 16.3불)

2. 주 가
   - o Dow Jones : 2.72 P 상승 (2892.08)
   - o F.T. 100지수 : 23.2 P 상승(2337.5)

0155

263
265

外務部 걸프事態 非常對策 本部

題 目: 속 보 1991. 2. 26. 08:00

사담 후세인 이라크 대통령, 쿠웨이트로 부터의 철군 지시

(2.26. KST 07:35 바그다드 방송 보도)

ZCZC L01034
QX EEEEE
.AR PA3044
MEE022548 SADDAM ORDERS TROOPS TO WITHDRAW

CAIRO, FEBRUARY 25 (XINHUA) -- IRAQI PRESIDENT SADDAM HUSSEIN TODAY ORDERED HIS TROOPS TO WITHDRAW FROM KUWAIT, ALMOST TWO DAYS AFTER THE ALLIED FORCES STARTED A MASSIVE GROUND OFFENSIVE, BAGHDAD RADIO REPORTED.

THE RADIO, MONITTORED HERE, INTERUPTED ITS REGULAR PROGRAM AT 1:35 A.M. BAGHDAD TIME (22:35 GMT) TO ANNOUNCE SADDAM'S ORDER.

THE RADIO SAID THE ORDER TO WITHDRAW WAS TAKEN IN LINE WITH A SOVIET PEACE PROPOSAL WHICH THE ALLIES HAD REJECTED BEFORE THE START OF THE GROUND ASSAULT SUNDAY.

IT SAID FOREIGN MINISTER TARIQ AZIZ HAS VONVEYEC THIS DECISION TO THE SOVIET LEADERSHIP, BUT IT DID NOT SAY HOW THE MESSAGE WAS PASSED ON TO THE SOVIETS. ENDITEM

=02252255
25/02/91 2300GMT
NNNN

0156

政府綜合廳舍 810號 電話: 730-8283/5, 730-2941. 6. 7. 9. (구내)2331/4. 2337/8 Fax: 730-8286

266

264
262

外務部 걸프事態 非常對策 本部

題 目: 이라크군 철군 발표 이후 동향 (속) 1991. 2. 26. 15:00

1. 미국, 강경한 정전 조건 제시 (13:00경 Fitzwater 백악관 대변인)

○ 걸프전 중지를 위해서는 사담후세인이 직접, 공개적으로 쿠웨이트로 부터의 무조건 철수를 수락한다고 발표해야 함.

○ 사담후세인은 직접, 공개적으로 다국적군이 제시한 2.22.자 종전 제안을 수락한다고 발표해야 하며, 특히 전쟁 피해 보상에 동의해야 함.

○ 이라크군이 무기를 놓고 철수하는 경우에는 공격을 가하지 않을 것이나, 부대 단위로 무장한 채 이동하는 경우에는 전투 행위로 간주할 것임.

참 고 : 2.22.자 미국의 종전 제안 내용

- 2.23. 정오(워싱턴 시간)까지 철군 개시
- 1주일 이내에 철군 완료(쿠웨이트시로 부터는 48시간 이내에 철군)
- 48시간 이내에 모든 전쟁포로 및 민간인 인질 석방
- 쿠웨이트내에 매설된 모든 폭발물 및 지뢰 제거

2. 유엔 안보리, 12:00(한국시간) 비공개 회의 재개

가. 회의 경과

○ 소련 대사, Gorbachov 대통령이 사담후세인으로 부터 이라크군이 단시간내에 쿠웨이트로 부터 무조건 철수할 것임을 통보 받았다고 발언

○ 미.영 대사, 철군 문제는 이라크가 직접 유엔에 통보해야 한다고 주장

○ 주유엔 이라크 대사, 13:30경(한국시간) 안보리 회의장 입장

- 회의장 입장 직전 기자회견을 통해 이라크군의 쿠웨이트 철수 발표 재확인

나. 각국 대사 반응

○ 안보리 의장(짐바브웨 대사) : 바그다드 라디오 방송이 사실이라면 환영할만한 뉴스임.

○ 남예멘 대사 : 이라크가 무조건 철군을 약속한 만큼 안보리로서는 이를 수락하지 않기가 매우 어려울 것임.

○ 사우디 대사 : 이라크의 철군 발표는 환영할 만한 뉴스이나 그로써 상황이 종료될 수 없음. 이라크의 발표는 "too little, too late"임.

0157

政府綜合廳舍 810號 電話 : 730-8283/5, 730-2941, 6, 7, 9, (구내)2331/4, 2337/8 Fax : 730-8286

265
263
267

o 유엔 사무총장 : 바그다드 라디오 방송 보도가 사실이라면 안보리가 취할 다음 단계 조치는 이라크 쿠웨이트 국경에 평화 유지군을 배치하는 것임.

3. 이라크의 Scud 미사일 공격 (2.26)

가. 사우디 다란

o 미군 막사에 명중

- Patriot미사일에 의한 요격여부는 불확실

o 미군 27명 사망, 98명 부상

나. 카타르

o 2.26. 07:30경(한국시간) Scud 미사일 1발이 사람이 살지않는 지역에 낙하 (인명피해 없음)

o 카타르에 대한 미사일 공격은 이번이 최초임.

0158

86

266
264

外務部 걸프事態 非常對策 本部

題 目: 사담 후세인 연설 (17:25-17:45, 한국시간)

1991. 2 26
18:30

1. 연설 요지

ㅇ 쿠웨이트는 90.8.2. 부터 어제까지 법적으로 뿐만 아니라 사실상 이라크의 일부 이었음.

ㅇ 이라크는 유엔결의에 따라 쿠웨이트로 부터 철수를 시작하였으며 철수는 계속될 것임

※ 외신은 철수가 금일중(화요일)완료할 것이라고 사담 훗세인 연설을 인용 보도함

ㅇ 이라크 군.민의 용감한 투쟁 찬양함. 미국을 비롯한 30개국으로 구성된 사악한 연합군을 상대로 최후의 결전을 벌여 승리를 거두었음.

2. 평 가

ㅇ 사담 훗세인 자신이 2.25. 철수가 개시되고 진행중임을 직접 확인 하였다는데 의미가 있음. 이점은 이라크의 철수 결정을 안보리에서 소련이 대신 전달한데 대해, 미국이 이를 공식 통보가 아니라는 이유에서 받아들이기를 거부한데 대해 이라크가 미국의 요구를 수락한 것으로 해석됨.

ㅇ 철군의 개시와 진행을 발표하면서도 미국등 다국적군을 맹렬히 비난한 것은 이라크 국민과 군에 대한 찬양과 더불어 자국국민에 대한 위무의 목적이 있는 것으로 보임.

ㅇ 훗세인 자신이 대국민 육성 방송으로 철수 사실을 발표한 것으로 보아 철수가 전술적 위장이 아니며, 실제 이행되고 있는 것으로 보아도 좋겠음.

ㅇ 다국적군 숫자를 30개국으로 수차 언급한 것은 흥미로운 일이며, 이라크측이 다국적군 참여국에 대해 예의 주시하고 있었던 것으로 보임. 이것은 금후 이라크측 사주에 의한 테러가 발생할 경우 테러 대상국 목록이 될 가능성이 있음.

0159

政府綜合廳舍 810號 電話 : 730-8283/5, 730-2941. 6. 7. 9, (구내)2331/4, 2337/8 Fax : 730-8286

外務部 걸프事態 非常對策 本部

269

題 目 : 日日 報告 (80)

- DAY 41 -

1991. 2 27 06:00
작성자 : 강선용과장

I. 주요 동향

1. 부쉬 대통령, 후세인의 정전 제의 일축 (2.26 TV 성명)
   - o UN 결의안 및 미국이 2.22 에 제시한 휴전조건을 만족시키지 않으므로 다국적군은 전쟁을 계속 수행
   - o 퇴각중인 이라크군에 대한 공격의 강도를 유지할 것임.
   - o 후세인 제의는 진정한 철군이 아니라 권력을 보존, 다시 싸우기 위한 군사력 유지를 위해 일단 철군하는 것에 불과
   - o 후세인은 금번 사태에 대한 뉘우침이나 책임을 느끼지 않고 있음.
   - o 이라크군은 철수가 아니고 전투패배로 인한 퇴각중임.
2. 쿠웨이트시 탈환 성공
   - o 미해병대 쿠웨이트 공항 진입
   - o 쿠웨이트 저항군, 쿠웨이트시 장악 (2.26 06:00)
   - o 이라크군 3,000명 쿠웨이트 저항군에 항복
3. 이라크군 전면 퇴각중
   - o 미군 대변인, 이라크군 전면 퇴각중이라 발표 (2.26)
   - o 후세인 대통령의 철군 발표 직후 이라크군이 무기와 장비등을 버리고 쿠웨이트시에서 퇴각 (쿠웨이트군 관리)
4. 유엔 안보리 회의 중단
   - o 정전이나 이라크 철군 제의 수락에 대한 아무런 결론을 못내리고 회의 중단 (2.26)

II. 전 황

- o 이라크군 21개 사단 (50만 점령군의 50% 정도) 붕괴 또는 작전 불능 상태
- o 미군 주도 다국적군, 이라크 남부 유프라테스강까지 진격, 혁명 수비대 퇴로차단 및 고립화 작전을 위해 바스라 지역으로 이동중
- o 이라크내 다국적군, 이라크군의 서부로의 도주로 장악

0160

政府綜合廳舍 810號 電話 : 730-8283/5, 730-2941.6.7.9, (구내)2331/4, 2337/8 Fax : 730-8286

o 영국군 사령관 전황 브리핑 (2.26)
  - 영국군, 이라크 2개 전차중대 섬멸
  - 이라크군 여단 사령관등 600명의 이라크군 생포
  - 이라크군 2개의 포대 및 통신기지 파괴
  - 영국군 1명 사망, 6명 부상 (지상전 개시후 영국군 첫사상자)

o 다국적군기, Basra, Faw, Al-Almarah 등 이라크 남부지역에 걸프전 최대의 공습

각국 반응

1. 소 련
   o 고르바쵸프 대통령, 미군의 신속한 군사행동 중지 요구
   o Ignatenko 대통령 대변인, 전쟁 배상 포함 유엔 안보리 제결의의 이행 주장 예정
     - 이라크에 철수토록 압력 행사한 바 없음.
     - 후세인이 권좌에 머물러 있을지 여부는 이라크 국민이 결정할 일임.
     - 소련은 이라크내 사태 발전에 영향력을 행사하지 않을 것임.
   o Belonogov 외무차관, 다국적군의 지상전 계속 이유 없다고 주장
2. 영 국
   o 톰킹 국방장관, 이라크군의 철군에 대한 명확한 증거가 없다고 언급
     - 전차 부대 일부가 철수하고 있으나, 공화국 수비대에 재편성될지 모른다고 우려
     - 유엔 안보리 제결의의 준수 보장 요구
   o 허드 외무장관, 베이커 미국무장관과의 걸프전 협의차 미국 방문 (2.27)
3. 불 란 스
   o Bernard 외무부 대변인, 걸프전 정전 합의전 이라크의 유엔 안보리 제결의 준수 요구
4. 사우디 아라비아
   o 정부 대변인, 후세인의 철군 명령은 유엔 안보리 결의 660호 이외의 여타 제결의에 부응하지 못하는 불충분한 것이라고 언급
5. 이스라엘
   o 샤미르 총리, 후세인의 철군 결정에 불만족 표명
     - 후세인의 국대무대에서의 퇴장이 필요함.

0161

6. 쿠웨이트

o Sabah 왕, 쿠웨이트에 대해 3개월간에 걸친 계엄령 선포, 국민에 식품, 의약품 공급 개시

7. P L O

o 이라크 철군에 대한 다국적군의 부정적인 반응은 다국적군의 목표가 쿠웨이트가 아닌 이라크임을 보여준다고 주장

8. 이 란

o 라프산자니 이란 대통령, 철군 결정에 있어서 이라크 지도자들의 부정확한 계산과 지연에 대해 언급

o 이라크군의 철군이 평화에 이를 것이나 미국의 후세인 정권 전복 주장이 위기를 악화시킬 수 있다고 봄.

9. 요 르 단

o Izzedin 정보장관, 가장 중요한 일은 즉각적인 정전이며 이라크군이 질서정연하게 철군하기 위한 모든 가능성을 제시하는 것이라 언급

10. 이 집 트

o 이라크의 유엔 안보리 제결의 준수 요구

11. 수 단

o Bashir 대통령, 후세인의 철군 결정 찬양
  - 다국적군의 정전 수락 희망

Ⅳ. 기 타

o 전쟁지역 상공에 사막폭풍 징후 발생
  - 쿠웨이트와 남동부 이라크 상공에 걸쳐 뇌우와 짙은 구름대가 형성되기 시작

o 미군 해안경비 조종사, 걸프 해역에서 새로운 거대한 기름띠 발견
  - 길이가 수십마일로 최대 피해 가능성이 있다고 함.

0162

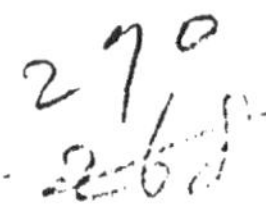

272

外務部 걸프事態 非常對策 本部

題 目 : 日日 報告 (81)
- DAY 42 -

1991. 2. 28 06:00
작성자 : 장석철서기관

I. 이라크, UN에 조건부 정전안 제의

1. 이라크 제의 내용 (주유엔 이라크 대사, Aziz 외무장관 명의 서한을 2.27. UN안보리 의장에게 전달)
   - o UN 결의 제 660호에 따라 이라크군은 쿠웨이트에서 철수를 시작하였으며, 수시간내 철수가 완료될 예정임.
   - o UN안보리가 즉각 정전과 모든 군사 활동을 중지하는 결의를 하고 이미 UN이 채택한 661호와 665호 및 670호 결의가 무효임을 고려한다면, 이라크 정부는 UN결의 제 662호와 674호 결의 준수에 동의함.
   - o 이라크 정부는 정전 직후 모든 전쟁포로를 제 3차 제네바 협약에 의거, 국제적십자사 감독하에 곧 석방할 예정임.
   - o 동 서한의 UN안보리 즉시 전달 및 안보리 문서로 배포 희망함.
     ※ 상기 이라크 제의에 앞서, 대부분(쿠바, 예멘 제외) UN안보리 이사국은 이라크에 UN의 제결의 준수하겠다는 문서 제출 요구
2. 미국, 상기 제의 즉각 거부(2.27. Fitzwater 백악관 대변인 언급)
   - o 이라크의 동 제의는 UN에서 결의한 대이라크 제재에 관한 제661호와 665호 및 제 670호를 구체적으로 거절한 것임.
   - o 이는 조건부 제의로서 UN 결의에 훨씬 못 미치는 것임.
3. 영국, 공식 반응 없으나 동 제의가 불충분함을 시사 (영국관리 언급)

   ※ 참고사항 : UN결의 내용
   - . 660호 : 쿠웨이트로 부터 이라크군의 무조건 철수 촉구
   - . 661호 : 이라크에 대한 광범위한 경제제재조치 결정
   - . 662호 : 이라크의 쿠웨이트 합병 무효 간주
   - . 665호 : 결의 661호 위반에 대한 제재 조치 권한 부여
   - . 670호 : 모든 국가의 이라크 및 쿠웨이트 내 공항 이.착륙 및 영공 통과 불허, 모든 국가에 의한 이라크 국적 선박 억류 허용
   - . 674호 : 이라크의 쿠웨이트 침공으로 인한 전쟁 피해와 재정적 손실에 대한 이라크의 책임 규정 및 추궁

0163

政府綜合廳舍 810號 電話 : 730-8283/5, 730-2941.6.7.9, (구내)2331/4, 2337/8 Fax : 730-8286

271
6p
273

Ⅱ. 전황

1. 다국적군, 쿠웨이트 사실상 완전 탈환
   - o 쿠웨이트 시외곽 소재 국제 공항 탈환, 시내 소재 왕궁 탈환
   - o 미, 영국, UAE등 다국적군 대사관 탈환(자국기 게양)
   - o 쿠웨이트 시민들, 다국적군 입성 환호 및 해방축하 가두행진 (공공건물에 쿠웨이트 국기게양)
   - o 다국적군, 쿠웨이트 영토 대부분 탈환(이라크군 3만여명 잔류중이나 전투 포기상태)
2. 다국적군, 이라크 영내 공화국 수비대와 격전
   - o 미군 탱크 250대, 바스라항 서부 전선에서 공화국 수비대 탱크 200대와 격전, 이라크 1개사단 격퇴
   - o 이라크 공화국 수비대, 유프라테스강 삼각주 지대와 미군 전선부대 사이에 포위당한채 저항 및 반격 감행
   - o 다국적군, 이라크군 42개 사단중 26개 사단 궤멸
3. 사우디 주둔 미군 중앙사령부 대변인 기자 브리핑 요지 (사우디시간 2.26. 18:30)
   - o 전쟁은 끝나지 않았으며, 군사 작전은 계획 이상으로 진행중
   - o 이라크군은 쿠웨이트 국민에게 계속 위협이 되고 있음.
   - o 2.25. 이라크의 SCUD 미사일 공격으로 동부지역의 미군 막사 파괴, 미군 28명 사망 및 100여명 이상 부상
   - o 이라크 공화국 수비대와 교전중이며, 이라크 공화국 수비대의 퇴각 움직임 없음.
4. 이라크, SCUD 미사일 1발 카타르에 발사 (2.26)
   - o 동 미사일 걸프만에 추락
5. 양측 피해
   - 가. 다국적군측 : 사망 13명, 부상 43명
   - 나. 이라크군 : 사망자 미상, 포로 32,000명 (누계)
   - 다. 쿠웨이트내 유정 600여개 화염

Ⅲ. 각국 반응

1. 소 련
   - o 타스 통신, 쿠웨이트는 사실상 해방되었으므로 계속적인 군사행동 불필요

0164

2. 중 국

o 강택민 당 총서기, 중국은 계속 이라크의 쿠웨이트 침공을 반대해 왔으며, 걸프사태가 평화적으로 해결되기를 희망하고 있음.

o 이붕 수상, 이라크군은 조속히 쿠웨이트로 부터 철군해야 함.

3. 일 본

o 자민당, 이라크 같은 나라에 군사무기를 판매하는 국가에 대해서는 경제 원조 중단할 예정임을 경고

4. 인도네시아

o 고위 군지휘관, UN 평화유지군 참여용의

5. 인 도

o 대변인, 쿠웨이트 주권회복 환영

6. 파키스탄

o 샤리프 총리, 이라크의 쿠웨이트 병합에 반대하며, 이라크 국경은 존중 되어야 함

7. 말 련

o 마하틸 수상, 다국적군과 이라크 양측의 자제 촉구 및 조속한 시일내 전쟁 종식 희망

- 이라크군의 철군에도 불구, 다국적군의 계속적인 공격은 불필요한 사상자만 증대

- 철군하면서도 승리를 주장하는 이라크의 과장된 선전이 다국적군을 자극

8. 필리핀

o 아키노 대통령, 중동에서의 갈등이 곧 해소 될 것이라는 낙관적 입장 표명

9. 잠비아

o 카운다 대통령, 잠비아는 걸프지역에서의 재난을 피하기 위해 이라크가 쿠웨이트로 부터 철수해야 한다는 입장을 계속 유지해 오고 있음.

0165

275

外務部 걸프事態 非常對策 本部

題 目 : 이라크, 걸프사태 관련 모든 유엔결의 수락 1991. 2 . 28 .
16:00

1. 이라크는 2.27. (수) 유엔 안보리와 사무총장앞 서한에서 걸프사태 관련 모든 유엔 결의를 수락한다고 통지함.
   - o 아랍어로 된 동 서한은 현재 영어로 번역 중이며, 동 사실은 안보리 회의에 참석한 각국 외교관들에 의해서 확인 되었음.
   - o 이에 따라 2.28. 아침 유엔 안보리 회의 소집 예정임.

2. 이라크는 쿠웨이트로 부터 무조건 철수를 요청한 유엔결의 660호를 이미 수락 하였으며, 쿠웨이트 합병을 무효로 규정한 유엔결의 662호 와 이라크의 전쟁 배상 책임을 규정한 유엔결의 674호 를 수락한다고 2.27. (수)에 발표한 바 있음.

0166

政府綜合廳舍 810號 電話 : 730-8283/5, 730-2941.6.7.9, (구내)2331/4, 2337/8 Fax : 730-8286

276

外務部 걸프事態 非常對策 本部

題 目: 일일 정보 (82) 1991. 3 1. 06:00

작성자 : 정진호 과장

I. 정전 발표

1. 미국의 정전 발표(1.27, 21:00 미국시각)

   o 부쉬 대통령은 걸프전에서의 군사적 목표는 달성되었으며 승리를 선언하고 정전 발표

   o 정전 조건

   i) 전쟁포로 및 제 3국민 즉각 석방
   ii) 억류 쿠웨이트인 석방
   iii) 육상 및 해상에 설치된 지뢰 및 기뢰의 종류 및 위치 통보
   iv) 걸프사태 관련 모든 유엔 결의안 수락

2. 이라크의 유엔 결의안 수락 및 정전 발표

   o 부쉬 대통령의 정전 발표후, 이라크는 1.27. 밤 유엔 사무총장과 안보리 의장 앞 서한을 통해 걸프사태 관련 모든 유엔 결의를 수락한다고 밝힘.

   o 이라크는 또한 군 발표문을 통해 금번 전쟁을 승리했다고 선언하면서, 이라크군에 대하여 발포 중지 명령을 공식 발표하였음.

3. 정전은 경미하고 산발적인 전투가 있었음에도 불구하고 비교적 잘 준수되고 있다고 다국적군 사령부는 발표하였음.

II. 정전에 따른 각국 반응

1. 다국적군 국가

   o 영 국: - 정의의 승리며 장래의 평화구축에 노력하여야 함.

   o 불란서: - 적대행위 중지 공식 발표
   - 정전이행 위한 정치.군사적 방법론은 유엔 안보리에서 검토
   - 사담 후세인의 장래는 이라크 국민이 결정할 문제임.

   o 이태리: - 외교와 인간의지를 통해 평화구축해야 할 것임.

   o 호 주: - 안도와 희망 표시

0167

政府綜合廳舍 810號 電話 : 730-8283/5, 730-2941. 6. 7. 9, (구내)2331/4, 2337/8 Fax : 730-8286

2ㄲ

o 카나다: - 효과적이고 성공적인 유엔역할에 만족표시

2. 아랍 국가

o 요르단: - 정전 환영하나 전쟁이 중동문제를 해결하지는 못했음.

o PLO : - 이제는 아랍-이스라엘 분쟁 해결을 위해 노력 집중해야 할 것임.

o 이 란: - 이라크의 장래는 이라크 국민에 의해 결정되어야 하며 외세 개입을 반대함.

3. 기타 국가

o 소 련: - 소련 평화안이 금번 정전의 기초가 되었다고 언급하고, 정전은 고르바쵸프 대통령의 '중요한 외교적 승리'라고 평가

o 중 국: - 정전 환영하며, 지속적 평화를 확보하기 위해서는 유엔이 주도적 역할을 하여야 한다고 언급

o 일본(가이후 수상, 부쉬 대통령과 통화)

- 정전환영
- 전후 문제해결을 위해 일본은 최대한 기여할 것이라는 용의 표명
- 일본의 역할 문제 협의차 조만간 미국에 외무장관 파견 예정

o 이스라엘

- 전쟁 수행해준 미국에 감사
- 이라크의 SCUD 미사일 공격에 대한 보복을 하지 않을 것임을 시사
- 정전에도 불구, 위험은 계속되고 있다는 조심스런 반응

o 필리핀

- 미국주도 다국적군에 의한 이라크군의 쿠웨이트로부터 축출 환영
- 걸프지역 재건계획 조속 재개 희망

Ⅲ. 정전 방안 협의위한 유엔 안보리 개최

1. 정전 발표와 이라크의 유엔결의 수락에 따라 2.28. 유엔 안보리 개최

o 금일 회의에서 어떤 결정이 내려질 가능성은 희박하나, 미국이 제시한 정전 조건에 대한 이라크측 입장을 청취하기 위한 공개회의가 뒤따를 예정

o 영국대사는 이라크가 즉각적으로 포로를 석방하고, 쿠웨이트 주권을 공식 인정할 것을 주장함.

0168

2. 유엔 사무총장 언급

o 전쟁 종결을 위해 필요한 조치는 향후 안보리가 취하여야 할 것임.

o 유엔은 조속히 평화 유지군을 파견할 수 있기를 희망함.

- 스웨덴, 핀란드, 노르웨이가 이미 평화 유지군 파견 용의를 표명함.

Ⅳ. 다국적군 철수에 대한 각국의 입장

1. 미국: 최초의 병력철수는 수일내 이루어 질 것이나, 철수는 배치때보다 시간이 더 걸릴 것임.

2. 영국: 영국군은 곧 철수할 것이며, 평화유지군의 일부로서 동 지역에 남지는 않을 것임.

3. 불란서:

o 불란서군은 평화 회복을 위해 국제사회가 원하는 한, 이라크에 계속 잔류할 것임.

o 지상군은 철수조건 결정되는대로 조속 철수할 것이나, 해.공군은 장기 주둔 할 수도 있음(국방장관 언급)

4. 아랍군의 철수에 대해서는 즉각적인 발표가 없었음.

Ⅴ. 기타

1. 주쿠웨이트 미국대사 2.28. 쿠웨이트 부임

2. 베이커 국무장관, 소련과 중동 방문 예정

o 베이커 국무장관은 3.6-14간 사우디, 이스라엘, 이집트, 시리아, 터키, 소련 방문, 종전방안 및 전후 처리문제 협의 예정

0169

2279

外務部 걸프事態 非常對策 本部

題 目 : 속 보 1991. 3 2
03:30

미국 Bush 대통령 기자회견 (한국시간 3.2 02:40)

(발표내용)

- o 3.2 Schwartzkopf 사령관과 이라크군 사령관과의 정전 회담이 개최될 것임.
  - 안전문제를 고려, 장소는 발표치 않으나 미국 점령 이라크 영토내임.
- o 동 회담시 여러 군사문제를 논의할 것이나 전쟁 포로 귀환문제가 가장 중요하게 취급될 것임.
- o 동전쟁의 정치적 국면 종전을 위하여 유엔이 현재 논의중이고 여러 우방국 외무장관들이 미국을 방문하였으며 Baker 국무장관이 곧 평화정착 방안 협의를 위해 순방길에 떠나게 되는바 이제는 외교적 완결을 위해 노력해야 할 때임.

(기자 질문에 대한 주요 언급 사항)

- o 후세인 대통령을 제거 목표 (사살 의미) 로 책정한 적 없으며 영토 점령 의도도 없음.
- o 후세인의 알제리 망명설에 대해서는 알지 못하며 누구도 전쟁 범죄 책임으로부터 면책될수는 없다고 생각함.
- o 이라크 국민이 후세인을 축출하면 전후 문제 해결이 더욱 쉬울 것임.
- o 요르단 국민이 이라크가 승리한 것으로 알고 환호하고 있다고 하는데 이는 진실이 알려지지 않은 까닭인 것으로 생각하며 요르단 내부 문제가 정돈되면 다시 함께 장래를 이야기할 수 있게 될 것임.
- o 이라크는 기본적으로 부유한 국가로 인도적 성격의 지원에는 미국으로도 책임을 다하겠지만 이라크 재건을 위해서는 미국민의 세금을 한푼도 소비할수 없음.
- o 소련의 역할은 매우 중요하며 앞으로도 계속 소련과 좋은 관계를 유지할 수 있기를 바람.

0170

政府綜合廳舍 810號 電話 : 730-8283/5, 730-2941.6.7.9, (구내)2331/4, 2337/8 Fax : 730-8286

278
~~276~~

280

外務部 걸프事態 非常對策 本部

題 目 : 日日 報告 (83)

1991. 3 . 2 .
06:00
작성자 : 유시아 과장

I. 정전 회담 동향

1. 이라크 정전 회담 대표 지명
   - o Bush 대통령, 주미 쿠웨이트 대사 면담시 이라크의 정전 회담 대표 임명 사실을 밝힘.
2. 1차 정전회담 개최 예정 (3.2, 이라크내 군사시설)
   - o 다국적군측 수석대표는 미국 Schwartzkopf 사령관

II. 정전에 따른 각국 반응

1. 소련 (2.28 Bessmertnykh 외무장관 성명)
   - o 분쟁지역내에서의 교전 행위 재개 가능성 완전 배제 주장
   - o 유엔이 금번 문제의 완결을 위한 정치 및 법적 해결책 주도
   - o 전후지역 안보 장치 구체화 (아랍자체의 역할 중요성 강조)
2. EC (2.28 성명 발표)
   - o 정전 환영, UN 안보리의 전쟁 종식 위한 주도 조치 주장
3. PLO (2.8 튜니스 소재 집행위원회 성명)
   - o 유엔 안보리의 팔레스타인 문제에 관한 모든 결의 적용 촉구 (안보리 신뢰성이 시험대에 오를 것임.)
   - o PLO 를 포함한 모든 당사국이 참여하는 국제회의 개최 촉구
4. 요르단 (2.28 후세인 국왕 연설)
   - o 쿠웨이트 해방에 적용되었던 똑같은 기준이 '팔'문제 해결에도 적용 촉구
   - o 아랍에 대한 새로운 단결 호소
5. 동 구 권
   - o 유 고 : - 쿠웨이트의 승리는 자유와 평화를 사랑하는 모두의 승리
     - 전쟁 당사자간의 신뢰 회복을 위한 비동맹 중재 촉구
   - o 폴 란 드 : - 정전에 만족 표명, 전후 복구사업 참여 희망

0171

政府綜合廳舍 810號 電話 : 730-8283/5, 730-2941. 6. 7. 9, (구내)2331/4, 2337/8 Fax : 730-8286

o 체 코 : - 쿠웨이트 보호를 위한 국제사회의 단결을 찬양
o 헝 가 리 : - 모든 중동국가와의 우호관계 유지 희망
o 불가리아 : - 쿠웨이트 해방 축하, 쿠웨이트 왕정 복귀 찬양
o 루마니아 : - 걸프사태관련 모든 유엔 결의의 성실한 이행을 위한 노력 계속 다짐, 쿠웨이트 복구사업 참가 희망

6. 기 타

o 오스트리아 : - 정전 환영, 평화유지군 기여 용의 표명
o 뉴질랜드 : - 정전 환영, 평화유지 및 재건 노력에 기여 용의 표명
o 쿠 바 : - 미국의 승리는 대쿠바 공격을 초래할 가능성을 증대시킴 (카스트로 수상)

Ⅲ. 유엔 안보리 정전 결의안 토의

1. 미국 제의 초안 주요내용

o 이라크의 침략 행위 관련한 제반 유엔 결의의 완전 이행
  - 쿠웨이트 합병 취소, 쿠웨이트 및 제3국 피해 책임의 원칙적 수락
o 쿠웨이트와 제3국 전쟁포로 석방 및 사망자 시체 인도
o 쿠웨이트 갈취 재산 반환 (금괴, 비행기등)
o 다국적군 및 제3국에 대한 적대 행위 항구적 포기
o 정전 회담에 참가할 이라크군 책임자 지명
o 이라크가 설치한 지뢰, 폭탄, 화학무기등 자료 인도
o 후세인 대통령 계속 집권시에는 군수물자 금수조치 계속 실시
o 쿠웨이트에 대한 유엔 제재 결의 효력 상실
o 이라크가 휴전 조건 이행치 않을 경우 다국적군의 공격 재개권 유보

2. 소 련

o 이라크에 대한 제재 계속 유지 및 다국적군의 공격 재개권 유보에 기본적으로 반대하는 입장을 보이고 있는 것으로 관측됨.

Ⅳ. 쿠웨이트 정부 동향

1. 각국 대사관 복귀 동향

o 기복귀국가 : 미국, 영국, 불란서 (이상 2.28), 카나다 (3.1)
o 조만간 복귀 예상국 : 소련, 오스트리아, 이태리등
  ※ 쿠웨이트 외상 (2.28) : 3-4일내 쿠웨이트 외무부 업무 재개

0172

300

2. 쿠웨이트 정부 귀환

o 망명정부 최종 각료회의 개최 (2.28 담맘)

o 국방, 내무, 공공사업, 보건, 내각업무, 공보부 장관 일차 귀국

o 국왕은 당분간 사우디의 Taif 체재 예정

3. 쿠웨이트 전후 복구사업

o 쿠웨이트 전후 복구 계획 개요 (Al-Sultan : 복구 계획 책임자)

- 입안자 : 세계은행 + 미국방부 Civil Affairs Division + 쿠웨이트 각관계부처 (최우수 인력 3명씩 차출)

- 총규모 : 450억불 (유전 회복 : 250억불, 하부구조 재건 : 200억불)

- 초기작업 2대 계약자 (미국)

. US Army Corps of Engineers : 민간 하부구조 재건

. Bechtel Group : 유전 원상 회복

. 초기 단계 작업 (8,000만불 규모) 70%, 미국회사와 기계약

- 쿠웨이트 해외 보유 총자산 : 800억불 내지 1000억불

o 유전 원상 회복 작업

- 이라크군 방화 유전 추정 : 580여개 (정상가동 유전 700여개)

. 1달에 10개 유전 정상화 예상 (완전 회복까지 4년 예상)

- 수개월이내 전전 수준 (150-200만 베러)의 1/3 회복 목표

. 대부분의 유전관계 계약은 휴스톤 (석유시설의 중심지) 과 런던 (망명 쿠웨이트 석유공사 소재) 에서 결정되고 있음.

o 통신망 재개

- AT & T 임시 전화시스템 긴급 설치 (금주말 가동 예상)

. 총 125회선 (쿠웨이트 국민용 120회선, 외국기자용 5회선)

. 당분간 해외 송출만 가능

- 전체 전화망 재설치 계획시 경쟁 예상 회사

. AT & T (미국), Ericsson LM (스웨덴), SEAMANS AG (독일)

V. 이라크 동향

1. 사담 후세인 대통령 망명 고려설 (불란서 Le Monde 지)

o 사임 또는 심각 경우 알제리로의 망명 고려중

o 알제리는 후세인이 전범 재판 대상으로 추적 받지 않는다면 수락 용의가 있음을 불란서 정부에 통보함.

※ Bush 대통령 및 Baker 국무장관, 모르는 일이라고 일축

0173

301

283

2. 이라크 야당 연합, 정부 수립 준비설 (이집트 Al Ahram 지)

o 사우디 Fahd 국왕, 이라크의 후세인 대체 세력이 있을 경우 무조건 지지 약속 표명 (2.28)

- 이집트 Mubarak, 쿠웨이트 Al-Sabah도 유사한 내용의 발언

o 이라크 망명 야당, 런던에서 정부 수립 논의중

- 이라크 전각료들을 포함한 Shiite, Sunni, Kurd 3개 종파를 대표하는 17개 야당 단체 참가중

o 이라크 야당 연합, 정부 수립 발표시 대부분 국가 즉각적 승인 예상

3. 다국적군 비난 계속

o Aziz 외무장관, 다국적군의 휴전 조건 위반 비난

o 다국적군의 이라크 영토로부터의 철수 요구

Ⅵ. 전선 동향

1. 중앙사령부 브리핑 (2.28)

o 총110,000회 이상 출격

o 공화국 수비대 포함 42개 사단 파괴 또는 무력화

o 통신두절이 이유인 것으로 보이는 이라크측 휴전 위반 사례가 있음.

2. 양측 인명 피해

o 다국적군 사망 138명

- 미국 : 79명 사망, 212명 부상, 45명 실종

- 영국 : 15명 사망, 31명 부상, 12명 실종

- 아랍연합국 : 44명 사망, 206명 부상

o 이라크 100,000여명 사망, 포로 50,000-100,000명

0174

外務部 걸프事態 非常對策 本部

題 目: 각국의 주쿠웨이트 대사관 복귀 동향 1991. 3. 2.

1. 개 요

o 기복귀국가 (4개국)
  - 미국, 영국, 불란서 (이상 2.28), 카나다 (3.1)

2. 국별 동향

o 미 국 : 2.28 주쿠웨이트 대사 임지 복귀

o 영 국 : 2.28 주쿠웨이트 대사관 업무 재개 (대사 및 2등 서기관 동일 현지 도착)

o 불 란 서 : Jean Bressot 본부대사를 주쿠웨이트 대사로 임명, 직원 2명과 함께 2.28 현지 부임 조치

o 카 나 다 : 3.1 주쿠웨이트 대사 귀임

o 소 련 : 조속한 시일내에 대사관 재개 계획 (2.28 외무장관)

o 오스트리아 : 주쿠웨이트 대사, 귀임을 위해 가장 빠른 항공편으로 바레인 향발 예정

0175

政府綜合廳舍 810號 電話 : 730-8283/5, 730-2941. 6. 7. 9, (구내)2331/4, 2337/8 Fax : 730-8286

外務部 걸프事態 非常對策 本部

題 目: 사담 후세인 정권 장래에 대한 각국 의견 1991. 3 · 2 ·

1. 각국 의견

o 미국 및 영국 : 이라크군의 쿠웨이트로 부터의 축출 뿐만 아니라 이라크의 무력화 및 사담 후세인 거세를 사실상의 전쟁 목표로 추구 (2.24-25. 미.영 언론)

o 영 국 : 사담 후세인의 장래는 이라크인들이 결정할 것이나 이라크를 통제하기에 적절하지 않은 인물로 봄. (2.27 허드 외무장관)

o 소 련 : 소련은 이라크 국민 및 국민이 지지하는 지도자와 관계를 맺어 나가야 한다고 봄 (2.28 베스메르트니크 외무장관) 아지즈 이라크 외상 방소시 소측이 후세인의 정치적 장래를 보장했다는 보도가 있으나, 소련으로서는 후세인의 운명에 대해서 보다는 이라크 국민의 장래에 더욱 큰 비중을 두고 있음. (2.25. 소련 외무부)

o 불란서 : 이라크의 패배와 함께 야기될 각종 경제, 사회문제등으로 인해 사담 후세인 정권은 오래 유지하지 못할것임. (2.24. 미테랑 대통령)

o 카나다 : 연합국측은 배상문제를 이슈화하여 앞으로 사담 후세인 대통령을 견제하기 위한 방편으로 삼을 것임. 사담 후세인 대통령의 국내 정치적 지위는 급격히 약화될 가능성이 있음. (2.28 카나다 외무부)

o 사우디 : 이라크 정권의 비타협성,힘에 대한 과대 평가, 국제정세에 대한 무지가 걸프전쟁을 초래 했는바, 이라크는 전쟁에 대한 책임을 져야함. (2.24. 주유엔 대사)

0176

政府綜合廳舍 810號 電話 : 730-8283/5. 730-2941. 6. 7. 9. (구내)2331/4, 2337/8 Fax : 730-8286 o 이집트 : 후세인 이라크 대통령은 신뢰할 수 없는 사람이며 금후 그를 상대할 수 없음. (2.24. 무바라크 대통령)

o U. A. E. : 사담 후세인은 전범으로 처리되어야 하며 이라크 국민들이 국가를 재건하고 전아랍 및 이슬람의 형제가 되기 위해서는 사담 후세인과 같은 독재자는 제거되어야 함. (2.25. UAE 언론)

o 이 란 : 미국의 후세인 정권 전복 주장은 사태를 악화시킬 수 있다고 봄. 이스라엘 견제를 위하여 이라크 약화 불원 (2.24. 라프산자니 대통령)

o 노르웨이 : 사담후세인은 신뢰할수 없는 인물이며, 사담후세인의 중동 군림을 막는것이 가장 중요한 일임. (2.27. 브룬트란드 수상)

2. 분 석

o 사담 후세인 정권 유지 여부는 이라크 군부 및 국민의 태도와 소련의 이라크에 대한 태도가 큰 변수가 될 것임.

o 사담 후세인은 장기간의 독재정치로 인한 국민의 불만과 8년간의 이.이전, 걸프전쟁 결과등 그간의 수많은 인명피해, 막대한 재산손실에 대한 정치적 책임을 면치못할 것인바, 국내외적 여건으로 보아 사담 후세인 정권은 계속 유지되기 힘들것으로 보임.

o 미국은 이라크의 모든 유엔 안보리 결의 준수 약속을 정전 조건으로 내세우는등 사실상 이라크의 무조건 항복을 요구하는 강경한 입장을 고수하였으며 앞으로 배상문제를 이슈화함으로써 사담 후세인을 계속 궁지에 몰아 놓을 것으로 전망되는 바, 이는 미국등 연합국측이 쿠웨이트 수복과 동시에 사담 후세인 거세, 이라크의 군사적 재기 불능화를 추구하고 있음을 보여줌. 끝.

0177

286

外務部 걸프事態 非常對策 本部

題 目 : 日日 報告 (84)

- DAY 45 -

1991. 3 . 3 .
06:00
작성자 : 김동억서기관

I. 정전 회담 동향

- 미.이라크 정전 회담 연기
  - 3월2일 오후(현지시간)바스라에서 개최 예정이었던 미.이라크간 휴전회담이 이라크측 요구로 하루 연기 3월3일 개최 예정(유엔 본부 외신)
  - 연기 이유는 이라크측의 실무적 준비 지연 관계로 관측
  - 이라크.쿠웨이트간 비무장지대(DMZ) 설치 문제는 베이커 미국무장관 중동 방문시 논의 예정

II. 유엔 안보리 정전 결의안 토의

1. 유엔안보리 결의 연기
   - 현지시각 3.1(금) 오전부터 하루종일 결의안 협상노력이 있었으나 비동맹 이사국의 반대로 24시간 토의 연기
2. 유엔 안보리, 종전을 위한 미측안 일부 수정
   - 안보리 상임이사국은 휴전조건에 관한 원칙적 합의 단, 이라크가 요구조건 준수치 않을경우, 걸프지역 전투재개문제 논의 끝에 수정키로 의견 일치
   - 미측휴전 조건
     - 쿠웨이트 합병 무효화
     - 쿠웨이트에 대한 전쟁피해 책임
     - 쿠웨이트 자산 반환
     - 다국적군에 대한 적대행위 금지
     - 모든 전쟁 포로 석방
     - 지뢰, 기뢰, 위치 정보제공 등
3. 비동맹 이사국의 반대 이유
   - 결의안(초안)이 공식 휴전 조치에 관한것이 아님
   - 다국적군측에 전투행위 재개 권한을 부여하고 있음
   - 평화 유지군 파견에 관한 규정이 없음

0178

政府綜合廳舍 810號 電話 : 730-8283/5, 730-2941.6.7.9, (구내)2331/4, 2337/8 Fax : 730-8286

III. 걸프지역 전후 복구사업

1. 사우디

o 직접 피해는 거의 전무

o 걸프전쟁 영향으로 국방력 증강을 위한 각종 군사시설, 건설사업 확대 예상(비행장 건설, 병력증강에 따른 군사시설, 비상유류 저장고)

o 기타 석유자원개발 및 생산시설 확충을 위한 사업확대예상 (일산 1,000만 배럴 규모)

2. 쿠웨이트

o 전후 복구사업은 부총리겸 외무장관(sheikh salah al-ahmad al-sabah)을 위원장으로 한 재건 위원회에서 총괄

- 단기 복구사업은 미공병단과 쿠웨이트 정부 합동 Task Force Team에 의해 조사 설계 발주
- 장기 복구사업은 각소관 부서별로 재건 위원회 협의하에 발주될 것으로 보임

o 사업단계

- 1단계 : 90일간 기본 서비스 시설 및 도로 항만 복구(약500억불 상당)
- 2단계 : 3-5년간 국가기간 산업 시설 영구 복구(약500억불 상당)

o 현 황

- 긴급복구사업(90일간)에는 미 COE에 의해 미국12, 영국10, 사우디10, 불2, 쿠웨이트1, 사이프러스1개사가 초청됨(91.2.20 마감)
- 현재 8억불상당의 약200 여건의 긴급물자조달, 인력 및 장비공급 등의 계약이 대부분 미국계 회사(174)와 체결함.

IV. 이라크 동향

1. 이라크 포로 교환 준비 발표

o 이라크는 3.2 국제적십자사 편에 이라크내 다국적군 포로들을 교환할 준비가 되어있다고 발표

- 다국적군은 공습중 12명 영국군과 9명의 미군이 포로로 잡힌바 있으며 45명의 미군이 실종된바 있음.

2. 반후세인 시위

o 이라크의 2대 도시중에 하나인 바스라에서 수천명의 이라크국민, 후세인 타도 시위가 벌어짐

0179

306

3. 후세인 후계자는 군부출신일 가능성(국무부관리 익명으로 언급)

   o 권력을 계승하기 위해서는 권력이 있는자이어야 하므로 후세인 후계자는 군부에서 나올 가능성이 있음.

   o 후계 가능성이 있는 장군은 모두 거세 됐으므로 아직 어떤 장군이 후계자가 될지는 모르나 이라크 국민이 결정할 일임.

V. 전 황 (다국적군측 발표)

o 다국적군 총110,000회 이상 출격

o 다국적군 인명피해

- 147명 사망(미국 88, 기타국 59)
- 66명 실종(미국 45, 영국 10, 이태리 1, 사우디 10)
- 13명 포로(미국 9, 영국 2, 이태리 1, 쿠웨이트 1)

o 이라크군 80,000 명 이상 포로

(이라크관리 발표)

o 이라크인 20,000명 사망, 60,000명 부상

VI. 기 타

1. CBS 기자 4명 석방

   o 지난 1.21일 사우디 국경에서 행방불명 되었던 CBS 기자 4명이 이라크 당국에 의해 3.2 석방됨.

   o 이라크 공보장관은 소련의 고르바초프 대통령 특사 프리마코프의 요청에 의하여 동 기자단 4명을 석방했다고 발표

2. GCC 외무장관 회의개최 예정(3.3 리야드)

   o GCC 와 이집트, 시리아 외무장관 회의(3.3-4 다마스커스 개최예정)

   o 지역 안보 및 경제협력문제 협의

3. 걸프사태 현지 조사단

   o 이집트 일정을 마치고 사우디 도착

     - 3.2 리야드 체류

0180

307

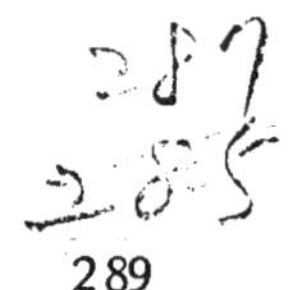
289

外務部 걸프事態 非常對策 本部

題 目 : 日日 報告(85) 1991. 3 . 3 . 17:00

- DAY 45 -

작성자 : 강선용 과장

I. UN 安保理, 美國 決議案 通過 (3.3 12:00 韓國時間)

가. 표결 결과

o 찬 11 : 반 1 (쿠바) : 기권 3 (중국, 인도, 예멘) 으로 통과

※ Cuba 는 미국 결의안에 대한 수정안과 별도의 독자적 결의안을 제의했으나 모두 부결됨.

나. 미국 결의안 내용 (8개항)

(1) 모든 전쟁 포로 및 쿠웨이트인 인질 송환과 약탈 재산 반환

(2) 전쟁 피해 책임 인정

(3) 쿠웨이트 합병 무효화

(4) (매설한) 지뢰 및 기뢰 위치 공개

(5) 안보리 조건에 신속히 응하지 않을 경우, 다국적군의 적대 행위 재개 허용

(6) 안보리 결의 678호 (쿠웨이트 해방.복귀위한 모든 필요 조치 허용) 재확인

(7) 평화.안전 확보후 미군 포함한 다국적군 조속 철수

(8) 적대행위의 신속한 중지위한 모든조건 이행 결과를 안보리에 통보

II. UN 駐在 各國 大使 反應

o 미 국 : 동 결의안은 이라크의 적대행위를 명확히 종지시킬 것임.

o 이 라 크 : 원칙적으로 쿠웨이트 민간인을 포함한 모든 포로 석방 예정

※ 이라크내 억류 쿠웨이트 민간인 20,000여명으로 추정됨.

o 쿠웨이트 : 이라크가 모든 포로를 석방하지 않는 한, 이라크인 포로를 석방하지 않을 것임.

o 자 이 르 : 동 결의안은 終戰이나 UN 평화유지군을 요청하지 않음. 항구적 평화를 위하여는 제2단계 조치가 필요함.

0181

政府綜合廳舍 810號 電話 : 730-8283/5, 730-2941. 6. 7. 9, (구내)2331/4, 2337/8 Fax : 730-8286

290

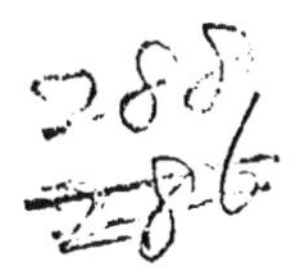

外務部 걸프事態 非常對策 本部

題 目 : 日日 報告 (86)

- DAY 46 -

1991. 3 . 4
06:00
작성자 : 김동억 서기관

I. 정전 회담 개최

1. 일시 및 장소 : 91.3.3 오후 (한국시간), Safwan (이라크 남부 연합군 점령 지역내 소재)

2. 참석대표

   o 연합군측 : Prince Khalid bin Sultan 연합국 사령관 (사우디)
   Norman Schwarzkopf Desert Storm 작전 사령관

   o 이라크측 : 장성 2명 (성명 미발표)

3. 주요결과 (Schwarzkopf 사령관 발표)

   o 정전을 위한 모든 조건에 합의

   ① 쿠웨이트등 해당지역내 지뢰, 기뢰 위치에 관한 정보 이라크측으로부터 접수

   ② 정식 정전 협정 서명시까지 다국적군은 현재 점령중인 이라크 영내 계속 주둔

   ③ 전쟁 포로 즉각 석방 합의, 구체 절차는 국제 적십자사와 협의 결정 (상호 신뢰의 증표로 상징적 규모의 전쟁포로 즉시 석방)

4. 기타사항

   o 이라크측 대표는 무장해제후 미군 차량편 회담장 도착

   o 동 회담은 유엔 결의 이행을 위한 정식 협상에 앞선 사전 교섭 성격

II. 이라크 동향

1. 이라크 일부 지역에서 반후세인 시위 계속

   o 이라크 남부 바스라시에서 수만명 반후세인 시위 계속
   - 일부 언론은 무장폭동, 무정부상태, 내전상태등으로 표현

   o 이란 국경 근처 Amara 등 2개 도시에서 수일간 반후세인 평화시위 (이란 관영 통신)

0182

政府綜合廳舍 810號 電話 : 730-8283/5, 730-2941. 6. 7. 9, (구내)2331/4, 2337/8 Fax : 730-8286

2. 사담 후세인 건재 보도 (바그다드 TV 및 라디오)
   - o 고위 보좌관 회의 주재, TV, 라디오 방송시설 복구 협의
   - o 군사령관의 53년-56년생 장병 군복무 해제 명령서 승인
     - ※ 인도 일간지 보도 : 사담 후세인이 지난주 2차에 걸쳐 인도
       (썬데이 타임즈) 망명을 요청했으나 인도정부로부터 거절 당함.
3. 혁명 지도위, 이라크 전역에서 발포 금지령 발표
4. 이라크, 3.2 부터 각급 학교 재개 및 3.3 부터 바그다드 시내 전기 공급 재개 계획

Ⅲ. 걸프제국 동향

1. 무바락 이집트 대통령, 향후 아랍국가간 분쟁 예방 및 아랍권 단결 고양을 위한 9개항 제시 (3.3 상하원 합동회의 연설)
   - o 9개항 요지
     - ① 아랍국가간 보복 자제
     - ② 더이상의 아랍권 균열을 막기 위한 상호 신뢰 회복
     - ③ 모든 아랍국가가 다른 아랍국가의 의도를 사전에 알 수 있도록 아랍지도자들이 국가적, 범아랍적 목표 및 추진 방법 공표 촉구
     - ④ 향후 수개월간 아랍국가간 국경 분쟁 해결 노력 배가
     - ⑤ 역내 안보 및 경제발전 달성 방안 강구
     - ⑥ 이스라엘을 포함한 중동지역을 비핵, 비화학.생물무기지대로 선포
     - ⑦ 팔레스타인 문제등 아랍-이스라엘 분쟁 해결
     - ⑧ 아랍세계의 민주화 증진
     - ⑨ 지난 7개월간의 과정을 동-서, 회교도-비회교도, 제2의 십자군 전쟁으로 규정하려는 움직임 거부
   - o 상기외에 팔레스타인 문제의 조속 해결 필요성, 범아랍 안전보장 논의의 아랍국가에 의한 주도 필요성등 강조
2. GCC 외무장관 회의 개최 (3.3 리야드)
   - o 카타르 외무장관 (현 의장), 모두 연설에서 아랍 안보위한 공동 대처 방안 마련 촉구
   - o 쿠웨이트 외무장관, 이라크 침공후 쿠웨이트 난민을 접수한 GCC 제국, 이집트, 시리아, 이란에 감사 표명
   - o 이후 비공개로 회의 계속 : 쿠웨이트 해방이후 역내 정세 및 향후 안보 협력 방안 협의 예상

0183

7/0

3. 쿠웨이트 정부, 안정회복후 자유선거 약속 (국무장관)

4. 이란 동향

o 라프산자니 대통령, 역내 안보 구상 협의를 위해 터키에 특사 파견
  - 역내 안보 방안 수립과정에 역내국가의 참여 필요성 강조

o 하메네이 최고지도자, 미군의 즉각 철수를 촉구하고 동시에 사담 후세인도 이라크를 파멸로 이끈 장본인이라고 비난

Ⅳ. 전 황

1. 연합국 및 이라크군 대체로 정전 준수

2. 3.2 미군-이라크군 충돌 결과 (미측 발표)

o 이라크군의 선제 로켓 공격으로 시작, 대규모 탱크전 발생

o 이라크군 피해 : 장갑차량 187대 (T-72 탱크 23대 포함) 및 트럭 350대 파괴, 이라크군 70여명 포로

o 미군 피해 : 탱크 1대, 장갑차 1대 손상, 부상 1명

Ⅴ. 쿠웨이트 잔류 교민 안전 확인 (주쿠웨이트 대사 보고)

o 3.2 쿠웨이트에 다녀온 아국 의료 지원단원 수명의 전언에 의하면,
  - 주쿠웨이트 아국 대사관에서 아국 교민 수명을 만났는바 잔류 교민 9명 모두 무사함.
  - 대사관 건물은 유리 파손외에는 큰 피해 없음.
  - 동 의료단원, 대사관 옥상 게양대에 대형태극기 게양

Ⅵ. 기타 동향

o Major 영국수상, 3.4 소련 방문
  - 수상 취임후 Gorbachev 소대통령과 첫번째 회담
  - 소 발틱 공화국 문제와 전후 중동정세가 주요의제

0184

293

外務部 걸프事態 非常對策 本部

題 目: **非常對策本部 任務 終了**

1991. 3. 4. 17:00

1. 걸프전 정전 결의안이 3.3. 유엔 안보리에서 채택됨에 따라 1991.3.4.(월) 17:00를 기해 외무부 걸프사태 비상대책 본부는 임무를 종료하고, 대책본부 발행 "일일보고"도 3.4. 06:00 제86호를 끝으로 마감 되었습니다.

2. 대책본부의 임무 종료 이후에는 당부 중동아프리카국을 중심으로 걸프사태 대책반을 운영하기로 하였으며 대책반의 위치는 중동아프리카국 중동1과 입니다. (전화 720-2327, 3969)

3. 그간의 협조와 성원에 심심한 사의를 표합니다. 끝.

0185

政府綜合廳舍 810號 電話 : 730-8283/5, 730-2941. 6. 7. 9, (구내)2331/4, 2337/8 Fax : 730-8286

外務部 걸프戰 事後 對策班

題　目 : 中東對策 委員會 運營

1991. 3. 13.

1. 設置 經緯

   ○ 91.2.25. 國務總理 主宰 걸프事態 關聯 關係部處 長官會議時 外務部長官 報告

2. 構　成

   ○ 委員長 : 外務次官

   ○ 委　員 : 靑瓦臺, 總理室, 經企院, 安企部, 外務部, 財務部, 國防部, 商工部, 建設部, 動資部等 關係部處 次官補 또는 局長

3. 任　務

   ○ 걸프 戰後 對策 綜合 檢討 및 推進

   ○ 戰後 復舊事業 參與 計劃등 經濟 問題는 關係部處에서 施行 (經濟企劃院 綜合 調整)

4. 第1次 會議 開催

   ○ 1991.3.20.(수) 14:30 외무부 회의실(817)

   ○ 討議 議題(案)

     - 中東地域 情勢 調査團 活動 結果 報告
     - 戰後 中東의 政治 情勢 및 우리의 對應策
     - 쿠웨이트등 復舊事業 參與 方案
     - 이라크 情勢 및 復舊事業 展望

0186

外務部 걸프戰 事後 對策班

제 목 : 이라크 지지국 전후 동향

91. 3. 13.

1. 예멘

   o 이라크에 대해 일관된 지지 입장을 견지하고 있으며 쿠웨이트 주권이 회복되었으므로 다국적군의 이라크 잔류는 유엔 결의안에 위배된다고 주장하며 다국적군의 즉각 철수를 촉구하고 있음.

   o 한편 이라크 전후 복구에 적극적 관심을 표명하고 있는바, 우유와 의약품 29톤 및 혈액 1톤을 공수 지원하였으며 노조 연합회 이름으로 이라크 전후 복구 지원을 위한 자원 봉사자 모집을 발표하였음.

2. 요르단

   o 후세인 국왕은 3.1 대국민 연설에서 아랍에 대한 새로운 단결을 호소하고 전세계 국가와의 우호관계 유지 희망 의사를 피력하였는바, 이는 아랍권과 서방과의 화해 및 관계개선을 위한 능동적인 입장을 시사한 것으로 평가되고 있음.

   o 또한 동국왕은 쿠웨이트 해방에 적용되었던 기준이 팔레스타인 문제 해결에도 똑같이 적용될 것을 촉구하였고, 요르단 정부는 계속해서 PLO의 '팔'인 대표권을 인정함과 이스라엘의 PLO 대표권 인정을 주장하며 모든 관계 당사국이 참여하는 국제회의 개최를 지지하고 있는바, 이는 이라크의 패배로 깊은 좌절감에 쌓여있는 요르단 국민들을 무마하기 위한 의도로 해석됨.

3. PLO

   o 종전직후 튜니스 소재 PLO 집행위 성명을 통해 유엔 안보리의 '팔'문제에 관한 모든 결의의 적용을 촉구하고 PLO를 포함한 모든 당사국이 참여하는 국제회의 개최를 지지하였음.

   o 부시 대통령의 3.6 대의회 연설시 요구한 이스라엘과 중동국가간의 평화안에 대해서 환영의사를 표시하고 PLO가 팔인들의 합법적인 대표기구 이므로 모든 이스라엘과의 회담시 주요 당사자로 인정되어야 한다고 주장함.

   o 3.12 베이커 국무장관과의 회담시에 '팔'인들의 독립을 위해 이스라엘이 점령지를 포기토록 국제사회가 압력을 행사해 줄것과 미국이 이를 지원해 줄것을 요청함.

0187

4. 알제리

o 종전직후 후세인 대통령의 알제리 망명설을 보도하였던 Le Monde지 특파원을 국익 및 이미지 손상 이유로 퇴거조치를 내렸던 튀니지 정부는 이라크의 패전으로 침통한 허탈감에 빠져 있는 국민의 좌절감을 전환하기 위하여 유가하락으로 인한 경제 타격, 라마단 준비, 년내 총선실시등을 부각시키며 국내 문제에 촛점을 돌리도록 유도하고 있는 것으로 평가됨.

o 그러나 알제리 전국 총연맹은 물가고, 인플레 증가에 따른 급격한 구매력 감소, 걸프전 당시 정부의 대응 미흡 및 국내문제로의 관심유도정책등을 이유로 3. -3.13간 총파업에 돌입하기로 결정함으로써 사회불안이 계속되고 있으며 알제리 정부는 국민들의 대정부 불만을 해소하기 위한 조치의 일환으로 수상을 포함한 일부 경제 각료의 갱질을 고려하고 있음.

5. 모리타니아

o 전쟁중 일관되게 이라크를 지지하였던 모리타니아는 경제난 타개를 위한 서방국의 원조 필요성 때문에 친이라크 태도 표명을 급격히 자제하고 있음.

o 모리타니 정부는 대국민 유화책의 일환으로 3.7 정치범의 사면을 단행하였으며 위기 극복을 위한 국민의 자급 자족, 애국심 고양운동을 적극 전개하고 있음.

6. 수단

o 다국적군의 이라크 국력 파괴로 걸프지역에서 이스라엘의 세력이 더욱 강화되었으며 아랍안정에 위협 요인이 발생하였다고 평가

7. 리비아

o 전후 중동지역에서의 카다피 지도자 자신의 위상 제고를 목표로 전후 문제에서의 반미, 외세배격, 아랍 자체해결을 주장하며 제3차 아랍 마그레브 연맹 정상회담을 3.10-3.11간 리비아에서 개최하였음.

o 그러나, 국민들의 친이라크 감정과 다국적군 파병정책의 괴리를 가지고있는 모로코 핫산국왕은 현시점에서의 회합은 종전후 평화구상 윤곽이 구체적으로 드러나지 않고 있어서 시기 상조라고 주장하며 라마단후로 연기를 요청하고 불참하였으며 이러한 분위기가 반영되어 가시적인 회담 성과는 없었음.

o 한편 동정상회담 전인 3.9에는 아랍 마그레브 연맹 5국과 EC를 대표하는 이태리, 룩셈부르크, 화란 3국간의 외상회담이 개최되어 걸프전후 문제에 관한 의견을 교환하고 양측간 협력 강화방안을 논의하였음.

0188

外務部 걸프戰 事後對策班

제 목 : 사우디파견 의료지원단의 쿠웨이트 이동 가능성 검토

91. 3. 14.

1. 국방부 입장

o 3.2. 국무총리 주재 걸프사태 관계부처 장관 회의에서 외무장관이 "걸프 종전 직후 정세와 외교적 조치"에 대해 보고하는 과정에서 군의료지원단 및 공군수송단의 향후 활동에 대해 관계국과 협의, 방향을 결정토록 하겠다는 보고에 대해서 국방부장관은 의료지원단의 경우 외무부가 관련국과 협의해 줄것을 요청하고, 군수송단의 경우는 국방부가 미측과 직접 협의 하겠다고 제의하여 그와같이 양해함.

o 그후 국방부는 공군수송단과 의료지원단을 방문하고 귀국한 합참 제3차장 이양호 중장의 보고에 입각해서 당초 우리 의료단의 편성이 전쟁중 부상병의 치료를 목적으로 한 것이므로 쿠웨이트로 이동하는 경우 부대 편성상 적절치 아니하고 현 의료단은 일체의 지원을 사우디측에서 제공하고 있기때문에 쿠웨이트로 이동하는경우 시설, 장비, 의약품등 전부를 아측이 추가로 보급하는 체제를 갖추어야 하는등의 문제점을 들어 현 의료단은 사우디 임무가 끝나는대로 일단 본국으로 철수 시킬것을 희망하고 쿠웨이트측이 우리 의료단의 지원을 꼭 원한다면 그것은 별도 고려할수 있을 것이라는 예비 의견을 제시해 왔음.

o 국방부측은 최근에는 3월 말에서 4월 중순 공군 수송단과 함께 의료단 철수를 희망하면서 철수 준비에 소요되는 기간을 고려하여 적어도 철수 2주 전에는 철수 결정을 내려야 한다고 말함.

2. 사우디측 입장

o 사우디측은 의료단의 사우디 임무가 대체로 종료 되었으므로 한국측이 철수 의사를 통보하면 이에 동의할것이라고 말함.

o 지위협정상 철수 통보는 1개월전에 해야 하는것이 원칙 이겠으나 양국이 합의 한다면 그 이전이라도 가능할 것임을 시사함.

3. 미측 입장

o 미 국무성측은 당초 우리 의료지원단의 향후 활동에 대해 큰 관심을 보이지 아니하고 철수 문제는 한.사 양국이 결정해야 할 문제라는 반응을 보임.

0189

o 그러나 3.7. CARL FORD 미 국방성 부차관보는 제1차관보 면담시 현재 쿠웨이트내 병원들의 수용 능력에 비추어 한국 의료단의 쿠웨이트내 진료 활동이 바람직 할것이며 또 차후 미국 의회나 여론에서 한국의 지원이 미흡하다는 비판이 대두될 경우 한국 의료단이나 수송단이 활동을 계속하고 있다는점을 부각시킨다면 이러한 비판을 어느정도 무마시킬수 있을 것이라는 의견을 피력 하므로서 의료단과 수송단의 계속 잔류가 바람직할 것임을 시사함.

4. 쿠웨이트측 입장

o 주쿠웨이트 대사는 당초의 국방부측 의견에 입각한 정부의 훈령에 따라 3.3. 자 쿠웨이트 외무장관 앞 서신으로 쿠웨이트측이 우리 의료지원단을 원한다면 우리 정부가 긍정적으로 검토할 것임을 통보한바 있음.

o 그후 국방부측 방침의 조정을 통보받은후 주쿠웨이트 대사는 서면 제시후 불과 수일이 지난 시점에서 이를 철회하는 것은 우리 정부의 신뢰성에 대한 손상을 입히게 되며 전후복구 및 처리등과 관련하여 여러나라가 협력을 쿠웨이트측에 제안하고 있는 점을 참작 하더라도 아측의 제의를 이 시점에서 철회하는 것이 적절치 않다는 보고와 더불어 전전 쿠웨이트의 높은 수준의 의료 시설이나 현재 많은 의약품을 확보해놓고 있는 사정을 감안할때 외국 군대 의료진의 도움을 필요로 할 정도가 아니므로 우리측의 제안을 정중히 사양할 가능성이 크다고 보므로 정부가 철수 방침을 정했다면 방침대로 시행할것을 건의 하였음.

o 그러나 만일 쿠웨이트측이 의료단의 이동을 희망해오면 우리가 의료단 이동 가능성 검토를 통보한후 시일이 많이 경과되어 비의료진이 많이 포함된 군의료단을 사우디에서의 임무가 끝났음에도 불구하고 불확정한 상태로 오래 둘수가 없어 일단 철수키로 결정 하였다고 대응하고 쿠웨이트측 요청에 대해서는 장차 우리나라 의료 인력 진출을 위해서라도 의료 인원을 새로 파견하는 대안을 고려할것을 건의해옴.

5. 대책 (건의)

o 우리 의료단의 편성과 장비등 문제점에 비추어 현재 상태로 쿠웨이트로 이동 시키는것은 바람직하지 않다는 국방부측 의견이 상당한 설득력이 있으므로 현재의 의료단은 일단 철수시킴.

o FORD 부차관보의 의견은 우리나라의 지원이 미흡하다는 의회나 여론의 비난 가능성에 입각하고 있는바 우리가 1억7천만불을 대미 현금 또는 수송 지원으로 추가 공여를 제공하면 그러한 비난은 완화될수 있을것임.

0190

o 쿠웨이트의 우리 의료단 지원 요청이 있는 경우에는 대사의 건의대로 순수 의료요원만으로 구성된 소규모 (군)의료진의 추가 파견을 검토함. 민간 의료진은 이미 군의료진 파견 결정 이전 검토한바 있으나 보수, 가용인력등 문제점이 예상되어 불가능하다는 결론이었는바 비록 전쟁은 끝났다 하더라도 민간의료진 파견은 같은 이유로 어려울 것으로 봄.

0191

外務部 걸프戰 事後對策班

제 목 : 사우디, 이란간 외교관계 재개 합의

91. 3. 21.

1. 경 위
   - o 87.7. 메카 유혈사태 및 88 초 테헤란 주재 사우디 대사관 습격사건 (사우디 외교관 사망)으로 88.4.26. 사우디, 이란 양국간 국교 단절
   - o 91.1.30. 이란 외무장관 사우디 방문, 사우디 파드국왕 접촉, 양국관계 문제 협의
   - o 91.2. 사우디, 이란 양국 외무장관, 양국 외교관계 재개 문제 협의
   - o 91.3.17. 사우디, 이란 양국 외무장관, 오만에서 회담, 국교를 재개키로 합의 (공동 코뮤니케 발표)

2. 합의내용
   - o 91.3.26부터 사우디, 이란 양국간 외교관계 재개 효력 발생
   - o 91.6월 중순부터 메카에 11만명 이란인 성지순례자 파견에 사우디측이 동의

3. 배 경
   - o 이라크가 전쟁에서 패함으로써 걸프전후 중동질서 재편과 관련하여, 상대적으로 이란측의 입지가 크게 강화되고 있으며, 사우디측은 걸프역내 안보에 이란을 도외시할 수 없음을 인식하고 있음

4. 분석 및 평가
   - o 이란은 주된 국가재정 수입원인 원유 수출 보급로로 걸프 해역에 대한 안보 필요성을 절감하고 있으며 이는 GCC 국가간의 이해와도 상호 일치되고 있는것으로 봄
   - o 사우디는 걸프전 이후 걸프지역 에서의 새로운 안보체재 구축과 관련, 이란의 참여 필요성을 그 어느때보다 인식하고 있고 또한 적대국이며, 잠재적 강국인 이라크를 겨냥한 연합전선에 이란의 참여가 유익한 것으로 판단한 것으로 봄
   - o 이란은 사우디와의 관계 정상화로 친미 노선을 걷고있는 사우디를 통한 대미관계 개선을 시도해 보려는 저의도 있는 것으로 분석됨
   - o 또한 사우디, 이란 양국관계 정상화에는 최근 오만 외무장관의 이란 방문, 오만 살랄라흐 개최 GCC 안보 구축회의등을 통한 오만측의 중재 역활이 컸던 것으로도 평가됨

0192

5. 전　　망

o 걸프역내 안보 협력을 위해 당분간 사우디, 이란 양국 관계가 긴밀히 해질것으로 보임

o 이란은 GCC 국가와의 안보 협력 의사를 강력히 나타냄으로서 향후 서방국과의 관계개선에도 박차를 가할것으로 예상되나, 미.영 주도로 형성될 중동 신질서 구조에서 이란이 반미 노선을 견지하고 있고, 이란내 강경파의 반미 노선 고수등으로 서방관계 개선에 일정한 한계가 있을 것으로 전망.　　끝.

0193

첨부

1. 중동평화를 위한 4개 합의사항 (베이커 미국무장관과 아랍 8개국 외무장관 회담, 3.10 리야드)
   - o 미국의 강력한 군사력 역내 유지의 뒷받침하에 항구적인 이집트-시리아 연합군 설립
   - o 역내 경제 협력 증진
   - o 역내 무기 유입 둔화
   - o 아랍-이스라엘 평화증진(이스라엘 국가인정의 댓가로 점령지 포기)

2. 중동 평화를 위한 4가지 도전 (부쉬 미대통령의 3.6 상하원 합동회의 연설)
   - o 공동 안보체제 (shared security arrangements) 수립
     - 걸프지역에 미해군 계속 주둔 및 미공군.지상군의 역내 합동훈련 참여(미지상군 계속주둔 가능성은 배제)
   - o 대량 파괴 무기의 역내 확산 통제
     - 대이라크 무기 금수 계속
   - o 이스라엘-아랍-팔레스타인간 화해 달성
     - 유엔 안보리 결의 242 및 338호를 기초로 이스라엘의 국가 및 안보 요구 인정, 팔레스타인인의 정당한 정치적 권리 보장
   - o 역내 평화와 진보를 위한 경제개발 노력강화

3. 다마스커스 선언 요지 (아랍 8개국 외무장관회의, 3.5-6 다마스커스)
   - o 이집트, 시리아군을 주축으로한 아랍 평화유지군 창설
   - o 역내 경제협력 강화
   - o 중동지역에서 핵무기등 대량살상무기 제거 촉구
   - o 이라크 영토 보전 지지

0194

外務部 걸프戰 事後 對策班

제 목 : 이라크 駐在 5個國 公館 再開

91. 3. 21.
中 東 1 課

1. 5個國 公館 早期 再開 豫定 (3.20. 바그다드發 Reuter)
   - o 바그다드 주재 外交官들에 의하면 인도, 유고, 인니, 나이지리아, 폴란드 등 5個國 大使館이 가까운 장래에 再開될 豫定이며, 이미 同國 外交官들이 바그다드에서 公館長 歸任 準備를 하고 있다함.
   - o 한편, 中國 大使가 지난주 歸任, 걸프전 終戰後 바그다드에 歸還한 最初의 外國 公館長이 됨.

2. 分 析
   - o 상기 5個國中 폴란드를 除外한 4個國이 非同盟 會員國 이며 동 4개국 모두가 걸프戰의 平和的 解決 方案 論議를 爲한 非同盟 15個國 外務長官 會議 (2.12. 벨그라드)에 參與했다는 사실이 특기할 점임. 특히 이중 인도와 유고는 戰爭勃發 直前 非同盟 仲裁案을 가지고 이라크에 入國하기 위해 外相들이 테헤란에서 待機하였으나 사담후세인 面談이 不可能하다는 통보에 접하고 이라크 入國을 抛棄하고 돌아간 일이 있는 나라들임.
   - o 상기 5個國이 駐이라크 大使館을 早期 再開키로한 理由로 인도의 경우는 걸프戰 期間中 美國主導 반이라크 陣營과 다소 거리를 두어온 사실과 이라크에 많은수(800여명)의 自國民이 殘留하고 있는점이 考慮될 수 있을 것이며, 유고, 폴란드의 경우는 戰前 이라크와 緊密한 經濟 通商 關係를 가지고 있었던 事實과 聯關이 있을 것으로 보임. 인니, 나이지리아의 경우에는 특별히 大使館 再開를 서둘 兩者關係上의 理由는 찾기 어려움.
   - o 한편, EC 國家들은 3.4. 外務長官 會議에서 駐이라크 大使館 復歸 問題에 共同 補助를 취하되 이라크 政情不安 및 對이라크 政治的 關係(제재조치 해제 문제등)를 考慮 當分間 觀望키로 合議한 바 있으며, 일본, 카나다등도 아직 大使館 復歸 時期에 관한 具體的 決定을 내리지 못하고 있는 것으로 把握됨.
   - o 戰前 이라크에는 73個 大使館이 駐在하였는바 大部分은 戰爭 勃發 以前 撤收하였으나, 소련, 예멘, 수단, 모리타니아등 一部 國家는 外交官을 繼續 殘留시켰던 것으로 알려짐. 끝.

0195

外務部 걸프戰 事後 對策班

題　目 : 유엔 경제제재 피해국 21개국의 안보리앞 공동명의 각서 제출

91. 3. 22.
中 東　1 課

1. 21개국의 안보리앞 공동명의 각서 제출 동향

  o 주유엔 대사 보고에 의하면, 유엔의 대이라크, 쿠웨이트 경제 제재 조치를 이행함으로써 경제적 손실을 입은 인도, 루마니아, 필리핀등 21개국은 자국의 경제적 손실 보상 대책을 촉구하는 안보리앞 공동명의 각서 제출을 준비중이라 함.

  o 상기 21개국은 동국들의 경제적 손실 총액을 약 300억불로 추산하고 있으며, 안보리앞 각서에서 아래와같은 보상 대책을 요청할 예정이라 함.
    - 주요 공여국들의 추가 재정지원 조치
    - 유엔 관련 기구들의 특별원조 계획 수립
    - 전후 경제 복구 및 개발사업에의 참여 지원
    - 자국산품 시장 회복

2. 관련사항

  o 상기 21개국은 유엔헌장 50조(유엔회원국 및 비회원국이 안보리의 제재 조치를 이행함으로써 야기된 경제적 문제의 해결을 안보리와 협의할 권리 규정)에 의거 대이라크, 쿠웨이트 경제제재 이행 관련 자국의 경제적 손실 문제를 안보리에 제기한 나라들로서 현재 루마니아(대표), 인도, 수단, 레바논, 우루과이등 5개국으로 대책위를 구성, 공동 행동을 모색하고 있음.

  | 참 고 |　21개국 목록

  인도, 방글라데쉬, 파키스탄, 필리핀, 스리랑카, 베트남, 우루과이, 불가리아, 체코, 폴란드, 루마니아, 유고, 수단, 시리아, 튀니지, 예멘, 요르단, 레바논, 모리타니아, 지부티, 세이쉘

  o 유엔 안보리는 90.9.24. 채택한 결의 669호에서, 대이라크, 쿠웨이트 제재 위원회가 유엔헌장 50조 규정에 의거한 각국의 원조 요청을 검토하여 안보리 의장에게 적절한 조치 방안을 건의하도록 결정한 바 있음.

첨　부 : 유엔헌장 50조 및 안보리 결의 669호 전문

0196

첨 부

1. 유엔헌장 50조

If preventive or enforcement measures against any state are taken by the Security Council, any other state, whether a Member of the United Nations or not, which finds itself confronted with special economic probiems arising from the carrying out of those measures shall have the right to consult the Security Council with regard to a solution of those problems.

2. 안보리 결의 669호(90.9.24. 만장일치로 채택)

The Security Council ,

Recalling its Resolution 661(1990) of August 6, 1990,

Recalling also Article 50 of the Charter of the United Nations,

Conscious of the fact that an increasing number of requests for assistance have been received under the provisions of Article 50 of the Charter of the United Nations,

Entrusts the Committee established under Resolution 661(1990) concerning the situation between Iraq and Kuwait with the task of examining requests for assistance under the provisions of Article 50 of the Charter of the United Nations and making recommendations to the President of the Security Council for appropriate action.

0197

外務部 걸프戰 事後 對策班

題 目 : 最近 쿠웨이트 復舊事業 豫想 規模 評價

91. 3. 25.
中 東 1 課

1. 概 要

걸프戰後 歐美 主要 國家들이 當初 豫想한 쿠웨이트의 緊急復舊(90일간) 및 長期 復舊事業 總所要額은 약 800-1,000억불로 推定하였으나, 最近 主要國家 駐在 우리公館 報告에 의하면 豫想보다 크지 않을것으로 展望된다 함.

2. 主要國家 業界等 評價 (要約)

美 國

- 美 工兵團이 現地 被害 狀況調査를 大部分 完了한바, INFRASTRUCTURE 被害는 當初보다 적음 (3.20. 美土木技術者協會 워싱턴지부 主管 講演會에서 工兵團 企劃參謀長 發表)

英 國

- 90日間 緊急 復舊工事 所要額 10억불정도(3.18. 商工部 後援 WESTMINSTER 經營諮問會社 開催 세미나 發表)

佛蘭西

- 現地 出張한 政府, 業界 人士들에 의하면, 石油分野를 除外하고 道路, 橋樑, 上下水 施設은 破壞되지 않았으며, 大規模 商街, 住宅 被害도 크지 않은바 쿠웨이트 復舊事業이 世紀的 規模가 될것이라는 主張은 幻想에 不過 (最近 佛蘭西 有力經濟誌 LA TRIBUNE L'EXPANSION 報道) 끝.

0198

外務部 걸프戰 事後 對策班

제 목 : 이라크 잔류 현대소속 근로자 최근 동정

(현대건설 보고 내용) 91. 3. 25.

1. 인원 현황
   o 바그다드 현대지점 본부 잔류 : 근로자 2명 및 가족 2명
   o 키와스 현장(키루쿠크 지역) 잔류 : 직원 5명

2. 근 황
   o 최근 3월 초순경 10일동안 요르단 현지인 메신저(현대 요르단 지점 고용)가 매일 이라크에 파견돼, 상기인들 소식을 접하고 있었으며 또한 현대 본사측 메시지들을 전달함.
     - 이들 전원 무사함을 확인후 귀임
   o 3.12. 현대측, 최근 이라크 정세 불안(키와스 지역 치안상 위험성 상존)으로 키루쿠크지역 체류 5명 전원을 바그다드 현대 본부로 이동하라는 본사의 메세지를 메신저편에 전달함.
     - 동 메신저가 메세지를 바그다드까지 전달한것이 확인 되었으나, 키루쿠크 현장 도착 여부는 미확인됨.
   o 3.18. 바그다드 체류 근로자 이영철 씨가 메신저편에 현대 본사에 서신 송부
     - 서신 내용
       . 키루쿠크 현장 잔류 김한택 과장과 만나 발주처에 들어가기로 했으나, 김과장이 바그다드에 오지않아 혼자 발주처 방문
       . 모두 신변 조심에 신경
       . 3.19. 키루쿠크의 김과장을 만나 다시 서신 연락 예정
   o 그 이후 키루쿠크가 출입 통제구역으로 되어 전화, 무선등 교신수단 없었음.

<참 고>

이라크 잔류 현대소속 방글라데시 근로자 9명
- 바그다드 현대 본부 잔류 : 2명
- 키와스 현장(키루쿠크 지역) 잔류 : 7명

0199

外務部 걸프戰 事後 對策班

題 目 : 억류 현대근로자 5명 석방 대책

91. 3. 25.
中 東 1 課

1. 기조치 사항
   가. 3.24. 주요르단, 이란, 터어키 대사관에 외신내용 통보하고, 쿠르디스탄 애국 동맹(PUK)측과 접촉토록 훈령한바, 주요르단 대사관은 직원 1명을 다마스커스에 파견, 아측 협조자를 통한 접촉을 건의해옴.
   나. 현대 본사측에도 통보하고 대책 강구토록 요청
2. 고려사항
   가. 억류 아국인의 신변 안전 및 조기 석방
   나. 몸값 요구 가능성 (우리측에서 상대측의도를 확인함이 없이, 그 가능성을 대외적으로 언급하는 것은 절대금물)
   다. 쿠르드 반군측과의 직접 접촉에 따른 반군단체 지위 문제
3. 금후 조치할 사항
   가. 주요르단 대사관 직원의 시리아 파견(김균 참사관)
      o 시리아내 아국 협조자 통해 신변안전 확인하고 석방 절차 교섭
      o 현지 현대직원 동반 파견
      o 몸값 요구 가능성에 대비, 파견 직원이나 대사관은 전면에 나서지 않도록 유의
   나. 신변안전 확인 위한 무선 교신 시도
      o 주요르단 대사관 비상 통신기를 이용한 억류 근로자들과의 교신 시도
      o 김균 참사관 다마스커스 출장시 교신 주파수등 확인
   다. 방글라데시인 근로자에 대한 방글라데시측의 조치 확인 및 협조 강구
      o 주방글라데시 대사 및 인근국 방글라데시 대사관과 협조
   라. 미.영등 우방국과의 협의 및 협조
      o 반군과 서방과의 관계가 미지수인 싯점에서 미.영과 현단계에서는 협의 보류
   마. 이라크 정부와의 접촉
      o 반군이 이라크 통제 밖에 있으므로 바그다드 정부와의 접촉은 실질적 효과는 없음
      o 다만, 적절한때에 주한이라크 대사대리에게 동 사실을 통보하는것은 양국간 외교관계에 비추어 적절할 것으로 생각됨

0200

<table>
<tr><th colspan="6">정 리 보 존 문 서 목 록</th></tr>
<tr><td>기록물종류</td><td>일반공문서철</td><td>등록번호</td><td>2021010229</td><td>등록일자</td><td>2021-01-28</td></tr>
<tr><td>분류번호</td><td>721.1</td><td>국가코드</td><td>XF</td><td>보존기간</td><td>영구</td></tr>
<tr><td>명 칭</td><td colspan="5">걸프사태 : 일일보고, 1990-91. 전4권</td></tr>
<tr><td>생 산 과</td><td>북미1과/중동1과</td><td>생산년도</td><td>1990~1991</td><td>담당그룹</td><td></td></tr>
<tr><td>권 차 명</td><td colspan="5">V.4 일일보고 자료, 1991</td></tr>
<tr><td>내용목차</td><td colspan="5"></td></tr>
</table>

0001

295

資　　　料
(91.1.4 - 3.25)

0002

297

目　次

0003

110 %

0004

醫療支援團 派遣 弘報對策

1991. 1. 7.
中 近 東 課

1. 醫療 支援團 派遣의 當爲性

가. 우리는 冷戰이 終熄되고 새로운 國際秩序가 形成되는 過程에서 힘에 의한 支配가 容認 되어서는 안된다는 유엔 安保理 諸決議의 精神을 支持하는 立場이므로 多國籍軍의 活動을 支援하는 것은 이러한 基本 立場과 符合하는 것임.

나. 今番 걸프事態가 多國籍軍의 努力으로 解決되면 韓半島 有事時 國際社會의 共同介入을 통한 平和 回復을 期待할 수 있고, 韓半島에서 武力挑發 可能性을 事前 豫防하는 效果도 있음.

다. 사우디에 대한 醫療團의 支援은 間接的으로 美國에 대한 支援이 되므로 韓.美間 安保協力의 次元에서도 큰 意味가 있는 措置임. 이점은 美國도 充分히 理解하고 있음.

라. 醫療團 派遣은 또한 韓國戰爭中 美國을 包含한 유엔軍의 參戰에 대한 道義的 考慮에서도 必要한 것임.

마. 한편 우리의 經濟的, 政治的 利害가 크게 걸려있는 사우디를 包含한 中東國家에 대해서도 自身들이 危機에 있을때 가장 必要로 하는 分野에서 도움을 줌으로써 앞으로 이들 國家와 좋은 關係를 維持, 發展시켜 나가는데 큰 도움이 될 것임.

바. 我國은 伸張된 國力에 副應하여 國際平和 維持 努力에 參與해야 할것이며 그렇지 못할 경우 經濟的 利益만 追求한다는 國際的 非難을 받을 可能性도 考慮하여야 함.

사. 이러한 모든것을 考慮하면 派兵이라도 해야 하겠으나 우리의 安保與件上 多國籍軍을 도울 수 있는 效果的인 方案으로서 醫療團 派遣을 考慮하게 된 것임.

0005

1300

2. 弘報方向

가. 國會 및 言論에서 表示된 憂慮 또는 主張에 대한 對應

1) 越南戰때와 같이 非戰鬪 要員의 派兵이 결국은 兵力 派遣으로 連結될 可能性이 있다는 憂慮

- o 今番 派遣은 어디까지나 사우디를 包含한 多國籍軍에게 絶對的으로 不足한 醫療分野에 대한 支援을 위한 것으로 兵力 派遣과 連結시킬 아무런 理由가 없음
- o 또 아무에게서도 戰鬪兵 派遣을 要請받은 일이 없으며 따라서 檢討한 바도 없음.
- o 따라서 國會 同意도 醫療 支援團 派遣만으로 局限해서 要請하는 것임.
- o 걸프地域 戰鬪 兵力 派遣은 越南 派兵때와 같은 經濟的 理由가 없음.

2) 醫療 支援團 構成上 醫療要員外 警戒要員等 支援要員의 包含은 결국 兵力 派遣과 같은것이 아닌가라는 主張

- o 醫療部隊라 하더라도 通常 步哨, 炊事兵, 行政兵等 基本的인 支援要員은 언제나 包含되는 것임
- o 다만 今番에는 行政要員은 可及的 줄이고 醫療要員을 最大限 包含시킨다는 것이 兩國 政府의 諒解事項임.

3) "先發隊" 派遣은 결국은 國會 同意를 回避하는 便法이라는 主張

- o 지난번 1次 協商團이 사우디側과의 一次的인 協議를 위하여 사우디를 訪問 하였으나 實際 派遣을 위해서는 軍關係者들의 事前 踏査가 必須的임. 事前 調査團을 小數 派遣하는 것을 先發隊라고 指稱함은 옳지 않음.
- o 先發隊가 이닌 事前調査團은 軍人의 海外出張에 該當하는 것임

4) 我國의 國益 보다는 美國의 壓力에 의한 派遣이라는 主張

- o (前述한 派遣의 當爲性에 準하여 說明)

0006

나. 形式上 사우디에 대한 支援이므로 對美 協力의 뜻이 퇴색할 可能性에 대한 對應

ㅇ 이점은 일단 美側에서 諒解하고 있으며 오히려 사우디側과의 直接 接觸을 我側에 勸誘할 程度였으므로 큰 問題는 없겠음.

ㅇ 我側이 對美 協力의 側面만을 너무 强調하면 사우디나 其他 아랍 國家들이 오히려 섭섭하게 생각할 可能性에 대해 신경을 써야할 것임.

0007

보 도 자 료

1991. 1. 7.
중 동 아 국

걸프지역 교민 안전 및 보호 대책

1. 정부는 걸프만 지역에서의 전쟁 발발 가능성에 대비 우선 이라크 잔류교민 116명(쿠웨이트 교민 9명 포함)에 대해 1.15. 이전 제3국 철수를 지시했다. 이락과 쿠웨이트는 지난 8.2. 걸프사테가 발생한 당시 모두 1,300여명의 교민이 있었으나 그동안 1,200여명은 정부의 권유로 이미 철수하였는바 현재 남아있는 인원은 대부분이 소속 아국 업체의 필요에 의해 잔류시켜온 필수요원 이었다. 외무부는 현지 대사관을 통한 철수지시 하달과 함께 최근 4개 진출업체 서울 본사의 간부를 불러 잔류인원을 조속 철수시키도록 협조를 요청한 바 있다.

2. 한편 주이라크 아국 대사관에 대해서는 바그다드 주재 우방국 대사관의 동향과 현지 정세판단에 따라 철수 여부를 본국에 건의토록 조치 하였다.

3. 또한 정부는 전쟁 피해 위험이 있는 사우디, 바레인, 요르단, 카타르, UAE 주재 아국 공관에도 훈령을 내려 이곳에 체류중인 아국인 6,000여명에 대해서도 자진 철수를 권유하고, 이들의 안전 대책을 강구토록 지시 하였으며, 전쟁이 발발할 경우에 이들을 긴급 대피시킬 비상 철수 방안도 검토중에 있다.

4. 사우디아라비아, 바레인, 카타르, UAE, 오만, 예멘 주재 아국 공관장들은 1.6. 사우디 아라비아 리야드에서 걸프지역 특별 공관장 회의를 갖고, 걸프사테 정세 전망 및 교민 안전 및 보호 대책을 협의하였다.

0008

303-1

보 도 자 료

외 무 부

1991. 1. 8.

영 사 교 민 국
(해외여행안전대책반)

제 목 : 걸프지역 여행자제 권고

1. 90.8.2. 이라크의 쿠웨이트 침공, 병합으로 야기된 페르시아만 사태는 그간의 평화적 해결 노력에도 불구하고 해결의 기미를 보이지 않고 있으며, 91.1.15. 철수 시한을 앞두고 매우 긴박한 정세가 전개되고 있습니다.
이러한 긴박하고 예측불허의 상황하에서는 당분간 우리 국민들의 걸프지역 여행자제가 요망되고 있습니다.

2. 여행자제 권고지역은 이라크, 쿠웨이트를 비롯하여 인접국인 사우디, 요르단, 이스라엘, 레바논, 바레인, 카타르, 아랍에미리트, 시리아, 오만 등 걸프지역 입니다.

3. 국민들은 동 지역 여행을 자제하고, 꼭 여행하여야 할 경우에는 도착 즉시 아국 관할공관에 신고한 후 출발시까지 공관과의 긴밀한 연락을 유지하여 주시기 바랍니다. 끝.

0003

304

페灣 非常對策本部

1991. 1.10.
中 近 東 課

題 目 : 제네바 會談 決裂과 걸프事態 展望

o 美.이락 外務長官間의 1.9. 제네바 會談은 6時間 半에 걸쳐 열리는 중에 各其 本國과의 協議를 위해 두차례나 休會를 함으로써 어느정도 進展이 있을 것으로 期待 되었으나, 結果的으로는 決裂된 것으로 判明 되었는바,

o 會談後 兩國 外務長官의 記者會見과 關聯 各國의 反應을 綜合하여 볼때 今後 展望은 아래와 같습니다.

1. 平和的 解決 可能性

가. 베이커 長官은 記者 會見에서 兩國間의 再協商 可能性이 없음을 示唆하고 부쉬 大統領도 이점을 確認 하였으나 平和的 解決에 대한 期待를 完全히 抛棄하지는 않았다고 함으로써 關聯諸國의 平和 努力에 期待를 表示하였음.

나. 西方의 仲裁 努力으로 가장 눈에 띄는것은 미테랑 佛蘭西 大統領의 노력인바, 佛蘭西는 일단 美國의 立場과 努力을 支持하는 EC 諸國과 同一한 步調를 취하면서도 中東問題의 包括的 解決을 위한 國際會議에 대해 同情的인 立場을 示唆하면서 中東平和會議를 積極 推進해온 알제리등 今番 事態에 비교적 中立的인 아랍國家들과 함께 積極的인 仲裁 意思를 表明하고 나서고 있음. 實際로 제네바 會談이 決裂된 直後 미테랑 大統領은 記者會見에서 이러한 仲裁 立場을 分明히 하고 會見 直前 부쉬 大統領과도 通話 했다고 밝힘으로써 美國도 佛蘭西의 仲裁를 諒解 했음을 示唆함. 다만 미테랑 大統領은 이락이 1.15.전 撤軍하지 않으면 佛蘭西도 대이락 武力行使에 參與하게 될 것이라고 함으로써 이락의 伸縮性 있는 協商 姿勢를 公開的으로 促求한 것으로 볼수 있겠음.

0010

다. 佛蘭西 以外에 蘇聯도 바그다드에 特使를 派遣 고르바쵸프의 親書를 전하겠다고 하였으며 外信의 報道 傾向을 綜合 判斷하면 이에 대해 큰 期待를 거는 것 같지는 않음.

라. 한편 케야르 유엔 事務總長도 今明間 바그다드를 訪問할 것이라고 하는바 會談 決裂後 부쉬 大統領이 發表한 것으로 보아 수일전 부쉬가 케야르를 休養地에 招待했던 事實로 보아 이것은 美側의 이니시어티브에 의한것이 分明하며 따라서 이락이 이에 呼應하리라고 期待하기는 어렵다고 보겠음. 美國이 이것을 알면서도 推進하는 것은 開戰이 不可避할때 美國으로서 最大限의 外交努力을 傾注했다는 것을 對內外에 誇示하기 위한 것으로 봄.

2. 戰爭 勃發 可能性

가. 따라서 現在 마지막 期待는 결국 佛蘭西와 中道 아랍國을 代表하는 알제리의 共同 努力인바 이것도 일단은 1.15. 까지의 時限的인 努力으로 보아야 하며, 그렇기 때문에 美國이 이를 諒解한 것으로 추측됨.

나. 미국은 제네바 會談 決裂 直後 징발권에 관한 명령을 내림으로써(내용은 확실치 않음) 開戰이 한발짝 다가왔다는 印象을 강하게 주었으나 이는 실제로 戰爭 遂行을 위한 準備와 同時에 이락에 대한 美國의 決意를 재과시 하고 미테랑등의 仲裁 努力을 支援코자 하는 의도도 있는 것으로 보임.

다. 일단, 會談 決裂로 戰爭 可能性은 높아졌다고도 볼수 있으나 불란서가 아랍권에 歷史的으로 오랜 緣故를 가지고 있고 그중에서도 특히 깊은 관계를 가지고 있는 알제리가 마침 今番 事態에 中道的 立場을 취함으로써 仲裁에 유리한 위치에 있어 兩國이 共同으로 努力한다면 어느정도 성과가 있을 수 있겠다는 期待를 가질수도 있겠음. 끝.

0011

3

1991 . 1 . 12.
國際機構條約局
國際法規課(2)

題 目 : 페르시아灣 事態 關聯 法的 檢討

페르시아灣 事態가 武力衝突로 飛火되고, 我國이 軍醫療團의 派遣 等으로 介入하게 되는 경우, 關聯 法的 事項을 아래와 같이 檢討, 報告드립니다.

I. 美國 等 多國籍軍이 武力을 使用할 경우 同 武力使用의 法的 性格

1. 武力使用의 根據

o 侵略行爲 擊退와 平和回復을 위하여 國際社會가 모든 必要한 手段을 講究할 것을 許容한 유엔安保理 決議에 根據함.

2. 武力使用의 法的 性格

가. 侵略行爲에 대한 유엔 次元의 共同對應措置로서 傳統 國際法上 國家間의 戰爭과 다름.

나. 유엔軍에 의한 制裁가 아니라는 點에서 完全한 意味의 國際警察 行爲는 아님.

0012

3. 戰爭法의 適用 範圍

가. 傳統國際法上 戰爭이 아니므로 國家別 宣戰布告, 外交關係 斷絶 等 戰爭關聯 國際法 規範은 原則的으로 適用되지 아니함.

나. 戰鬪行爲의 方法, 人道主義 等에 관한 法規는 適用됨.

Ⅱ. 我國과의 關係

1. 軍醫療團 等 參與手段의 法的 性格

ㅇ 유엔 主導下 侵略對應行爲에 한 構成員으로서의 參與하는 것임.

2. 韓·이라크 兩國關係

가. 韓·이라크 兩國間 武力衝突은 아님.

나. 兩國이 戰爭狀態에 놓이는 것은 아니며 外交關係도 直接 影響을 받지 아니함.

다. 다만 이라크側이 我國의 參與를 理由로 我國과의 關係를 "戰爭狀態"로 規定할 可能性은 있음.

0013

308

3. 韓·이라크 兩國 法益의 具體的 地位

가. 兩國間 戰爭狀態가 아니므로 國民, 財產, 其他 法律 關係는 影響을 받지 아니함.

나. 權利 侵害行爲가 있을 경우 國家責任原理에 의하여 處理됨.

다. 다만 이라크側이 이를 戰爭狀態로 看做하는 경우, 戰爭法의 規律을 받을 可能性은 있음.(敵國民, 敵國財產 取扱)

別添: 페르시아灣 事態 關聯 法律事項 詳細 檢討

0014

별첨: 페르시아만 사태 관련 법률사항 상세 검토

I. 미국등 다국적군이 무력을 사용할 경우 그 법적성격은 무엇인가?

1. 무력사용의 근거

o 무력사용의 기초는 이라크의 쿠웨이트 "침략"행위에 대처, 이를 격퇴하고 평화를 회복하기 위하여 국제사회가 모든 필요한 수단(all necessary means)을 강구할 것을 허용한 유엔 안보리 결의임.

2. 무력사용의 법적성격

가. 무력사용은 유엔의 정신과 구도하에서 유엔헌장 제7장에 규정된 "평화에 대한 위협, 평화의 파괴 및 침략행위"에 대한 유엔차원의 또는 국제사회 공동의 대처행위로서 전통국제법상 국가간 전쟁의 개념과는 구별되어야 함.

나. 다만 유엔헌장 운영의 불완전성으로 인하여 유엔의 이름으로 무력사용을 행하지 못하고 국제사회 구성국가(군)에 이를 위임 하고 있다는 점에서 완전한 의미의 국제경찰행위로 보기는 어려움.

3. 전쟁법의 적용 범위

가. 무력사용의 상기한 법적성격으로 인하여, 일반적으로는 전쟁법 규범이 적용될 것이나, 부분적으로 그 적용이 배제된다는 점에 유의할 필요있음.

0015

나. 전투행위 방법, 인도주의 등에 관한 전쟁법규는 당연히 적용 되나, 외교관계의 단절, 국가단위의 개별적 선전포고 등 전통 국제법상 절차가 취하여질 필요는 없으며, 현실적으로도 각국이 이러한 조치를 취하지 아니할 것으로 판단됨.

Ⅱ. 아국과의 관계

o 군비지원, 군의료단 파견 또는 그 이상의 수단으로 아국이 구체적으로 무력사용에 개입하는 것과 관련된 국제법 문제

1. 군의료단 등 참여수단의 법적 성격

o 아국의 군비지원, 군의료단파견 등은 침략에 대한 유엔주도하의 국제사회 공동의 대처행위에 한 구성원으로서 참여하는 것임.

2. 한·이라크 양국관계

가. 아국이 구체적으로 무력사용(전쟁상태)에 참여하는 경우에도 상기한 바와 같이 국제사회 일원으로서의 공동보조행위일 뿐 국제법상 한국대 이라크양국간의 무력충돌로 해석되어지는 것은 아님.

나. 따라서 한·이라크 양국의 관계가 전쟁상태로 규율되는 것은 아님. 양국간 외교관계는 아국의 무력사용 참여로 단절되는 것은 아니며, 이는 별개의 사안임.

다. 단 이라크측이 다국적군 또는 그 구성국가의 무력사용을 어떻게 이해하는가 하는 것은 별개의 문제임. 동국은 이를 전쟁행위로 보고 외교관계단절, 전쟁법규의 무차별적 적용 등 조치를 취할 가능성은 있음.

0016

3. 한·이라크 양국 법익의 구체적 지위

가. 한·이라크 양국이 전쟁상태에 들어가는 것은 아니므로 법이론적으로는 양국의 국민·재산, 기타 법률관계가 영향을 받지는 아니함.

나. 아국의 국민·재산, 기타 법률관계가 무력사용의 결과 침해될 경우에는 국가책임의 원리에 의하여 처리되어져야 할 것임.

다. 다만 이라크측이 이러한 사태를 무력사용 참여국과의 전쟁상태로 간주하고 이에 따른 조치를 취할 가능성을 배제할 수 없는 바, 이 경우, 아국민과 재산을 적국인 및 적국재산으로 취급하게 될 것이며, 이에 대한 규율은 사후 강화조약에 의하게 될 것이나 사태의 성격상 이러한 방향으로 발전할 가능성은 크지 아니함.

0017

-312

페灣 非常對策本部

1991. 1. 12 .

제 목 : KAL 특별기 운항

1. 1.12. 제2차관보 주재 관련부처 회의는 KAL 전세기 한대를 아래와 같이 운항하기로 결정함.
   - ㅇ 목적은 의료지원단 파견 사전 조사단(26명) 수송 및 방독면 2,000개 운송과 귀로 걸프지역 6개공관(사우디, 요르단, 바레인, UAE, 카타르, 젯다) 가족 및 철수를 희망하는 교민 본국 수송
   - ㅇ 일정은 1.14. 서울출발 동일 리야드 및 암만 경유 1.15발 서울도착
   - ㅇ 전세기 취항 비용은 추후조치(전세기 34만불, 보험료 30-60 만불)

2. 상기 결정에 따라 해당공관에 다음과 같이 훈령함.
   - ㅇ 공관별 철수희망인원 파악 및 리야드, 암만에 집결(단 공관원 가족의 철수가 의무적은 아님을 확실히 함. 이점은 주병국 대사와의 통화 결과임)
   - ㅇ 교민의 경우 1인당 항공임 약 1,500불은 자담원칙으로 하되 부담능력 없는 경우 숫자가 많지않으면 공관장 건의시 정부 부담할 수 있음.
   - ㅇ 철수교민이 많으면 특별기 추가운항 가능

3. 관계부처 회의는 그밖에 다음사항 협의함.
   - ㅇ 의료지원단 파견
   - ㅇ 본부- 재외공관간 비상통신망 구성
   - ㅇ 주변해역의 아국선박 보호
   - ㅇ 대테러대책
   - ㅇ 부처별 대책반 운영 및 대책본부와의 협조
   - ㅇ 원유수급, 건설, 고역분야등 경제이익 보호

0018

꾀灣 非常對策 本部

1991. 1. 14.

題 目 : 醫療 支援團 派遣 關聯 主要 言論 報道 要旨 및 對應策

I. 支援團 派遣 反對 要旨

1. 美壓力 屈服 疑惑(請負 戰爭論)
2. 兵力 派遣 前段階(越南戰 再版論)
3. 先發隊 派遣 國會 同意 回避 便法
4. 南北 關係 進展 障碍物(東亞 論評)
5. 南北韓 軍事力 不均衡 招來 (東亞 論評)
6. 第3世界 外交的 孤立 (東亞 論評)
7. 아랍 民族主義 刺戟 憂慮 (韓國 論評)
8. 派遣 醫療陣 安全 問題 (朝鮮 論評)
9. 日本 自衛隊 派兵 빌미 利用 可能性 (韓國 論評)
10. 平民黨 反對3原則

0019

Ⅱ. 支援團 派遣 讚成 要旨

1. 責任있는 國際社會 一員으로서 當然한 決定 (東亞 社說)
2. 韓國 安保 有關論 (東亞 社說, 朝鮮 칼럼)
3. 前後 復舊事業 參與 名分 (東亞 論評)
4. 美國과 友好的 通商 雰圍氣 造成 (東亞 論評)
5. 中東은 우리 經濟의 生命線 (東亞 社說)

Ⅲ. 對應策

1. 醫療 支援團 派遣 當爲性 弘報
2. 最小 費用의 最大 効果 對處 方案임을 弘報
3. 韓半島 安保를 위한 外交的 對處 方案 弘報
4. 戰鬪要員 追加 派兵 計劃 없음을 弘報
5. 아랍 및 第3世界에 대한 派兵 趣旨 弘報

0020

318
315
315

I. 支援團 派遣 反對 要旨

1. 美壓力 屈服(請負 戰爭論)
   - 90.12月末 김종휘 外交 安保 補佐官의 워싱톤 訪問시 美側의 強力한 壓力에 따라 韓國 政府가 어쩔수 없이 醫療團 派遣을 받아들임.
   - 醫療支援團 派遣 決定은 韓·美 兩國間 祕密 協定 存在 疑懼心을 가지게 하며 現段階 韓國의 總體的 危機속에서 國益과 大義 名分에 아무런 所得이 없는 西歐 列強의 傭兵役을 自處하는 處事임.

2. 戰鬪 兵力 派遣 前段階(越南戰 再版論)
   - 今番 決定은 過去 美國의 要請을 받아들여 醫療團 및 跆拳道 師範 派遣을 始作으로 본격적인 戰鬪 兵力을 派遣하여 1萬여명의 我國 軍人 死傷者를 내었던 越南戰에의 參戰 패턴을 踏襲하게 될 憂慮가 있음.
   - 國會에의 派兵 同意案도 國民 輿論을 意識하여 越南戰 당시 처럼 國防部에서 提出하는 것이 아니라 外務部 單獨 또는 外務部와 國防部가 共同 提出하는 方式을 檢討中임.

3. 先發隊 派遣 國會 同意 回避 便法
   - 91.1.15. 50여명의 醫療陣을 國會 同意를 얻지 않은체 派遣할 計劃인 바, 政府側은 이를 醫療 支援團 派遣을 위한 調査團으로 主張함으로써 1.24 開催되는 臨時 國會時 野黨의 거센 論難이 있을 것으로 보임.

4. 南北 關係 進展 障碍物(東亞 論評)
   - 金大中 平民黨 總裁는 醫療陣 派遣은 北韓을 刺戟하여 南北對話 進展에의 障碍物로서 登場할 可能性이 있다고 主張함.

0021

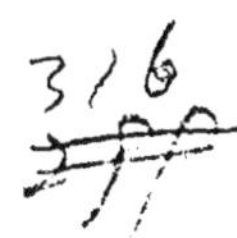

5. 南北韓 軍事力 不均衡 招來(東亞 論評)

- 戰爭이 勃發하여 戰鬪要員 派兵이 이루어지게 되면 이는 우리의 前線 防衛에 蹉跌을 주게 될 것이며 南北韓 軍事力에 不均衡을 招來하여 北韓이 움직일 可能性도 있음.

6. 第3世界 外交的 孤立(東亞 論評)

- 醫療 支援團 派兵은 北韓을 포함한 反美 第3世界 國家로부터 美帝國主義 傭兵이라는 따가운 눈총을 받아 過去 越南戰 派兵時 經驗과 마찬가지로 外交的으로 深刻하게 孤立될 可能性이 있음.

7. 아랍 民族主義 刺戟 憂慮(韓國 論評)

- 戰爭이 勃發하여 多國籍軍對 아랍 陣營의 對決 樣相으로 展開될 경우 我國의 派兵이 아랍 民族主義 勢力을 刺戟하여 原油의 長期的 安定 導入에 惡影響을 끼칠수 있음.

8. 派遣 醫療陣 安全 問題(朝鮮 論評)

- 現在 發表된 我國 醫療團의 駐屯地는 이라크軍이 駐屯하고 있는 쿠웨이트와 이라크 그리고 多國籍軍 駐屯地인 사우디 아라비아의 三角 地點이 交叉하는 곳인바 派遣 醫療陣의 安全에 대한 恪別한 對策이 樹立되어야 할 것임

9. 日本 自衛隊 派兵 빌미 利用 可能性(韓國 論評)

- 페灣에 韓國보다 훨씬 큰 利害를 가지고 있는 日本이 우리의 派兵을 自衛隊 派遣에 대한 國際的 非難을 잠제우는데 活用할 可能性도 排除할 수 없음.

10. 平民黨 反對3原則

- 첫째, 韓半島가 世界 唯一의 冷戰 地帶로서 自體 防衛에도 힘이 부칠지경이고
- 둘째, 우리의 經濟力에 派兵의 餘力이 없으며
- 셋째, 페灣이 우리에게는 너무나 먼 地域임

0022

Ⅱ. 支援團 派遣 贊成 要旨

1. 責任있는 國際 社會 一員으로서의 當然한 決定(東亞)
   - 美國이 主導하고 있다하더라도 유엔 安保理가 90.11.29 武力 使用을 決議, 多國籍軍 編成을 進行하고 있는 점도 과거 越南戰과는 質的으로 다르며 6.25때 支援에 대한 빚을 갚아야 할때임.(社說)
   - 그동안 國益 伸張을 위해 줄기차게 試圖하여 왔던 유엔 加入을 생각했을때 脫冷戰 時代에 새로운 役割을 遂行하고 있는 유엔의 決定에 同參하는 것은 우리의 國益에 合致된다고 보아야 할것임.(緊急 論壇)

2. 韓國 安保 有關論(東亞 社說 , 朝鮮 洪思重 칼럼)
   - 自國 利益에만 執着, 派遣을 피할때 駐韓 美軍 一部를 빼어 간다면 오히려 不均衡이 深化되고 우리의 防衛 負擔이 커질 憂慮 있음.
   - 대부분 國民이 美軍의 계속 駐屯을 바라고 있는데 美軍을 붙들기를 바라면서 醫療陣 派遣을 反對하는 것은 지나친 自國 中心的 思考 發想임.

3. 前後 復舊 事業 參與 名分(東亞 論評)
   페灣 戰爭이 勃發할 경우에도 短期的으로 끝날 可能性이 높으며 終戰될 境遇 前後 復舊 事業에 韓國이 參與할 名分을 높여줄 것임.

4. 美國과 友好的인 通商 雰圍氣 造成 寄與(東亞 論評)
   - 美國은 페灣 事態와 關聯하여 物的인 分擔 規模보다는 人的 同參에 더 比重을 두고 있다는 점에서 美國內 對韓 認識을 好轉시킬수 있는 契機가 될수 있음.

5. 中東은 우리 經濟의 생명줄(東亞 社說)
   - 中東은 美國 問題가 아닌 우리 자신의 생명줄로 페灣 事態가 몰고온 油價 波動으로 우리 經濟는 몸살을 앓고 있는바 우리로서는 中東의 平和와 安定에 寄與해야 함.

0023

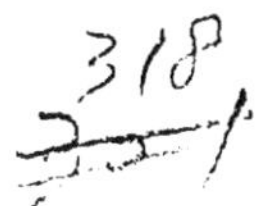

Ⅲ. 對應策

1. 醫療 支援團 派遣 當爲性 弘報

- 우리는 冷戰이 終熄되고 새로운 國際秩序가 形成되는 過程에서 힘에 의한 支配가 容認 되어서는 안된다는 유엔 安保理 諸決議의 精神을 支持하는 立場이므로 多國籍軍의 活動을 支援하는 것은 이러한 基本 立場과 符合하는 것임.
- 금번 걸프 事態가 多國籍軍의 努力으로 解決되면 韓半島 有事時 國際 社會의 共同介入을 통한 平和 回復을 期待할 수 있고, 韓半島에서 武力挑發 可能性을 事前 豫防하는 効果도 있음.
- 醫療團 派遣은 또한 韓國戰爭中 美國을 包含한 유엔軍의 參戰에 대한 道義的 考慮에서도 必要하며 今年中 유엔 加入을 目標로하고 있는 政府의 外交 政策과도 符合됨.
- 我國은 伸張된 國力에 副應하여 國際平和 維持 努力에 參與해야 할 것이며 그렇지 못할 경우 經濟的 利益만 追求한다는 國際的 非難을 받을 可能性도 考慮하여야 함.

2. 最少 費用의 最大 効果的 對處 方案임을 弘報

- 現在까지 우리는 多國籍軍 및 周邊 前線國家에 2억2천만불 支援을 發表하고 있는바 戰爭이 勃發될 경우에도 醫療 支援團 派遣으로 追加 支援 負擔 要請을 防止할 수 있으며 我國의 伸張된 國力에 相應하여 國際社會의 責任있는 一員임을 誇示해야 함.
- 戰爭 終了時에는 戰後 復舊 事業에 參與할 수 있는 名分을 높힘과 동시에 對美 通商外交上 美國의 我國에 대한 友好的 認識 轉換을 꾀할수 있으며 我國 醫療陣의 優秀性을 中東地域에 誇示하여 追後 人力 進出 契機를 마련할 수 있음.

0024

3. 韓半島 安保를 위한 外交的 對處 方案 弘報

- 美國의 금번 對이락 措置는 美國의 對外 安保 公約 遵守 意志 誇示와 함께 國際 平和 破壞를 挑發하는 行爲는 容認되지 않는다는 教訓을 남겨 對北韓 間接 抑制 効果를 가져옴.
- 蘇聯과 中國에 대해서도 北韓이 여하한 挑發 衝動도 갖지 못하도록 影響力 行使를 要請하고 韓・美 聯合 防衛態勢의 確固함을 傳達토록 함.
- 北韓의 誤判에 의한 韓半島 有事時 對北 制裁 決議案 即刻 通過를 위한 對유엔 事前 整地 外交的 側面이 있음.

4. 戰鬪 要員 追加 派兵 計劃 없음을 弘報

- 금번 派遣은 어디까지나 사우디를 包含한 多國籍軍에게 絶對的으로 不足한 醫療分野에 대한 支援을 위한 것으로 兵力 派遣과 連結시킬 아무런 理由가 없음.
- 또 아무에게서도 戰鬪兵 派遣을 要請받은 일이 없으며 따라서 檢討한 바도 없음.
- 따라서 國會 同意도 醫療 支援團 派遣만으로 局限해서 要請하는 것임.
- 걸프 地域 戰鬪 兵力 派遣은 越南 派兵때와 같은 經濟的 理由가 없음.

5. 아랍 및 第3世界에 대한 派兵 趣旨 弘報

- 我國의 醫療團 派兵은 國際 社會의 責任있는 一員으로서 人道的 趣旨에 立脚하여 我國 經濟에 致命的인 利害關係를 가지고 있는 中東 諸國의 平和와 安定 回復을 위하여 友邦 中東諸國이 필요로 하고 있는 醫療 分野에 한하여 支援코자하는 我國의 獨立的인 決定이며 我國은 中東問題가 어디까지나 自體 努力에 의해 平和的으로 解決 되기를 바란다는 立場 再確認

0025

공보관실
91.1.15
20:00현재

보도참고자료

1. 崔鳳凜대사를 비롯한 주 이라크 대사관원 4명, 정우개발 직원 1명, 한양건설 직원 7명과 KBS, 동아, 조선 특파원 5명등 총 17명이 서울시간으로 1.15(화) 17:45시 요르단 항공편으로 무사히 암만에 도착하였음.

2. 한편, 서울시간으로 1.15(화) 새벽 육로로 바그다드를 출발한 삼성건설 직원 15명은 빠르면 서울시간으로 1.15일 밤 또는 늦어도 1.16일 새벽까지는 요르단에 입국할 것으로 예상됨.

3. 현재 이라크에는 건설 노무지 23명, 공관원 1명과 MBC 특파원 4명등 총 28명의 한국인이 잔류하고 있음. 끝.

0026

321

유엔 안보리 철군 시한 경과후

외무부 대변인 성명

1991. 1. 16.

o 대한민국 정부는 유엔 안보리 결의가 설정한 철수 시한이 지났음에도 불구하고 이라크 정부가 쿠웨이트에 불법 주둔중인 이라크군을 아직 철수치 않고 있음을 유감스럽게 생각한다.

o 우리 정부는 이라크 정부가 지금이라도 전세계 평화 애호인의 염원에 부응하여 유엔 안보리 결의가 요구하고 있는 바와 같이 쿠웨이트로부터 즉각 철군할것을 거듭 촉구하는 바이다.

o 대한민국 정부는 이 기회를 빌어 페르시아만 지역에 파견된 다국적군의 헌신적인 평화 회복 노력에 경의를 표하고 이를 높이 평가하는 바이다.

끝.

0027

322

Statement by the Spokesman of
the Ministry of Foreign Affairs

January 16, 1991

- It is with deep regret that Iraq has refused to comply with the deadline set by the U.N. Security Council Resolution for the withdrawal of its troops illegally occupying Kuwait.

- The Government of the Republic of Korea once again urges the Iraqi government to respect the aspiration of all the peace-loving people of the world and immediately withdraw its troops from Kuwait as demanded by the U.N. Security Council Resolution.

- The Government of the Republic of Korea takes this opportunity to express its deep respect and high tribute to the multinational forces deployed to the Gulf region for their dedicated efforts and sacrifice to safeguard peace and security.

0028

페르시아만 전쟁 발발에 즈음한 정부 대변인 성명

1991. 1. 17.

평화적 해결을 희구해온 전 세계인의 여망에도 불구하고 페르시아만에서 끝내 전쟁이 발발했습니다.

정부는 이라크가 쿠웨이트를 불법점령 함으로서 일어난 그간의 페르시아만 사태에 깊은 우려를 표하여 왔으며, 국제사회에서 불법적인 무력침략 행위가 결코 용납되어서는 안된다는 국제법과 국제정의에 입각하여 유엔 안보리의 대이라크제재 결의를 적극 지지하여 왔습니다.

그러나, 페르시아만 사태의 평화적 해결을 위해 유엔 안보리가 요구한 철군 시한을 이라크가 끝내 거부함으로서 사태가 전쟁으로 발발하게 된것을 개탄해 마지않습니다.

우리는 이와같은 반문명적 침략 행위를 유엔의 결의에 따라 응징하기 위해 나선 다국적군과 미국의 행동에 전폭적인 지지를 표합니다.

정부는 유엔의 평화유지 노력에 적극 참여하고 다국적군에 대한 군비지원 및 관련 전선국가에 대한 경제원조를 제공하였으며, 또한 다국적군의 의료지원을 위해 사우디에 의료지원단을 파견할 예정입니다.

0029

324

정부는 이번전쟁의 파장이 한반도 안전과 국가이익에 미치는 영향을 감안, 비상한 경각심으로 이번사태에 대처하고 있습니다.

우리 국군은 어떠한 상황 아래에서도 국가의 안보를 굳건히 유지하기 위해 물샐틈없는 경계태세에 있음을 밝혀두는 바입니다.

여.야를 비롯한 각계 각층의 국민여러분은 정부가 마련한 비상대책에 적극 호응하여 기름 한방울, 전기 한등이라도 아끼는 근검절약을 통해 위기적 상황을 슬기롭게 극복하도록 함께 노력해 주실것을 당부하는 바입니다.

전쟁피해가 예상되는 지역에 거주하는 교민과 이지역을 여행하는 우리국민, 그리고 항해중인 선박은 현지공관의 지시를 받아 안전대책을 강구해 주시기 바랍니다.

정부는 이라크측이 동 지역의 평화와 안정이 조속히 회복되기를 바라는 국제사회의 염원을 존중하여 쿠웨이트로부터 즉각 철수할것을 다시한번 촉구하는 바입니다.

0030

325

325

外務部 걸프事態 非常對策 本部

題 目: 醫療 支援團 地位協定 1991. 1 . 24 .

1. 締結 經緯

ㅇ 90.12.29. 協商團 사우디 派遣 (外務部 中東阿局長 外 10名)

ㅇ 91.1.1. 사우디側, 協定案 提議

ㅇ 91.1.13. 我側 代案 提示

ㅇ 91.1.19. 協定文案 合意

ㅇ 91.1.22. 署 名 (주병국 大使, 칼리드 統合軍 司令官間)

2. 主要內容

가. 醫療團 指揮權 : 我國醫療團長이 行使하되, 사우디側의 戰略 指針을 尊重

나. 醫療團의 地位 : 外交公館의 行政 및 技術職員에게 附與하는 免除 享有

- 接受國의 刑事裁判管轄權으로부터 免除, 公.私用 物品, 裝備에 대한 免稅措置등

다. 請求權 : 公務遂行中의 人命 및 財産被害에 대한 請求權 相互 拋棄

라. 軍需支援 : 사우디側이 醫療團 活動에 必要한 用役 및 物資提供

마. 醫療團 撤收 : 사우디 要請에 따라 撤收. 但, 我國도 30日前 事前 通報後 撤收할 수 있는 權利 保有(但, 非常時는 事前 通報없이 撤收 可能)

바. 發效條項 : 國內節次 完了 相互通告時 發效. 但, 署名日로 부터 暫定 適用

3. 醫療支援團 派遣 現況

가. 事前 調査團 (26名) : 1.14 僑民撤收 特別機便 派遣

나. 本 隊 (134名) : 1.23 特別機 카라치 向發

(카라치 부터는 國軍 輸送機便 다란 向發)

다. 事前調査團 6名이 歸國하면 支援團 總員은 154名임.

0031

政府綜合廳舍 810號 電話 : 730-8283/5, 730-2941.6.7.9, (구내)2331/4, 2337/8 Fax : 730-8286

外務部 걸프事態 非常對策 本部

題 目: 多國籍軍 現況(1) 1991. 1 . 24

1. 參加國 : 28個國
   - 미국, 카나다, 호주 3개국
   - EC 포함 서구 10개국
   - 동구 3개국
   - 아랍 7개국
   - 아시아 2개국
   - 아프리카 2개국
   - 남미 1개국

2. 總兵力 : 796,450 名

3. 醫療團 派遣國 : 6個國
   - 韓國 154名
   - 덴마크 約 40名
   - 필리핀 270名 (民間醫療陣)
   - 싱가폴 50名 (上同)
   - 뉴질랜드 50名 (上同)
   - 헝가리 約 40名 (上同)

4. 其他 支援國 : 2個國
   - 폴란드 : 病院船 1
   - 오스트리아 : 野戰 앰블런스 1

0032

政府綜合廳舍 810號 電話 : 730-8283/5, 730-2941.6.7.9, (구내)2331/4, 2337/8 Fax : 730-8286

각국 다국적군 파견 현황

국 가	병 력 (명)	탱크 (대)	항공기(대)	함 정 (척)	의 료 단 파 견
사 우 디	총 : 61,700 육 : 38,000 공 : 16,500 해 : 7,200	550	180	8	
미 국	총 : 460,000 육 : 250,000 공 : 50,000 해 : 75,000 해병대 : 85,000	1,000 (1,000 추가 파견 예정)	1,000 (300 추가 파견 예정)	55	. 사우디 담만항에 병원선 2척 파견 (수용능력 1,000 병상) . 사우디 알바린에 종합 의료단 운영 (수용능력 : 350 병상, 의료단 : 전문의 35명)
이 집 트	총 : 14,000 (5,000 추가 파견 예정)	400			
영 국	총 : 34,000	170	72	16	. 의사 200명 및 400 병상 규모 야전병원 파견 . 무력충돌 대비 약 1,500명 확보중
프 랑 스	총 : 10,000	40	40	14	
아르헨티나	총 : 100			2	
호 주				3	. 2개 의료단 파견 검토중
바 레 인	총 : 33,500 육 : 23,000 해 : 600 공 : 450				
벨 기 에				3	

0033

328

국 가	병 력 (명)	탱크 (대)	항공기(대)	함 정 (척)	의 료 단 파 견
방글라데쉬	총 : 2,000 (3,000 추가 파견 예정)				. 2개 중대 300명(장교 16명, 사병 84명)
불가리아	300 파견 예정				
캐 나 다	450 파견 예정		18	3	
체 코	200 파견 예정				
덴 마 크					. 병원선 취소 대신 30-40명 군의료진 영국군에 배치
그 리 스				1	
헝 가 리					. 30-40정도 자원 민간의료진 영국군 소속
이 태 리			8	6	
모 로 코	총 : 1,700				
네덜란드	공군, 터키에 55명			3	
니 제 르	총 : 500				
노르웨이				(경비정) 1	
오 만	총 : 25,500		63		
파키스탄	총 : 2,000 (3,000 추가파견 예정)				. 1개중대 100명
세 네 갈	총 : 500				
소 련				2	
스 페 인				3	

0034

국 가	병 력 (명)	탱크 (대)	항공기(대)	함 정 (척)	의 료 단 파 견
오스트리아					. 야전 앰블란스 1대 파견
시 리 아	총 : 5,000 (10,000 추가파견 예정)	300 파견 예정			
터 키	총 : 100,000 (국경선 배치)	80	74 (미군 배치 54대 포함) + 42 (나토 파견)	2	
U. A. E.	총 : 43,000	200	80	15	
포르투갈				1	
필 리 핀					. 민간의료 지원단 270명 파견
폴 란 드					. 병원선 1척 파견 검토중
뉴질랜드					. 민간 의료진 50 바레인 주둔 미 해군병원 근무
싱 가 폴					. 30명 의료 지원단 영국군 병원 근무
계	796,450	2,440	1,461	138	

329

0035

330

外務部 걸프事態 非常對策 本部

題 目: 中東地域 僑民安全 및 撤收 對策 1991. 1 . 24 .

1. 大使館 別로 樹立한 僑民 安全對策 方案은 다음과 같음
   - 外出自制 및 非常 連絡網 構成등
   - 有事時 大使館 또는 官邸 現場 캠프로 集結 場所 指定
   - 非常食糧 및 非常待避 裝備(毛布等)確保
   - 第 3國 待避위한 出入國 手續 事前講究
     (出國許可, 待避國 入國비자 獲得等)
   - 陸路 및 船舶便 隣接國 安全待避 方案 講究
   - 本國과의 非常通信網 構成
   - 化學戰 對備 防毒面 至急
   - 危險地域 勤勞者에 대한 業體別 戰爭 保險 加入勸諭
     (公館員에 대해서는 旣措置)
2. 歸國後 事後對策
   - 無依托 僑民에 대한 臨時 居處 및 救護對策 講究(保社部)

0036

政府綜合廳舍 810號 電話 : 730-8283/5, 730-2941. 6. 7. 9, (구내)2331/4, 2337/8 Fax : 730-8286

331

331

外務部 걸프事態 非常對策 本部

題 目: 僑民撤收 KAL 特別機 運航

1991. 1 . 24 .

1. 槪 要

○ 1.14. 이라크, 요르단, 사우디, 바레인 僑民 撤收를 위해 1차로 KAL 特別機를 投入, 301名의 僑民 本國 撤收

○ 空港 閉鎖로 인해 正常的 撤收가 不可能한 사우디 滯留僑民 約 400名의 安全 撤收를 위해 1.24. 2차로 KAL 特別機(B-747) 追加 投入 豫定

2. 特別機 追加 運航 計劃

○ 日 程

- 1.24. 22:30 서울 出發, 1.25. 젯다 經由, 1.26. 09:10 서울 到着 豫定

○ 航 空 料

- 保險料를 包含한 1인당 航空料는 2,700불 정도로 너무 過多 하므로,
- 保險料分 43만불은 政府가 負擔하고, 塔乘者는 通常 航空料인 1,180불만 負擔
- 航空料 支拂 能力이 없다고 現地 公館長이 判斷하는 僑民에 대해서는 政府가 負擔

3. 向後 計劃

○ 政府는 앞으로도 事態 推移 및 撤收 希望 僑民數를 隨時 點檢, 必要 하다고 判斷되는 경우 特別機 投入 豫定

0037

政府綜合廳舍 810號 電話 : 730-8283/5, 730-2941. 6. 7. 9. (구내)2331/4, 2337/8 Fax : 730-8286

332

外務部 걸프事態 非常對策 本部

題 目: 第 2次 僑民撤收 特別機 運航計劃　　1991. 1. 24.

1. 運航日程
   - 91. 1. 24. 22:30 서울 出發
   - 91. 1. 25. 09:50 젯다 到着
     11:50 젯다 出發
   - 91. 1. 26. 09:10 서울 到着
2. 特別機 機種 : B-747(受容人員400名)
3. 搭乘希望人員 : 約 400名 (사우디 王國 리야드 300名, 젯다 100名 豫想)
4. 航空料
   - 1人當 航空料는 1,180美弗(젯다/서울)로 搭乘者 負擔原則이며, 航空料 支拂能力이 없다고 現地 公館長이 判斷하는 者에 대해서는 政府負擔
   - 戰爭地域 運航 航空機에 대한 保險料 約 43萬美弗은 政府가 負擔함
   - 保險料를 包含하여 1人當 航空料를 算定하면 2,700美弗 程度가됨
5. 離.着陸 許可
   駐사우디 大使館의 努力으로 民航機에 대해 거의 閉鎖狀態에 있는 젯다 空港의 離.着陸 許可를 1.23 得함
6. 軍 醫療支援團 輸送 特別機 活用 僑民撤收問題 檢討
   - 前項 特別機 追加運航計劃과 別途로 國防部 醫療支援團 運送을 위해 1.23 서울-카라치를 運航하는 KAL 特別機를 連繫 活用, 카라치-젯다-서울 運航 僑民撤收計劃도 講究中임
7. 지난 1.14 KAL 特別機(1次)를 投入, 同 地域 滯留僑民中 301名을 撤收시킨 바 있음을 參考로 報告드림

0038

政府綜合廳舍 810號　電話 : 730-8283/5, 730-2941.6.7.9, (구내)2331/4, 2337/8　Fax : 730-8286

333

外務部 걸프事態 非常對策 本部

題 目: 이라크 殘留 現代建設 勤勞者 22명 撤收 問題 1991. 1 .24

1. 政府는 駐이락 大使館의 大使 以下 公館員 全員이 1.14. 바그다드를 出發하게 되면 殘留 我國人 出國에 대한 협조가 더이상 不可能함을 진출 4개 業體에 通報하고, 공관원 撤收 以前 殘留 人員을 全員 撤收시켜 줄것을 要請 하였음.

2. 이에따라, 삼성, 한양, 정우는 殘留人員을 全員 撤收시켰음. 現代는 현장 사정등을 감안하여 5개 현장 직원 22명을 陸路로 이란 國境을 통해 撤收시킬 것을 1.16. 19:00 이락 駐在 現代 본부장에게 지시하였으나, 그후 通信이 杜絶 되었음.

3. 現代 本社측에 의하면 직원 22명중 16명은 이라크 政府의 出國 비자를 所持하고 키르쿡 現場 6명은 發注處의 出國 同意書를 待機하고 있었다 하며, 殘留人員 22명중 現地 女人과 結婚한 직원 2명은 철수를 원하지 않는다고 함.

4. 駐이란 大使館은 職員 2명을 現代 重役 1명과 함께 1.19. 이라크 國境에 派遣하여 現代 勤勞者의 國境 通過를 기다렸으나 사흘만에 일단 테헤란으로 撤收시켰음.

5. 駐요르단 大使館은 現代支社와 協調하여 現代 勤勞者가 集結해 있을 것으로 推定되는 바그다드 東쪽 70km 지점의 바쿠바에 1.18. 以來 세차례나 現地人을 보냈음. 첫번째 멧센저는 도로가 크게 파손되어 바그다드에도 이르지 못하고 1.21. 암만으로 되돌아 왔으며, 두번째 멧센저는 아직 돌아오지 않았으나 큰 期待를 하기는 어려운 상태이므로 1.23. 세번째 멧센저를 보내게 된 것임.

6. 外務部는 ICRC에 대하여도 이들의 所在 把握을 依賴하였으며, 駐이란 大使館도 本國으로 一時 歸國하는 테헤란 駐在 이라크 大使館 職員과 테헤란에 임시 待避하였던 駐이라크 모리타니 大使에게 協調를 요청 하였으나 큰 期待는 하기 어려움.

參考 : 駐 이라크 大使館에는 現地 採用 我國人 雇傭員 1명(박상화)이 殘留 中인바, 同人은 現地人과 結婚 豫定이어 殘留를 希望하였으므로 公館을 지키도록 하였음.

0039

政府綜合廳舍 810號 電話 : 730-8283/5, 730-2941.6.7.9, (구내)2331/4, 2337/8 Fax : 730-8286

334

外務部 걸프事態 非常對策 本部

題 目: 쿠웨이트 殘留僑民 9명 問題 1991. 1 · 24

1. 殘留僑民 人的事項
   가. 오 호 : '하얀 슈퍼' 食品店 經營
   나. 조성목 : 建設裝備 下請業
   다. 최길웅 : 土産品店 經營
   라. 강재억(부인과 딸) : 食品店 및 膳物가게 運營
   마. 유재성 : 膳物가게 運營
   바. 신자철 : 膳物가게 運營
   사. 전선규 : 建設 下請業
2. 殘留 經緯
   o 지난 90.8.2. 걸프事態 勃發에 따라 쿠웨이트 滯留 僑民 605명에 대한 政府의 緊急 撤收 勸誘로 同 9명을 제외한 全員이 정부가 주선한 5회의 KAL 特別機 運航으로 本國 撤收 하였으나, 이들 9명은 上記 個人事業 運營을 위해 大使館의 강력한 勸誘에도 불구 계속 滯留를 希望, 現在 殘留中임.
3. 最近 近況
   o 걸프事態 以後 이들 殘留僑民 9명중 2명이 公館 및 官邸 建物에 居住, 同 建物을 管理하고 있다 함.
   o 90.12.21. 이들중 3명이 쿠웨이트 國境을 通過, 이라크 바그다드에 와서 1泊 滯留後 쿠웨이트로 다시 復歸 함. (歸國中에 있는 韓人會長 提報)
4. 向後 對策
   o 國際 赤十字社를 통해, 이들의 所在 및 安全 與否 確認 要請

0040

政府綜合廳舍 810號 電話 : 730-8283/5, 730-2941. 6. 7. 9, (구내)2331/4, 2337/8 Fax : 730-8286

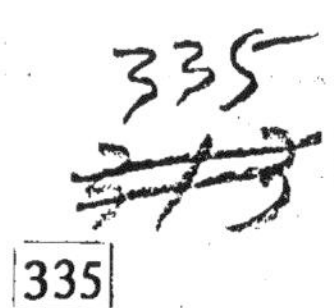

外務部 걸프事態 非常對策 本部

題 目: 我國 特派員 取材 現況 1991. 1 · 24

1. 派遣 現況

   o KBS 5 名

   o MBC 4 名

   o 서울 2 名

   o 韓國 2 名

   o 國民 2 名

   o 京鄕, 中央, 東亞, 聯合, 造船 各 1名

   o 計 20名

2. 國別 取材 現況

   o 요르단 6名(KBS 2, MBC 4)

   o 이스라엘 14名

   o 計 20名

0041

政府綜合廳舍 810號 電話 : 730-8283/5, 730-2941.6.7.9, (구내)2331/4, 2337/8 Fax : 730-8286

336

336

外務部 걸프事態 非常對策 本部

題 目 : 걸프 隣近 海域 國籍船 運航 現況 1991. 1. 24.

o 1.23. 18:00 現在 걸프 隣近 海域에 運航되고 있는 國籍船은 油槽船 6척, 컨테이너船 2척, 自動車船 1척 등 總 9척임.

o 同 國籍船의 現 位置 등 細部 動向은 다음과 같음.

(油槽船 6척)

① 1척 : 目的港인 오만의 미나알파港 外港 정박중

② 1척 : 이란 카르그港 入港 豫定이었으나, 取消하고 오만 무스카트港 外港 정박중

③ 1척 : 오만만 運航中이며 豫定대로 1.24. 18:00 UAE 함리아港 入港 豫定

④ 1척 : 아라비아해 運航中이며 1.27.경 UAE 후자이라港 入港 豫定

⑤ 2척 : 인도 동쪽 벵골灣 運航中이며 오만 무스카트港 到着後 各各 目的地인 UAE 제벨알리港, 다스아일랜드港에 入港 與否 決定 豫定

(其他 3척)

⑦ 컨테이너船 1척 : 수에즈 運河를 通過, 화란을 目的地로 地中海 運航中

⑧ 컨테이너船 1척 : 부산을 目的地로 홍해 運航中

⑨ 自動車船 1척 : 歐洲諸國을 目的地로 地中海 運航中

0042

政府綜合廳舍 810號 電話 : 730-8283/5, 730-2941,6,7,9, (구내)2331/4, 2337/8 Fax : 730-8286.

外務部 걸프事態 非常對策 本部

題 目: 防毒面 支給　　　　1991. 1 . 24

1. 걸프地域 化學戰에 對備, 政府와 業體는 모두 4,552着의 防毒面과 其他 化學裝備를 支援하였음.

2. 이중 7個 公館員과 家族 232名 및 所屬業體가 없는 個人 就業者나 個人 事業者 2,000名에 대해서는 政府 豫算으로 支給하였으며 2,320着은 購入은 業體別로 하였으나 現地에서의 通關上 便宜를 위해서 外交행랑便 送付토록 政府가 協助를 提供하였음. 今 1.24. 僑民 撤收를 위한 大韓航空 2次 特別機便에 2,771着의 防毒面을 9個 業體의 委囑을 받아 追加 送付할 豫定 인바, 이것이 到着되면 戰爭 危險地域에 모두 7,323着의 化學裝備가 支給되는 것임.

3. 政府가 보낸 裝備中 바레인과 UAE에 있는 個人 就業者用 裝備 378着은 駐사우디 大使館으로 送付 하였으나, 이地域 空港이 모두 閉鎖되어 現在 陸路 輸送 方法을 講究하고 있음. (現在는 國境도 統制)

0043

政府綜合廳舍 810號　電話 : 730-8283/5, 730-2941.6.7.9, (구내)2331/4, 2337/8　Fax : 730-8286

338

外務部 걸프事態 非常對策 本部

1991. 1. 27.
中 近 東 課

題 目 : 사우디 就業 我國 醫療要員 出國 問題

걸프戰爭勃發에 따른 사우디就業 我國醫療要員들의 出國問題와 關聯, 1.24 對策本部에 대한 MBC측 提報內容 및 關聯事項을 다음과 같이 報告드립니다.

1. MBC측 提報內容

o 사우디就業 我國醫療要員中 東北部滯留 看護士들이 歸國을 希望함에도 불구, 사우디 當局의不許 및 駐사우디我國公館의 無誠意로 歸國이 不可하다는 MBC 視聽者의 陳情이 있었음.

2. 現 況

o 사우디 現地病院에 就業하고있는 我國醫療要員들은 看護士, 醫師, 醫療技士등 總 325名이며, 地域別로는 東北部(호프프, 카심) 99名, 中部(리야드) 130名, 西部(젯다, 카미스)96名임.

3. 措置 事項

o 1.24 駐사우디大使에게 上記提報內容 通報하고 事實일境遇, 사우디當局과 交涉 我國醫療要員 出國에 協助 토록 指示

o 同日 駐사우디大使館이, 사우디保健省 接觸, 同人들의 出國問題關聯 協助要請한데 대해 사우디측은 自國內 醫療要員 80%이상이 外國人이므로 契約滿了者라도 出國制限이 不得已한 措置라고 일단 答辯한바 있음.

0044

政府綜合廳舍 810號 電話 : 730-8283/5, 730-2941, 6, 7, 9, (구내)2331/4, 2337/8 Fax : 730-8286

- 1.25 사우디 東北部地域 알 카심 所在 '킹파드' 病院에 勤務하는 我國人 看護長(노성순)은 大使館 要請에 의해 病院側과 協議, 契約 滿了者가 出國을 希望하면 病院측은 出國을 許容 하겠다는 約束을 받았다 함. 다만 지금까지 出國을 希望한 我國 看護士는 없었다고 함.
- 駐 사우디 大使館은 契約 滿了者는 물론이고 契約 滿了以前이라도 中途 歸國 을 希望하는 我國 醫療人이있으면 出國을 위해 사우디 關係當局과 協議 하겠다는 報告가 있었음.
- 參考로 리야드地域 '센트럴'病院就業 我國 醫療要員(契約滿了者) 11名은 病院長裁量아래 歸國이 許容되어 이중 4名이 1.26 特別機에 歸國한바 있음.

0045

340

外務部 걸프事態 非常對策 本部

1991. 1.28.
中近東課

題 目 : '걸프事態', '걸프戰爭' 用語使用에 대한 駐韓 이란 大使館의 是正要請

駐韓 이란 大使館은 政府의 '걸프事態', '걸프戰爭' 用語使用에 대해 當部에 是正을 要請하여 왔는바, 關聯 事項과 措置計劃을 아래와 같이 보고합니다.

1. 經 緯

o 1.19 當部는 종래 '페만사태', '페만전쟁'을 '걸프사태', '걸프전쟁'으로 指稱키로하고 各 部處 및 言論에 通報.

o 1.22 코리아 헤럴드는 用語變更에 대한 記事를 2면에 2단으로 揭載(별첨1)

o 동일 駐韓 이란 大使는 中東阿局長에 電話를 걸어 口頭抗議하고 是正要請

- 中東阿局長은 용어 변경은 國際慣例에 따른 中立的表現을 채택한 것으로서 대 이란 友好協力關係의 增進 이라는 정부의 입장과는 전혀 無關한 것임을 설명.

- 또한, 我國言論은 '페르시아만'이 아닌 '페만'표현을 쓰고 있는바, 우리말의 語感상으로도 좋지않은 것이 變更理由중의 하나임.

o 駐韓이란 大使館 , 1.27자 코리아 헤럴드 讀者 投稿欄에 寄稿文 揭載 (별첨2)

o 1.27 當部는 駐韓이란 大使館의 1.23자 구상서 접수 (별첨3)

참고 이란 정부, 1.23 이란주재 외국 특파원에 '페만'용어 사용촉구 및 '걸프'용어 사용시 대응조치 경고

0046

政府綜合廳舍 810號 電話 : 730-8283/5, 730-2941.6.7.9, (구내)2331/4, 2337/8 Fax : 730-8286

2. 이란側의 主張

- '페만'표현은 歷史的 根據가 있는것으로서 任意로 바꿀수 없으며 유엔 事務局도 이 표현을 수차 確認한바 있음.
- 韓國이 유엔 加入을 추진하고 있는만큼 關係當局은 유엔의 慣行을 존중하여 언론에 대한 지침을 訂正해 주기 바라며, 이는 韓.이 兩國間의 우호적이며 돈독한 政治.經濟關係에 利益이 될것임.

3. 我側의 對應 (建議)

가. 駐韓 이란 大使館에 대한 回信(구상서)은 수일내 발송

- '걸프사태', '걸프전쟁'의 용어 사용은 다수 국가의 通例를 따른것임.
- 또한 상기 용어 변경은 금번'事態'에 대한 指稱의 問題이며, '地名' 表記나 歷史的 根據에 대한 아국의 公式 立場과는 관련이 없음.
- 더구나 韓.이란 關係에 대한 정부의 입장과는 전혀 無關하며, 兩國의 旣存友好 協力關係를 강화해 나가겠다는 政府의 立場에는 변함이 없음.

나. 상기 回信 송부전에 (1.28. 15:30) 第1次官補가 駐韓 이란 大使를 招致하여 我國 立場을 사전에 說明

다. 주 유엔 대표부에 '페만'용어 사용 관련 유엔 事務局 및 관련 傘下機構(地名 標準化 委員會)의 공식 입장등 파악 보고 지시(1.27 기조치)

參考　今番 事態 呼稱 및 地名 表記

- 세계 언론 매체 및 미국등의 전황 브리핑에서 대부분'Gulf War', 'War in the Gulf' 등으로 지칭, 일본에서는 '만안'사용
- 역사적으로는'Persian Gulf'표현이 많이 사용되어 왔으며, 많은 지도에도 같은 표기가 발견되나, 일부 지도에는'the Gulf' 로 표기 (예:Philips Illustrated Atlas of the World)
- 아랍국에서는 'Arabian Gulf'로 지칭

0047

342

걸프戰 關聯 한국 정부의 追加 支援 決定

公式 發表

1991. 1. 30.

18:15

1. 政府는 지난해 8.2. 걸프 事態가 發生한 이래 武力에 의한 侵略은 容認될 수 없다는 國際 正義와 國際法 原則에 따라 유엔 安保 이사회 決議를 支持하고 이의 履行을 위한 國際的 努力을 支援하여 왔음. 이러한 立場에서 政府는 지난해 9.24. 多國籍軍 및 周邊國 經濟 支援을 위해 2億2千万弗의 支援을 發表한 바 있으며 또한 지난 1.24. 사우디에 軍 醫療 支援團을 派遣한 바 있음.

2. 그러나 유엔을 비롯한 全世界 平和 愛好國들의 努力에도 불구하고 지난 1.17. 걸프 戰爭이 勃發하여 中東 地域은 물론 全世界의 平和 및 安定에도 큰 威脅이 되고 있으며, 더우기 이번 戰爭이 예상보다 오래 계속될 조짐이 나타남에 따라 多國籍軍은 이에 따른 막대한 戰費와 財政 需要에 직면하게 되었음.

0048

3. 이에 따라 정부는 다음과 같은 추가 지원을 제공키로 결정하였음.

o 追加 支援 規模는 2億8千万弗로함.

- 이중 1億7千万弗 相當은 國防部 在庫 軍需物資 및 裝備 提供으로 하고 나머지 1億1千万弗은 現金 및 輸送 支援으로 합.

  * 具體的 執行 用途 및 內譯은 韓.美 兩國間 協議를 거쳐 決定

- 今番 追加 支援은 多國籍軍 특히 美國을 위한 것이며 周邊國 經濟 支援은 不包含.

- 我國의 總 支援 規模는 今番 追加 支援으로 昨年 約束額 2億2千万弗을 包含, 總 5億弗이됨.

o 上記 支援과는 別途로 국회의 동의를 받아 軍 輸送機(C-130) 5대를 派遣키로 원칙적으로 결정하였으며, 이를 위한 기술적인 사항은 아국 國防部와 駐韓 美軍間에 협의 예정임.

344

外務部 걸프事態 非常對策 本部

1991. 1.31.
中 近 東 課

題　目 : '걸프' 地名에 대한 유엔 用例 및 이란政府 動向

駐유엔 大使 報告에 의하면 "(Persian) Gulf" 地名關聯 유엔 次元의 公式 決定事項은 없으며, 한편 이란政府는 同國 駐在 外國 特派員들이 '걸프'라는 用語를 使用할 경우 依法 措置하겠다고 警告하는등 敏感한 反應을 보이고 있음을 報告 드립니다.

1. 유엔의 用例 (駐유엔 大使 報告)

- "(Persian) Gulf" 地名 關聯 "유엔 地名 標準化 委員會"의 公式 決定事項은 없음. (동 지명에 대한 유엔 차원의 國際的 合意 不在)
- 유엔 事務局 內部 文書인 文書作成 指針에는 "Persian Gulf"를 사용하도록 되어 있으나 실제로는 便宜上 "Gulf"라고 表記하는 例가 종종 있음.
- 또한 會員國 提出 文書등 유엔에 접수된 外部文書에 대해서는 어떻게 표기 되었든(예 : Arabian Gulf) 동 表記를 유엔 任意로 修正하지 말도록 상기 문서작성 지침에 明示

2. 이란 政府 動向 (駐이란 大使 報告)

- 1.22. 이란 文化.回教指導部(Ministry of Culture and Islamic Guidance)는 이란 주재 外國 特派員에게 향후 記事 送稿시 "Persian Gulf"를 사용토록 정식 요청하고 違反시 依法措置 하겠다고 警告
- 이란 주재 日本 大使館에 의하면, 이란측에 보낸 公翰에서 "Gulf"라는 용어를 사용했더니 外務部에서 正式 抗議한 事例도 있음. 끝.

0050

政府綜合廳舍 810號　電話 : 730-8283/5, 730-2941.6.7.9, (구내)2331/4, 2337/8　Fax : 730-8286

보 도 자 료

외 무 부

제 91 - 41 호　　문의전화 : 720－2408～10　　보도일시 : 91 . 2 . 2 . 10 : 00 시

제 목 : 第4次 걸프 事態 財政支援 供與國 調整委 會議 政府 代表團 派遣

o 政府는 90.2.5(火) 워싱턴에서 開催될 豫定인 第4次 걸프 事態 財政 支援 供與國 調整委 會議에 柳宗夏 外務 次官을 團長으로하고 經濟企劃院 外務部 및 財務部 關係官으로 構成된 代表團을 派遣키로 決定하였음.

o 同 會議는 지난 8月 걸프 事態 勃發 以後 對이라크 經濟制裁 措置와 또한 지난 1.17. 걸프 戰爭 勃發로 막심한 經濟的 被害를 입고 있는 소위 前線 國家들에 대한 經濟支援을 효율적으로 執行키 위한 會議로서 美, 日本, 獨逸, 프랑스, 이태리, 韓國, 사우디, 濠洲等 15個 國家가 參加하고 있음.

o 우리 代表團은 1.30. 發表된 總 2億8千万弗 相當의 多國籍軍에 대한 追加 支援 內容을 同 會議에서 發表하고, 우리나라가 現在의 經濟的 어려움에도 불구하고 UN 決議의 早速한 實現을 통해 中東地域 平和 回復을 위한 國際的 努力에 적극 同參하기 위해 追加 支援을 決定하였음을 強調하게 될 것이며 지난해 支援키로 發表한 周邊國 經濟支援額의 執行 結果 및 向後 計劃에 관해서도 밝힐 豫定임.

o 또한 同 代表團은 美 行政府內 主要人士들과의 面談을 통해 追加 支援額의 支援 方法을 協議할 豫定임.　　- 끝 -

0051

346

外務部 걸프事態 非常對策 本部

題 目: 주요국가의 이라크 및 쿠웨이트 잔류 자국민 철수 계획 1991. 2. 2.

1. 각국의 자국민 잔류 현황

가. 일 본

ㅇ 이 라 크 : 전원철수

ㅇ 쿠웨이트 : 6명

나. 불 란 서

ㅇ 이라크 및 쿠웨이트 : 10여명

다. 영 국

ㅇ 이라크 및 쿠웨이트 : 약50명

라. 독 일

ㅇ 이라크 : 소수의 이라크 국적 취득자 잔류

ㅇ 쿠웨이트 : 전원 철수

마. 이 태 리

ㅇ 이라크 및 쿠웨이트 : 극소수의 이중국적자 체류

바. 인 도

ㅇ 이 라 크 : 약800명

ㅇ 쿠웨이트 : 약8,000명

2. 자국민 철수계획

가. 일 본

ㅇ 쿠웨이트 잔류인원 6명은 공관철수 직전 파악된 숫자로 현재로서는 파악 불가하며, 이들에 대한 별도의 철수계획은 마련하고 있지 않음.

0052

政府綜合廳舍 810號 電話: 730-8283/5, 730-2941. 6. 7. 9. (구내)2331/4, 2337/8 Fax: 730-8286

나. 불 란 서

o 잔류 자국민은 주로 이중국적자 또는 현지인과 결혼한자들로서, 불정부의 철수 권유에도 불구 자신들의 선택에 의해 현지에 체류하고 있으며, 정부차원의 철수계획은 없음.

다. 영　　국

o 잔류 자국민은 자진해서 잔류를 희망하고 있으므로 특별한 철수 계획은 없으며, 그중 일부가 비록 철수할 의사가 있다하더라도 현 전쟁상황에서 정부가 취할수 있는 조치는 매우 제한적임.

라. 인　　도

o 특별한 철수계획은 세우지 않고 있으나, 현지 공관 차원에서 상황에 따라 교민보호대책에 만전을 기하도록 지시

3. 평　　가

o 조사 대상국가중 인도를 제외한 대부분의 주요국가는 이라크 및 쿠웨이트 잔류 자국민의 철수를 거의 완료한 상태이며, 다만 이중국적자 또는 현지인과의 결혼등 사유로 잔류를 희망하는 극소수의 인원만이 체류하고 있음.

o 상기 주요각국 정부는 철수 권유에도 불구 자의로 잔류를 희망하는 이들 자국민들에 대해 별도의 철수 계획은 갖고 있지 않으며, 일부 국가는 현지 공관 차원의 교민 보호 대책을 수립하고 있는 정도임.　끝.

0053

348

348

外務部 걸프事態 非常對策 本部

題 目: 일본의 걸프지역 체류 자국민 현황 및 철수 계획 1991. 2. 2.

1. 잔류현황

 o 사 우 디 : 49명

 o 요 르 단 : 전원철수

 o 바 레 인 : 9명

 o 카 타 르 : 29명

 o U. A. E. : 422명

 o 이스라엘 : 200여명

2. 철수계획

 o 현 잔류인원은 현지인과의 결혼, 종교관계 또는 사업상 목적등으로 일정부의 철수권유에도 불구 계속 잔류희망

 o 따라서, 일정부는 잔류인원에 대해 별도의 철수계획을 마련하고 있지 않으며, 단지 이들의 신변안전을 위해 공관과 비상연락망을 유지하고 있음.

3. 평가

 o 일본은 UAE 및 이스라엘을 제외한 대부분의 걸프 제국 체류 자국민에 대한 철수를 거의 완료한 상태임. 다만, 상기 이유로 자진해서 잔류를 희망하고 있는 자국민의 신변안전 조치로서 공관과 비상연락망을 유지하고 있는 정도임.

 o UAE와 이스라엘에 특히 잔류자가 많은 바, 이는 일정부가 UAE를 비교적 안전지대로 판단, 동국가 체류 자국민에 대해 철수를 권고하고 있지 않기 때문이며, 이스라엘의 경우 일정부의 수차에 걸친 철수 권유에도 불구 종교관계 내지 국제결혼등 이유로 강력히 잔류를 희망하고 있기 때문임. 끝

0054

政府綜合廳舍 810號 電話 : 730-8283/5, 730-2941. 6. 7. 9, (구내)2331/4, 2337/8 Fax : 730-8286

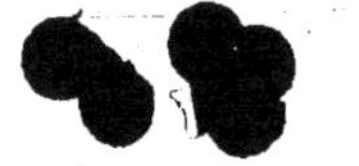

外務部 걸프事態 非常對策 本部

題 目: 걸프戰 參戰 多國籍軍(28個國)現況(2) 1991. 2 3

(駐佛大使報告, 追後 各公館報告 綜合豫定)

연번	국 명	병 력	기갑부대	공 군 기	함 정
1	미 국	430,000	전 차 1,000 장갑차 2,000	전투기 1,300 헬 기 1,500	55 (항모6척 포함)
2	영 국	35,000	전 차 170	전투기 72	16
3	불 란 서	15,200 (200명은 UAE 주둔)	전 차 40 장갑차 300	전투기 60 헬 기 120	14
4	사 우 디	118,000	전 차 550	전투기 180	8
5	시 리 아	19,800 (800명은 UAE 주둔)	전 차 300		
6	이 집 트	35,600 (600명은 UAE 주둔)	전차 및 장갑차 400		16
7	쿠웨이트	4,000			
8	U A E	40,000	전 차 200	전투기 80 헬 기 203	24
9	모 로 코	6,700 (5,000명은 UAE 주둔)			
10	바 레 인	3,300			
11	파키스탄	5,000			
12	방글라데쉬	2,500			
13	카 나 다	1,700		전투기 18	3
14	알 젠 틴	100			2

0055

政府綜合廳舍 810號 電話 : 730-8283/5, 730-2941. 6. 7. 9, (구내)2331/4, 2337/8 Fax : 730-8286

연번	국 명	병 력	기갑부대	공 군 기	함 정
15	체 코	200			
16	온두라스	150			
17	세 네 갈	500			
18	니 제	500			
19	이 태 리			전투기 8	6
20	화 란				3
21	스 페 인				3
22	벨 지 움				3
23	덴 마 크				1
24	폴 투 갈				1
25	그 리 스				1
26	호 주				3
27	소 련				2
28	폴 란 드				2
	총 계	718,250 (6,600명은 UAE 주둔)	전 차 2,460 장갑차 2,500	전투기 1,718 헬 기 1,823	163

0056

外務部 걸프事態 非常對策 本部

題 目: 朝鮮日報 現代建設 所屬 歸國 職員 사우디 復歸 報道 1991. 2 . 3 .

1. 報道 內容 (2.3)

o 現代建設은 戰爭 危險에도 불구 休暇나온 自社職員 23名에게 사우디, 리야드 工事 現場으로 復歸할 것을 從容함.

o 現代側은 이들을 2.5 出發 젯다행 4차 KAL特別機便에 搭乘시켜, 리야드 킹 파드 메디칼 센타 工事現場으로 復歸, 正常業務를 강행할 計劃임.

o 現代側은 이들 職員들의 身分을 食糧 및 구호품 傳達과 現地事態 수습을 위해 特別 派遣하는 本社職員으로 外務部에 보고, 外務部로 부터 特別機 搭乘 承認을 받은 것임.

o 이같은 現代側의 사우디로 부터 歸國한 自社職員의 復歸 計劃에 대해, 該當職員들은 크게 반발하고 있음.

2. 措置 事項

o 2.3. 09:00 中東阿局長이 KAL 최원표 營業擔當 常務와 接觸, 同 報道 사실을 確認한 結果, KAL側은 상기 內容을 전혀 모르며, 現代側으로부터 상기 職員들의 特別機 搭乘에 대한 要請을 받은 사실이 없다함.

o 現代側이 職員들의 特別機 搭乘을 위해 對策本部로 부터 事前承認을 받았다고 報道되었으나, 對策本部가 現代側으로부터 이같은 要請을 받은바 없으며, 同社로 부터 이같은 要請을 받을 경우, 꼭 必要한 경우 이외에는 이를 承認치 않을 計劃임.

o KAL側에도 進出 建設 業體들로 부터 自社 職員의 特別機 搭乘 依賴 要請이 있을시, 本部와 事前 協議토록 措置 하였으며, 本部는 建設業體들의 이같은 要請을 前項에 준 해서 처리할 方針임.

0057

政府綜合廳舍 810號 電話 : 730-8283/5, 730-2941.6.7.9, (구내)2331/4, 2337/8 Fax : 730-8286

352

外務部 걸프事態 非常對策 本部

題 目: 걸프事態關聯 政府對策 國內弘報 實積

1991. 2. 3.

I. 弘報 主眼點

1. 新世界秩序 形成期에 武力에 의한 侵攻이 容認되어서는 안된다는 政府의 確固한 의지 表明
2. 우리가 國際社會의 責任있는 一員으로서 國際的 平和努力에 同參하는 姿勢 浮刻
3. 多國籍軍 支援, 醫療 支援團 派遣, 軍輸送機 派遣은 우리의 國力에 비추어, 그리고 과거 北韓의 南侵時 美國을 비롯한 유엔軍의 도움으로 擊退되었으므로 우리가 美國과 유엔에 대해 道義的 負債를 지고 있음에 비추어 應分의 寄與를 하는 것임을 强調
4. 醫療 支援團 및 軍輸送機 派遣에도 不拘, 人命 被害 可能性을 最小化하고자 하는 政府의 努力 弘報
5. 韓.美間의 긴밀한 協力 維持의 必要性 强調
6. 政府의 積極的이며 多角的인 在外國民 保護 努力 浮刻

II. 弘報 實積

1. 醫療 支援團 派遣의 當爲性 說明
   - 民自黨 代表委員 및 平民黨 總裁 訪問 (1.4. 長官)
   - 時事저널 編輯局長 朝餐 (1.11. 長官)
   - 主要 言論社 巡訪
     - 東亞, 中央, 京鄕, 國民, 聯合, 每經, KH (1.14. 長官)
     - KBS, MBC, 世界 (1.15. 長官)
   - 外務部 政策諮問委員會 報告 (1.15. 長官)
   - 朝鮮日報 編輯局長, 政治部長 晩餐 (1.16. 長官)
   - 民自黨 黨務會議 報告 (1.18. 長官)
   - 國會 外務統一委 懇談會 報告 (1.18. 長官)
   - MBC TV 時事討論 出演 (1.18. 長官)

0058

政府綜合廳舍 810號 電話 : 730-8283/5, 730-2941. 6. 7. 9, (구내)2331/4, 2337/8 Fax : 730-8286

- 外務部 出入記者團 懇談會 (1.19. 長官)
- KBS TV 9時 뉴스 인터뷰 (1.24. 長官)
- 東亞日報 編輯局長, 政治部長 晩餐 (1.23. 長官)
- 코리아 타임즈 編輯局長 面談 (1.24. 長官)
- KBS TV 9時 뉴스 인터뷰 (1.10. 次官)

2. 僑民撤收 및 安全對策 弘報
   - 서울 新聞 編輯局長, 政治部長 午餐 (1.14. 長官)
   - 中央日報 編輯局長, 政治部長 晩餐 (1.21. 長官)
   - 한겨레 新聞 訪問 , 社長, 論說委員, 編輯局長, 政治部長 面談 (1.14. 長官)
   - 主要 言論社 政治部長 午餐 (1.23. 長官)
   - 朝鮮日報 인터뷰 (1.16. 對策本部長)
   - KBS 제1라디오 「라디오 東西南北」 (1.18. 對策本部長)
   - 中央日報 인터뷰 (1.20. 對策本部長)
   - MBC 라디오 「봉두완 全國 패트롤」 (1.20. 對策本部長)
   - 서울 經濟新聞 인터뷰 (1.23. 對策本部長)
   - KBS 國際放送 쿠웨이트 殘留僑民에 대한 멧시지 (1.19. 中東阿局長)
   - 國民日報 인터뷰 (1.23. 中東阿局長)
   - KBS 國際放送「波濤를 넘어서」 (1.26. 中東阿局長)
   - KBS TV 뉴스 인터뷰 (隨時, 中東阿局長)
   - MBC TV 뉴스 인터뷰 (隨時, 中東阿局長)
   - KBS 라디오 (1.18. 中東阿局 審議官)

3. 追加 支援 및 軍輸送機 派遣 背景 說明
   - 出入 記者團 會見 (1.30. 長官)
   - 東亞日報 論說委員 午餐 (1.30. 長官)
   - KBS 제1라디오 「안녕하십니까」 (2.4 長官)
   - 言論 名社 論說委員 및 政治部長에 대한 背景 說明 (1.30. 및 1.31. 次官, 第1次官補, 對策本部長)
   - 出入 記者團 간담회 (2.1. 次官)
   - 주한 외신기자단에 외무장관 발표문 FAX 송부(1.30. 발표직후, 제1차관보)
   - KBS TV 報道本部 24時 (1.30. 第1次官補)
   - 駐韓 外信 記者團 브리핑 (2.1. 第1次官補)
   - 朝鮮日報 칼럼 寄稿 (2.1. 윤하정 前 大使)

0059

354

外務部 걸프事態 非常對策 本部

題 目: 요르단 체류 일부 특파원 이라크 입국 비자 신청 1991. 2. 4

1. 현 황

o 91.2.3 현재 요르단에서 취재활동중인 9명의 아국 특파원중 KBS, 한국, 조선, 동아, 한겨레, 경향등 일부기자들이 이라크 입국을 위해 요르단 주재 이라크 대사관에 비자를 신청중임.

o 주요르단 대사관은 이들의 신변 안전을 고려, 이라크 입국 자제를 설득중이나, 비자가 나올경우 서방기자들과 함께 일부 아국기자들도 이라크에 입국, 취재하게될 가능성이 있음.

o 이라크 입국 취재는 종군기자적 성격상 서방기자들과 함께 위험을 무릅쓰고 끝까지 주장 할 경우 불가피할 것으로 보임.

o 참고로, 동아 및 조선일보 특파원이 시리아 입국을 희망한바 있으나, 미수교 관련문제 및 신변안전등을 감안한 주요르단 대사관의 권고로 시리아 입국을 철회한바 있음.

2. 조치사항

o 요르단에 특파원을 파견하고 있는 각 언론기관에 최근 다국적군의 이라크 공습 강화, 이라크측의 이에 대응한 화학전 및 테러 가능성등을 설명하고 신변안전을 고려, 자사 특파원들이 이라크 입국을 자제토록 강력히 권고할 예정임.

o 연이나, 이라크 입국 취재가 종군기자적 성격으로 입국을 강행 할 경우 이라크내 아국 공관이 철수된 상황에서 이들의 신변보호가 불가능하다는 점을 주요르단 대사관을 통해 이들에게 주지시킬 예정임.

0060

政府綜合廳舍 810號 電話 : 730-8283/5, 730-2941. 6. 7. 9, (구내)2331/4, 2337/8 Fax : 730-8286

外務部 걸프事態 非常對策 本部

題 目: 사우디 의료요원 실태 (해외개발공사 보고 요약)

1991. 2 7

1. 의료요원 현황 및 실태
   - o 총 326명 (중부 133, 동북부 97, 서부 96) 체류
   - o 위험지역인 중부 및 동.북부 간호원 방독면 지급 완료
2. 사우디 보건성의 출국 지침
   - o 계약 종료자의 경우, 항공편 확보자 출국 조치
   - o 휴가자에 대하여는 전쟁 부상자 치료 필요성에 대비, 출국 보류
3. 중부 및 동북부 의료요원 귀국(예정)자
   - o 의료요원 6명 (계약만료 3, 휴가 3) 귀국
   - o 계약 만료자 3명, 금명간 항공편 추가 귀국 예정
   - o 2-3월중 계약 만료자는 38명, 휴가자는 14명(이중 상당수 추가 귀국 예상)
4. 한겨레 신문 보도에 관한 해명
   - o "공관에서 의료요원들의 출국 만류"보도 내용
     - 노무관, 해개공 지사장 공히 출국 만류 사실 없으며,
     - 이들에게 계약기간 종료후 출국가능하다는 사우디 보건성의 답변내용 안내
   - o "병원측이 젯다행 차편 제공치 않아 귀국치 못하고 있다"는 보도내용
     - 관계병원인 알 카심 및 브레이다 중앙병원에 조회결과 사실 무근
     - 병원측, 국적불문 항공편 예약후 젯다까지 차량 제공 확인
5. 계약 만료자의 출국시 문제점
   - o 젯다 공항만이 개방된 현상태에서 출국자 쇄도로 좌석예약 어려움
   - o 사우디 항공 또는 KAL전세기 이용경우, 병원측의 항공임으로는 부족
6. 대 책
   - o 전시 상황에 따라 젯다-방콕 노선 재개가 예상되는바, 동 경우 병원측이 제공한 항공권 만으로도 귀국이 가능하게 될 것임
   - o 특별한 사유로 계약 만료전 귀국 희망경우, 공관 및 해개공은 사우디 보건성과 협의, 출국 가능토록 최대 노력 예정. 끝.

0061

政府綜合廳舍 810號 電話 : 730-8283/5, 730-2941.6.7.9, (구내)2331/4, 2337/8 Fax : 730-8286

356

外務部 걸프事態 非常對策 本部

1991. 2. 9.
中近東課

題 目 : 美國의 戰後 中東 安保 構想

戰後 中東地域 平和定着 5個項 課題

①걸프지역 安全保障 ②域內 軍縮 ③戰後復舊 및 復興 ④이스라엘, 아랍, 팔레스타인間 和解, 平和 達成 ⑤美國의 對中東 에너지 依存度 減縮

베이커 美國務長官의 2.6. 下院 外務委員會 92년도 國際關係 豫算聽聞會 證言 內容中 美國의 戰後 中東 安保 構想에 대한 言及 要旨를 아래와 같이 報告합니다.

1. 美國의 戰後 中東 安保 構想 內容

가. 걸프地域 安全 保障

- 目標와 原則 ①侵略沮止 ②領土 不可侵 ③紛爭의 平和的 解決
- 地域機構 및 國際社會의 役割
  ① 一次的으로 域內 國家와 GCC등 地域 機構의 主動的 役割
  ② UN 및 域外 國家들은 이러한 努力을 積極 支援
- 安保體制 構築까지의 軍事的 選擇
  ① 아랍 地上軍 配置 ② 유엔 平和 維持軍 派遣 ③ 域外國 地上軍 配置 (美國은 地上軍 維持 計劃 없음)

나. 걸프地域內 在來式 武器 및 大量 殺傷武器 擴散 防止

- 이라크의 大量 殺傷武器 生産 및 保有 能力 除去
- 域內 國家間 軍備 競爭 抑制
- 信賴 構築 措置

0062

政府綜合廳舍 810號 電話 : 730-8283/5, 730-2941.6.7.9, (구내)2331/4, 2337/8 Fax : 730-8286

35/

357

다. 戰後 復舊 및 復興

o 쿠웨이트, 이라크 戰後 復舊 支援

o 長期的으로 걸프地域內 自由貿易 및 投資 擴大 圖謀

o 經濟成長 促進을 위한 經濟 政策 樹立 支援 必要

o 域內 國家의 水資源 開發에 力點

라. 이스라엘, 아랍, 팔레스타인間의 진정한 和解, 平和 達成

o 이스라엘과 팔레스타인 民族間의 對話는 中東地域 平和 定着 과정의 必須的 部分

마. 美國의 對中東 에너지 依存度 減縮

o 에너지 保存, 에너지 保有量 增大, 대체 에너지 開發等

2. 分析 및 評價

가. 美軍 長期駐屯等 美國의 政策構圖에 대한 依舊心 解消

o 戰後 中東安保問題는 一次的으로 域內 國家들의 責任이며 域外 國家들은 支援 次元에 머물것임과 美地上軍 維持 計劃이 없음을 분명히 밝힘으로써 아랍권등 一部의 의구심 解消 努力

나. 戰後 中東地域 安保 協力體制 輪廓 示唆

o 中東平和 安保維持 關聯한 GCC등 地域機構의 役割을 强調, 戰後 地域安保 體制가 一部 西方圈에서 論議되고있는 GCC Plus 構想(GCC 6個國에 이집트등 온건 아랍국 포함)에 가까와질 可能性 시사

다. 이라크의 攻擊用 軍事力 除去方針 公式 確認

o 베이커 國務長官이 直接 이라크의 大量 殺傷武器 生產 및 保有能力 除去 方針을 言及, 周邊國에 威脅이 되는 이라크의 강대한 軍事力 (특히 非在來式 武器)을 除去하는 것이 美國의 戰爭 目標의 하나임을 公式 確認

라. 팔레스타인 問題 解決을 위한 努力 强化 示唆

o 이스라엘과 팔레스타인 民族間의 對話가 中東地域 平和 定着 過程의 必須的 部分이며 美國이 이를 위해 繼續 努力할 것임을 言及, 戰後 팔레스타인 問題 解決을 위한 努力 强化 示唆

0063

358

o 팔레스타인 問題 解決에 있어 아랍國家의 役割을 强調한 것은 이집트, 사우디等 穩健아랍國의 役割을 增大시키려는 意圖인 것으로 보임. (단, 美國의 具體的 腹案은 不言及)

o 팔레스타인 問題 解決을 위한 美側의 誠意 表示는 사담후세인의 걸프 事態와 팔레스타인 問題 連繫 主張 및 유엔 決議 不移行 關聯 이스라엘과 이라크를 놓고 二重基準을 適用한다는 이라크側의 非難을 意識한 結果로 分析됨.

마. 中東地域에서의 資本主義 市場經濟 擴散 主唱

o 戰後復舊 以後 域內 自由貿易 및 投資 擴大, 經濟成長을 促進하는 經濟政策 樹立 支援 必要性을 闡明, 中東國家들이 資本主義 市場 經濟를 積極 導入토록 間接 促求

바. 아랍권내 反美,反西方 感情 高潮 傾向에 대한 對應

o 베이커 國務長官이 이時點에 상기 內容을 밝힌 것은 걸프전이 繼續 되면서 多國籍軍의 空襲으로 民間人 犧牲과 非軍事施設 被害가 늘어감에 따라 아랍권내 反美, 反西方 내지 親이라크 大衆運動이 擴散 되고 回敎 原理主義者들이 동 運動을 煽動하고 있는데 대해 對應 必要性을 느꼈기 때문으로 보임.

o 베이커 長官의 發言 內容中 팔레스타인 問題 解決 努力 强化 및 戰後 이라크 復舊支援 意思 表明과 美軍의 長期 駐屯 可能性 否認等은 이러한 맥락에서 나온 것으로 分析됨. 끝.

0064

359

外務部 걸프事態 非常對策 本部

1991. 2.11.
中近東課

題　目 : 이라크의 多國籍軍 6個國과의 斷交

이라크는 2.6 多國籍軍에 參加하고 있는 美, 英, 佛, 이태리, 사우디, 이집트 6個國과 外交關係 斷絶을 發表하고, 2.9 外交經路를 통해 該當 國家에 公式 通報 하였는바, 그 背景의 分析 및 斷交措置의 擴大 展望을 아래와 같이 報告 드립니다.

1. 分析 및 評價

가. 今番 이라크의 斷交 對象國을 보면, 이라크에 대한 空襲에 積極 參加하고 있는 나라 들로서 空襲에 대한 外交的 報復으로 보여짐.

나. 또한 多國籍軍 參加國中 一部만 選別斷交 함으로써 걸프戰이 이라크對 全世界와의 對決이 아니라 이라크對 一部 特定國家와의 對決이라는 인상을 주어 아랍國家들과 多國籍軍 參與國을 離間시키고 나아가서는 多國籍軍 相互間의 離間을 기도하고 있는 것으로 보임.

다. 특히 사우디, 이집트 등을 異端國家로 分類하여 아랍圈에서 孤立시키고 각각 國內에서 反政府 輿論을 造成하여 政府 顚覆을 誘導 하기 위함일 可能性도 있음. 다만 시리아가 이에 包含되지 않은 것은 이스라엘이 今番戰爭에 參戰하는 경우, 이라크 便에 加擔 할수 있는 可能性을 남겨 두려는 意圖인 것으로 보임.

라. 또한 對內的으로는 大規模 空襲으로 物的, 人的 被害가 增加함으로써 萎縮된 國民의 士氣를 空襲 參加國에 대한 斷交라는 報復手段을 통해 振作시키고 決死抗戰의 戰意를 國內外에 誇示하고자 했던 目的도 있었을 것임.

0065

政府綜合廳舍 810號　電話 : 730-8283/5, 730-2941. 6. 7. 9, (구내)2331/4, 2337/8　Fax : 730-8286

마. 그러나 이들 6個國은 이라크와 이미 外交官의 相互 追放 또는 대부분 外交官의 撤收를 마친 狀態에 있었으므로 今番 斷交 措置가 實質的인 意味는 없음.

2. 斷交 措置의 擴大 展望

가. 斷交 對象國家의 擴大 問題는 今番 措置에 대한 사담후세인의 政治的 實益 여부 判斷과 아랍圈의 反西方 輿論 擴散與否에 左右될 것임.

나. 한편 地上戰이 開始되어 人命被害가 늘어날 경우 地上戰 參加國에 대한 斷交 措置의 擴大 可能性은 排除할 수 없음.

다. 我國의 경우, 多國籍軍에 대한 支援을 醫療團과 輸送團에 局限하고, 이라크에 대하여 直接的인 敵對 行爲를 하지 않는한, 斷交 對象國이 될 可能性은 稀薄함.

라. 이라크는 上記國家들과 斷交 措置를 취함으로서 요르단, 예멘, 리비아등 親이라크 아랍國家들도 유사한 措置를 취하도록 誘導하여 外交的 波及 效果를 期待할 可能性이 있으나, 戰爭樣相이 이라크 民間人의 大量 人命損失로 展開되지 않는한, 그 可能性은 많지 않음.

0066

361 361

外務部 걸프事態 非常對策 本部

題 目: **화학전 대비 관련 공관 비상계획** 1991. 2.14

(전쟁 위험지역 체류교민 안전보호)

1. 사전 안전 조치(공통사항)
   - ㅁ 화생방전 교육실시
     - 방독면등 장비착용 및 응급처치 요령
     - 화학무기 공격시 주의사항등 화학전 대처 요령
   - ㅁ 보유 방독면의 상시 휴대 주지
   - ㅁ 화학전 대비, 공관 지하실, 각 업체 대피소 및 주택에 밀폐실 설치, 비상식량, 식수 및 의약품 준비
   - ㅁ 비상연락망을 통한 공관, 업체, 교민간 상호 정보교환 및 안전여부확인
     - 5세대 1개조로 조편성, 상호 긴밀 연락 유지
     - 화학전 발생시 비상연락망에 의거 긴급 대피 지시
   - ㅁ 화학전 사정권내 체류교민의 안전지대로의 대피 계속 추진
     - 이스라엘, 사우디 동북부 교민등
   - ㅁ 긴급 의료, 수송반 편성

2. 화학전 발생시 대처(공관별)

   가. 요르단 (21명)
   - ㅁ 시간적 여유가 있을시, 비상연락망을 통한 긴급 소집으로 공관 지하실에 집결, 대피
   - ㅁ 시간적 여유가 없을시, 각자 주거지에 가까운 대피시설 또는 호텔내 대피시설로 대피
   - ㅁ 최악의 경우, 공관장 지시에 따라 육로 및 해상을 통해 철수

   나. 카타르 (66명)
   - ㅁ 유사시 공관에 집결, 상황에 따라 대처
   - ㅁ 사태 긴박시 UAE 또는 오만으로 육로 철수

0067

政府綜合廳舍 810號 電話 : 730-8283/5, 730-2941. 6. 7. 9, (구내)2331/4, 2337/8 Fax : 730-8286

362

362

다. 바레인 (233명)

ㅇ 진출업체는 업체별로 마련된 방공호, 개인취업자등 기타 교민은 공관 지하실로 대피

ㅇ 최악의 경우 공관장 지시에 따라 현대건설 소유 선박편으로 해상 철수(집결지 : 현대 시멘트 또는 Marina Club 부두)

라. U.A.E (423명)

ㅇ 아부다비 체류교민은 공관 및 관저에 집결, 대피

ㅇ 기타지역 체류교민은 업체별로 마련된 비상대피소에 집결 대피

ㅇ 최악의 경우, 공관장 판단하에

- 공로철수 : Fujairah 국제공항 집결, 특별기편 철수
- 육로철수 : Al-Ain 집결, 오만으로 철수
- 해상철수 : Khor Fakkan 항 집결, 한국해외수산 선박편(9척) 철수

마. 사우디 (3,344명)

ㅇ 공관 지하실, 각 업체 현장별로 마련된 방공호등 시설로 대피

ㅇ 최악의 경우, 방독면 착용, 안전지대로 대피후 육로 및 항공편을 통해 긴급 철수

바. 이스라엘 (59명)

ㅇ 이스라엘 민방위 본부의 지시에 따라 행동

ㅇ 화학전 발생시, 호텔, 공공시설등에 마련된 인근 대피소로 대피

ㅇ 텔아비브, 하이파등 유태인 집단 거주지 체류교민의 여타 지역으로의 소개 권유

ㅇ 이스라엘 체류 모든 교민의 이집트등 국외로의 긴급대피 계속추진

0068

363

공보관실

91.2.16.

이라크의 2.15자 쿠웨이트 철군 발표와 관련한 외부무 당국자 논평

1. 이라크 정부의 쿠웨이트로 부터의 철수와 관련된 발표는 제660호를 포함한 유엔안보리의 제반 결의와는 부합되지 않는 여러가지 조건들을 포함하고 있어 이라크 정부의 진정한 의사를 확인하기 어렵다.

2. 우리는 이라크가 유엔안보리의 제반 결의를 수락함으로써 걸프사태 해결을 위한 진지한 의지를 보여주기 바란다.

0069

364

1991 . 2 . 20.
國際機構條約局
國際法規課(9)

題 目 : 걸프사태의 종료와 관련한 국제법 문제 검토

걸프사태의 종료문제가 현실적 이슈로 대두되고 있으며, 이를 위요한 관계국가들간의 외교노력이 활발히 전개되고 있는 바 사태종료와 관련된 국제법 문제검토를 아래와 같이 보고드립니다.

I . 일반적 평가

1. 걸프사태의 종료방식에 관한 논의는 동 사태의 법적성격에 대한 이해와 연계되어 있음.

2. 걸프사태는 유엔의 결의에 기초한 제재조치로서의 성격과 전통적 의미의 전쟁으로서의 성격이 혼재해 있으며, 유엔에 의한 제재조치로서의 무력사용이 종료된 전례가 없으므로(한국전이 유일한 예이나 사태의 종료에 이르지 못하고 휴전상태에 있음) 사태종료의 구체적 내용을 예견할 수 있는 법원칙이나 관행을 발견하기 어려움.

3. 또한 걸프사태 관련 당사국(교전당사국 및 소련등 이해관계국)간의 정치적 이해가 첨예하게 교차하고 있어 법이론에 기초한 해결보다는 외교적 타협과 힘의 논리에 의하여 해결될 가능성이 큼.

4. 사태종료와 관련된 구체적 이슈로서는 (1) 종전방식, (2) 종전당사국, (3) 전범자 처리, (4) 전쟁배상 등이 있는바 이하에서 구체적 내용을 검토함.

0070

368 365 365

Ⅱ. 이슈별 검토

1. 종전방식

가. 걸프사태에 적용가능한 현실적인 적대행위종료 방안으로서는,

(1) 이라크측의 적대행위 중지 또는 쿠웨이트 철수와 평화조약 체결

(2) 관련국간 협상에 의한 사태종료와 평화조약 체결

(3) 다국적군에 의한 유엔결의내용 실현과 평화조약 체결

등을 상정할 수 있음.

나. 상기 방안중 (1), (2)는 이라크, 소련, EC 국가 등이 선호하고 있으며, (3) 방안은 미국, 영국 등이 주장하고 있는 방안임.

다. 어느 방안에 의하더라도 궁극적으로는 평화조약이 체결될 것으로 판단되며 이점에 있어 전통국제법상 의미의 전쟁개념이 유효하게 적용될 수 있음.

2. 종전 당사국

가. 걸프사태가 유엔에 의한 무력제재이므로 법리상으로는 유엔과 이라크가 종전당사자이나 다국적군을 통합하는 법적실체의 부재, 관계국의 역학관계 등에 비추어 이해관계국이 포괄적으로 참가하는 종료방식이 채택될 가능성이 큼.

나. 우리나라도 인적·물적지원 공여국으로서 당사자 적격은 갖추었다할 것이나 현실적 참여여부는 정책적 판단의 문제임.

0071

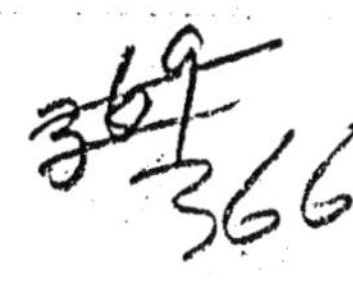

3. 전범자 처리 문제

가. 전쟁도발행위가 전쟁범죄를 구성함은 물론이나, 이라크의 다국적군 포로 학대행위에 대하여 미국 등은 후세인을 전쟁 범죄자로 처벌할 것임을 공언한 바 있음.

나. 전쟁범죄에 대하여는 지휘관 개인을 처벌하는 것이 국제법원칙이며 국가원수의 경우도 위법성이 조각되지 아니함.

- 런던협정, 인류의 평화와 안전에 대한 범죄의 법전초안, 제네바협약 제1추가의정서(제87조 제1항)

다. 전범자에 대한 관할권

(1) 국제재판

(가) 특별(ad hoc) 국제군사재판소 설치

(나) UN 에 의한 형사법원 설치

(2) 국내재판

(가) 점령군 또는 전승국의 법원

- 미국 또는 다국적군 구성국의 법원

(나) 범죄행위지국의 법원

- 쿠웨이트 국내법원에서의 형사처벌

0072

367 다시 check 할것.

4. 전쟁배상

가. 배상책임

o 현행 국제법상 무력의 사용은 전쟁금지의무를 위반한 위법 행위이므로 국제관습법상 침략국은 전승국 및 중립국에게 야기한 모든 손해를 배상할 책임을 부담함.

나. 배상의 범위

o 일반적인 손해배상원칙이 적용되며, 배상의 종류와 액수 등에 관한 사항은 평화조약에서 결정됨.

다. 배상의 내용

가) 원상회복(현물반환)

나) 금전배상이나 동가의 상품이나 용역

다) 일실이익과 배상액에 대한 적정이자

라. 청구국

o 국가책임원칙에 기초하여 교전국 뿐만 아니라 손해를 입은 중립국도 청구가능

o 아국의 경우에도 현실적으로 피해국이므로 배상청구에 참여할 자격 있음.

마. 결론

o 전쟁배상의 성격, 종류, 범위, 배상절차에 관하여 국제법상 일반적인 원칙은 없으며, "법이나 형평의 문제"라기보다는 전승국이 행사하는 "힘의 문제"임.

0073

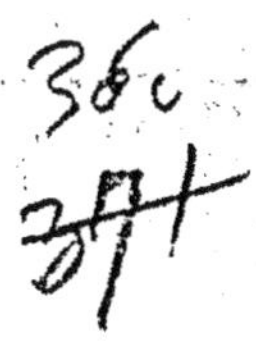

368

外務部 걸프事態 非常對策 本部

題 目: 걸프전쟁 위험지역 체류 근로자 철수 문제 (공관 보고) 1991. 2. 22.

1. 근로자 철수 현황
   - o 사우디 : 총 2,755명중 1,163 철수, 1,592 잔류
   - o U.A.E. : 총 213명중 68 철수, 145 잔류
   - o 바레인 : 총 58명중 11명 철수, 47 잔류
   - o 카타르 : 없음
   - o 오 만 : 없음

2. 근로자 철수로 인한 업체 피해
   - o 전쟁 피해가 가장큰 사우디 지역 진출 다수의 근로자 철수로 인해, 사우디내 전선과 인접한 동부지역 공사 현장은 공사 손실 발생이 불가피 할것으로 보임.
     - 그러나 이는 공사 계약상 War risK 에 해당돼, 발주처와의 교섭 또는 클레임 청구를 통해 피해 손실 보상을 요구하게 될 것임.
   - o U.A.E., 바레인, 카타르, 오만등은 직접적인 전쟁 피해지역이 아닌 관계로 U.A.E., 바레인 경우, 진출 아국 건설업체 소속 근로자들 대부분 커다란 동요 없이 작업에 임하고 있으며 근로자 철수에 따른 업체별 피해는 없는 것으로 파악됨.
     - 카타르, 오만 경우는 현재 진출 아국 건설업체가 없음.

3. 건설 수주 영향
   - o 근로자 철수 문제로 인해 사우디 동부지역을 제외한 지역(시공잔액 기준 전체의 85%)에서는 전쟁 발발이후 거의 정상적으로 공사시공 중인바, 향후 수주에 미칠 영향은 그다지 크지 않을것으로 판단됨.
   - o U.A.E. 경우는 건설 수주에 미칠 영향이 별로 없을 것으로 파악됨.
     - 바레인 경우, 공사중인 건설 현장은 없으나 걸프전쟁에도 불구 진출 아국업체 인원 다수가 잔류하고 있어 향후 수주에 유리한 입장임.

0074

政府綜合廳舍 810號 電話 : 730-8283/5, 730-2941, 6, 7, 9, (구내)2331/4, 2337/8 Fax : 730-8286

369

공보관실
91.2.23.

걸프사태 해결을 위한 미국측 종전 제안에 관한 외무부 대변인 성명

o 우리는 걸프사태의 평화적 해결을 위한 유엔 안보리의 제반 결의와 걸프지역의 평화와 안정 회복을 위한 다국적군의 노력을 지지하고 이에 참여하여 왔음.

o 우리는 금번 다국적군 참여국과 협의를 거처 미국이 제시한 2.22자 종전 제안이 이러한 유엔의 제반 결의에 부합하고 있음을 평가하고 이를 지지하는 바임.

o 따라서 우리는 유엔 안보리의 제반결의가 이행되어 걸프사태가 평화적인 방법으로 조속히 해결되기를 희망함.

0075

370

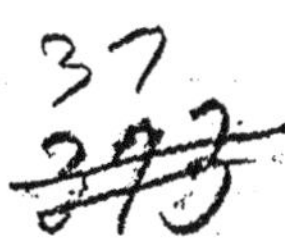

걸프전 지상전 개시에 즈음한

외무부 대변인 성명

91. 2. 24(일)

o 우리는 이라크가 UN 안보 이사회의 제반 결의에 의거한 연합군측 국가의 2.22.자 종전 방안을 거부함으로써 걸프사태가 지상전으로까지 이르게 된 것을 유감으로 생각한다.

o 금번 지상전은 걸프사태 해결을 위한 유엔 안보 이사회의 제반 결의를 이행하기 위하여 취해진 불가피한 조치로서 우리는 미국을 비롯한 연합군측의 이러한 사태해결 노력을 지지한다.

o 우리는 전쟁이 조기에 종결되어 인명피해등 전쟁의 피해가 최소화되고, 걸프지역의 안정과 평화가 조속히 회복되기를 기대한다.

0076

外務部 걸프事態 非常對策 本部

題 目: 쿠웨이트에 잔류중인 교민들에 대한 외무부 걸프사태 비상대책본부의 메세지 (KBS 국제방송을 통하여 전달 요청) 1991. 2 . 25 .

쿠웨이트에 남아계신 조성목씨, 오호씨, 강재억씨와 가족 두분, 유재성씨, 신자철씨, 그리고 전선규씨에게 대한민국 외무부 걸프사태 비상대책본부에서 알려드립니다.

2.24. 04:00(현지시간)를 기해 다국적군의 대이라크 지상전이 전개 되었으며, 치열한 교전이 벌어지고 있어, 여러분의 안전에 대해 정부와 모든 국민은 크게 염려하고 있습니다.

현재의 지상전 상황을 감안해 볼때, 여러분의 안전이 심히 우려될 정도로 사태가 매우 긴박하오니 여러분들께서는 현지 실정에 맞게 신속히 공관 또는 관저 건물 지하실등 안전한 곳으로 긴급 대피하시고, 가능하다면 이란등 인근 안전지역으로 대피하시어 우리 공관과 연락을 취하여 주시기 바랍니다.

이란 및 요르단에 있는 아국 공관에서는 여러분의 이란 입국에 대비, 필요한 제반 조치를 취해놓고 있으니 참고하시기 바랍니다.

여러분의 건강과 안전을 계속 기원합니다.

0077

政府綜合廳舍 810號 電話 : 730-8283/5, 730-2941,6,7,9, (구내)2331/4, 2337/8 Fax : 730-8286

372

外務部 걸프事態 非常對策 本部

題 目: 이라크 잔류 현대 근로자 근황 　　　1991. 2 . 25.

o 이라크 잔류 현대 근로자 7명 전원 무사함 (요르단 현대 지사에서 2.18.현지인편 파악)

- 2명은 바그다드, 5명은 키와스 현장켐프 (키루크 소재, 터어기 국경 쪽 300km 지점) 안전대피 중임.
- 이들중 현지인과 결혼한 근로자는 가족과 함께 계속 잔류희망.

o 요르단 체류 MBC 취재팀은 이들의 본국 가족에 대한 안부인사 카셋트 녹음을 위해 2.23. 요르단 인편(운전사)에 녹음 의뢰 하였다는 바, 불원간 근황을 접할 수 있을 것으로 예상 (주 요르단 대사보고)

o 이들의 신변안전과 출국 문제를 위해 2.22. 주 이란 및 요르단 대사에게 주재 이라크 대사관과 교섭토록 지시한 바 있으며, 조만간 결과 접수 예정.

o 또한 1.17. 이후 부터 수시로(7번) KBS 국제 방송을 통해 이들에게 안전대피 및 출국수속을 서둘러 조속 출국토록 촉구하는 내용의 메세지를 발송 하였고, 앞으로도 계속 할 예정임 (현대 본사와 협조).

0078

政府綜合廳舍 810號 電話 : 730-8283/5, 730-2941. 6. 7. 9, (구내)2331/4, 2337/8 Fax : 730-8286

373

外務部 걸프事態 非常對策 本部

題 目: 多國籍軍 現況(3)　　　　1991. 2. 25.

多國的軍 構成에 관한 駐美, 駐英, 駐佛, 駐사우디, 駐카이로 公館의 報告와 外信報道를 基礎로한 分析結果는 아래와 같음.

1. 多國籍軍 參加國數

○ 多國籍軍 參加國數에 대한 一致된 意見은 없으며 一般的으로 가장 많이 言及되고 있는 28個國도 그 構成에 있어서는 共通된 意見이 없음.

○ 開戰 初期에는 美國 支持 聯合國들의 規模를 誇示하기 위해서 多國籍軍 參加國에 대한 數字를 重視하였지만 일단 汎世界的으로 反이라크 連帶가 形成된 이상 多國籍軍 參加國 數字는 그 意味가 退色한 것으로 보임.

- 26個國 : 駐 사우디 大使館
- 28個國 : 부쉬 大統領 年頭 教書, 盧泰愚 大統領 年頭記者會見, 美國務部 近東局, 美國防部, 駐英大使館
- 29個國 : 美國務部 代辯人室.政治軍事局, 駐佛 大使館
- 31個國 : AP 通信
- 32個國 : 駐 카이로 總領事館
- 36個國 : 駐 英 大使館

2. 分　析

가. 共通 包含 國家 : 25個國

- 西方 3個國(美國, 캐나다, 濠洲)
- 西歐 8個國 (英, 佛, 伊, 벨기에, 和, 스페인,希, 덴마크)
- 아랍8個國 (사우디, 쿠웨이트, 오만, 카타르, 바레인, UAE, 이집트, 시리아)
- 아시아 2個國 (파키스탄, 방글라데시)
- 아프리카 3個國 (모로코, 세네갈, 니제르)
- 南美 1個國 (아르헨티나)

나. 論難 對象國家

1) 獨　逸

. 駐美 大使館 및 駐 카이로 總領事館 報告에 의하면 地中海

0079

政府綜合廳舍 810號　電話 : 730-8283/5, 730-2941.6.7.9, (구내)2331/4, 2337/8　Fax : 730-8286

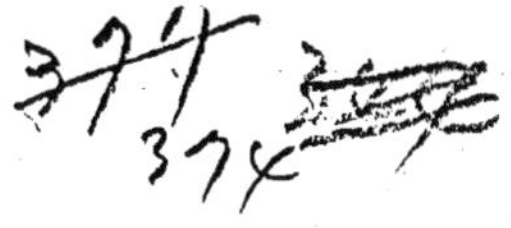

東部에 掃海艇 派遣한 것으로 되어 있으나 戰鬪目的은 아니고 觀察 目的으로 보임.

. 美國務部 代辯人室.政治軍事局 및 NSC 는 包含, 美國務部 近東局, 美國防部는 不包含.

2) 뉴질랜드

. AP 通信 報道에 의하면 C-130 軍輸送機를 派遣한 것으로 되어있음.

. 美國務部 近東局.政治軍事局은 包含, 美國務部 代辯人室, 美國防部는 不包含.

3) 포르투갈, 노르웨이, 체코

. 美國政府는 3個國 모두 不包含.

. AP 通信은 3個國 모두 艦艇내지 兵力을 派遣한 것으로 報道하고 있으며 大使館 報告는 대체로 3個國을 多國的軍에 包含하고 있음.

4) 蘇聯, 터키

. 美國 政府는 不包含.

. 기타 대부분 報告는 兩國을 艦艇 派遣國으로 把握하고 있으나 美國은 同 艦艇을 戰鬪 目的이 아닌 觀察 目的으로 把握하고 있음.

5) 폴랜드

. 美國務部 代辯人室은 包含, 近東局.政治軍事局 및 美國防部는 不包含.

. 기타 報告는 不包含, 駐佛 大使館만 艦艇 2隻 派遣으로 報告

. 폴란드가 醫療陳 派遣國으로 分類되어 있고 同 醫療陳에 病院船 2隻이 包含되어 있음에 비추어 볼때 駐佛 大使館 報告는 이 病院船을 艦艇으로 把握했을 可能性이 있음.

6) 온두라스

. 駐 카이로, 駐 佛 報告에는 150名 規模의 兵力 派遣國으로 把握되어 있는바, 주 과테말라 大使館에 確認한 結果, 當初 計劃이 있었으나 野黨 反對와 經濟 事情으로 議會同意 要請 節次도 保留한 狀態라 함.

7) 루마니아

. 2.7. 議會에서 360名 規模의 醫療支援團과 180名 規模의 對化學戰 部隊를 사우디아라비아에 派遣하는 同意案 議決, 通過시킴.

. 루마니아의 上記 決定은 最近의 것으로서 어느 公館 報告에도 集計되지 않고 있음.

0080

다. 기타

- o 美國防部는, 2.16. 反 이라크 聯合國이 33個國이라고 發表 함으로써 支援國 5個國 (韓國,中國,獨逸,헝가리,뉴질랜드)을 包含시킴. 中國이 包含된 理由에 대해서는 具體的 答辯을 回避하고 있는바 다분히 事務錯誤일 것으로 推測된다는 駐美 大使館 報告가 있음.
- o 駐美.英 大使館 報告에 의하면 韓國은 "戰鬪兵力 派遣國"은 아니지만 "戰鬪 支援 兵力 派遣國"과 "財政支援 供與國"에 包含됨.
- o 日本은 어느 分類에도 包含되지 않은것이 눈에 뜨이는바 美, 英은 財政 支援國에 包含시키고 있음.
- o 參考로 醫療團 派遣國은 韓國, 헝가리, 싱가폴, 필리핀, 시에라리온, 불가리아, 루마니아(派遣豫定)等 7個國

添 附 1 : 多國籍軍 現況表

添 附 2 : 해밀턴 英國 國防長官 下院提出 書面資料
(駐英 大使館 報告)

0081

<첨부 1>

多 國 籍 軍 現 況

(*표는 醫療團도 派遣한 國家)

連番	國 別	本 部 把 握	駐사우디大使館報告	駐카이로總領事館報告	駐佛蘭西大使館報告	A P (2.7字)	備 考
1	* 미 국	. 병력 : 492,000 . 탱크 : 2,000 . 항공기 : 1,300 . 함정 : 60 (항공모함 6척)	. 병력 : 약500,000 (육.해.공군 파견)	. 병력 : 425,000 . 탱크 : 2,500 . 항공기 및 헬기 1,800 . 함정 : 100 (항공모함 6척)	. 병력 : 430,000 . 탱크 : 2,000 . 전투기 : 1,300 . 전투헬기 : 1,500 . 함정 : 55 (항공모함 6척)	. 병력 : 500,000 . 탱크 : 2,000 . 항공기 : 1,780 (항모탑재기 480대 포함) . 헬기 : 1,700 . 함정 : 120 (항공모함 6척)	
2 - 7	GCC국(사우디,오만, 쿠웨이트, 바레인, UAE, 카타르)	. 병력 : 150,500 . 탱크 : 800 . 항공기 : 330 . 함정 : 36	. 육.해.공군 파견	. 병력 : 50,000 . 탱크 : 520 . 항공기 : 334	. 병력 : 165,300 . 탱크 : 750 . 항공기 : 260 . 전투헬기 : 203 . 함정 : 32	. 병력 : 150,500 . 탱크 : 800 . 항공기 : 330	
8	*영 국	. 병력 : 35,000 . 탱크 : 170 . 항공기 : 72 . 함정 : 16	. 병력 : 30,000 . 탱크 : 130 . 항공기 : 50 . 함정 : 16	. 병력 : 25,000 . 탱크 : 170 . 항공기 : 63 . 함정 : 15	. 병력 : 35,000 . 탱크 : 170 . 전투기 : 72 . 함정 : 16	. 병력 : 35,000 . 항공기 : 70 . 함정 : 16	
9	프 랑 스	. 병력 : 10,000 . 탱크 : 40 . 항공기 : 40 . 함정 : 14	. 병력 : 15,000 . 항공기 : 30 . 함정 : 14 (항공모함 1척)	. 병력 : 10,000 . 탱크 : 72 . 항공기 : 38 . 함정 : 9	. 병력 : 15,200 . 탱크 : 40 . 장갑차 : 300 . 야포 : 18 . 전투기 : 60 . 전투헬기 : 120 . 함정 : 14	. 병력 : 12,000 . 항공기 : 3개 비행대대 . 함정 : 12-14	
10	이 집 트	. 병력 : 35,000 . 탱크 : 400	. 병력 : 35,000	. 병력 : 35,000 . 탱크 : 450	. 병력 : 35,600 . 탱크 및 장갑차 400 . 함정 : 16	. 병력 : 38,500	
11	시 리 아	. 병력 : 19,000 . 탱크 : 300	. 병력 : 30,000	. 병력 : 20,000 . 탱크 : 270	. 병력 : 19,800 . 탱크 : 300	. 병력 : 21,000	
12	*파키스탄	. 병력 : 7,000 (6천명 추가파견 예정)	. 육군 파견	. 병력 : 8,000	. 병력 : 5,000	. 병력 : 13,000 (군사고문단 6,000)	
13	*방글라데시	. 병력 : 2,000 (3천명 추가파견 예정)	. 육군 파견	. 병력 : 6,000	. 병력 : 2,500	. 병력 : 2,000	
14	*캐 나 다	. 병력 : 2,000 . 항공기 : 24 . 함정 : 3	. 해.공군 파견	. 항공기 : 24 . 함정 : 3	. 병력 : 1,700 . 항공기 : 18 . 함정 : 3	. 병력 : 1,850 . 항공기 : 18 . 함정 : 3	

0082

連番	國別	本部把握	駐사우디大使館報告	駐카이로總領使館報告	駐佛蘭西大使館報告	A P	備考
15	모로코	. 병력 : 1,700	. 병력 : 1,700	. 병력 : 1,500	. 병력 : 6,700	. 병력 : 1,700	
16	세네갈	. 병력 : 500	. 육군 파견	. 병력 : 500	. 병력 : 500	. 병력 : 500	
17	니제르	. 병력 : 480	. 육군 파견	. 병력 : 500	. 병력 : 500	. 병력 : 480 . 1개 비행대대	
18	이태리	. 항공기 : 8 . 함정 : 6	. 해.공군 파견	. 항공기 : 7 . 함정 : 6	. 전투기 : 8 . 함정 : 6	. 함정 : 6 . 공군 파견 : 8 (터키 배치)	
19	*호주	. 함정 : 3	. 해.공군 파견	. 함정 : 3	. 함정 : 3	. 함정 : 2	
20	*벨기에	. 함정 : 3	. 해군 파견	. 함정 : 3	. 함정 : 3	. 항공기 : 18 (터키 배치) . 함정 : 2	C-130 수송기 4대 파견
21	*네덜란드	. 함정 : 3	. 해군 파견	. 함정 : 3	. 함정 : 3	. 함정 : 2	
22	스페인	. 함정 : 3	. 해군 파견	. 함정 : 4	. 함정 : 3	. 함정 : 3	
23	아르헨티나	. 병력 : 100 . 함정 : 2	. 해군 파견	. 함정 : 2	. 병력 : 100 . 함정 : 2	. 병력 : 100 . 함정 : 2	
24	그리이스	. 함정 : 1	. 해군 파견	. 함정 : 1	. 함정 : 1	. 함정 : 1	
25	포르투갈	. 함정 : 1		. 함정 : 1	. 함정 : 1	. 함정 : 1	미국정부는 불포함
26	노르웨이	. 함정 : 1	. 해군 파견	. 함정 : 1		. 함정 : 1	미국정부는 불포함
27	*체코	. 병력 : 200		. 병력 : 300	. 병력 : 200	. 병력 : 200	對화학전 부대 미국정부는 불포함
28	*덴마크	. 함정 : 1	. 해군 파견	. 함정 : 1	. 함정 : 1	. 함정 : 1	
29	소련	. 함정 : 2 (관찰목적)	. 함정 : 철수시킴	. 함정 : 4	. 함정 : 2	. 함정 : 2	미국정부는 불포함
30	터키			. 함정 : 2			미국정부는 불포함
31	*폴란드				. 함정 : 2		미국무부 근동국, 정치군사국은 불포함
32	*뉴질랜드					. 항공기 : 2 (C-130 수송기)	미국무부 근동국, 정치군사국은 포함

0083

連番	國別	本部把握	駐사우디大使館報告	駐카이로總領事館報告	駐佛蘭西大使館報告	A P	備考
33	독 일			. 함정 : 5		. 항공기 : 18 (터키 배치)	미국무부 근동국, 미국방부는 불포함 미국무부대변인실, 정치군사국은포함
34	온두라스			. 병력 : 150	. 병력 : 150		미국정부는 불포함
계		총 28개국 . 병력 : 755,480 . 탱크 : 3,710 . 항공기 : 1,774 . 함정 : 153 (항공모함6, 1척 추가파견 예정)	총 26개국	총 32개국 . 병력 : 581,950 . 탱크 : 3,982 . 항공기 : 2,266 (헬기포함) . 함정 : 159 (항공모함 6)	총 29개국 . 병력 : 718,250 . 탱크 : 3,660 . 항공기 : 3,541 (헬기포함) . 함정 : 163 (항공모함 6)	총 31개국 . 병력 : 781,030 . 탱크 : 2,800 . 항공기 : 3,944 이상 (헬기포함) . 함정 : 172 (항공모함 6)	

0084

381

(添 附 2)

해밀턴 英國 國防長官 下院 提出 書面 資料

陸.海.空軍, 醫療支援團 派遣 及 實質的 支援 供與國 (36個國)

1. 西方 4個國 (美, 캐나다, 濠州, 뉴질랜드)
2. 西歐 11個國 (英, 佛, 伊, 벨기에, 和, 스페인, 希, 덴마크, 노르웨이, 스웨덴, 포르투갈)
3. 아랍 8個國 (사우디, 쿠웨이트, 오만, 카타르, 바레인, UAE, 시리아, 이집트, 시리아)
4. 아시아 4個國 (파키스탄, 방글라데시, 韓國, 싱가폴)
5. 아프리카 4個國 (모로코, 세네갈, 니제르, 시에라리온)
6. 南美 1個國 (아르헨티나)
7. 東歐 4個國 (체코, 루마니아, 폴란드, 헝가리)

0085

380

380

外務部 걸프事態 非常對策 本部

題 目 : 일본 나까야마 외무대신이 다국적군 참가국 정부에 보내는 멧세지 1991.

이번에 미국에 의한 종전제안을 진심으로 환영함과 아울러 쿠웨이트의 해방을 축복합니다. 그것은 귀국을 비롯한 다국적군 참가국을 포함한 국제사회 전체의 연대협력에 의한 것이며 지금까지의 귀국의 지대한 희생과 노력에 대해서 깊은 경의를 표합니다. 우리나라는 이것을 계기로 해서 걸프지역에 있어서의 진정한 국제평화와 안정이 달성되기를 간절히 바랍니다.

우리나라로서는 지금까지 평화회복을 위한 국제사회의 노력 및 주변국등을 적극적으로 지원해 왔읍니다만 앞으로 쿠웨이트의 복구, 부흥을 포함한 중동 지역 전체의 평화와 안정달성을 위하여 계속 적극적으로 협력을 해나갈 생각 입니다.

통 화 자 : 송화 주한 일본대사관 마쯔이 1등 서기관
수화 정진호 중동 2과장

통화일시 : 91.2.28. 20:20

o 총리실 FAX송부
o 장관실 〃
o 청와대 〃
o 아주국장 통보

0086

政府綜合廳舍 810號 電話 : 730-8283/5, 730-2941.6.7.9, (구내)2331/4, 2337/8 Fax : 730-8286

381
384
381

유엔안보리 결의 第686호와 걸프사태종료방향에 관한 국제법적 검토

1991.3.5.
국제법규과

I. 문제의 제기

- 1991.3.3. 유엔안보리는 걸프전쟁의 종료를 위한 유엔결의 제686호를 채택함.
- 유엔이 주체가되어 전쟁이 종료된 전례가 없음에 비추어 걸프사태의 종료는 종래의 전쟁종료 방식과는 상이할 뿐 아니라, 동 사례는 향후 유엔의 역할과 국제질서 개편방향에 관한 중요한 시사가 될 것으로 판단됨.

II. 검토의견

1. 결의 제686호의 주요내용

가. 이라크 및 쿠웨이트의 영토보전

나. 쿠웨이트 및 제3국에 대한 이라크의 배상책임 인정

다. 포로 및 민간인 인질 석방과 유해반환

라. 일체의 적대 행위 중지

마. 적대행위 중지(휴전)를 위한 군지휘관 회담개시

바. 결의 이행담보를 위하여 위반시 무력사용 가능성 인정

사. 전쟁종료 과정에서 유엔안보리의 적극적 참여의사 천명

0087

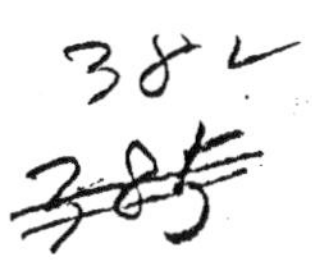

382

2. 결의 제686호의 의의

가. 휴전협정요소와 평화조약요소의 혼재

(1) 휴전협정요소

- 적대행위의 중지 및 이를 위한 군지휘관 회담개최 요구 등의 내용은 실질적으로 휴전협정의 예비단계로 해석됨.

(2) 평화조약요소

- 이라크의 영토보전보장, 쿠웨이트병합행위의 취소, 전쟁포로의 석방 및 송환, 전쟁배상, 피해당사국과 그 국민의 청구권문제 등 직접 평화조약에 포함될 실질적 종전조건들을 제시하고 있음.

(3) 최종적인 전쟁종료 수단으로서 평화조약체결 필요

- 걸프사태는 전통국제법의 예에 따라, 동 결의내용에 기초한 평화조약의 체결로 종료될 것임.
- 다만 유엔이 어느범위까지 평화조약의 당사자로 나서느냐 하는 점이 유엔이 개입하지 아니한 사태와 상이함.
- 또한 동 평화조약 내용은 중동지역 전반에 걸친 국제질서의 재편방향을 포함하게 될 전망이므로 제2차 세계대전이후 최대의 정치협정이 될 것임.

나. 평화조약내용의 한계설정

- 안보리 결의 제686호의 내용은 휴전협정의 제조건들 뿐만 아니라 평화조약의 실질적 내용을 담고 있는 것으로서 이라크와의 종전교섭시 요구사항의 한계를 정하고 있다고 봄.(예: 이라크의 영토보전보장)

0088

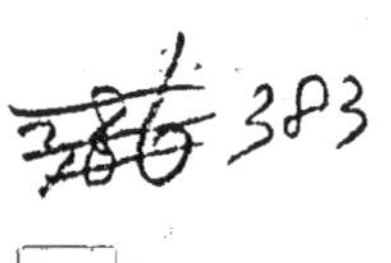

383

o 동 결의의 효과를 적극적으로 인정한다면 미국 등이 거론하고 있는 전범자 처벌문제는 어떠한 형태든 유엔의 조치에 의한 법적근거 확보가 필요하다고 해석됨.

다. 미국(다국적군)과 유엔의 타협의 산물

o 유엔결의 제686호는 신속한 종전과 쿠웨이트의 원상회복에 주목적이 있으나, 종전의 주요조건을 제시함으로서 전후 중동질서 개편과정에서 미국의 일방적인 영향력행사를 견제하기 위한 측면도 내포하고 있음.

o 미국(다국적군)이 동 결의에서 표명된 유엔의 종전조건을 일탈하는 경우에 대비하여 동 결의 제8항에서 유엔안보리는 필요한 추가조치를 취할 수 있는 가능성이 있다고 결정함.

o 이러한 해석에서 보는 바와 같이 유엔은 일국 또는 몇개국가의 독주를 견제하기 위한 제어장치가 될 수 있는 바, 이점은 향후 유엔외교가 활성화 되리라는 예측을 가능하게 함.

라. 유엔에 의한 무력제재 종료방식의 창설

o 과거에 유엔이 주체가 되어 전쟁이 종료된 전례가 없음에 비추어 동 결의 제686호는 강제제재조치의 종료과정에서도 유엔의 역할을 모색하는 과정으로 해석됨.

마. 평화조약체결과정에서의 역할 분담

o 걸프전쟁을 실제로 수행한 주체가 유엔군이 아니고 다국적군 이었다는 점에서 휴전의 구체적인 이행과정은 유엔결의의 테두리내에서 각 다국적군국가에게 위임되었다고 봄.

o 따라서 평화조약체결 과정에서도 유엔과 미국(다국적군)의 역할분담이 이루어질 것으로 판단됨.

0089

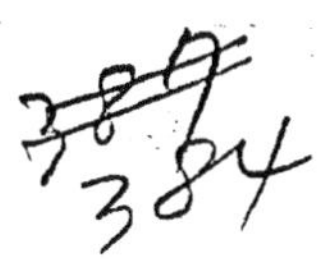

384

바. 결의의 범위를 일탈한 조치의 가능성

- ㅇ 동 결의에서 제시되고 있는 조건들은 최대한의 것인가 아니면 평화조약체결국은 이 범위를 일탈하여 동 결의에 규정되지 않은 사항(예를 들면 전범자처벌 등)에 관하여도 조치를 취할 수 있는가가 문제됨.
- ㅇ 이는 동 결의의 법적구속력에 대한 인식의 문제인 동시에 유엔이 미국(다국적군)에 위임한 역할의 범위에 대한 판단 문제임.
- ㅇ 평화조약체결에 전범자처벌 조항 등 결의내용 이외의 사항을 포함하는 경우 전쟁책임에 관한 국제사회의 일반적 인식에 비추어 유엔의 추인 등 방법을 통하여 법적 근거를 확보할 가능성이 큼.

3. 평화조약 체결방식

- ㅇ 결의 제686호는 일단 휴전교섭을 미국(다국적군)에게 위임하고 있으나, 평화조약 체결문제까지 각 참가국에게 전권위임하였는지는 불분명함.
- ㅇ 다만 동 결의 제8항에 비추어 유엔은 평화조약 체결과정에도 적극적으로 개입하게 될 것으로 판단됨.
- ㅇ 구체적인 평화조약 체결 방안으로서는
  - 다국적군참가국이 평화조약을 체결하고 이를 유엔이 사후 승인하는 방안
  - 유엔이 관계국의 의사를 수렴, 주도적인 입장에서 평화조약을 체결하는 방안

  등이 예상됨.

0090

4. 아국의 참여문제

가. 전쟁배상 확보문제

ㅇ 걸프사태 종료과정에서 아국과 실질적인 이해관계가 있는 사항은 평화조약체결시 전쟁배상 확보문제임.

- 아국이 걸프전쟁참여국으로서 직접 이라크와 교섭하는 방안과 간접적으로 미국 등을 통하여 전쟁배상을 확보하는 방안을 상정하여 볼 수 있지만, 현실적으로 후자의 방식에 의할 가능성이 큼.

- 배상의 내용도 직접적인 배상, 간접적인 배상(복구사업 참여보장 등)이 모두 검토될 수 있을 것임.

나. 의료지원단 철수문제

ㅇ 의료지원단, 군수송기 등 아국이 지원하고 있는 인적·물적 자원의 철수시점, 평화유지활동 참여 문제 등은 유엔의 결의, 관계국과의 협의, 국익에 대한 판단에 따라 결정될 사항임.

ㅇ 다만 병력의 파견국(사우디·UAE)이외 지역으로의 이동 등은 구체적 사안에 따라 상대국의 동의확보 및 아국의 관계국내법의 검토가 선행되어야 할 필요 있음.

外務部 걸프戰 事後 對策班

제　목 : 각국의 대이라크 및 쿠웨이트 긴급원조 현황

91. 3. 12.

1. 각국의 원조현황

가. EC (3.6 EC 집행위 결정)

- o 쿠웨이트 : 쿠웨이트 적십자사의 요청으로 유아용 식품 수송경비로 34만 ECU (약44만불) 지원
- o 이라크 : 국제적십자사의 주선으로 유엔 대이라크 제재위원회의 허락을 얻어 식수처리를 위한 의약품 및 전문가 파견 경비로 300만 ECU (약 390만불) 지원

나. 일본

- o 쿠웨이트에 39만불 상당의 긴급원조 제공 예정 (3.8 외무부)
- o 유엔재해구호기구(UNDRO)의 요청에 의거 이란 유입 난민구호를 위해 자동차 5대, 모포 6천매, 발전기 16대, 석유곤로 12대등 긴급 원조 결정(2.28. 가이후 수상, 주일 쿠웨이트대사 면담시)

다. 화란

- o WHO/UNICEF의 요청에 의거 이라크내 난민구호 원조공여 예정, 액수는 추후 결정 (3.6 개발협력장관)
  - 주로 바그다드내 정수시설 복구를 위한 부품 및 화학제품 제공

라. 예멘

- o 이라크에 우유 및 의약품 29톤, 혈액 1톤 공수 (3.1)

2. 국제 기구의 동향

- o WHO/UNICEF 공동 조사단 이라크 파견 (2.16-21)
  - 의약품 54톤(60만불 상당)전달
  - 귀환후 이라크내 의료, 공중보건분야 지원계획 건의(1천만불 규모)
  - 조만간 유엔 사무총장이 각국 정부에 대해 특별기여금 제공 요청 예정

0092

387

387

o 유엔 조사단 (단장:Ahtissari 사무차장) 3.9.이라크, 쿠웨이트 파견

- 이라크 및 쿠웨이트의 인도적 원조 수요 파악 목적
- UNDP, UNICEF, UNDRO, UNHCR, FAO, WFP, WHO 등 관련 국제기구 대표 20명으로 구성

o 유엔 대표단 (Farah 사무차장등 26명) 쿠웨이트 파견(3.11-28)

- 쿠웨이트의 인명 및 재산피해 조사 목적 끝.

0093

388

外務部 걸프戰 事後 對策班

제 목 : 이라크 同調國 戰後 情勢動向

1991. 3. 14.

1. 全般的 狀況

ㅇ 戰爭中 이라크를 支持했거나 同調했던 대부분의 아랍국가들은 이라크의 敗北에 따른 國民들의 깊은 挫折感과 西方 先進國 및 아랍富國들로부터의 援助 중단에 따른 經濟難 加重으로 深刻한 內部的 陣痛을 겪고있는바 특히 수단은 經濟的 어려움을 크게 겪고 있는 것으로 現地公館이 報告 하고 있음.

ㅇ 이러한 國民들의 挫折感을 撫摩시키기 위해 몇몇 國家들은 對國民 關心 轉換 誘導策을 施行하고 있는 것으로 보이나, 알제리의 경우는 오히려 國民의 政府에 대한 不滿이 暴發되어 總罷業 斷行이라는 逆効果가 發生 하는등 이들 國家 國民들의 虛脫感 및 政府에 대한 反感은 쉽게 解消되지 않고 있음.

ㅇ 한편 多國籍軍에 軍隊를 派兵하였던 모로코 政府는 國民들의 親이라크 感情으로 戰爭中에도 對이라크 적극 攻擊을 自制하였던 것으로 알려지고 있으며 戰後에도 이러한 國民들의 이라크 支持 性向에 影響을 받아 對內 政策과 對外政策의 乖離現狀을 심각하게 露呈시키고 있음.

ㅇ 이들 國家의 이러한 內部的 陣痛이 얼마나 持續될지는 速斷키어려우나 政權安定을 威脅할 정도로 發展되지는 않을것으로 觀測됨.

0094

2. 各國動向

가. 알제리

ㅇ 종전직후 후세인 대통령의 알제리 망명설을 보도하였던 Le Monde 지 특파원을 국익 및 이미지 손상을 이유로 퇴거조치를 내렸던 알제리 정부는 국민의 좌절감을 무마하기 위하여 유가하락으로 인한 경제 타격, 라마단 준비, 년내 총선실시등을 부각시키며 국민관심을 국내 문제에 촛점을 돌리도록 유도함.

ㅇ 그러나 전쟁전부터 악화된 경제상황에 처해있었던 알제리의 전국 노조총연맹은 종전후 인플레 대폭 증가에 따른 급격한 구매력 감소, 걸프전 당시 정부의 대응 미흡등을 이유로 3.12-3.13 간 총파업을 단행함으로써 심각한 사회불안이 계속되고 있으며 알제리 정부는 국민들의 대정부 불만을 해소하기 위한 조치의 일환으로 수상을 포함한 일부 경제 각료의 갱질을 고려하고 있음.

나. 모로코

ㅇ 핫산 국왕은 GCC 아랍부국 및 미국등 서방국과의 유대감을 표시하기 위하여 다국적군에 1,700명의 병력을 파견하였으나 대부분의 국민들은 이라크 지지 성향을 보이며 전쟁중에도 병력의 철수를 주장해 왔음.

ㅇ 이러한 국민들의 정부에 대한 불만을 무마시키기 위하여 핫산왕은 국민대 국민의 차원에서는 대이라크 우호태도를 표명하고 있으나 전후 중동문제 토의를 위해 3.19-11간 리비아에서 개최된 제3차 AMU 정상 회담은 시기상조라는 이유로 불참을 선언하는등 대외정책과 대내정책의 괴리현상이 심각하게 노출되고 있어 계속적인 정세불안 요소가 잠재하고 있음.

0095

3ℓ0

다. 요르단

- 후세인 국왕은 3.1 대국민 연설에서 쿠웨이트 해방에 적용되었던 기준이 팔레스타인 문제해결에도 똑같이 적용될 것을 촉구하였고, 요르단 정부는 계속해서 이스라엘이 PLO 대표권을 인정할것을 주장하며 모든 관계 당사국이 참여하는 국제회의 개최를 지지하고 있는바, 이는 이라크의 패배로 깊은 좌절감에 쌓여있는 요르단 국민들을 무마하기 위한 의도로 해석됨.
- 그러나 동 국왕은 동시에 원조중단에 따른 경제난의 극복을 위해 아랍권과 서방과의 화해 및 관계개선 희망의사도 피력하여 요르단 정부의 입장이 대내, 대외면에서 상충되고 있음을 보임.

라. 모리타니

- 전쟁중 일관되게 이라크를 지지하였던 모리타니는 경제난 타개를 위한 서방국의 원조 필요성 때문에 친이라크 태도표명을 급격히 자제하고 있음.
- 모리타니 정부는 대국민 유화정책의 일환으로 3.7. 정치범의 사면을 단행하였으며 위기 극복을 위한 국민의 자급 자족, 애국심 고양운동을 적극 전개하고 있음.

마. 수단

- 걸프전중 일관된 이라크 지지표명으로 부유 아랍권 및 서방국들로 부터의 원조가 중단되어 현재 심각한 경제난과 식량난을 겪고 있음.

바. 예멘

- 전후에도 이라크에 대해 일관된 지지 입장을 견지하고 있으며, 쿠웨이트 주권이 회복되었으므로 다국적군의 이라크 잔류는 유엔 결의안에 위배된다고 주장하며 다국적군의 즉각 철수를 촉구하고 있음.

0096

ㅇ 한편 이라크 전후 복구에도 적극적 관심을 표명하고 있는바, 우유와 의약품 29톤 및 혈액 1톤을 공수 지원하였으며 노조연합회 이름으로 이라크 전후 복구지원을 위한 자원 봉사자 모집을 발표하였음.

사. PLO

ㅇ 전쟁중 이라크에 대한 일관된 지지표명으로 부유 아랍국들로부터의 원조가 대폭 감소되었고 서방국들의 반감을 사게되어 국제사회에서의 입지가 대폭 약화되었음.

ㅇ 한편 이라크 패전에 따른 '팔'인들의 허탈감 및 또다시 패자를 지원했다는 좌절감등으로 '팔'인들의 PLO 에 대한 지지도 약화될 것으로 보이며 PLO 내부에서의 아라파트 의장의 입지도 현저히 약화된 것으로 관측됨.

아. 리비아

ㅇ 친이라크 중립입장을 유지해왔던 리비아는 전쟁후에 내부 혼란상은 나타나지 않고 있음.

ㅇ 카다피 지도자는 전쟁후 마그레브 지역내에서의 지도적 위치를 차지하기 위하여 3.9-11간 리비아에서 제3차 아랍 마그레브 연맹 정상회담(모로코는 외상이 참석)을 개최하는등 적극적 외교정책을 추구하고 있으며 마그레브 지역과 EC 또는 지중해 연안 구라파 4국(불란서, 스페인, 이태리, 포르투갈)과의 협력강화 모색에 주도적 역할을 모색하고 있음.

ㅇ 또한 카다피 지도자는 이라크의 전후 복구에 적극적 관심을 표명하고 있는것으로 알려지고 있는바, 3.6. 리비아를 방문한 북한 외교부장 김영남과의 면담시 북한에게 이라크의 전후 복구 사업참여를 촉구하였으며, 이에대해 김영남은 복구사업 참여에 앞서 리비아가 북한·이라크의 국교회복을 주선하여 줄 것과 참여 경우에도 이에 필요한 재정 지원은 리비아가 해 줄것을 요청함. 끝.

0097

392

3P-2

外務部 걸프戰 事後 對策班

제 목 : 이라크 잔류 현대소속 근로자 동정

(현대건설 김호영 이사 보고 내용) 91. 3. 14.

1. 현 황

   o 바그다드 현대지점 본부 잔류 : 근로자 2명 및 가족 2명

   o 키와스 현장(키루쿠 지역) 잔류 : 직원 1명, 근로자 4명

2. 근 황

   o 최근 10일동안 요르단 현지인 메신저(현대 요르단 지점 고용)가 매일 이라크에 파견돼, 상기인들 소식을 접하고 있으며 또한 현대 본사측 메시지들을 전달

     - 이들 전원 무사함을 확인후 귀임

   o 3.13. 현대측, 동 메신저편에 최근 이라크 정세 불안(키와스 지역 치안상 위험성 상존)으로 키와스 체류 5명 전원을 바그다드 현대 본부로 이동토록 지시하는 본사의 메세지를 전달한 바 있음

0098

393

外務部 걸프戰 事後 對策班

제 목 : 걸프지역 안보 협력 체제 구축 동향

91. 3. 15.

1. 안보협력체제 구상요지

   o 전후 걸프지역 안보협력 구상은 아랍 8개국 외무장관회의(3.5-6 다마스커스)와 부쉬 미대통령 연설(3.6 상하원 합동회의), 그리고 베이커 미국무장관의 아랍 8개국 외무장관과의 회의(3.10 리야드)를 통해서 구체적인 윤곽이 드러남.

   o 미국과 아랍 8개국이 합의한 걸프지역 안보협력 구상의 핵심은 ①이집트, 시리아군을 주축으로한 항구적인 아랍 평화군 걸프지역 배치와 이를 뒷받침하는 미국의 강력한 군사력의 걸프지역 계속 유지, ②중동지역 군비 통제(특히 대량파괴 무기), ③역내 경제부흥 및 빈부국간 격차 해소 노력, ④항구적 중동평화 달성을 위한 팔레스타인 문제 해결로 요약됨.

   o 부쉬 대통령은 3.6. 연설에서 미 해군의 걸프지역 계속 주둔 및 미 공군. 지상군의 역내 합동훈련 참가 방침을 표명하고 지상군 계속 주둔 가능성은 배제하였음.

2. 분석 및 전망

   o 금번 걸프지역 안보협력체제 구상 합의는 걸프전 승리로 압도적 영향력을 행사하게 된 미국의 주도와 이집트, 시리아, 사우디등 역내 주요국의 동의로 이루어졌다는 점에서 소련, 이란등의 반대 가능성에도 불구, 큰 변동없이 전후 중동질서의 골격을 이루게 될 것으로 보임. 소련은 걸프지역 안보체제 수립과정에 참여를 요구하고 전후질서 재편에 이라크를 배제해서는 안된다고 주장하고 있음. (2.28. 베스메르트니크 외무장관)

     - 이란은 미군의 즉각철수와 전후 안보체제 수립과정에 역내국가의 참여를 강조하고 있음. (3.3.라프산자니 대통령)

   o 베이커 미국무장관은 3.14-16 방소기간중 걸프지역 안보협력 체제를 비롯 아랍 8개국과 합의한 중동평화 구상에 대한 소련측의 이해를 구하게 될 것으로 예상되며, 아울러 부쉬 대통령도 3.14 미테랑 불란서 대통령과, 3.16 메이저 영국 수상과의 회담을 통해 주요 동맹국에 대한 통보내지 협의 절차를 갖게 될것으로 보임.

0099

o 이란에 대해서는 미국 및 아랍 8개국 외무장관들이 공동성명에서 이란과의 우호관계 증진 희망을 명시한바 있으며, 앞으로 이란의 반대를 무마하기 위해 걸프산유국의 대이란 협력 증진, 미-이란 관계 개선등이 추진될 가능성이 많을 것으로 사료됨. 시리아는 전전의 긴밀한 관계를 이용, 이란을 설득하고 있는 것으로 보임.

o 미국은 금번 아랍 8개국이 걸프사태 기간중의 결속을 바탕으로 이집트, 시리아의 안보협력 댓가로 GCC산유국이 상당한 규모의 경제원조 (일부에서는 150억불로 추측)를 제공하는 타협을 통해 전후 계속협력기반을 마련하는데 성공함. 그러나, 과거 시리아의 대이집트 및 대GCC 관계와 이합집산을 거듭해온 중동지역내 역학관계의 경험에 비추어 새로이 탄생한 GCC-이집트-시리아 밀월관계가 얼마나 오랫동안 지속될지 여부는 단정키 어려움.

o 특히 미국이 팔레스타인 문제 해결을 위한 이스라엘의 양보를 얻어내는데 실패할 경우에는 아랍권 전반의 반미, 반서방 감정을 감안할때 아랍 8개국중 일부국가(특히 시리아)의 조기이탈 가능성도 배제할 수 없을 것임. 끝.

0100

3P5

395

첨부

1. 중동평화를 위한 4개 합의사항 (베이커 미국무장관과 아랍 8개국 외무장관 회담, 3.10 리야드)
   - o 미국의 강력한 군사력 역내 유지의 뒷받침하에 항구적인 이집트-시리아 연합군 설립
   - o 역내 경제 협력 증진
   - o 역내 무기 유입 둔화
   - o 아랍-이스라엘 평화증진(이스라엘 국가인정의 댓가로 점령지 포기)

2. 중동 평화를 위한 4가지 도전 (부쉬 미대통령의 3.6 상하원 합동회의 연설)
   - o 공동 안보체제 (shared security arrangements) 수립
     - 걸프지역에 미해군 계속 주둔 및 미공군.지상군의 역내 합동훈련 참여(미지상군 계속주둔 가능성은 배제)
   - o 대량 파괴 무기의 역내 확산 통제
     - 대이라크 무기 금수 계속
   - o 이스라엘-아랍-팔레스타인간 화해 달성
     - 유엔 안보리 결의 242 및 338호를 기초로 이스라엘의 국가 및 안보 요구 인정, 팔레스타인인의 정당한 정치적 권리 보장
   - o 역내 평화와 진보를 위한 경제개발 노력강화

3. 다마스커스 선언 요지 (아랍 8개국 외무장관회의, 3.5-6 다마스커스)
   - o 이집트, 시리아군을 주축으로한 아랍 평화유지군 창설
   - o 역내 경제협력 강화
   - o 중동지역에서 핵무기등 대량살상무기 제거 촉구
   - o 이라크 영토 보전 지지

0101

396 ㄴ 3p6

外務部 걸프戰 事後 對策班

제 목 : 사담 후세인의 민주화 조치 발표와 정권의 장래

91. 3. 18.

1. 사담 후세인 대통령의 민주화 조치 발표
   - o 사담 후세인 대통령은 3.16 대국민 연설을 통해 민주화 조치를 발표 하였는바, 이는 ① 새헌법을 마련 국민투표에 회부토록 하며 이에따라 새국회 구성 ② 다당제 실시 ③ 내각 대폭 개편(집권 Baath당 간부는 가급적 배제) 및 부흥부 신설을 주요내용으로 하고 있음.
   - o 아울러 동 대통령은 내란 진압 상황에 대하여 남부 시아파의 반란은 성공적으로 진압되었으며 북부에서는 반란이 아직 계속중이나 곧 진압시킬 것이라고 말하고, 일부 주변국가들이 그들의 영토를 기지로 삼아 이라크에 파괴분자를 침투시키고 있다고 비난함.
2. 이라크 내란 동향
   - o 2.28 부쉬 미대통령의 정전발표 직후 남부지역에서 반사담 후세인 시위가 처음으로 발생함.
   - o 남부지역의 반사담 시위는 일부 정부군의 가담으로 곧 대규모 무장 봉기화 되었으며 북부지역 거주 Kurd족도 무장투쟁을 개시함.
   - o 이라크 정부의 외국 특파원 전원 출국조치등 언론통제로 정확한 상황은 파악키 어려우나, 이란 및 반군 소식통에 의하면 북부지역에서는 Kurd족 반군이 이라크 제3의 도시 모술과 유전도시 키르쿡을 포함 상당한 지역을 장악하고 있다함. 그러나 한때 제2의 도시 바스라를 장악하는등 큰 세력을 떨쳤던 남부 시아파 반군은 공화국 수비대등 정부군의 강력한 반격으로 상당히 약화된 것으로 관측됨.
   - o 한편, 여러 계파를 망라한 23개 이라크 반정부 단체는 3.11-13.간 베이루트에서 회합을 갖고 사담 후세인의 축출과 과도 연립정부수립을 결의함.

0102

3. 각국의 입장 및 반응

가. 미국

o 걸프전 기간중부터 사담 후세인의 거세를 사실상 목표로 추구해온 미국은 공식적으로는 이라크 내전 불개입을 천명하고 있으나, 반군에 대한 화학무기 사용시 방관하지 않겠다고 경고(3.10. 베이커 국무장관)하고 헬기 및 전투기 사용은 정전협정 위반이라고 지적(3.14. 부쉬 대통령)하는등 대이라크 압력을 늦추지 않고 있음.

o 부쉬 대통령은 3.13 사담 후세인이 건재하는한 대이라크 관계 정상화는 불가능하다고 강조하는 동시 이란의 이라크 영토 침범 가능성도 경고하였는바, 이는 사담 후세인의 제거와 이란의 영향력 확대 저지라는 일응 상반된 목표를 추구하고 있는 미국의 고민을 보여준 것으로 해석됨.

나. 소련

o 소련은 앞으로 이라크 국민이 지지하는 지도자와 관계를 맺이 나가야 될 것이라는 입장을 천명(2.28. 베스메르트니크 외무장관), 소련의 대이라크 정책이 사담 후세인 개인의 운명과는 직접적 관련이 없음을 분명히 함.

다. 영,불등 서방권

o 사담 후세인이 전후 이라크를 통제하기에 적절치 않은 인물로 보며 (2.27. 허드 영 외무장관), 이라크의 패배로 인해 야기된 각종문제로 사담 후세인 정권이 오래 유지하지 못할 것이라고 논평(2.24. 미테랑 불 대통령) 하는등 사담 후세인의 퇴진을 희망함을 밝힘.

라. 사우디, 이집트등 반 이라크 진영 아랍권

o 이라크내 사담 후세인 대체세력에 대한 무조건 지지를 약속하고 (2.28. 파드 사우디국왕), 사담 후세인이 신뢰할 수 없는 사람이며 앞으로 그를 상대하지 않겠다고 언명(2.24. 무바락 이집트 대통령) 함으로써 사담 후세인 거세를 바라고 있음을 명백히 함.

마. 이란

o 이란은 당초 미국의 사담 후세인 정권 전복 주장이 사태를 악화시킬수 있다고 언급(2.24. 라프산자니 대통령), 현 이라크 정부의 유지를 바라는 듯한 태도를 취했으나, 내란 발생후 시아파 반군에 동조, 종래 입장을 바꾸어 사담 후세인의 퇴진을 주장하고 나섬.

0103

o 라프산자니 대통령은 3.8. 사담 후세인이 국민의 뜻에 따라야 할 것이라고 언급, 사담 후세인의 퇴진을 간접 촉구하고, 3.10에는 이라크가 직면한 내전 및 영토 분단 위기에 우려를 표명.

o 이란은 이라크내 시아파 반군에 물적 지원을 제공하고 있는 것으로 추측되며, 이와관련 사담 후세인의 3.16 연설에서도 이란을 겨냥 주변국의 반군 지원을 비난한 바 있음.

4. 분석 및 전망

o 사담 후세인 정권은 장기간의 독재정치와 8년간의 이.이전 및 걸프전으로 인한 막대한 인명 피해 및 경제적 손실로 심각한 국민적 저항에 직면하고 있을 뿐 아니라 대외적으로도 미.EC등 서방권과 GCC, 이집트, 시리아, 이란등 주변 국가들이 사담 후세인 거세를 희망하고 있어 장기적 관점에서 동 정권이 안정을 되찾기는 상당히 어려울 것으로 보임.

o 금번 사담 후세인의 민주화 조치 발표는 국민의 불만 무마 및 반정부 세력의 결속 이완을 노린 정치적 제스츄어로 보이는바, 구체적 시간표가 제시되지 않은 점과 사담 후세인의 집권동치 전력등으로 보아 동인의 민주화 약속이 국내외의 신뢰를 얻을 가능성은 별로 없음.

o 사담 후세인 이후의 후계정권에 대한 전망은 매우 불투명 한바, 일부에서는 현 정부 핵심세력중 일부와 군부와의 제휴를 통해 사담 후세인을 축출하게 될 가능성이 가장 큰 것으로 예측하고, 만일 새로운 정부의 등장이 조기에 이루어 지지 않을 경우에는 이라크가 제2의 레바논화 되어 지역안정을 해칠 가능성에 대해 아랍과 서방이 모두 우려하고 있음.

o 이라크 총인구의 55%를 차지하며 현재 반사담 후세인 세력중 가장 강력한 잠재력을 가진 시아파는 이란의 영향력 확대를 우려한 사우디등 온건 아랍국과 미국등 서방권의 반대로 집권이 어려울 것으로 예상되며, 제2의 세력인 Kurd족은 소수 민족으로서 중앙정부를 담당할 능력이 없을 뿐 아니라 이라크와 같이 Kurd 소수 민족 문제를 안고 있는 터키, 소련등의 견제를 받아 일정 수준 이상의 세력 신장이 불가능할 것으로 전망됨.

o 이라크 내에 뚜렷한 차기 정권 대안이 떠오르지 않고 있는 점과 이라크의 내전 격화로 인한 제2의 레바논화에 대한 우려를 고려할 때, 현단계에서 사담 후세인이 당분간 계속 집권할 가능성도 있으나 이경우에도 국내외 제반 여건상 사담 후세인 정권이 앞으로 장기간 유지될 가능성은 크지 않을 것으로 보임. 끝.

0104

3PP
399

外務部 걸프戰 事後 對策班

1991. 3. 18
(중동 2 과)

題 目 : 미국의 팔레스타인 問題解決 構想

1. 미국의 平和構想 및 關聯國 立場

ㅇ Gulf 戰 終戰이후 부쉬 美大統領의 議會演說, 다마스커스 아랍 8개국 (GCC 6개국 및 이집트, 시리아)外務長官 會談, 베이커 美國務長官의 中東 巡訪을 통해 윤곽이 드러나고 있는 미국의 팔레스타인 問題를 圍繞한 아랍·이스라엘 紛爭解決 方案의 要諦는 이스라엘의 占領地 抛棄, 아랍권의 이스라엘 承認, 즉 領土와 平和의 交換原則이며 이의 方法論으로 ① 이스라엘·아랍國家間 및 이스라엘·팔레스타인간 對話라는 兩面協商과 ② 이스라엘, 팔레스타인, 周邊 아랍국들이 參與하는 中東地域 平和會議 開催로 要約될수 있음. 同 中東地域 平和會議에는 美, 蘇, 英, 佛등 歷史的, 地理的으로 利害가 깊은 強大國들도 後援者 자격으로 參加토록 구상된 것으로 觀測됨.

ㅇ 아랍 8개국과 이스라엘은 上記 미국의 兩面協商과 中東地域 平和會議 構想에 原則的으로 同意하였으나 이스라엘은 아랍권이 이스라엘의 生存權을 認定치 않는한 占領地 抛棄를 協商의 前提條件으로 삼을 수 없다는 立場을 보이고 있으며 아랍측은 유엔결의안 242호 및 338호 履行 및 팔레스타인 獨立國 創設의 旣存立場을 고수함. 한편 PLO측은 對이스라엘 協商에 응할 用意는 있으나 팔레스타인의 自決權을 保障한 유엔결의안은 遵守되어야 한다는 立場인 반면 이스라엘은 PLO의 팔레스타인 代表權을 認定하지 않고 있음.

ㅇ 영국과 카나다는 上記 미국의 構想을 受容하는 立場이나 소련과 불란서는 PLO 의 代表權 認定 및 中東平和 國際會議 開催등 旣存立場에 큰 變化를 보이지 않고있음.

0105

400

2. 分析 및 展望

ㅇ 일단 미국, 아랍, 이스라엘이 中東平和를 위한 兩面協商에 합의한 것으로 보아 問題解決 方法論에 있어서는 共感帶를 形成해 가고 있는것으로 보임. 그러나 팔레스타인 問題의 核心은 이스라엘의 占領地 處理問題인바, 미국의 構想대로 라면 이스라엘은 占領地를 전부 抛棄해야 하고 팔레스타인人은 이곳에 獨立國家를 세울수 있어야 하나, 이스라엘은 아랍권의 이스라엘 承認이 선행되지 않는한 安保上의 이유로 占領地 抛棄는 協商의 對象이 될수없고 다만 制限的 自治權만 부여하겠다는 것이며 미국 또한 "팔" 國家 設立을 支持한다는 言及은 없는반면 아랍측은 "팔" 獨立國家 創設을 주장하고 있어 核心問題에 대한 基本的 立場이 서로 배치되고 있음.

ㅇ 일부 中東問題 專門家들은 이스라엘 占領地와 요르단間의 聯合國家 樹立 方案이 베이커 國務長官의 腹案中에 包含되 있을 것이라고 豫想하면서 同方案이 현재로서는 아랍권의 支持를 確保할 可能性이 가장 큰 方案으로 觀測하고 있는바, 그 이유로는 ① 이스라엘이 "팔" 獨立國家 樹立을 결코 許容할수 없으며 ② 占領地域만으로 獨立國家를 樹立하는 것이 사실상 不可能하고 ③ 요르단 人口의 절반이 팔레스타인人 점등 두지역의 歷史的 連帶 關係 및 住民의 同質性을 들고 있음.

ㅇ 결국 팔레스타인문제 解決의 關鍵은 미국이 어느정도까지 이스라엘의 讓步를 얻어내느냐 하는 것인데 이에 失敗할 경우 아랍권 전반의 反美感情을 감안할때 膠着狀態에 빠질 可能性도 排除할 수 없음.

ㅇ 새로운 中東平和案 發表에 이은 베이커 國務長官의 中東 및 소련巡訪, 부쉬 大統領의 카나다, 불, 영 頂上과의 接觸등 多角的 外交的 努力을 통하여 미국은 유엔을 중심으로한 中東平和 國際會議 開催를 주장해온 소련, 불란서 등의 영향력 행사를 牽制하면서 일단 中東問題 解決에 있어서의 주도적 役割을 수행키 위한 基盤을 造成한 것으로 平價됨. 끝.

0106

※ 安保理決議 242

(1967년 11월 22일)

安保理事會는 中東에 있어서 중대한 事態가 계속 일어나고 있는데 대한 우려를 表明하고 戰爭에 의한 領土取得이 인정되지 않는다는 것과 中東地域의 모든나라들이 安全하게 生存할 수 있는 公正하고 永久的인 平和를 위해 努力할 必要가 있음을 強調하며, 또한 모든 加盟國이 UN 憲章을 受諾함에 있어 同 憲章 제2조에 따라서 行動할 義務가 있음을 強調하며,

1. 憲章의 諸原則의 수행을 위하여 다음의 양 原則의 適用을 包含하여 中東의 공정하고 永久的인 義務가 있음을 強調하며,
   a. 최근의 戰爭으로 占領한 領土에서 이스라엘의 撤收
   b. 모든 交戰의 주장 및 交戰狀態의 종결, 동시에 同 地域의 모든 나라들의 主權, 領土保全 및 政治的 獨立이 무력의 위협 또는 무력의 행사를 받음이 없는 安全하고 承認된 境界에서 平和롭게 生存할 權利의 尊重과 確認
2. 또한 다음의 제문제의 必要性을 確認한다.
   a. 同地域에 있어서 國際水路의 航行의 自由를 保障할 것
   b. 難民問題의 공정한 解決을 달성할 것
   c. 非武裝地帶의 設定을 包含하는 諸措置를 취함으로써 同 地域의 모든 나라들의 領土不可侵과 政治的 獨立을 保證할 것

3. 事務總長에 대하여 이 決議의 條項과 原則에 따라 合意를 促進하고 평화적으로 受諾된 解決에 到達하기 위하여 努力하며 그것을 위하여 關係國과의 接觸을 確立하기 위하여 特使任命을 要請한다.

4. 事務總長에 대하여 特使活動의 진척을 지체없이 安保理에 報告할 것을 要請한다.

402

402

※ 安保理決議 338

(1973년 10월 22일)

安保理事會는

1. 현재 戰鬪의 모든 當事者에 대하여 이 決定이 採擇된 시간부터 12시간 이내에 즉시 當事者가 현재 占領하고 있는 位置에서 모든 戰鬪를 停止하고 모든 軍事行動을 終結할 것을 要請한다.

2. 關係當事者에 대하여 정전후에 즉시 安保理決議 242(1967)이 모든 部分에 관하여 수행을 開始할 것을 要請한다.

3. 停戰과 동시에 즉시 中東에 있어서 공정하고 永續的인 平和의 樹立을 目的으로하는 交涉이 적당한 主催機關下에 關係當事者間에 開始되어야 함을 決定한다.

0108

外務部 걸프戰 事後對策班

제 목 : 이라크 駐在 5個國 公館 再開

91. 3. 21.
中東 1課

1. 5個國 公館 早期 再開 豫定 (3.20. 바그다드發 Reuter)
   - o 바그다드 주재 外交官들에 의하면 인도, 유고, 인니, 나이지리아, 폴란드 등 5個國 大使館이 가까운 장래에 再開될 豫定이며, 이미 同國 外交官들이 바그다드에서 公館長 歸任 準備를 하고 있다함.
   - o 한편, 中國 大使가 지난주 歸任, 걸프전 終戰後 바그다드에 歸還한 最初의 外國 公館長이 됨.

2. 分 析
   - o 상기 5個國中 폴란드를 除外한 4個國이 非同盟 會員國 이며 동 4개국 모두가 걸프戰의 平和的 解決 方案 論議를 爲한 非同盟 15個國 外務長官 會議 (2.12. 벨그라드)에 參與했다는 사실이 특기할 점임. 특히 이중 인도와 유고는 戰爭勃發 直前 非同盟 仲裁案을 가지고 이라크에 入國하기 위해 外相들이 테헤란에서 待機하였으나 사담후세인 面談이 不可能하다는 통보에 접하고 이라크 入國을 抛棄하고 돌아간 일이 있는 나라들임.
   - o 상기 5個國이 駐이라크 大使館을 早期 再開키로한 理由로 인도의 경우는 걸프戰 期間中 美國主導 반이라크 陣營과 다소 거리를 두어온 사실과 이라크에 많은수(800여명)의 自國民이 殘留하고 있는점이 考慮될 수 있을 것이며, 유고, 폴란드의 경우는 戰前 이라크와 緊密한 經濟 通商 關係를 가지고 있었던 事實과 聯關이 있을 것으로 보임. 인니, 나이지리아의 경우에는 특별히 大使館 再開를 서둘 兩者關係上의 理由는 찾기 어려움.
   - o 한편, EC 國家들은 3.4. 外務長官 會議에서 駐이라크 大使館 復歸 問題에 共同 補助를 취하되 이라크 政情不安 및 對이라크 政治的 關係(제재조치 해제 문제등)를 考慮 當分間 觀望키로 合議한 바 있으며, 일본, 카나다등도 아직 大使館 復歸 時期에 관한 具體的 決定을 내리지 못하고 있는 것으로 把握됨.
   - o 戰前 이라크에는 73個 大使館이 駐在하였는바 大部分은 戰爭 勃發 以前 撤收하였으나, 소련, 예멘, 수단, 모리타니아등 一部 國家는 外交官을 繼續 殘留시켰던 것으로 알려짐. 끝.

0109

404

404

外務部 걸프戰 事後 對策班

題　目 : 사우디.이란間 3年만에 外交關係 再開 合意

91. 3. 22.
中 東 1 課

1. 斷交 및 復交 經緯

 ㅇ 사우디와 이란은 87.7 메카 流血事態 로 이란 巡禮者 275名이 死亡하고 그후 88年初 테헤란 駐在 사우디 大使館 襲擊事件으로 사우디 外交官 1名이 死亡 하자 88.4.26 國交를 斷切하였음.

 ㅇ 그후 걸프戰이 한참 進行中이던 지난 1.30 이란 外務長官은 사우디를 訪問하여 파드國王을 面談함으로서 兩國關係 正常化가 豫見되던中, 3.17 兩國 外務長官은 오만에서 會談을 갖고 共同코뮤니케를 통해 3.26字로 國交 再開 및 91. 6月 부터 메카에 이란人 聖地 巡禮者 11萬名 訪問에 合意 하였다고 發表하였음.

2. 分析 및 評價

 ㅇ 이란은 國家 財政의 主된 收入源인 原油 輸送路로서의 걸프海域 安全航海의 必要性을 切感하고 있으며 이는 GCC國家들의 利害와도 一致되고 있어 相互 圓滿한 關係 維持는 雙方의 共通된 希望임.

 ㅇ 또한 이란은 現在 論議中인 GCC와 이집트, 시리아로 構成되는 아랍 平和 維持軍을 主軸으로 하는 걸프地域 安保體制에 이란이 排除된데 대해 크게 반발하고 있고, 地理的으로나, 軍事的으로나 이란의 參與없는 걸프地域 安保體制의 實效性에는 限界 가 있을수밖에 없으므로 사우디는 이란이 비록 아랍國은 아니지만 이란을 어떤 形態로든 參與시켜야 한다는 現實的 必要性을 느낀것이 이번 사우디.이란 復交의 主要 背景이 되었을 것으로 봄

 ㅇ 이란은 사우디와의 關係 正常化로 親美 路線을 걷고 있는 사우디를 통한 對美關係 改善을 시도해 보려는 意圖 도 있는 것으로 分析됨. 다만 이란內 强硬派의 反美 路線 固守等으로 라프산자니 大統領等 穩健派의 對西方 關係 改善 努力에는 일정한 限界가 있을것으로 展望됨.

 ㅇ 한편 사우디.이란 兩國關係 正常化에는 오만 外務長官의 이란 訪問, 오만 開催 GCC 外相會議에 이어 이루어진 것으로 볼때 오만側의 役割이 컷던 것으로도 分析되는바, 오만의 仲裁役割이 돋보임 .　　끝.

0110

405 4-05

外務部 걸프戰 事後 對策班

題 目 : 걸프戰 關聯 아시아地域 間接 被害國 狀況

91. 3. 23.
中 東 1 課

1. 概 要

o 中東地域에 많은 勞動力을 輸出하고 있는 필리핀, 방글라데시, 스리랑카, 파키스탄, 태국等 아시아 國家들은 걸프戰 勃發以後 自國 勤勞者의 大擧 撤收로 말미암아 本國 送金이 크게 減少되어 財政的으로 打擊을 받고 있는바, 該當 公館을 통해 調査한 被害 狀況 및 關聯動向은 아래와 같음.

2. 各國 政府의 間接被害 推算額

가. 필 리 핀 : 약 20억불

o 勤勞者 送金 減少額 월 4억불 (철수 근로자수 미상)

o 쿠웨이트 銀行 預置金 損失 2천5백만불

※ 쿠웨이트에 10억불, 이라크에 10억불의 賠償金 請求 計劃

나. 방글라데시 : 약 8억불

o 勤勞者 送金 減少額 2억불 (중동 근로자 12만명중 8만명 철수)

o 油價 上昇으로 인한 追加 負擔 2억불

o 對中東 輸出 減少額 1억2천만불

o 中東 勤勞者 撤收 및 定着 支援 經費 5천만불

o 쿠웨이트 및 이라크 銀行 豫置金 損失 2천7백만불

※ IMF 에서 2억6천만불 補塡

다. 스리랑카 : 약 1억불

o 勤勞者 送金 減少額 3천만불 (중동 근로자 10만명중 8만명 철수)

o 油價 上昇으로 인한 追加 負擔 7천만불

※ 단, 홍차등 主產品의 輸出 好轉으로 國際收支上 純損失額은 5천만불로 推算

라. 파키스탄 : 약 1억불

o 勤勞者 送金 減少額 1억불 (중동 근로자 10만명 철수)

0111

406

406

마. 태 국 : 약 1억불

ㅇ 勤勞者 送金 減少額 1억불(中東 勤勞者 24만명중 9만5천명 撤收)

바. 인도네시아

ㅇ 中東地域 勤勞者 10만명중 撤收 勤勞者가 거의 없음

3. 關聯 動向

ㅇ 上記國家中 필리핀, 방글라데시, 스리랑카, 파키스탄은 餘他地域 被害國과 함께 總 21個國이 共同 行動을 취하기로 하고, 유엔이 決議한 대이라크, 쿠웨이트 經濟 制裁 措置를 履行함으로써 同國들이 입은 經濟的 損失의 報償을 促求하는 21개국 共同名義의 安保理앞 覺書 提出을 準備中이라 함.

ㅇ 上記 21개국은 同國들의 經濟的 損失 總額을 약 300억불로 推算하고 있으며, 安保理앞 覺書에서 아래와 같은 報償 對策을 要請할 豫定이라 함.

- 主要 供與國들의 追加 財政支援 措置
- 유엔 關聯 機構들의 特別援助 計劃 樹立
- 戰後 經濟 復舊 및 開發事業에의 參與 支援
- 自國產品 市場 回復

참고 ① 21개국 명단 : India, Bangladesh, Pakistan, Philippines, Sri Lanka, Vietnam, Uruguay, Bulgaria, Czechoslovakia, Poland, Romania, Yugoslavia, Sudan, Syria, Tunisia, Yemen, Jordan, Lebanon, Mauritania, Djibouti, Seychelles

② 상기 21개국은 자국의 경제적 손실 문제에 대한 안보리 제기의 근거로 유엔헌장 50조를 원용하고 있는바, 헌장 50조는 "유엔 회원국 및 비회원국이 안보리의 제재 조치를 이행함으로써 야기된 경제적 문제의 해결을 안보리와 협의할 권리가 있다"고 규정하고 있음.

ㅇ 日本政府는 3.20. 페灣 危機 對策本部 會議(本部長 : 가이후 首相)에서 決定한 『中東地域 諸問題에 대한 當面 施策』에서 걸프事態로 經濟的 打擊을 받은 關係國에 대한 支援 方針을 發表하였는바, 上記 아시아 地域 被害國들도 支援 對象國에 包含될 것으로 豫想됨. 끝.

0112

407

外務部 걸프戰 事後對策班

題　目 : 이라크 內閣 改編

91. 3. 25.
中 東 1 課

1. 內閣 改編 內容
   - ㅇ 사담후세인 大統領은 3.23. 自身이 兼任해오던 首相職에 Saadoun Hammadi 副首相(革命評議會 委員中 唯一한 시아파)을 任命하고 Khodeir 大統領 秘書室長을 새 外務長官으로 任命하는등 內閣 改編을 斷行함. 同 大統領 側近인 內務, 國防, 軍需産業長官등 主要 部處 長官들은 留任되었고, Tariq Aziz 前 副首相兼 外務長官은 副首相職만을 繼續 維持하게 됨.
   - ㅇ 이에 앞서 후세인 大統領은 3.22. Kurd족 出身인 Marouf 副統領을 解任하고 Ramadan 第1副首相을 새 副統領으로 任命함.
   - ㅇ 상기 외에도 금번 內閣 改編에서 약 半數의 閣僚가 更迭되었고 新內閣에 3인의 Kurd족 閣僚가 包含 되었다고 하는 一部 言論 報道가 있음. (新內閣 全體 名單은 未詳)

2. 分析 및 評價
   - ㅇ 금번 內閣 改編에서 사담후세인은 79년 執權以來 兼任해온 首相職을 내어 놓았으나 아직도 最高 意思決定 機構인 革命評議會(RCC) 議長과 軍 最高 司令官, 執權 Baath당 書記長職을 保有 하고 있어 內閣 改編으로 同人의 絶對 權力者로서의 地位에 어떠한 變化가 있다고 보기는 어려움. 단, 쿠웨이트 外務次官은 3.24. 外交團 브리핑에서 사담후세인의 首相職 抛棄에 注目하고 同人의 絶對的인 位置에 異常이 생기고 있는 徵候라고 論評함.
   - ㅇ 금번 內閣 改編에 대하여 日本 外務部 當局者는 후세인 大統領의 政權 延命策이라고 論評하였으며, 부쉬 美大統領도 사담후세인이 權座에 남아있는 한 이라크와의 關係 改善은 있을수 없음을 다시한번 분명히 함. 아울러, 이라크 回教 革命 最高 評議會(SAIRI), Kurd 민주당등 反政府 勢力들도 이번 內閣 改編에 意味를 附與하지 않고 후세인이 退陣하지 않는한 繼續 鬪爭하겠다는 立場을 表明함.

0113

408

o 사담후세인 大統領이 首相職을 내어놓고 유일한 시아파 閣僚이며 그동안 이란과의 協商 窓口를 맡아온 Hammadi 副首相을 새 首相으로 起用한 것은 국내 시아파와 그 背後 支援國인 이란을 懷柔하는 동시에 1인 獨裁體制에 變化가 있음을 보여주어 自身에 대한 國內外의 退陣 壓力을 多少라도 緩和해 보려는 苦肉之策으로 分析되나, 동인이 實權을 繼續 掌握하고 있는한 이러한 試圖가 成果를 거둘 可能性은 稀薄함.

o Aziz 外務長官 更迭에 대해서는 걸프事態 期間中 아랍권의 支持 確保 失敗등에 따른 問責性 人事로 보는 見解도 있으나, 同人이 副首相職을 繼續 保有하고 있고 또 걸프戰 期間中 蘇聯을 2回 訪問, 平和案을 이끌어 내는등 外務長官으로서의 職務 遂行에 큰 失手가 없었음을 勘案할때, 걸프戰 敗戰後 새로운 人物을 外交 一線에 내세워야할 必要性에 따른 循環人事로 보는 것이 보다 妥當할 것으로 보임.

o 한편, Marouf 副統領의 更迭은 동 職責이 儀禮的인 자리임에 비추어 實質的으로 큰 意味는 없겠으나 다만 同人이 Kurd족에 대한 配慮로 副統領職에 있었다고 보았을때 報道대로 今番 改閣에서 Kurd족 3명이 閣僚에 새로 任命되었다면 Kurd족에 대한 配慮는 繼續되고 있다고 보아야 할것임.

o 今番 改閣은 3.16. 사담후세인이 對國民 談話를 통해 民主化 改革 措置를 發表하면서(3.18.자 대책반 보고서 "사담후세인의 민주화 조치 발표와 정권의 장래" 참조), 大規模 內閣 改編을 約束한데 따른 것으로 보며, 一部 言論에는 쿠데타說 도 있었으나 사담후세인의 政府內 權力基盤이 弱化된 結果로는 보지 않는것이 一般的인 觀察임.

參 考 Saadoun Hammadi 新任 首相 略歷

- 生年月日 : 1930. 6.22. (이라크 南部 回敎聖都 Kerbala 出生)
- 學 歷 : 베이루트 American大 卒 (農業學 博士)
  美 Wisconsin大 修學 (經濟學)
- 主要經歷 : Al-Jumhoriya紙 編輯長
  바그다드大 經濟學 敎授
  農業改革長官 (1963)
  石油.鑛物長官 (1968-74)
  外務長官 (1974-80)
  國會議長 (1980-89)
  副首相(1989-現在) ※ 對外問題擔當 國務長官 兼任 끝.

0114

409

外務部 걸프戰 事後對策班

題 目 : 最近 쿠웨이트 復舊事業 豫想 規模 評價

91. 3. 25.
中 東 1 課

1. 槪 要

걸프戰後 歐美 主要 國家들이 當初 豫想한 쿠웨이트의 緊急復舊(90일간) 및 長期 復舊事業 總所要額은 약 800-1,000억불로 推定하였으나, 最近 主要國家 駐在 우리公館 報告에 의하면 豫想보다 크지 않을것으로 展望된다 함.

2. 主要國家 業界等 評價 (要約)

美 國

- 美 工兵團이 現地 被害 狀況調査를 大部分 完了한바, INFRASTRUCTURE 被害는 當初보다 적음 (3.20. 美土木技術者協會 워싱턴지부 主管 講演會에서 工兵團 企劃參謀長 發表)

英 國

- 90日間 緊急 復舊工事 所要額 10억불정도(3.18. 商工部 後援 WESTMINSTER 經營諮問會社 開催 세미나 發表)

佛蘭西

- 現地 出張한 政府, 業界 人士들에 의하면, 石油分野를 除外하고 道路, 橋梁, 上下水 施設은 破壞되지 않았으며, 大規模 商街, 住宅 被害도 크지 않은바 쿠웨이트 復舊事業이 世紀的 規模가 될것이라는 主張은 幻想에 不過 (最近 佛蘭西 有力經濟誌 LA TRIBUNE L'EXPANSION 報道) 끝.

0115

외교문서 비밀해제: 걸프 사태 4
걸프 사태 일일 보고

초판인쇄 2024년 03월 15일
초판발행 2024년 03월 15일

지은이 한국학술정보(주)
펴낸이 채종준
펴낸곳 한국학술정보(주)
주 소 경기도 파주시 회동길 230(문발동)
전 화 031-908-3181(대표)
팩 스 031-908-3189
홈페이지 http://ebook.kstudy.com
E-mail 출판사업부 publish@kstudy.com
등 록 제일산-115호(2000. 6. 19)

ISBN 979-11-6983-964-8 94340
979-11-6983-960-0 94340 (set)

책에 대한 더 나은 생각, 끊임없는 고민, 독자를 생각하는 마음으로 보다 좋은 책을 만들어갑니다.